標準理学療法学

専門分野

■シリーズ監修

奈良　勲　広島大学・名誉教授

理学療法評価学

第4版

■編集

内山　靖　名古屋大学大学院医学系研究科総合保健学専攻・教授
岩井信彦　神戸学院大学総合リハビリテーション学部理学療法学科・学科長/教授

■編集協力

横田一彦　東京大学医学部附属病院リハビリテーション部・技師長
森　明子　兵庫医科大学リハビリテーション学部理学療法学科・准教授
鈴木里砂　文京学院大学保健医療技術学部理学療法学科・准教授

医学書院

標準理学療法学 専門分野
理学療法評価学

発　　行　2001年 1 月 1 日　第1版第 1 刷
　　　　　2003年 5 月15日　第1版第 4 刷
　　　　　2004年 3 月15日　第2版第 1 刷
　　　　　2017年10月15日　第2版第16刷
　　　　　2019年 3 月15日　第3版第 1 刷
　　　　　2021年11月15日　第3版第 4 刷
　　　　　2023年 2 月 1 日　第4版第 1 刷©

シリーズ監修　奈良(なら)　勲(いさお)
編　　集　内山(うちやま)　靖(やすし)・岩井信彦(いわいのぶひこ)
編集協力　横田一彦(よこたかずひこ)・森(もり)　明子(あきこ)・鈴木里砂(すずきりさ)
発 行 者　株式会社　医学書院
　　　　　代表取締役　金原　俊
　　　　　〒113-8719　東京都文京区本郷 1-28-23
　　　　　電話　03-3817-5600(社内案内)
印刷・製本　大日本法令印刷

ISBN978-4-260-04969-6

執筆者一覧〈執筆順〉

内山　靖　名古屋大学大学院医学系研究科総合保健学専攻・教授
永冨史子　川崎医科大学総合医療センターリハビリテーションセンター
松葉好子　横浜市立脳卒中・神経脊椎センターリハビリテーション部・副部長
岩井信彦　神戸学院大学総合リハビリテーション学部理学療法学科・学科長/教授
森本陽介　神戸学院大学総合リハビリテーション学部理学療法学科・准教授
鈴木里砂　文京学院大学保健医療技術学部理学療法学科・准教授
片山芳信　姫路ハーベスト医療福祉専門学校理学療法学科・副学科長
福元喜啓　関西医科大学リハビリテーション学部・准教授
井上倫恵　名古屋大学大学院医学系研究科総合保健学専攻・助教
檀辻雅弘　株式会社ソリシス 訪問看護ステーション リ・ホーム
森　明子　兵庫医科大学リハビリテーション学部理学療法学科・准教授
坂東恵美子　神戸総合医療専門学校理学療法士科
高杉　潤　東都大学幕張ヒューマンケア学部理学療法学科・教授
神津　玲　長崎大学大学院医歯薬学総合研究科理学療法学分野・教授
西村真人　中国労災病院・中央リハビリテーション部長
橋立博幸　杏林大学保健学部理学療法学科・准教授
柳澤幸夫　徳島文理大学保健福祉学部理学療法学科・教授
城　由起子　名古屋学院大学リハビリテーション学部理学療法学科・准教授
髙橋秀平　愛知県三河青い鳥医療療育センター
野添匡史　甲南女子大学看護リハビリテーション学部理学療法学科・准教授
川端悠士　JA 山口厚生連 周東総合病院リハビリテーションセンター
阿部浩明　福島県立医科大学保健科学部・准教授
林　典雄　運動器機能解剖学研究所・所長
神谷健太郎　北里大学医療衛生学部リハビリテーション学科・教授
樋口由美　大阪公立大学大学院リハビリテーション学研究科・教授
西守　隆　関西医療学園専門学校理学療法学科・学科長
池田由美　東京都立大学健康福祉学部理学療法学科・教授
加藤　浩　山形県立保健医療大学大学院保健医療学研究科・教授
山田　実　筑波大学人間系・教授

河辺信秀	東都大学幕張ヒューマンケア学部理学療法学科・准教授
上薗紗映	平川病院リハビリテーション科・統括
磯　あすか	フィジオセンター
山本綾子	甲南女子大学看護リハビリテーション学部理学療法学科・教授
山崎重人	マツダ株式会社マツダ病院リハビリテーション科・療法士長
上野順也	国立がん研究センター東病院 リハビリテーション室・室長

刊行のことば

わが国において正規の理学療法教育が始まってから40年近くになる．当初は，欧米の教員により，欧米の文献，著書などが教材として利用されていた．その後，欧米の著書が翻訳されたり，主にリハビリテーション医学を専門とするわが国の医師によって執筆された書籍などが教科書，参考書として使われる時期が続いた．

十数年前より，わが国の理学療法士によって執筆された書籍が刊行されるようになり，現在ではその数も増え，かつ理学療法士の教育にも利用されている．これは，理学療法の専門領域の確立という視点から考えてもたいへん喜ばしい傾向であり，わが国の理学療法士の教育・研究・臨床という3つの軸がバランスよく噛み合い，“科学としての理学療法学”への道程を歩み始めたことの証ではないかと考える．

当然のことながら，学問にかかわる情報交換も世界規模で行われる必要があり，また学際領域での交流も重要であることはいうまでもない．さらに，情報を受けるだけではなく，自ら発信する立場にもなることが，真に成熟した専門家の条件ではないかと思われる．

1999年5月に横浜で開催された第13回世界理学療法連盟学会では，わが国の数多くの理学療法士によって演題が報告され，上記の事項が再確認されると同時に，わが国の理学療法学が新たな出発点に立ったことを示す機会ともなった．

一方で，医療・保健・福祉のあり方が大きな転換点にさしかかっている現在，理学療法士には高い専門性が求められ，その領域も拡大している．これらの点から，教育・研究・臨床の専門性を構築していくためには，理学療法学の各領域における現段階でのスタンダードを提示し，卒前教育の水準を確保することが急務である．

このような時期に，「標準理学療法学・作業療法学 専門基礎分野」シリーズ全12巻と並行して，「標準理学療法学 専門分野」シリーズ全8巻が刊行の運びとなった．

20世紀を締めくくり，21世紀の幕開けを記念すべく，現在，全国の教育・研究・臨床の分野で活躍されている理学療法士の方々に執筆をお願いして，卒前教育における必修項目を網羅することに加え，最新の情報も盛り込んでいただいた．

本シリーズが理学療法教育はもとより，研究・臨床においても活用されることを祈念してやまない．

2000年12月

シリーズ監修者

昭和 40 年(1965 年)に「理学療法士及び作業療法士法」が制定され，わが国に理学療法士が誕生した．しかし，それ以前から理学療法従事者によって理学療法が行われていた経緯がある．その過程で，いつしか“訓練”という言葉が，“理学療法”，“運動療法”，“ADL”などに代わる用語として頻繁に用いられるようになってきた．その契機の 1 つは，かつて肢体不自由児(者)に対して“克服訓練”が提唱された名残であるともいわれている．しかし，“訓練”という概念は，上位の者や指揮官が特定の行為・行動などを訓示しながら習得させるという意味合いが強い．軍事訓練，消火訓練などはその例である．また，動物に対して，ある芸や行為，行動などを習得させるときにも用いられる．

理学療法士は対象者と同等の目線で対応することや，インフォームドコンセント(informed consent)が重要視されている時代であることからも，「標準理学療法学 専門分野」シリーズでは，行政用語としての“機能訓練事業”および引用文献中のものを除き，“訓練”という用語を用いていないことをお断りしておきたい．

シリーズ監修者

第4版 序

2001年1月に，本書は，「標準理学療法学　専門分野」シリーズの1冊として刊行された．初版から3年後の2004年に小改訂を行った第2版を刊行した．その後，15年の時を経て，2019年に大幅な改訂を行い，第3版を刊行した．今回，第3版の小改訂として第4版を刊行するに至った．この間の編集体制は，初版はシリーズ監修者である奈良勲氏と内山靖で担当し，第2版では内山，第3版では内山に岩井信彦が加わった．第4版では，2人の編集者に，編集協力者として森明子氏，横田一彦氏，鈴木里砂氏を加えた体制で臨んだ．

初版から20年余りの間に，理学療法を取り巻く環境は大きく変化した．公的介護保険の施行，国際生活機能分類の提唱，エビデンスに基づく医療の推進とガイドラインの整備，地域医療計画に基づく地域包括ケアシステムの構築，多職種連携・チーム医療の推進，再生医療，ロボティクス，遠隔医療などの科学技術の革新による治療の進歩など，枚挙に暇がない．

また，COVID-19の世界的な感染は，感染予防と対策による医療，ならびに医療とケアの継続を含む保健-医療-福祉のさらなる密接な関係を見直す契機となった．あわせて，教育方法へも大きな影響があり，オンライン・オンデマンドによる動画を含めた学習環境や教材の提供方法が一般化した．また，理学療法教育に直結するものとして2020年4月から新たな指定規則に基づく教育課程が始まり，これに対応した国家試験出題基準が示されたところである．

このような時機に鑑み，第4版では，付録Web動画は第3版では12項目17本であったものを，16項目43本と大幅に拡充した．また，バイタルサイン，片麻痺運動機能を独立した項目とし，高齢者の記述を拡充し，ウィメンズヘルスをウィメンズ・メンズヘルスと改めた．あわせて，自己学習を促し，各章の理解をより深めるために新たに復習問題を示した．他方で，章立てを堅持しつつも各項目の重複や表現を推敲し，第3版のボリュームの維持に努めた．

一方で，正確性がとくに求められる本書は，改訂の発議から刊行までに多くの時間を要するために，COVID-19に関する感染対策や実際の理学療法，最新の指定規則に対応した細部の内容には及んでいない．この点は紙媒体としての宿命ではあるが，臨機応変な対応が求められる今日において，出版社と編集者が乗り越えなければいけない課題である．

引き続き，本書を多くの皆様にお使いいただき，お気づきの点やご意見をお寄せいただければ幸いである．さまざまなご要望に真摯に対応していくことで，理学療法評価学の標準化とさらなる質の向上に寄与していきたいと考えている．

2023 年 1 月

内山　靖
岩井信彦

初版 序

理学療法士の役割も，他の専門家と同様に対象者(患者や障害者など)のもつ問題の解決・改善に関与することにほかならない．professionalismとは，それぞれの専門家に与えられた権限，あるいは選択権を対象者の利益を優先して行使することを誓うという意味である．

よって，専門家としての存在価値は，問題解決・改善に際して，一連の医療行為を実践するうえで欠くことのできない専門的な判断(clinical decision making)がどの水準で遂行されるか否かによって定まるといっても過言ではない．

対象者の問題解決・改善を委ねられた専門家の仕事は，まず最初に，対象者の問題を的確に掌握することから始まる．

医師の仕事は，まず病気の診断に始まり，その後治療方針を定めることである．そして，そのなかで理学療法の対象になると判断されたとき，理学療法処方が出される．理学療法士は，その処方に従って，理学療法学的見地から理学療法評価を行い，それに基づいて，理学療法プログラムを計画(到達目標，障害予後を含め)して理学療法を行う．

評価(evaluationまたはassessment)といっても，通常，検査(testまたはexamination)および測定(measurement)を行い，対象者に関する種々のデータを収集する必要がある．そして，それらの個々のデータを分析，考察して，対象の障害像を総体的に把握(評価)する．この作業に際してデータが提示する意味は，それぞれの対象者の属性，社会的背景，ニーズなど諸々のケースによって異なり，画一的にとらえることは不合理である．たとえば，在宅高齢者とスポーツ選手の大腿四頭筋の筋力が双方ともにgood(4)だとしても，前者では生活するうえでさほど問題になるとは思えないが，後者ではスポーツ選手としては致命的となる．よって，データを得るだけではなく，上記した事柄を認識しながら，それらを分析，考察したうえでデータの意味を解釈しなければ，単に検査，測定を行ったにすぎず，評価を行ったとはいえない．

また，対象者のADL水準は，ADLを遂行するために必要とする筋力，柔軟性，姿勢調節，持久性，協調性，巧緻性などの基本的身体要素が上位中枢神経系で制御されて表出されたものとして考えられる．よって，ADL水準と他の検査・測定データとを並列的にとらえるのではなく，双方の相関性を鑑みて評価する必要があろう．つまり，ADLの低下は，上記のそれぞれの要素の質量の低下に相関するからである．仮にADLを森とするならば，各検査・測定項目は木に相当する．森を診てそれぞれの木がわかり，それぞれの木を診て森がわかる必要がある．

「刑事コロンボ」という映画がある．ベテラン刑事が，殺人現場に駆けつけ，鑑識データと関係者とのデータから，犯人を絞りアリバイを崩すという筋書きである．しかし，新米であったときのコロンボは映画のような離れ業はできなかったに違いない．コートがよれよれになるまで年数を積み重ね，これまでの生データが分析，考察されたうえで頭に蓄積されてきたために鋭い判断力を習得したと思える．

近年，パソコンが普及して，多くのデータ保存や複雑なデータ処理が可能になったことはたいへんな進歩である．しかし，臨床の場で個々の対象者の個体差を含め，対象者の問題を最終的に把握するのは，セラピストの頭脳である．パソコンのみに依存していては，いかに白衣がよれよれになってもコロンボのようにはなれまい．

種々の評価チャートは便利であるが，そこには盲点もある．キャンバスに絵を描くように，白紙に対象者の問題点を抽出して整理する能力が評価の原点になることを念頭において，このテキストを活用していただければ幸いである．

2000年12月

奈良　勲

目次

3 健康関連 QOL 樋口由美 304

Ⅵ 姿勢・動作分析

西守 隆

Ⅶ 病態に応じた検査の選び方と実施の工夫

1 神経・筋系 池田由美 334

2 骨・関節系 加藤 浩 352

3 呼吸・循環・代謝系 神谷健太郎 374

4 高齢者　山田　実　390

5 TOPICS

付録 Web 動画について

動画監修　横田一彦(東京大学医学部附属病院リハビリテーション部・技師長)
撮影協力　雲野康紀，長谷川真人，藤堂太右(東京大学医学部附属病院リハビリテーション部)

- 本書で紹介している代表的な検査方法の実際について，付録の Web 動画をご覧いただけます．Web 動画と関連する本文箇所に ▶ と動画番号を示し，必要に応じて QR コードを付しています．
- Web 動画は，PC，iPad，スマートフォン(iOS，Android)でご覧いただけます．フィーチャーフォンには対応していません．
- 音声はありません．

●付録 Web 動画へのアクセス方法

医学書院 で検索し，医学書院ウェブサイトから，04969 または 理学療法評価学 第 4 版 で検索し，書籍紹介画面にある 付録・特典 をクリックしてください。下記 QR コードおよび URL からもアクセスできます．

https://igsmov.igaku-shoin.co.jp/PThyouka04969/top

- 動画を再生する際の通信料(パケット通信料)は読者の方のご負担となります．パケット定額サービスなどにご加入されていない場合，多額のパケット通信料を請求されるおそれがありますのでご注意ください．
- 動画は予告なしに変更・修正が行われることがあります．また，予告なしに配信を停止することもありますのでご了承ください．
- 動画は書籍の付録のため，ユーザーサポートの対象外とさせていただいております．ご了承ください．

動画一覧

第Ⅲ章　検査・測定

理学療法における評価

- 理学療法評価の概念について説明できる.
- 評価における情報の種類と収集の方法ならびにその流れを説明できる.
- 評価の工程と臨床推論の学修方法を理解して実践できる.

A 理学療法と評価の概念

1 理学療法の概念と対象

理学療法は，健康寿命の延伸を目的とした健康増進(promotion)，予防(prevention)，治療・介入(treatment/intervention)，リハビリテーション(rehabilitation)，ハビリテーション(habilitation)の要素を包含したものである[1].

日本では，疾病や外傷による公的保険下で行われる医師の指示に基づく理学療法が多くを占めているが，近年では予防領域など公的保険外による理学療法が展開されている．また，動物を対象とした理学療法も行われつつある.

本章では，医師の指示(処方箋)に基づいた理学療法を念頭において記した.

2 評価の概念

理学療法における評価は“診たてる”ことであり，さまざまな情報を価値づける課題解決手段(problem solving approach)である．しばしば，“理学療法は評価に始まり評価に終わる”といわれ，評価は安全かつ効果的な治療・介入を保証する要件となる．評価には，現在の状態を把握することに加えて将来を予測する要素が含まれ，豊富な知識に加えて高度な**臨床推論**(clinical reasoning)能力が要求される．臨床推論とは，「対象者の訴えや症状から病態を推測し，仮説に基づき必要な情報を選択・統合し，対象者に最も適した介入を決定していく認知・心理的な過程」である.

評価は，「対象を知るために情報を集めて判断を行う一連の過程」である．その目的は，安全で効果的な介入を行うために，現在の状態を把握し，将来の予測を含めた対象を総体的に理解することにある．**表 1** に評価の概要を示す.

▶表 1　評価の概要

概念	対象を知るために情報を集めて判断を行う一連の過程
目的	安全で効果的な介入を行うために，現在の状態を把握し，将来の予測を含めた対象を総体的に理解すること
対象	生活をしている人(生活者)
知る	生物学的なヒト，個人としてのひと，社会のなかでの人
情報	目的を達成するために必要最小限の内容
	医学的・社会的な主観的・客観的な要素
判断	現象の鑑別と同定，査定(アセスメント)，統合と解釈，目標の設定，解決すべき課題の同定

a 対象

“生活をしている人”(生活者)であり，理学療法を受けるすべてを指す．個人に加えて，集団が対象となることもある．また，本人を取り巻く家族や周囲の生活環境も評価の対象に含まれる．

一般的には，医療保険の対象となる疾病を有する人を患者と称し，介護保険下では利用者と呼ぶことが多く，公的保険外で理学療法を応用する場合には顧客(いわゆるお客様)と位置づけられる．

b 知る

対象者を理解するためには，生物学的な“ヒト”，個人としての“ひと”，社会のなかでの“人”を包含した総体を知る必要がある．国際生活機能分類(International Classification of Functioning, Disability and Health；ICF)にあてはめれば，主に“ヒト”は心身機能(body function)・身体構造(body structure)，“ひと”は活動(activity)，“人”は参加(participation)に対応し，背景因子として環境因子(environmental factor)と個人因子(personal factor)が加わる．

c 情報

目的を達成するために必要最小限の情報を収集することが重要である．

したがって，臨床推論には優先的に必要となる情報が何であるのかを判断する過程が含まれる．成書には，病態や病期に応じて推奨される標準的な検査項目の一覧やコアセット(ICF を有効に活用するために用意された項目)が示され，個別の対象者に応じて適切に加除する必要がある．情報を厳選することは，個人情報の保護と管理，対象者の身体的・心理的負担，収集に要する時間のいずれの点からも有益となる．

情報は主観的・客観的な要素を含めて正確であることが重要であり，あいまいな測定・調査や誤った方法によるものは後の判断に大きな影響を及ぼすために細心の注意が必要となる．

d 判断

それぞれの情報は部分的に切り取られた要素であり，それを関連づけて現象と原因との鑑別と同定から査定(アセスメント)をふまえて統合と解釈を行う．そのうえで，変化の可能性を予測し，目標の設定を行い，解決すべき課題を同定するまでの過程が含まれる．

これらの統合と解釈に基づく判断は，専門家としての真価を問われる要素の1つといえる．

B 情報の種類と収集の手段

1 情報の種類

情報は，医学的・社会的な情報に大別でき，それぞれに主観的・客観的な要素がある．

a 情報の区分

1）医学的情報

現病歴，診断名，合併・併存症，バイタルサイン，血液や尿などの生化学・免疫データ，電気生理ならびに画像の所見，処置(手術療法や薬物療法を含む)とその反応などがある．さらに，機能的・構造的な変化，自覚的訴え，心理・認知的な状態を含む臨床症状に加え，既往歴，治療経

▶表2　情報収集の手段

観察	身体的な接触を伴わずに，「観て察する」行為
面接	言語的・非言語的なコミュニケーションを通じて得る情報 相互的な交流による治療支援的要素が含まれる
検査・測定	ある量を基準として用いる量と比較し，数値や符号で表すこと ・スクリーニング：おおまかな状態の把握 ・スキャニング　：詳細で正確な所見の取得
調査	観察または質問などによって状態を判定
他専門職・関係者からの情報	他専門職(診療録，直接)，家族・知人などの関係者から得られる情報

過，病前の状態などが含まれる．

2）社会的情報

活動や参加(余暇・職業)の状況，教育歴，嗜好・信条，住・生活環境，経済状態，家族関係などがあげられる．

b 情報の要素

1）主観的情報

要望(demand)や希望(hope)，疾病・病態のとらえ方，倦怠・疲労感，困難感，満足感，自己効力感，好みや嗜好，健康観，ならびに価値(value)が含まれる．

2）客観的情報

標準化された検査などから得られた結果が該当する．定量的な尺度とともに質的情報が含まれ，客観的情報 = 定量的データではない．

2 収集の手段

情報の収集は，自らが直接対象者に対して行う観察，面接，検査・測定，調査に加えて，他専門職や関係者から得る情報に大別できる(▶表2)．情報を直接得る手段には，問診，視診，聴診，打診，触診がある．

a 観察

観察(observation)とは，身体的な接触を伴わずに“観て察する”情報である．実践場面では，口頭での教示や部分的な補助・誘導による変化との比較が並列的に行われる．

観察から得られる要素には印象と事実がある．これらを混同することなく解釈を進めていく(▶図1)．観察では，色調・むくみ・変形などの局所の構造や機能，姿勢・骨格のアライメント，表情，しぐさに加えて，姿勢・動作の観察までが含まれる．直感(瞬間的に感じとる能力)に加えて，直観(直接的に本質を見抜く能力)による仮説の形成が，その後の検査・測定や解釈に大きな影響を与える．

なお，姿勢・動作の観察は，後述する工程で広く行われる思考の基軸となる，現象として観察される逸脱は機能不全と代償が混在しており，これらを分析する過程で鑑別して価値づけながら階層的に整理を進めることが，理学療法固有の思考過程とスキルの1つである(▶図2)．

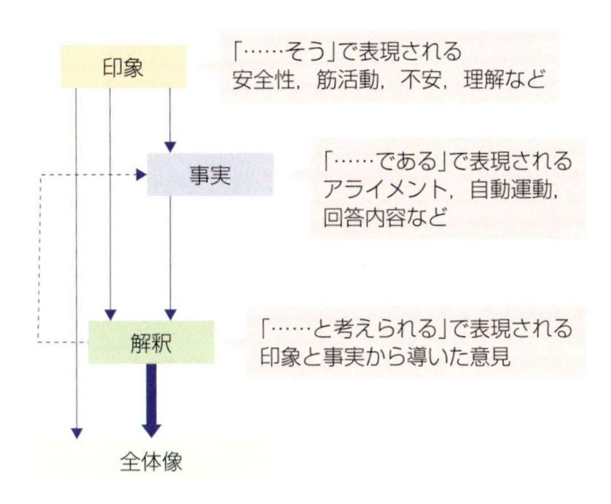

・必要なスクリーニング
・追加の情報(収集)
・優先的スキャニング

▶図 1　観察・面接から得られる印象ならびに事実と両者に基づく解釈

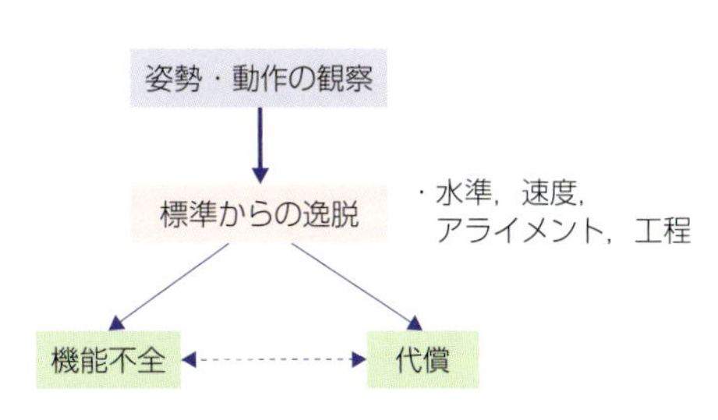

・安全・効率を含めた動作 / 活動
・機能不全と代償の鑑別
・本質的な原因の同定
・変化の可能性(改善・適応)

▶図 2　姿勢・動作の機能不全と代償

b 面接

医療面接(medical interview)では，対象者から情報を得る問診が主な要素となる．問いかけに対する反応を観察しながら論点を整理し，有効な情報と対象者の思いを引き出すことが重要な目的である．そのため，静寂かつなごやかな環境の設定，緊張の軽減と明確な目的を共有するための導入をはかる．その後，開放型質問(open question)，焦点型質問(focused question)，閉鎖型質問(closed question)の形式を組み合わせながら適切な情報を得ていく．

医療面接におけるコミュニケーションでは，60% 程度が非言語的な要素によるとされ，メラビアンの法則(the rule of Mehrabian)では，視覚・聴覚・言語で矛盾したメッセージが発せられた場合には，視覚・聴覚的な情報の印象が大きいとされる．医療面接では，傾聴とそれを示す表情や相づちなどの非言語的な要素を含めた共感的態度が重要となり，話し口調や言葉づかいに加えて，目線，表情，姿勢(座り方や手の置き方を含む)，服装までもが影響する．

この工程は，基本的信頼関係の構築や対象者への説明と同意に加えて，理解や判断を促す治療・支援的要素が包含される．医療面接では医療者が対象者から一方的に情報を収集するのみでなく，双方向のコミュニケーションの場として，対象者が主体的な病態の理解に加えて治療目標や方法の意思決定と管理を進める協働型臨床推論がすすめられる．

なお，理学療法では個室での面接よりも，運動療法中の開放的空間で断続的に行われる情報収集とコミュニケーションの配分が大きい．面接では，正式な場面(formal situation)で確認すべき内容に加えて，非正規(informal)または隠された状況(hidden situation)で対象者の核心的・本質的な情報を得られることがある．

c 検査・測定

測定(measurement)とは，「ある量を基準として用いる量と比較し，数値や符号として表すこと」である[2)]．

その項目は，四肢長や周径などの形態計測，関節可動域，筋力，感覚，協調機能，平衡・バランス，呼吸など多岐にわたる．それぞれ定められた方法で正確に実施することが重要であり，計測精度と再現性の高い技能が求められる．また，疾病や機能・能力ごとに多くの標準的な検査バッテリーが開発されており，順序尺度で得点化できるものもある．これらの結果は定量的データで表現されることが多いが，測定の途中で気づいたことや非定型的な反応を記録しておくことも大切である．

なお，検査・測定では，おおまかな状態を知るスクリーニング(screening)*1 と詳細なスキャニング(scanning)*2 を使い分けることが重要となる．むしろ，評価の過程においてはスクリーニングを多用し，いかに検査項目の取捨選択を行い必要なスキャニングを厳選して，対象者の安全性と負担の軽減に配慮しながら正確な情報を得るのかが重要となる．

d 調査

質問紙もしくは特定の基準に従った反応や状態を判定する．代表的なものには，心理的な状態，高次脳機能や認知にかかわる行動観察，日常生活活動(ADL)の実行状況の判定などが該当する．

e 他専門職や関係者から得るもの

主治医，看護師，ほかの医療職もしくは家族や関係者から必要な情報を得る．個人情報の保護を遵守して必要な情報の共有範囲や方法には注意をはらう．

C 評価の流れ

臨床的な評価は，a. 処方箋の理解，b. 対象者との対面，c. スクリーニング，d. スキャニング(詳細な検査・測定と調査)，e. 統合と解釈，f. 目標設定と課題の同定，g. 記録，の流れで行われる．**表3**に，その流れと主な内容を示した．

a 処方箋の理解

医師の指示である処方箋を手にしたときから対象者と接するまでの工程を指す．ここでは，主として情報収集と机上の臨床推論が展開される．

主治医の処方の内容を理解し，処方箋に記載されている内容から対象者の状態を推測し，安全かつ効率的な面接や検査・測定に結びつける過程である．診断名や経過から予想されるおおまかな症状や重症度を推測し，リスクや禁忌事項を確実におさえたうえで必要なスクリーニングや検査・測定項目の優先度を整理する．必要に応じて，対象者と接する前に不可欠な情報をカルテ(診療録)や主治医・看護師などから得ておく．

---

*1 スクリーニング：全体を照らし，大枠の様子をとらえることを指す．影になる部分が生じないように，多角的に広く探索し，簡便な方法で詳細な検査(スキャニング)が必要であるかを判断する．
*2 スキャニング：必要な項目を詳細にとらえることを指す．定められた方法で焦点化された項目の検査・測定を正確に行う．

▶表3 評価の流れと各工程の主な要素

工程	主な内容
a. 処方箋の理解	処方の目的と内容の理解 対象者の状態の推測 予想されるリスクと安全管理 必要なスクリーニング，検査・測定，調査項目と優先度
b. 対象者との対面	自己紹介 説明と同意 第一印象としての全体像の仮説の形成 事前の推論との照合と修正
c. スクリーニング	観察，面接，検査・測定，調査 明らかな症状がないことの確認 詳細な検査が必要か否かの判断 全体像と中核的課題の仮説の形成 スキャニングの精選と順序
d. スキャニング	観察，面接，検査・測定，調査による詳細な情報 機能不全，変化の可能性
e. 統合と解釈	各検査結果の査定 検査項目間の関係 症候障害学的な統合と解釈
f. 目標設定と課題の同定	長期目標の設定(参加/活動水準) 解決すべき課題の同定 短期目標(機能/活動水準) 治療戦略とプログラムの立案
g. 記録	工程の整理と振り返り 必要な記録，文書作成，報告

b 対象者との対面

対象者と対面したときからスクリーニングを開始するまでの工程を指す．ここでは，主として面接と観察による臨床推論が展開される．

時間にすれば数分程度であるが，きわめて重要な工程である．自己紹介，理学療法を開始することの説明と同意，導入的面接ならびに観察による第一印象としての全体像の形成，事前の推論との照合と修正を行う．当日の体調とリスクを見極め，主訴や希望をおおまかに確認したうえで，必要なスクリーニングの内容と順序を決める．

c スクリーニング

スクリーニングを開始したときからスキャニング(詳細な検査・測定と調査)を始めるまでの工程を指す．ここでは，主として観察と検査・測定による臨床推論が展開される．

幅広い心身機能と活動能力をとらえるために，症状や所見がないことを確認するとともに，スキャニングとしての検査・測定を行う必要性について判断していく．

この段階では対象者の全体像をとらえるうえでの大きな網をかけておくことが重要なため，スクリーニングは幅広く十分に実施しておく．他方，典型的な症状はスキャニングを直接実施すればよい．なお，検査の順序には留意し，リスク管理につながる疼痛や運動耐容能，検査の結果に影響する認知機能などは先行して実施する必要がある．

また，ここでは可能な範囲で最大能力の程度を知ることも大切で，重要な症状や所見が網から漏れていると，その後の工程や判断に大きな影響を与えてしまう．

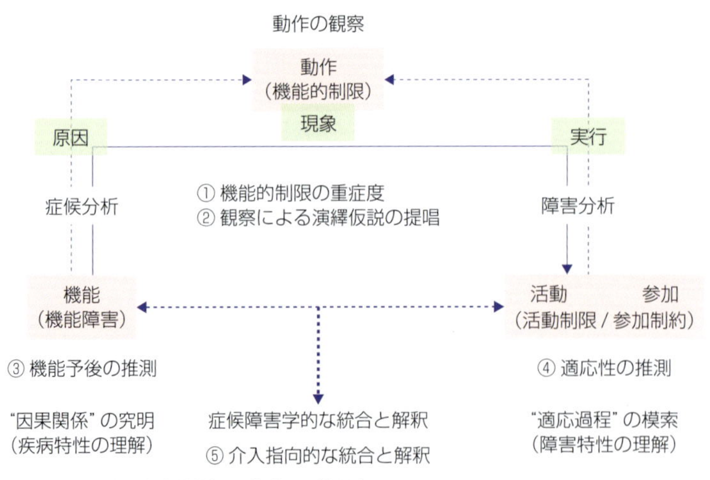

▶**図 3　症候障害学的な臨床思考過程**

〔内山靖：症候障害学序説．p6，文光堂，2006 より〕

d スキャニング（詳細な検査・測定と調査）

詳細な検査・測定を開始したときから机上の統合と解釈を行うまでの工程を指す．ここでは，主として検査・測定，調査，面接による臨床推論が展開される．

この工程までには，選択した検査・測定を行う個別の目的や予想される結果がある程度想定されている．そのため，より探索的かつ検出力の高い強調法を活用しながら注意深く実施する．ただし，強い予見をもちすぎることは判断を誤る要因となるため，あくまで中立的・客観的な態度で検査を進めていく．

e 統合と解釈

スキャニングを終えたときから目標設定を行うまでの工程を指す．ここでは，主としてこれまでの得た情報を机上で整理する臨床推論が展開される．

この工程では，(1)各検査結果の査定，(2)検査項目間の関係，(3)症候障害学的な統合と解釈が含まれる．

1)　各検査結果の査定

年齢や性別をふまえた基準値に加えて，病前の状態，求められる水準との比較を行う．関節可動域や筋力などであれば左右の比較も重要である．

2)　検査項目間の関係

身体構造・機能の項目間ならびに各動作間の関係をふまえて，姿勢・動作を基軸として動作と機能，動作と活動の因果関係を解釈していく．相対的な重症度の比較とともに，動作を低下させている複数の要因に対する影響度を整理することは治療の焦点化や優先度を決めるうえで直接的に重要である．

3)　症候障害学的な統合と解釈

症候障害学とは，**図 3** に示すように「健康状態および環境の変化によって引き起こされる現象としての動作の観察を基軸として，機能不全の要因とともに活動の適応を究明するもの」である[3]．

観察した姿勢・動作の逸脱した要素について機能不全と代償の相互関係を理解し，"なぜ，で

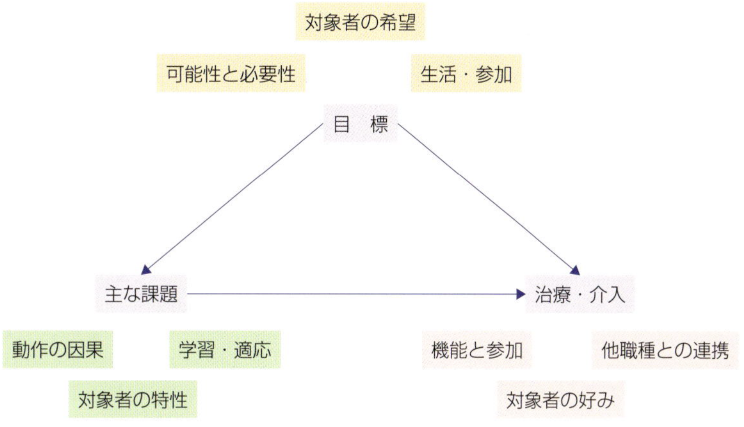

▶図4　目標設定と課題，治療・介入の構造

きないのか"の視点からスクリーニングとスキャニングで明らかとなった要因との因果関係を究明する症候分析をおこなう．あわせて，動作が実行状況としての行為に結びつく過程を考え，"いかにしたらできるか"の視点から障害分析を進める．これらから，機能障害と活動/参加の相互関係を踏まえて介入指向的な統合と解釈をおこなう．

f 目標設定と課題の同定

統合と解釈を終えたときから記録の清書を始めるまでの工程を指す．ここでは，主としてこれまで整理した情報と過去の経験や文献的な考証との照合を含む臨床推論が展開される．

長期目標を決め，それを達成するために解決すべき主な課題を同定する．そして，より具体的な短期目標をあげて治療戦略とプログラムを立案していく．長期目標は，生活の場・形態を含む参加に焦点をあて，重症化や再発の予防を含むものである．主な課題は，長期目標を可能にするために解決すべき中核的な課題であり，治療介入によって変化や適応の実現可能性があるものを意味し，単なる不足している機能・能力や問題点の列挙ではない(▶図4)．

この工程では，疾病の性質と重症度，病前の状態，運動学習・適応能力，生活環境(社会資源の活用を含む)の要因との統合が必要となる．

g 記録

記録の清書と必要な報告の工程を指す．

対象者へ説明と同意を行い，定められた内容や時間などを記述(入力)する．あわせて，必要な報告書などを記載する．また，主治医や関係者へ必要な内容を報告する．

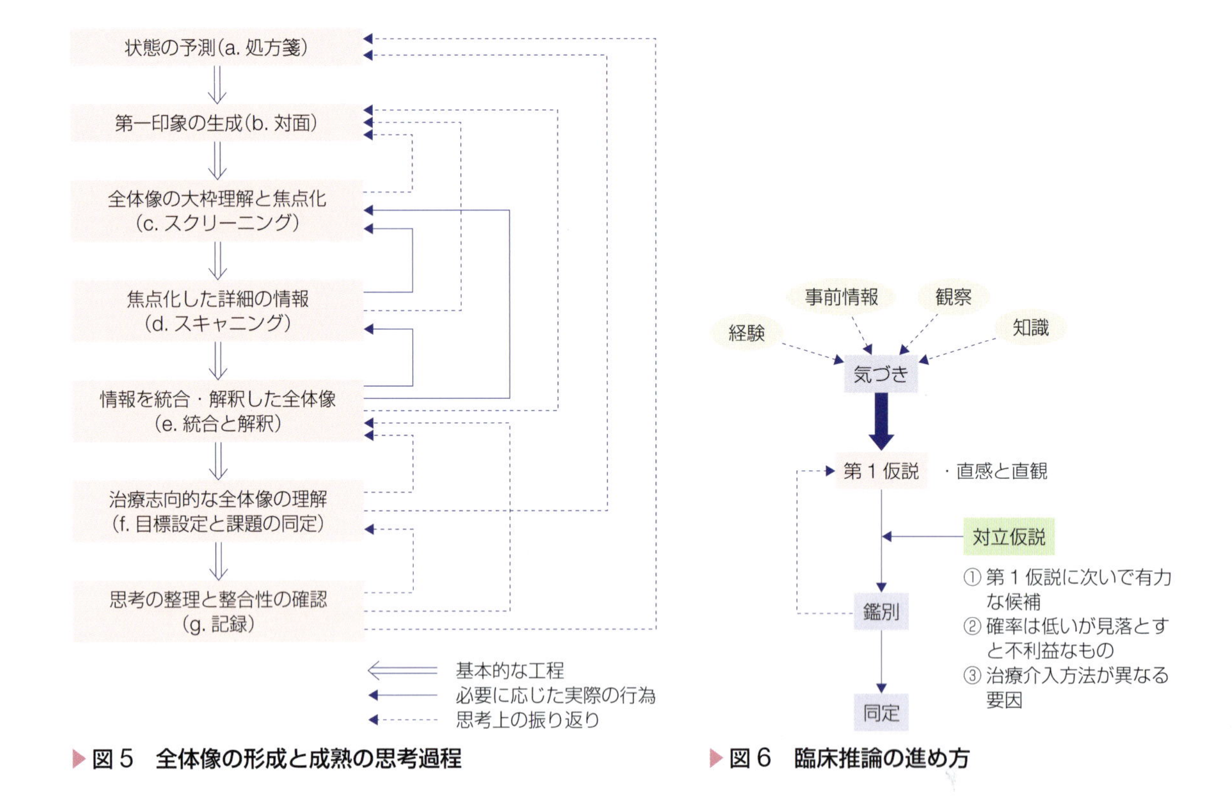

図5 全体像の形成と成熟の思考過程

図6 臨床推論の進め方

D 臨床推論の進め方

1 評価の流れにおける臨床思考過程

前項Cで7つの工程からなる評価の流れを示したが，実際の思考過程はa～gの順方向のみで進めていくものではない．**図5**に示すように，評価においては各工程で常に全体像を形成し，それに照合と修正をくり返し精緻化させていく連続的な認知的作業が求められる．

まず，広義の検査・測定であるスクリーニングまでに，具体的な全体像を形づくっていることが重要となる．そのためには，処方箋の内容から推測した全体像ならびに対象者と対面した際の第一印象をもつことが大切となる．

次に，スクリーニングを多用して全体像の絞り込みを行い，必要なスキャニングを実施するが，行為内省察による気づきを含め，常に仮説と対立仮説を念頭におきながら検査・測定を進めていく．

その後，机上の整理として，統合と解釈ならびに目標設定と課題の同定を行うが，並行して検査・測定，調査，面接による追加の情報収集がなされる．これらを記録にまとめ，必要な確認や報告に不足がなければひととおりの工程は完結する．

2 仮説と検証

症状や動作を観察・分析する過程では，気づき，仮説と対立仮説の形成，鑑別と同定の思考を繰り返しながら，総体的な思考を展開(development)・転回(revolution)していく(▶**図6**).

a 気づき

観察，面接，検査・測定などの行為中に生じる感覚で，印象，違和感，気配，ひらめき，直感，直観などの要素が含まれる．気づきは，単純な勘(intuition, hunch)や当て推量(simply guess)の要素に比較して，対象者への情熱，注意深い態度に加えて経験や知識に裏打ちされた“専門家として学修された推測(educational guess)”が優位である．

b 仮説と対立仮説の形成

気づきとともに事実から解釈された論理的思考と照合し，明確な仮説を形成していく．はじめに立てた第1仮説に対して，明確な対立仮説をあげて検証していく．

一般的に対立仮説は，① 第1仮説の次に有力な候補をあげる．それと同時に，② 確率は高くないが見落とすと対象者の危険や不利益が大きい要素を先にあげ，それを否定しておく必要がある．また，③ 治療介入の方法の異なる要因をあげることが重要となる．

c 鑑別と同定

前述した第1仮説を肯定し，対立仮説を否定するような検査・測定，姿勢・動作の観察と分析を進め，動作/活動の能力や実行状況を低下させている原因を同定する．同定された原因が理学療法の治療介入によって変化の可能性があるのかを見極めることは，目標設定や解決すべき課題として抽出することに直結する．

3 標準的な評価指標の活用

代表的な疾患や心身機能，活動/参加について，信頼性と妥当性が検証された標準的な検査バッテリーや包括的な指標がある[4)](▶ 表4)．

これらは，それぞれの疾患や症状で出現頻度の高い項目やその重症度を容易に整理でき，得点によるカットオフ値で重症度を判断できるものが多い．尺度によってはその後の回復過程をある程度推測できるものもある．また，専門家どうしであれば，その得点を知るだけでおおよその重症度や全体像を容易に想像できる共通言語としての有用性も高い．

一方で，高齢者や併存疾患を有する対象者では，非典型的な症状がみられたり特定の指標のみでは全体像を表現できない場合も少なくないため注意が必要である．

E 評価を学ぶポイントとコツ(学び方を学ぶ)

1 学修の進め方

学修を進めるうえでは，当初から正統な方法で段階的な学びを進め，行為内省察(reflection in action)による技能と知識の融合による臨床推論の活性化を意識するとよい．

知識は，知る(想起)，理解(わかる)，応用(使える)の階層があり，使える知識にまで高める必要がある．また，技能は，模倣，基本適用，応用の階層があり，さらに知識と技能を統合することが求められる．それぞれ，紙面上での事例検討(paper patient simulation)や基本的臨床技能試験(objective structured clinical examination；OSCE)を参考にしながら学内で学べることは多い．臨床推論は認知・心理的過程であるが，気づきを含めた思考の展開・転回は行為内省察と

▶表 4　疾患および機能・能力をとらえる標準的な検査バッテリー(抜粋)

疾患，機能・能力	名称	主な内容
脳血管障害	SIAS NIHSS mRS WMFT FMA	運動，感覚，高次脳などの機能不全をとらえる尺度 意識，脳神経，運動などの症状や程度をとらえる指標 活動・参加の状態をおおまかにとらえる指標 上肢の運動と物品操作の機能性をとらえる指標 上下肢の運動，バランス，感覚などを詳細にとらえる指標
Parkinson 病	H&Y stage UPDRS PDQ-39	簡便な重症度分類 精神・運動機能，ADL，合併症などを包括的にとらえる指標 患特異的な健康関連 QOL
変形性関節症	JKOM WOMAC	痛み，こわばり，日常生活での動作などから構成される自記式指標 変形性股・膝関節症に対する疼痛，こわばり，機能低下の指標
脊髄損傷	ASIA Impairment scale 改良 Frankel 分類 SCIM WISCI Ⅱ	知覚，運動，機能障害からなる指標(AIS) フランケルの 4 段階の分類を細分化した指標 セルフケア，呼吸・排泄管理，移動の 17 項目からなる自立度評価 つえ，歩行補助具の使用状況や介護による 21 段階の歩行能力の指標
関節リウマチ	DAS28 HAQ	DAS を日常診療で使用しやすいように簡略化した指標 20 項目からなる活動の困難度の指標
腰痛症	ODI	痛みの程度や活動・生活上の支障の各 6 段階の尺度による指標
心不全	NYHA 分類	心不全の自覚症状や身体活動を 4 段階に分類する指標
呼吸不全	mMRC 質問票 CAT	呼吸困難が日常生活に及ぼす影響を 5 段階で示す指標 慢性閉塞性肺疾患を有する対象者の健康関連 QOL の指標
脳性麻痺	DDST GMFM GMFCS	粗大運動，手の運動と適応，言語，社会的発達をとらえる指標 粗大運動能力をとらえる 88 項目からなる指標 5 つのレベルに分類する粗大運動能力尺度
小児	GMs NBAS Dubowitz PEDI WeeFIM	新生児の自発的な運動パターンをとらえる指標 行動と神経学的な新生児評価で Brazelton(ブラゼルトン)が開発した指標 簡便に新生児の神経学的な特徴を評価する指標 特定の技能要素の遂行能力と介護量をとらえる指標 6 か月から 7 歳までの子供の ADL 自立度をとらえる指標
鎮静状態	RASS	鎮静の程度と質を計る指標
疼痛	VRS MPQ	痛みの程度を段階的な言葉で示した指標 痛みの性質と強度を広範囲にとらえる指標
痙縮	MAS MTS	痙縮の程度を 6 段階に分類する指標 筋の伸張速度と反応の質から痙縮の程度を判定する指標
認知機能	MMSE TMT	見当識，記憶，計算，言語能力などから認知機能をとらえる指標 視覚・運動性探索，注意，ワーキングメモリを含む指標
嚥下	RSST	繰り返しの嚥下で判定する簡便な指標
バランス	FRT FBS	支持基底面内での重心移動の能力をとらえる指標 14 項目からなる各 5 段階の尺度による指標
歩行	TUG DGI 6MWT	方向転換を含む機能的な歩行能力の指標 歩行中の課題要求に対する歩行修正能力をとらえる指標 歩行の持久性を計る指標
日常生活活動(ADL)	FIM	ADL の実行状況をとらえる指標
健康観	SF-36	健康関連 QOL を広くとらえる指標
介護負担感	J-ZBI	Zarit(ザリッツ)介護負担感尺度の日本語短縮版

信頼性と妥当性が検証されている指標のうちで，版権や入手の容易さに加えて，専門性が顕著でない指標を中心にまとめた．

脳血管障害　SIAS：Stroke Impairment Assessment Scale，NIHSS：National Institutes of Health Stroke Scale，mRS：modified Rankin Scale，WMFT：Wolf Motor Function Test，FMA：Fugl-Meyer Assessment　**Parkinson 病**　H&Y stage：Hoehn and Yahr stage，UPDRS：Unified Parkinson's Disease Rating Scale，PDQ-39：Parkinson's Disease Questionnaire-39　**変形性関節症**　JKOM：Japanese Knee Osteoarthritis Measure，WOMAC：Western Ontario and McMaster Universities Osteoarthritis Index　**脊髄損傷**　ASIA：American Spinal Injury Association，改良 Frankel：modified Frankel classification，SCIM：Spinal Cord Independence Measure，WISCI Ⅱ：Walking Index for Spinal Cord Injury Ⅱ　**関節リウマチ**　DAS28：Disease Activity Score 28，HAQ：Stanford Health Assessment Questionnaire　**腰痛症**　ODI：Oswestry Disability Index　**心不全**　NYHA：New York Heart Association　**呼吸不全**　mMRC：modified British Medical Research Council，CAT：COPD Assessment Test　**脳性麻痺**　DDST：Denver Developmental Screening Test，GMFM：Gross Motor Function Measure，GMFCS：Gross Motor Function Classification System　**小児**　GMs：General Movements，NBAS：Neonatal Behavioral Assessment Scale ブラゼルトン新生児行動評価，Dubowitz：Dubowitz 新生児神経学的評価，PEDI：Pediatric Evaluation of Disability Inventory，WeeFIM：Functional Independence Measure for Children　**鎮静状態**　RASS：Richmond Agitation-Sedation Scale　**疼痛**　VRS：Verbal Rating Scale，MPQ：McGill Pain Questionnaire　**痙縮**　MAS：Modified Ashworth Scale，MTS：Modified Tardieu Scale　**認知機能**　MMSE：Mini-Mental State Examination，TMT：Trail Making Test　**嚥下**　RSST：Repetitive Saliva Swallowing Test　**バランス**　FRT：Functional Reach Test，FBS：Functional Balance Scale　**歩行**　TUG：Timed Up and Go test，DGI：Dynamic Gait Index，6MWT：6-Minute Walking Test　**日常生活活動(ADL)**　FIM：Functional Independence Measure　**健康観**　SF-36®：MOS 36-Item Short-Form Health Survey　**介護負担感**　J-ZBI：Japanese Version of the Zarit Caregiver Burden Interview

処方箋（例）

氏名　○○△△
生年月日　昭和 7 年 12 月 10 日
性別　女

診断名　左大腿骨近位部骨折
経過　人工骨頭置換術 14 日後

依存症　糖尿病，心房細動
指示　筋力増強，歩行練習

特記事項　なし

土治医　○山△夫
2022. 2. 22

要素	情報収集・観察・スクリーニングの着眼点
・90 歳，女性	受傷前の生活（活動／参加）の状態 同居家族と対象者の役割 住環境（改修と歩行補助具の使用可否）
・左大腿骨近位部骨折	受傷機転（転倒，外傷） 重症度；転位の有無と程度 骨盤形成（変形性関節症） 骨粗鬆症
・人工骨頭置換術	手術法（侵入経路，筋・組織の処理法） 禁忌，注意する運動方向・範囲 アライメント
・糖尿病	重症度，治療内容と経過 視覚機能（高齢による白内障を含む） 末梢神経機能（しびれ，振動覚，筋力） 腎機能（運動負荷への配慮を含む） 末梢血流動態（むくみ，冷感，フットケア）
・心房細動	重症度，治療内容と経過 運動耐容能，誘発要因

▶図 7　処方箋から推測する内容（一例）

して実際の行為（観察や検査・測定など感覚と運動を伴う作業）によって想起・整理が進む．そのため，実技の学修を進めるなかで机上の知識を整理しながら常に臨床推論を進めていくシミュレーション学習が推奨される．

かつて，初学者はボトムアップ式思考として，すべての検査・測定を実施したうえで動作分析を行い，統合と解釈へと移る工程が強調された．他方，実際にはこれまで示したとおり，事前情報や観察などから徐々に全体像を形成・成熟させていく，いわばトップダウン式思考を実践している．あくまでも，当初から正統な方法や手順で段階的に学修を進めていくことで実践に必要な能力を高めることができる．ただし，初学者では熟練者と比べて，事前情報や観察から生じる気づきや推論の広がりは少ないため，無理な当て推量とならない範囲でその後の検査・測定や仮説形成を進めることを意識する必要がある．臨床実習で推奨される診療支援型実習（clinical clerkship）の本質は，まさに臨床家のダイナミックな臨床推論を間近で見学・共有する過程を通じて対象者との協働型臨床推論に参画することで，初学者自身の臨床推論の枠組みと臨床的な観察や鑑別ポイントを体験・修得していくことにある．

2 工程ごとの学修

a 処方箋の理解

この工程は，**問題基盤型学習**（problem based learning；PBL）による紙上症例演習が効果的である．たとえば，**図 7** に示すように，処方箋からいかに病態を推測し，安全管理，スクリーニング，優先度の高い検査・測定項目を想起できるかを考えてみるとよい．

ここでは，さまざまな年齢，性別，疾患名，病期によって，それぞれどのような内容が推測できるかを整理するような多様性を高める学修方法が実践能力向上の助けとなる．

b 対象者との対面

この工程は，静止画による姿勢の観察や短時間（1 分以内）の動画観察による演習が効果的である．その目的は観察から第一印象としての全体像を形づくることにあり，短時間での論点整理が不可欠である．そのため，日ごろからより速く，より多くの印象・事実を列挙するトレーニングを行うとよい．

この際，印象と事実を混同しないようにしながら，両者を解釈して推論を進めていく思考過程を習慣づけていく．なお印象は時間経過とともに増強または減弱しやすいので注意する．

また，実践場面では導入的面接から得られる反応や観察が加わるので，これは比較的早期の臨床実習(観察と面接を主たる内容とするもの)で繰り返し学修の機会を得るとよい．

c スクリーニング

この工程は，「a. 処方箋の理解」と「b. 対象者との対面」の教材を組み合わせた学修による臨床推論の展開が効果的である．この際，各スクリーニングの目的に応じて，どのような方法で行うかを含めて整理する．

また，処方箋の疾患名にとらわれすぎないことの意識化として，たとえば，脳血管障害疾患であれば，脊柱アライメント，関節の変形，胸郭の可動性と呼吸機能など神経症状以外のスクリーニングをはじめに列挙することも1つの考え方である．あわせて，麻痺肢以外の高次脳機能，非麻痺側機能，感覚について簡便にスクリーニングする習慣や，疾患，病期別のICFコアセットを参考にすることもよい．

d スキャニング

この工程では，「c. スクリーニング」の結果から選択する推論過程と，各検査方法と判定の手順を確実に修得する必要がある．この際，単に標準的な方法を繰り返し練習するのではなく，どのような症状がどこに出現する可能性が高いのかを予測しながら検査を進めることが大切で，このことによって注意深くより正確な検査が可能となる．

e 統合と解釈

この工程は，検査結果をまとめた紙上症例演習による論理的な解釈の学修が効果的である．**図8**に，段階的な解釈の視点と運動器疾患にみられる解釈の一例を示した．この例では，4つの機能と1つの動作をあげているのみであるが，その関係性の組み合わせだけでも多岐にわたる．多様な関係性は，単なる数学的な組み合わせではなく，実際の対象者で固有に生じるものである．矢印の方向や太さを意識した状態の整理に関連図を使用することは思考を整理するうえでの一助となる．ただし，平面的な関連図ですべてを書き込もうとすると，矢印の数が多くなりすぎて，逆に何が特徴であるかが不明瞭となる場合もあるので注意する．

仮説を検証する際には，「仮説と対立仮説の形成」(▶**図6**)(➡10頁)でも示したように適切な対立仮説をあげながら比較・検証を進めていく．たとえば，背部痛がある場合には，見逃すと危険や不利益がある病態・所見と心理的要因を除外(これらが主たる要因の場合もある)し，そのうえで，脊柱の過運動性/可動域制限，筋力低下/過度な収縮，感覚異常の有無など，治療介入の異なる要因を大きく比較しながら原因を絞り込んで同定していくとよい．

なお，思考の展開は，**図3**(➡8頁)に示したように動作を基軸とした動作と機能低下との関係，動作と活動/参加との関係を双方向にとらえていくことが重要である．機能低下または参加のどちらかの極から一方向のみで思考を進めていくことは，冗長性が影響して適切な解を見つけることが困難となる．

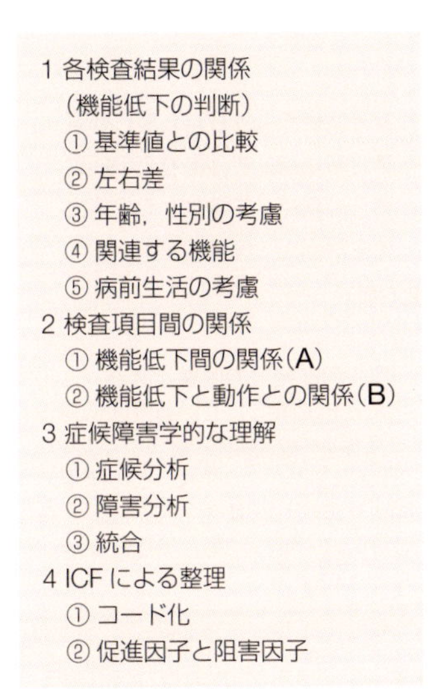
1 各検査結果の関係
(機能低下の判断)
① 基準値との比較
② 左右差
③ 年齢，性別の考慮
④ 関連する機能
⑤ 病前生活の考慮
2 検査項目間の関係
① 機能低下間の関係(A)
② 機能低下と動作との関係(B)
3 症候障害学的な理解
① 症候分析
② 障害分析
③ 統合
4 ICF による整理
① コード化
② 促進因子と阻害因子

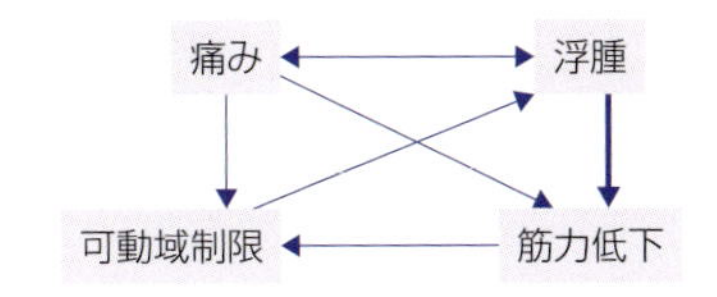

A 機能低下間の関係(一例)

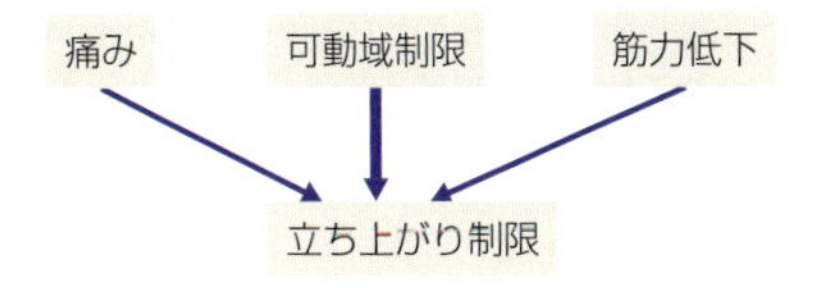

B 機能低下と動作との関係(一例)

▶**図 8 統合と解釈の進め方**

A：機能低下間の関係は対象者によって大きく異なる．この例では，浮腫が筋力低下を惹起し，筋力低下が自動的な関節可動域を制限し，それが浮腫を増悪するような関連がみられるものと解釈している．また，痛みによる可動域の制限に影響していることを示す．

別の対象者では，筋力低下が浮腫を誘発・増悪する場合もあり，また，浮腫が可動域を制限していることもある．このように，二次的な影響を含めた関係によって，治療すべき標的と優先度や関係性が整理できる．

B：機能低下と動作との関係では，立ち上がりを制限している主たる要因が可動域制限であることを示している．

別の対象者では，筋力低下であることも多く，それぞれ，膝関節，足関節，体幹の要素や相互関係のアライメントや協調性が影響していることもある．

f 目標設定と課題の同定

この工程は，紙上症例演習による判断を重視した臨床推論とグループ学習によるディベートを含む行為内省察を進める学修が効果的である．これはチーム医療における目標の共有化に加えて，他者との価値のコンセンサスとディスセンサスを学ぶよい機会ともなる．

目標設定には，疾病の性質，重症度，合併・随伴症の影響に加えて，病前の状態，運動学習，生活環境，さらには治療方法や治療者の能力が影響する．初学者にとって適切な目標の設定は難しい課題である．はじめは，疾病の基本的性質や重症度をもとにおおまかに，現状よりも改善，維持，重症化や進行の抑制のいずれかに該当するのかを考えたうえで，思考を進めていくとよい．また，目標には到達レベルとそれに必要な期間の要素が含まれる．

目標に基づき，それを達成するための解決すべき主な課題と治療戦略・プログラムを整理していく(▶**図 4**)(➡9 頁)．また，目標とする活動 / 参加が具体化した場合の治療・介入戦略を立案するうえでは**図 9** に示した ICF の評価点を活用した整理が有用な一助となる．活動の能力と実行状況の困難度ならびに両者の乖離を一覧することで介入の視点が明確にできる．

なお，学生の症例報告書(レポート)では，しばしば**表 5** にみられるような問題点リストを作成して，そこから目標や治療内容が検討されているものを目にする．仮に各項目に具体的な程度(数値)が記載されていたとしても，これでは対象者の固有な課題や関係性は何もわからず，そもそも脳卒中片麻痺というキーワードのみで作成した内容と大きな差異はないようにも感じられる．数日間をかけた整理の結果が，このような形にならないように注意する．

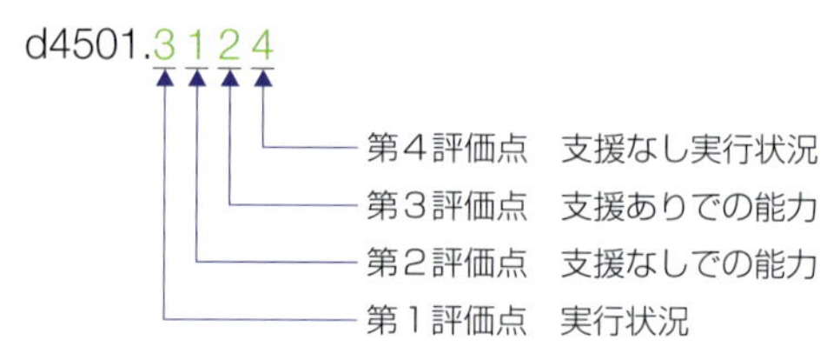

▶**図 9　ICF 評価点を活用した治療戦略の立案(例)**

d4501 は 1 km 以上の長距離歩行を示す.
この例では，実行状況では重度の困難であり，支援なしの能力は軽度の困難である．この場合，支援なしの能力をさらに高めて困難度を軽減することもさることながら，実行状況を困難にしている要因に対して働きかけて，能力に近づけることの重要性が理解できる．たとえば，1)実行状況を支援ありの能力に近づけるために，意味・必要性(社会交流)，意欲，自己効力，認知，その他の ADL(排泄，整容，コミュニケーションなど)との関係や介入を考慮し，2)現在の実行状況を支援なしでの能力に近づけるために，安楽性，運動予備能，困難感，プロセススキル，3)支援なしの能力を高める(機能障害，機能的制限の軽減)ために，心肺機能，筋持久力，歩行効率，歩行パターンなどを考慮することが可能かもしれない．

▶**表 5　学生レポートにみられる問題点リスト(一例)**

#1	右片麻痺
#2	感覚鈍麻
#3	右下肢支持性の低下
#4	右下肢随意性の低下
#5	右下肢痙縮
#6	右足関節の背屈制限
#7	嚥下機能不全
#8	座位保持困難
#9	立ち上がり困難
#10	歩行困難
#11	持久性の低下
#12	家庭復帰困難
#13	復職困難

▶**表 6　評価の全体を振り返る際の主な確認項目**

目標の妥当性	
①病前生活(活動/参加の水準，既往症，家族関係) ②病態(重症度，病巣部位と広がり，併存疾患) ③生活環境(住環境，家族，経済状況，交通・地域生活) ④運動学習(抑うつ・関心，理解，代償，見積り誤差) ⑤対象者の希望(必要性，価値)	をふまえた**実現可能性**
主な課題の妥当性	
①解決できる(すべき)課題 ②解決することで活動/参加水準へ結びつく ③能力低下の中核的な動作で波及効果 ④機能不全と能力との因果関係が明確 ⑤治療の標的と戦略が明示的な内容	をふまえた**妥当性**
治療プログラムの妥当性	
①安全性 ②対象者の意欲や関心の誘発 ③多職種での共通目標に沿った役割と相乗効果 ④機能・活動の関連と参加への結びつき ⑤学習の保持と転移をふまえた課題の種類と難度	をふまえた**具体性**

g 記録

この工程は，実践的な形式に沿ったものと振り返りによる学修が効果的である．

カルテ(診療録)や保険請求に定められた必要な項目を理解するとともに，電子カルテや実際の総合実施計画書などの書式に準じた記載に慣れておくとよい．

また，**表 6** に示したような項目から，評価の全体に必要な内容が含まれているのか，またその整合性が保たれているのかを確認し，自身の行為への教訓と提言をまとめることで経験を今後の学修に活かすことにつながる．

●引用文献

1）World Confederation for Physical Therapy（WCPT）：What is physical therapy. https://www.wcpt.org/what-is-physical-therapy
2）内山靖：計ることの意味．内山靖，他（編）：計測法入門 計り方，計る意味．pp3-21，協同医書出版社，2001.
3）内山靖：症候障害学序説．pp1-29，文光堂，2006.
4）内山靖（編）：エビデンスに基づく理学療法クイックリファレンス．pp8-183，医歯薬出版，2017.

情報収集

1 情報収集の目的

学習目標

- 情報収集の目的を理解する.
- 収集すべき情報を整理する.
- 情報収集を行うことの重要性と難しさを理解する.

A 情報収集のもつ意味

理学療法を行う際，開始時にまず行う評価として「情報収集」がある．その理由は？ なぜ情報収集は必要なのだろうか.

1 情報とは何か

理学療法評価の「情報収集」の対象となる情報は，①**基本情報**，②**医学的情報**，③**社会的情報**，④**他職種情報**が一般的である.

一方，理学療法の評価測定で得られる「身体所見」も，それ自体が多様な「情報」であり，評価も情報収集活動である．たとえば関節可動域検査や筋力テストの評価結果は，身体機能情報であり，起居動作テストや歩行能力検査の結果は，能力という情報である．理学療法士は，機能評価や能力評価を始める前に何の検査をどういう順番で行うべきか考え，それから遂行する，という思考手順をとる．これは評価としての情報収集であるとともに，治療プログラムの一戦略ともいえる.

「情報収集」で得られる情報と，検査測定で得る身体機能・能力に関する「情報」の共通点は，いずれも事実に基づいているという点である．生活歴や環境要素など決まった測定法もなく数値で表現されない「情報」も，予想や推測で評価してはならない.

2 「情報収集」の目的

よく考え手順に沿って評価しても，身体機能や能力情報だけが対象のプログラムは，リハビリテーションとして視野が狭いものとなる．逆に家庭環境や役割などの情報だけでは病態を無視したプログラムになり，効果が低いばかりかリスクを冒す.

理学療法評価として，検査測定以外の範囲まで情報収集を行うのは，患者の疾患・病期・病態はもちろん，個人的要素をも組み込んだ，個々の事情にあわせたより効果の高い理学療法プログラムを立案するためである.

B 情報の種類

表1に，多くの疾患に共通する情報収集項目をあげた．留意事項として「その情報収集は何を知るために行うのか」を記した．

❶ 基本情報

基本情報とは，年齢・性別・職業・生活歴などの情報を指す．これらは理学的所見ではないが，理学療法のゴール設定に強く影響する要因を含んでいる．

❷ 医学的情報

医学的情報は，最も主要な情報である．疾患や病態別に評価項目は異なる．

現病歴・既往歴・その症状や部位・手術歴など，羅列するだけではなく，医学的情報は，その症状がいつ起こり，変化し，今に至るのか，重複疾患はどのように現在の病態と関係し，あるいはベースとなっているのかを，自分が出会って理学療法が始まるまでの医学的ストーリーを整理する．画像や各種検査データはそれらの裏付けとなる．

医学的情報が重要である理由は，主疾患と同等に身体機能にかかわり，理学療法プログラムに直接影響するからである．

❸ 社会的情報

社会的情報とは，家族構成とキーパーソン，家屋構造と周辺環境，経済的状況や職業，病前の活動状況，公的制度の利用状況などである．要介護認定を受けているか，は高齢症例で非常に重要な情報である．

社会的条件によって転帰は影響を受ける．たとえば，主疾患が比較的軽症で，日常生活動作(activity of daily life；ADL)は見守り程度で自宅復帰が目標にできるケースでも，キーパーソン

表1 情報収集の項目と留意事項

	情報収集の項目	留意事項
① 基本情報	年齢・性別・職業・生活歴 発症前の活動性・ADL レベル	ゴール設定に影響する因子は？
② 医学的情報	診断名 現病歴 既往歴・合併疾患・重複障害 手術歴・術式・保存治療歴 画像所見・検査所見	症状と機能予後の最も重要な情報である主疾患・診断名は？ 主疾患の現在の重症度は？ 主疾患以外に問題症状は？ 医学的情報を総合し，どんな経過で理学療法開始に至ったのか？
③ 社会的情報	家族構成とキーパーソン 家屋構造と周辺環境 経済的状況や職業 病前の活動状況 介護認定・公的制度の利用状況	転帰予測は？ 生活環境と経済的・人的支援体制は？
④ 他職種情報	ADL 介助度 高次脳機能 栄養摂食方法と栄養状態・嚥下機能・排泄機能 睡眠状況と生活リズム 看護度・介護度・転倒転落リスク	理学療法評価で把握できないことを見逃していないか？

が高齢で要介助・日中家族が不在・独居・居住環境が改造不能でバリアの多い構造など，社会的情報の問題によって，ゴール設定に絡む内容が複雑となる．

4 他職種情報

リハビリテーションはチームアプローチである．チームメンバーは，各々の専門的視点で情報を収集している．疾患・病期・目的によりその人員構成は変化し，さまざまな職種が関与する．**図1**に一般的な医療リハビリテーションのチーム構成例を示す．

忘れてはならないのは，他職種は理学療法士とは異なる各分野の専門職であり，知っていることのジャンルが異なることである．他職種にとっては理学療法士も他職種である．他職種に対して情報収集を行う際の基本は，相手に理解できる説明に留意することである．こちらが知りたいこと，尋ねたいことを具体的に伝えると得られる情報も正確となる．

情報のやりとりを通じて，専門領域を超えて目標や目標達成の阻害因子を明確にし，個々の役割が整理できる．初期評価時だけでなく，情報を更新することにより，理学療法士は治療プログラムを再確認でき，リハビリテーションチームの目標設定が偏りのないものにできる．**図1**は病棟の朝の申し送りに理学療法士・作業療法士が参加している．種々のカンファレンスも，個々の職種間で出会った際に情報交換する場合も，ポイントは同じである．

a 医師

医師からは，診断名や既往歴，合併症，手術記録，画像データなど，医学的情報を得る．カルテを経由した情報も多いが，安静度や投薬内容，治療処置予定などは変更されることも多いので，急性期ほど情報収集頻度は高くなる．

b 看護師

看護師は，昼夜を問わず患者の状態を最もよく知る職種である．「している ADL」の現実的な把握者であり介助者でもある．

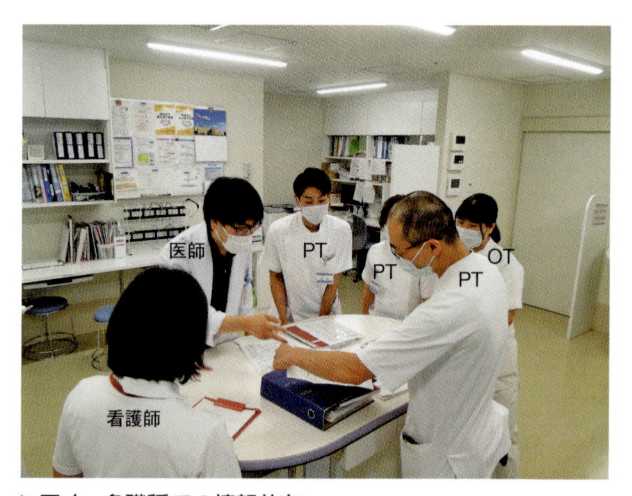

▶図1 多職種での情報共有

日々の申し送りにさまざまな職種が参加することで，病棟内での問題，目標や状況の共有ができる．

そのため，①バイタルサインの変化，②夜間睡眠状況と生活リズム，③食事量と栄養投与方法，④排泄状況，⑤心理状態，⑥検査や処置のスケジュールなど，理学療法士の知らない時間帯の最新の情報を看護師は把握している．理学療法士が当日のスケジュールを変更すべきかどうか，重要な情報を得ることができる．病棟に出向いたときには，必ず直接声をかけて情報を収集したい．

c 作業療法士および言語聴覚士

理学療法士と直接タッグを組むリハビリテーション専門職として，作業療法士は家屋構造や家庭内役割，病棟ADLの習熟状態などを専門的に評価し把握している．言語聴覚士は高次脳機能，摂食嚥下機能などの情報をもっている．家屋構造に準じた現実的な歩行練習，高次脳機能に配慮した運動練習や嚥下に有益なポジショニングなど，理学療法プログラムに最も身近で，最も具体的に目標や方針について意見交換ができる他職種である．

d 医療ソーシャルワーカーおよびケアマネジャー

医療ソーシャルワーカーは，急性期・回復期の転帰先やカンファレンスのプランニング，生活期の介護保険利用計画など福祉と医療を結ぶキーパーソンである．ケアマネジャー(介護支援専門員)は，必要な介護保険サービスを受けることができるように，ケアプラン(訪問介護・訪問リハビリテーション・訪問看護・用具レンタルなどを組み合わせた具体的プラン)をたてる．理学療法士が，身体機能が回復した後も含めて考えるために，これら福祉専門職の業務と各種制度に関する知識は重要な情報である．

C 情報収集の留意点

1 いつ行うか？

情報収集は理学療法評価のはじめに項目立てられ，臨床実習でもまず「情報収集を」と指導されることが多い．

しかし1回行えば終わりではない．むしろ治療が進み，患者の身体機能や能力が変化した頃に，はじめに収集した情報を，より詳細に確認することが重要である．早期のゴール達成を見据え，介護保険の利用や家屋改修の計画の進捗状況など，社会的情報は特に詳細に情報を更新していく必要がある．

2 本人・家族に情報収集する際には？

本人・家族も重要なチームメンバーである．専門職ではない家族にも理解できる言葉で説明することが大切である．また，世間話から大きな問題に気づくことなども多い．

家屋の精密な見取り図の入手を目標とするより，何がどの程度できたら自宅生活の見通しが立つのか，そのポイントをつかむことを目的に主な動線や，その範囲の段差・広さなど，本人のくらしを中心に聴取する．

③ 医療職が家の造りをたずねること

「トイレは洋式ですか」「寝具はベッドですか」「玄関の上がり框(かまち)は」など，出会って間もない理学療法士に質問され，家族や本人は面食らうことがある．患者やキーパーソンが抱くリハビリテーションのイメージと食い違うからである．理学療法士側が大切な情報収集と思っていても，曖昧でポイントがぶれた情報はプログラムへ効果的に反映されない．

理学療法士自身も，家の造りを詳細に知るのではなく，生活空間のバリアや距離関係を知り，どう動くことが自宅生活に必要なのか具体的に組み立てるために尋ねるという目的を意識し，尋ねながら何の練習が必要かを考えることが重要である．関連する身体機能や動作の練習中に問うと，理解が得られやすい．

特に急性期病院は入院期間が短いため，退院時に必要な準備は何かを絞るために寝室・トイレ・食堂など，本人の日常生活を尋ねながら行動範囲と最低限の動線と手段を確認する．そしてそれを反映させた練習をしましょうと伝え，なぜ家の造りをこまごまと理学療法士が聞くのか理解していただくと，理学療法が共同作業となり，効果認識も共有できる．

④ 心と体と情報を委ねてもらう

病期に限らず，患者・家族も理学療法士を観察しその言動を感じている．相手も情報収集中である．Q & A 方式の情報収集は，治療者-患者関係に左右される．対話時間や対面回数に比例して関係構築が進むことも多いが，理学療法開始当日であっても，情報収集の目的を理解し，信頼していただければ，情報収集は可能である．その場合も，一気に立て続けに多くの質問をしない工夫も必要である．

構えてインタビューせずとも，患者本人の何気ないふとしたひと言のほうが，問題の核心であることも多い．患者本人もそれと気づかず話していることも多いため，評価・治療や会話途中のこのような情報を理学療法士が気づき，つかんで，周辺情報も含め引き出す聞き役になれることも大切である．

関節可動域検査は相手が力を抜いてくれなくては行えない．筋力テストは最大限の努力をしてくれなければ意味がない．情報収集も同様である．

⑤ 守秘義務

情報の収集と共有が重要なことはいうまでもないが，その保護にも留意する．実習生として得た情報にも守秘義務が課される．忙しい臨床中に廊下での立ち話で情報交換を行うことはよく見られる光景であるが，必要だからといって守秘義務に反してはならない．

●参考文献
1）西村敦：理学療法評価学．奈良勲，他(編)：実学としての理学療法概観．pp78-97，文光堂，2015.
2）西守隆，他：評価における統合と解釈．関西理学療法 4：pp37-41，2004.
3）松澤正，他：理学療法評価学 第 6 版．pp27-31，金原出版，2018.
4）公益社団法人日本理学療法士協会(監)：理学療法ガイドライン 第 2 版．医学書院，2021.

2 医学的情報

- 医学的情報の必要性とその内容を理解する．
- 医学的情報の選択と読み取り方を学ぶ．

A カルテのみかた

1 カルテには何が書かれているか

カルテ（診療録）は近年の医療環境の変化に伴い電子カルテへと形態が移行し，内容も医師個人の記録から医療チームのメンバーすべてにとって一元化された「患者個人の疾病の経緯資料」としての位置づけへと変化している．カルテの構成を**表1**に示す．

複雑な病態やさまざまな背景をもつ入院患者について，患者情報の最大のリソースであるカルテを読みこなすことは，大切なスキルである．

2 理学療法士がみるべきポイント

a 理学療法開始前

1）患者の基本情報

- 年齢・性別・家族環境・生活歴・社会歴：理学療法計画を立案するうえで，リハビリテーションのゴール設定にかかわる患者の日常生活や社会的背景を把握することは重要である．また家族環境やキーパーソンは誰かを確認しておく必要がある．回復期では，ほかの医療機関や介護保険施設から提供される入院前の診療情報の確認は，社会復帰の要因となる一般情報や社会的状況，予後予測につながるため特に重要である．
- 疾患の既往歴・薬歴：併存疾患や疾患の再発の有無などは，予後予測に関係する．

表1　カルテの構成

・個人の一般情報や社会的状況：氏名，生年月日，保険，家族構成，病前生活や職歴など	・看護記録
・医学的情報：傷病名，現病歴，既往歴など	・リハビリテーション各診療記録
・ほかの医療機関や介護施設からの診療情報提供書	・カンファレンス記録
・診察記録	・栄養記録
・医師の指示や処方記録	・総合相談記録，支援経過記録
・手術記録	・投薬記録
・医師の経過記録	・各種計画書：診療計画書，リハビリテーション(総合)実施計画書，看護計画書
・各種検査結果・画像所見・報告書	・説明/同意書

2）入院時の患者の病態

- 診断名および診断根拠：入院時の診断名および診断の根拠となった現病歴，画像所見や検査値，診察記録や手術記録などを確認し，病態をおおまかに把握する．検査所見は，その後の治療効果を観察するうえでも重要である．
- 他職種の記録，禁忌・感染情報：理学療法開始までの医師の指示や処方記録，看護記録によるバイタルサインの変化や内服状況を確認し，患者の時間経過による病態変化の情報，疾患に対する禁忌や注意事項，感染症などの情報を確認し，リスク管理に努めることは必須である．

b 理学療法経過中

急性期では患者の容態が変化しやすいことに留意し，診察記録や看護記録から毎日の綿密な病態確認を行う．また，病態の変化に合わせた医師の治療計画の変更を確認する．

回復期では定期的な確認に加え，特に患者の容態の変化や新たな訴えがあった場合や医師から新たな指示があった場合，カンファレンスの実施時，外出や外泊時にはカルテを確認する．

病期にかかわらず，看護記録は，患者の病棟での活動や動作の状況が記載されており，理学療法を進めるうえで有益な情報が多く得られる．

c 退院時

医師や看護師，医療ソーシャルワーカーなどの記録から，退院後の医療機関や介護保険施設などの利用の確認を行い，必要であれば入院中の理学療法に関する情報提供を行う．

3 留意点

カルテには，すべての情報が記載されているわけではない．チーム医療を進めるうえでも，最新の患者の状態については病棟で医師や看護師に直接確認する．

不明な病名や治療手技名，略語などの専門用語は，日本語や英語を問わず知識をあいまいにせず，調べるか記載者本人に確認する．標準化された医学用語や知識に精通することで，共有する情報を有効に活用でき，他職種との良好なコミュニケーションが可能となる．

4 安全管理措置

厚生労働省は，2022 年 4 月「医療・介護関係事業者における個人情報の適切な取扱いのためのガイダンス」を定めた．医療スタッフとして，理学療法士は守秘義務や個人情報保護を厳守し，個人情報の保存に関する安全管理には常に留意するべきである．学術目的であっても，電子化された患者情報や紙保存されたカルテを外部に持ち出してはならない．

学術目的で個人名がわからないように工夫したデータを利用する場合も，破棄する際にはデータが復元不可能な状態に消去して破棄することが必要である．

個人情報の第三者への提供は，あらかじめ本人の同意を得ることなしには行えない．

5 よりよい理学療法を行うために

質の高い医療を提供するために，理学療法士はチーム医療の一員としての自覚をもってカルテの患者情報を共有することが大切である．さらに，個人の特性に合わせた治療のオーダーメイド化が進むなかでは，カルテから得られた情報を主体的に分析するスキルも要求される．

B 血液・生化学検査

臓器などが傷害を受け細胞が破壊されている場合，その臓器特有の物質が血液中に流れ出るため，血液・生化学検査を行うことにより病状などがわかる．

理学療法士が臨床検査の知識をもつことにより，病態を理解することが容易となり，医師をはじめとした他職種とのコミュニケーションも円滑になる．また，患者の状況に合わせた対応や適切なリスク管理を行うためには，各検査の基準値や臨床的意義，検査内容の知識が必要となる．

1 血液検査

ヒトの全血液量は，体重の約 1/13〜1/12 で，成人で約 4〜5 L くらいである．血液組成は，血球成分と血漿成分からなる．血球成分は赤血球，白血球，血小板で，血漿成分は 90% が水分，約 7% の割合で蛋白質が含まれている．血漿からフィブリノゲンを除いたものが血清である．これらは，疾患によって濃度が変化したり，異常な成分が検出されたりするため，健常時の値と比較することで全身の組織や臓器の状態の把握による疾病の診断，栄養状態の確認，治療効果の判定やリスク管理に役立てることができる．

表 2 に**血球化学検査**，**血液凝固検査**，**血液蛋白質検査**，**血清酵素検査**について，基準値およびその臨床的意義と検査目的を示した．

2 尿検査

尿検査は，尿量や尿中の pH，蛋白質，血液，細胞成分，糖，細菌などの存在を調べる一般基本検査の 1 つである．健常時の反応や測定値と比較することにより，腎・尿路系疾患の発見や診断，糖尿病や肝臓病などの全身性疾患のスクリーニング，治療効果の判定やリスク管理のための重要な情報となる．**表 3** に主な尿検査の基準値およびその臨床的意義と検査目的を示した．

C 各種画像検査の知識

1 単純 X 線

X 線は体の組織や臓器によって通過しやすさ(透過性)が異なる．X 線像における陰影の濃淡の基本は，カルシウム(または金属)，水，脂肪，空気(ガス)による 4 つの濃度で，この順に X 線の吸収率が高い．つまり，カルシウムが最も X 線の透過性が悪く，X 線像で白っぽくみえる．空気は最も透過性がよく，X 線像で黒っぽくみえる．X 線像における陰影の辺縁は隣り合った組織・臓器間の X 線吸収の差，コントラストによって成り立つ．この差を利用して画像を作り，診断を行う．放射線検査のなかでは最も被曝の少ない検査であり，主に胸部や腹部，骨を撮影する．

胸部の**単純 X 線像**は，胸部領域の診断の第一歩であり，読影にあたっては基本的な所見であるシルエットサイン，エアブロンコグラム，さらに肺野病変のパターン認識などを理解しておくことが重要である(➡244 頁)．腹部の単純 X 線像は，腸閉塞や腹水，腹腔内，胆石，尿路結石の空気の様子を診断するのに利用される．骨の単純 X 線撮影は，骨折をはじめとした骨病変の診断に最も有効な検査方法の 1 つである(➡250 頁)．単純 X 線撮影に比べ MRI，CT のほうが画像の有用性が高い場合もあるが，X 線撮影は簡便性や経済性に優れており，現在でも多用されている．

▶表 2　血液一般検査

A　血球化学検査

検査項目と基準値	臨床的意義と検査目的
赤血球数(RBC) 男　427～570×10^4/μL 女　376～500×10^4/μL	身体に酸素を運ぶ血球成分．少ない場合は貧血や出血を，多い場合は多血症を疑う． 貧血のスクリーニングには，赤血球数と併せて Hb や Ht も検査する．
血色素量(Hb，ヘモグロビン) 男　13.5～17.6 g/dL 女　11.3～15.2 g/dL	赤血球の中に含まれる酸素を運ぶ成分．鉄分の不足や赤血球の中の色素をつくる能力が減少した場合に低下する．多血症，高地居住者，運動後などの脱水では高値となる．一般的に RBC が減少すればHbも低下するが，RBCが基準値でも低下することがあり，その典型例は鉄欠乏性貧血である．
ヘマトクリット(Ht) 男　39.8～51.8% 女　33.4～44.9%	固形成分の血球と液体成分の血漿に大別でき，Ht 値は，血液中の血球の割合を示す．貧血や肝硬変，骨髄異形成症候群，悪性腫瘍，関節リウマチ，腎不全などがあると低下し，多血症のときは増加する．
血小板数(Plt) 13.0～36.9×10^4/μL	血小板は血液細胞成分のなかで大きさが最も小さく，出血がおきると血管から出血した部位に付着し止血の役目を果たす．血小板が少ない場合は，体内で出血していることを示すか，または血小板をつくる機能が落ちている可能性があり，白血病，再生不良性貧血，特発性血小板減少性紫斑病，播種性血管内凝固症候群などを疑う．
白血球数(WBC) 男　3.9～9.8×10^4/μL 女　3.5～9.1×10^4/μL	体を細菌やウイルスから守る免疫に役立つ成分．病原体が生体に入ると増加するため，感染症で高値となる．骨髄障害などでも異常値を示す．WBC の増減はほとんど好中球の増減であるが，基準値でもかなり動揺範囲は大きい．また，数は基準値でも質的に異常な場合もあり，白血球百分率と併せ判定する．1 万以上は確実な増加，3,500 以下は確実な減少である．

B　血液凝固検査

検査項目と基準値	臨床的意義と検査目的
D-ダイマー 1.0 μg/mL 以下	深部静脈血栓症(DVT)や肺血栓塞栓症(PE)を診断する際の補助として使われる凝固マーカー．患者が下肢痛，圧痛，腫脹，変色，浮腫などの症状を示し，D-ダイマーが高値の場合，DVT が疑われ，致死率の高い肺血栓塞栓症などの合併症を発症するリスクが高いため，迅速な診断と治療が必要となる．低値の臨床的意義は少ない．

C　血液蛋白質検査

検査項目と基準値	臨床的意義と検査目的
総蛋白質(TP) 6.7～8.3 g/dL	血液中には Alb やグロブリンなどの蛋白質があり，身体の働きに重要な役割を果たす．肝機能や腎機能の障害により代謝に異常が生じると，蛋白質の合成や分解などが変動し，総蛋白質も増減する． 高値の場合は，脱水症，多発性骨髄腫，慢性感染症，膠原病などが疑われ，低値の場合はネフローゼ症候群，肝硬変，栄養不良などが疑われる．TP はおおまかな蛋白質濃度の測定であり，異常をきたす場合は各蛋白質の定性・定量を行う．
アルブミン(Alb) 3.8～5.3 g/dL	血液中に最も多い蛋白質で，肝臓で合成される．肝障害や腎障害，熱傷，低栄養で低下する．
A/G 比 1.20～2.00	血清中の Alb と総グロブリンの比を調べることで，血清蛋白質の異常を知ることができる．特に，Alb 低下，グロブリン上昇の場合は著明な異常値を示す．TP と併せて評価する．一方で，血液の濃縮(脱水症)や希釈(水血症)があっても A/G 比は基準値を示す． A/G 比低値で，Alb 低下はネフローゼ症候群や肝疾患，甲状腺機能亢進症，グロブリン増加は慢性感染症や多発性骨髄腫を疑う．A/G 比高値で Alb 基準値，グロブリン減少では高度の蛋白質欠乏や重度の肝障害を疑う．

D　血清酵素検査

検査項目と基準値	臨床的意義と検査目的
肝機能 AST(GOT) 10～38 U/L	心臓，肝臓，筋肉，腎臓などのさまざまな臓器に存在する酵素．これらの臓器が傷害を受けると，この酵素が血液中に放出され，濃度が高くなる．
ALT(GPT) 4～45 U/L	AST と同じように身体のさまざまな臓器に存在するが，その含有量は AST に比べると少量．また，ALT は特に肝細胞の変性に敏感に反応するので，AST に比べて ALT が高いときは肝障害と考えられる．
γ-GTP(γ グルタミール・トランスペプチダーゼ) 男　10～50 U/L 女　10～30 U/L	蛋白質を分解する酵素の 1 つ．肝臓や胆道に異常があると高値を示すが，アルコールの影響で高値になりやすく，アルコール性肝機能障害の診断の指標になる．
ALP(アルカリホスファターゼ) 110～360 U/L	身体のほとんどの臓器に含まれている酵素だが，主に肝臓，胆管，骨，胎盤などに多く分布し，これらの臓器の疾患で高値を示す．ALP と LAP(ロイシンアミノペプチダーゼ 30～70 U/L)の 2 つから胆・肝疾患と骨疾患の鑑別を行う． 小児～思春期では骨の新生が盛んなため，成人の 2～3 倍の値になることがある．
LDH(乳酸脱水素酵素) 115～245 U/L	各種臓器に広く分布し，肝臓，心臓，腎臓などの臓器のほか，筋肉や血液にも多く存在する． これらの臓器や血液成分に障害があると高値を示す．

▶表3 尿検査

検査項目と基準値	臨床的意義と検査目的
尿量 800〜1,600 mL/日	無尿(100 mL/日以下)，欠尿(100〜400 mL/日)：脱水やショック，心不全・心筋梗塞，慢性腎不全，前立腺肥大やがん，結石などによる尿道閉塞などが原因となる. 多尿(2,500 mL/日以上)：尿崩症，低K血症，高Ca血症，糖尿病，急性腎不全(利尿期)などが原因となる.
色調 淡黄色	色調は通常黄色で，水分を多く摂取すると薄くなり，尿崩症，糖尿病，萎縮腎，嚢胞腎では無色，水分不足(脱水，熱性疾患)で濃くなる.
潜血 定性(−)	尿への赤血球の混入を検査する．血尿は尿路の炎症(急性糸球体腎炎，腎盂腎炎，膀胱炎，尿道炎など)，結石症，腫瘍，出血性素因(白血病や血友病など)，特発性腎出血などでみられる.
比重 1.006〜1.000	腎臓の尿の濃縮力を反映する．高比重となるのは脱水や糖尿病であり，低比重となるのは腎不全や尿崩症である.
pH 4.5〜7.5	尿の水素イオン濃度指数を示す．疾患だけでなく，食物や運動などさまざまな要因で変化する．アルカリ性の場合は膀胱炎や尿道炎が，酸性の場合は腎炎や糖尿病が疑われる.
蛋白質 定性(−)	健常者でも1日100 mgまでの排泄がみられる．腎疾患や尿路系疾患のスクリーニングや診断，治療効果判定の指標となる．心疾患，血液疾患，黄疸，高熱などでも検出される.
糖 定性(−)	尿糖(+)は，糖尿病や膵疾患，肝硬変，脳腫瘍，腎性糖尿などにより血糖値が上昇した場合，または血糖値の上昇がなくても腎臓の排泄機能が低下した場合におこる.
尿酸 0.4〜3.0 g/日	痛風で増加する.

❷ CT

CT(**コンピュータ断層撮影**，computed tomography)は，X線吸収値をコンピュータで画像化したもので，撮像できるのは主に水平断像である(➡256頁)．CT画像では，白い部分は高吸収域，黒い部分は低吸収域と呼ばれる．造影剤を使わずに撮影を行うものを単純CTと呼び，造影剤を投与後に撮影を行うものを造影CT(contrast enhanced CT；CECT)と呼ぶ．CTにおいては，X線吸収率の高いヨード造影剤を血管内(通常は四肢の静脈内)に注射して撮影を行うものが一般的である．CTによる被曝線量は各種放射線検査のうちで，多いほうに属する.

吸収率の単位としては，「水」を0，「骨」を+1,000，「空気」を−1,000 HU，この間を2,000段階に区分して定義したHU(Hounsfield unit)という単位が利用される．これによる透過率の表現を特に「CT値(CT number)」と呼び，ほかの物質はこれらとのX線吸収度の相対値で示される．金属(義歯など)は非常に高いCT値(数千HU)を呈する．骨も金属元素(カルシウム)を多く含んでいることから，数百HU程度の高吸収値を示す．それ以外の筋肉，脳，肝臓など体内のほとんどの臓器は，造影剤を使用しない場合，20〜70 HU程度の比較的狭い吸収値領域に密集して分布しており，この濃度域は一括して「軟部組織濃度」と総称される.

読影する際は，異常吸収域，占拠効果，組織欠損，造影剤による増強効果の有無に着目する.

CTの利点は，検査が短時間，空間分解能が高い，(心臓ペースメーカなど)金属使用者にも施行可能，画像の乱れが少なく広範囲の撮影が可能，騒音や閉塞感が少ない，普及率が高く相対的に安価などがあげられ，骨疾患や肺疾患，消化管疾患，あるいは出血などの救急疾患の場合には，MRIよりもCTが有用なことが多い．一方で，放射線被曝がある，軟部組織の組織学的変化があまり反映されないなどの欠点もみられ，脳腫瘍や子宮，卵巣，筋肉などの疾患では，MRIの軟部組織分解能が効力を発揮することが多い.

③ MRI

MRI（**核磁気共鳴画像法**，magnetic resonance imaging）は，体内の水素原子を対象に核磁気共鳴信号をコンピュータで画像化したものである．MRI では，矢状断像，冠状断像が容易に得られ，放射線被曝はない．生体を構成する組織の種類による画像のコントラストが，CT よりも高く，造影剤を用いなくとも血管画像が撮影できる（magnetic resonance angiography；MRA）．腰椎椎間板ヘルニアや靱帯損傷，肉離れ，骨軟部腫瘍，半月板損傷など，骨以外の運動器の評価に有用である．

一方で，生体が高磁場にさらされるため，磁気に反応する金属が体内にあると，検査を受けることができない．装身具・金属製品は取り外す必要がある．CT と比較して検査時間が長いことや，装置が狭いため閉所恐怖症患者や小児に恐怖心を抱かせること，装置の発する騒音が大きいことなどの欠点がある．

一般に用いられる撮像法は，T1 強調画像，T2 強調画像，FLAIR（fluid attenuated inversion recovery）画像の 3 つである（➡260 頁）．信号強度は，高信号と低信号の濃淡で表される．T1 強調画像で高信号（白く映し出されるもの）を示すのは，脂肪，亜急性期の出血，銅や鉄の沈着物，メラニンなどであり，逆に低信号（黒く映し出されるもの）を示すのは，水，血液などである．T2 強調画像で高信号（白）を示すのは，水，血液，脂肪などであり，低信号（黒）を示すのは，出血，石灰化，線維組織，メラニンなどである．FLAIR 画像では，脳脊髄液に接する病変が低信号，梗塞巣が高信号となり，脳回・脳溝の形状が把握しやすく脳脊髄液と梗塞巣の鑑別が容易である．詳細は脳画像の項（➡256 頁）を参照されたい．

④ 超音波

超音波（ultrasonography，echo）4～15 MHz を対象物にあててその反響を映像化する画像検査法で，通称エコー検査ともいう．超音波検査は非侵襲的な検査手法で被曝の心配がないため，繰り返し行うことが可能で医療分野で広く利用されている．基本的に超音波は液体・固体でよく伝わり，気体では伝わりにくい．そのため，液状成分や軟体の描出に優れており，実質臓器の描出能が高く，肺や消化管の描出能は低い．また，骨は表面での反射が強く，骨表面などの観察にとどまる．超音波検査は，腹部，頸動脈，甲状腺，乳腺，心臓，下肢動脈・静脈などの評価を行う．超音波診断装置の画像解像度の進歩により，近年は液状性分，軟体の描出に優れるという特性を活かし，運動器の評価に用いられるようになってきた（➡268 頁）．

⑤ 心電図

心電図（electrocardiogram；ECG）**検査**は，心筋が収縮するときに発生するごくわずかな電気エネルギーの変化を波形に表示して記録し，その波形から心臓の状態や活動を把握して心疾患の診断と治療に役立てるものである．電気生理学的検査の代表的なもので，日常診療で広く利用される．循環器診療においては必須であり，特に心臓内の構造的あるいは機能的な異常によってあらわれる不整脈の診断には不可欠の検査である．

医療現場でよく利用される心電図検査には，モニター心電図，12 誘導心電図，ホルター心電図があり，それぞれで用途が異なるが，これらのなかで情報量が最も多いのは 12 誘導心電図である．モニター心電図は，モニター画面上に心電図波形を表示することで，長時間の継続的なバイタルサインの見守りや不整脈の観察が行える．危険な波形の出現時にはアラームが作動するため見守りに適しており，緊急時以外でも波形の異常を感じた際には必要な部分を記録紙に打ち出すことで疾患の早期発見や予防につながる．一方で，モニター心電図は電極が3か所のため，12誘導心電図，ホルター心電図と比較して情報量が少ないというデメリットがある．理学療法評価における心電図評価の詳細は心電図の項(➡273頁)を参照されたい．

D 医学的処置

1 手術

いかなる疾患においても，手術様式や手術範囲が異なれば安静期間や運動開始時期，禁忌事項も異なるため，予後予測や術後のリスク管理を行ううえでも手術様式や手術範囲を知っておくことは重要である．また，術式により術後の機能低下に差があり，侵襲が大きいほど機能低下が生じやすい．脳出血の急性期治療においては，手術前後で厳密な血圧管理が行われることを理解して理学療法を実施する必要がある．運動器疾患では，禁忌姿勢などを理解するのに手術情報は有用である．また，同じ骨折や疾患名でも程度や進行度合いによって術式が異なる場合があり，これに伴って固定期間や安静期間も異なることに注意する．手術中の関節可動域の範囲は，最終的な関節可動範囲の目安となる．

手術関連情報として，麻酔や挿管の時間を確認する．一般的には各時間が短いほうがより回復が早く予後予測につながる．また，手術後の理学療法におけるリスク管理のため，ドレーンの位置や術創の部位と状態を確認する．

2 服薬

さまざまな医療機関での臨床場面や介護施設，在宅など，急性期から生活期までの理学療法の対象者は，薬物療法によりホメオスタシス(恒常性)を維持調節されたうえで理学療法が行われていることが多い．特に高齢者では合併症や既往症など複数の疾病を有しており，薬物療法が併用される集学的治療が行われているのが一般的である．理学療法の対象者に対して処方頻度の高い薬剤名は，胃腸薬，鎮痛剤〔非ステロイド抗炎症薬(NSAIDs)など〕，降圧薬，下剤，輸液や栄養製剤，抗不安薬や睡眠薬，抗血栓薬，抗菌薬，糖尿病治療薬，脂質異常症(高脂血症)治療薬，骨・カルシウム代謝薬，抗精神病薬や抗うつ薬，利尿薬，鎮咳薬・去痰薬，副腎皮質ステロイド，抗アレルギー薬で，全体の80.5%を占めると報告されている[14)]．

処方が多い鎮痛薬の中でも**NSAIDs**は，服用者の3～15%に胃腸障害の副作用があるとされており，このため，**胃腸薬**も多く処方される．胃腸障害を有する症例では食事量が少なかったり，栄養状態が良好でなかったりする場合があり，摂取タンパク量などを把握したうえで筋力トレーニングの負荷量や頻度を設定する．NSAIDsにはほかにも浮腫，腎・肝機能障害，アスピリン喘息などさまざまな副作用があり，体調を確認する必要がある．

降圧薬は，患者が何らかの原因による高血圧症や心疾患をもつことを意味しており，効果が強く出た際には低血圧発作も起こりうることを予測して理学療法前中後の血圧測定を行い，カルテ記録などからも体調を把握する．

抗不安薬には筋弛緩作用を有するものがあり，転倒に注意しなくてはならない．**筋弛緩薬**にも同様に，筋緊張の低下や脱力を原因とした運動機能の低下を起こす可能性があるため転倒の危険性は高まる．

2型糖尿病でインスリン非依存症の場合で，2～3か月間の食事療法，運動療法を行い，それでも良好な血糖コントロールが得られない場合，**経口血糖降下薬**(以下，OHA)による治療が開始される．現在，OHAは7系統に分類され，特徴的な作用機序などでベネフィット(主作用)とリスク(副作用)をもつ．患者のシックデイ(体調不良時)にはOHAごとに対応が異なるため，事前に対応を確認しておく．特に内服開始後まもない時期や，低血糖発作などで緊急対応を求められる場合に必要不可欠な知識である．

抗てんかん薬は，発作後まもない時期の処方から長期間服用している場合までがあり，発作型によって第1選択薬が分かれ，さまざまな薬剤がある．共通しているのは自発性の低下，行動遅延，もうろう状態，イライラなどの精神障害や複視，眼振，眠気，運動失調などの副作用である．脳梗塞や脳出血の既往をもつ症例も多く，運動麻痺や高次脳機能障害も相まって，さらに転倒のリスクが高い状態になっていることを理解する．

Parkinson病では，10数種類に及ぶ薬剤のなかから患者に合ったものを適量選択される．L-dopaが最も有効であるが，多くの場合に徐々に薬剤の効果が短縮して薬効が切れるいわゆる「オフ」の時間帯ができ(ウェアリング・オフ現象)，薬効が出るのが遅れたり(オン遅延 delayed-on)，ついには薬効がでない時間帯(オン欠如 no-on)ができたりする．服薬時間と同期しないオフが出現することもある(オン・オフ現象)．ウェアリング・オフ現象がみられる場合は，オン時に実施する．また，薬効が過度になる時間ができて体幹や四肢をくねらすような不随意運動(ジスキネジア)が出現することが少なくない．理学療法は病期に合わせて行っていくことが重要である．Hoehn-Yahr Ⅳのステージは薬剤調整が最も難しく，精神症状も出現しやすい．精神症状を抑えるには抗Parkinson病薬の減量かクエチアピンなどの抗精神病薬が使用されるが，いずれもParkinson病の運動障害を増悪させることが多い．この時期に確実に理学療法を施行しないと，廃用の進行や関節可動域の減少からしばしば不可逆な変化に至り，後に薬剤調整が軌道にのっても運動能力の制限につながる．また，この時期に肺炎などの合併症で安静を強いると，同様に不可逆な運動制限を引き起こしかねない．

抗血小板薬や**抗凝固薬**はハイリスクな閉塞性疾患(脳梗塞や心房細動など)に効果をもたらす一方で，出血(特に頭蓋内出血)は致死的な事態につながりかねない．転倒リスクが高い片麻痺患者や転倒歴のある高齢者で，抗血小板薬や抗凝固薬を内服している場合においては，たとえ転倒や転落のような軽度の外傷であっても頭蓋内出血をおこす可能性のある頭部外傷は危険であるとの認識をもち，内服の有無とそのリスクを十分把握して理学療法を実施する必要がある．

周術期の抗血小板薬や抗凝固薬の管理では，これらの薬剤が外科的治療時の出血性合併症の原因となるため，休薬や代替薬への置換がしばしば行われるが，一方で血栓や閉塞性疾患のリスクは高くなる．休薬と再開のタイミングは，薬物の種類，血小板数および機能，凝固能，腎機能，肝機能，血管や軟部組織の脆弱性，術式といった多くの要因が複合的に作用しており，一律に基準を設定することは難しい．休薬期間は，患者の病態と薬物動態に基づいて個別に判断されるため，理学療法中は患者の症状を注意深く観察・評価し，変化があればただちに医師や看護師に連絡する．

以上のように，効果的な理学療法を実施するためには，処方されている薬物の種類と具体的な作用およびメカニズム，投与量や投与時間，副作用，重複投薬などのチェック，薬剤の影響を受ける臨床検査値，各疾患別の治療で使用される薬剤の特徴や効果などの知識が非常に重要である．薬物血中濃度測定値は，服薬状況や薬の効果が評価でき，さらに投与量や投与方法の設定の参考とされるものであり，患者の薬剤に関する情報を多く提供してくれる指標となる．

E 医学的情報を収集する意義

急性疾患にも，そこへ至る生活歴や既往歴の関与があることが多い．慢性疾患は罹患期間が長く，増悪するものや後遺症を残すものもある．理学療法で治療しうる症状と不可能なことの分別にも，医学的情報収集は重要である．

表4に疾患群別に着目する医学的情報を示した．詳細な診断名により焦点が絞られる(第7章参照)．

生活歴・疾患特有の検査測定の項目は医学的情報ではないが，医学的情報の内容に伴いその項目が変わるので一部を例示した．

1 脳血管障害

脳血管障害は長期間にわたり医学的・社会的リハビリテーションが必要な疾患であり，病期別にリハビリテーション内容が変化し，収集する情報は変わっていく(▶**表5**)(➡35頁)．太字で示した項目は，疾患特有の評価項目である．

2 神経・筋疾患

神経・筋疾患は，疾患により経過や病態，予後が異なる．慢性疾患・進行性疾患の場合，理学療法士は，患者・家族が医師からどのような説明を受けているかを情報として知っておく必要がある．

3 骨・関節疾患

骨・関節疾患は，運動器症状がADLに直接影響を及ぼし，本人・家族に理解されやすい．変形性関節症のような慢性疾患から，大腿骨頸部骨折のような急性外傷までさまざまであり，手術療法・保存療法など治療選択も幅広い．運動器症状と併せ，運動療法の計画に役立てる．

4 内部障害(呼吸器疾患・心疾患・代謝系疾患)

内部障害は運動麻痺や神経症状を伴わない．急性発症した症例もその発症までに体内で病変が進行していることが多い．心臓，肺，腎臓など各臓器は機能連関しており，いずれかの病態が他臓器の機能不全に波及する．医学的情報も他臓器に視野を広げて情報収集する必要がある．

●**参考文献**
1) 石川朗：呼吸器疾患の理学療法．奈良勲，他(編)：実学としての理学療法概観．pp234-248，文光堂，2015.
2) 河合忠，他(編)：改訂新版 臨床検査 基準値ノート．薬事日報社，2015.
3) 酒向正春(監)，大村優慈：コツさえわかればあなたも読める リハに役立つ脳画像．メジカルビュー社，2016.
4) 鈴木俊明(監)：臨床理学療法評価法 臨床で即役に立つ理学療法評価法のすべて 第2版．アイペック，2015.
5) 長澤紘一，他(監)：Patient profile 理解のためのカルテの読み方と基礎知識 第4版．じほう，2007.

▶表 4　疾患群別に着目する医学的情報

医学的情報項目	疾患群の医学的情報の選択例		
	脳血管障害・神経・筋疾患	骨・関節疾患	内部障害 呼吸器疾患
診断名	急性・慢性・進行性疾患か	外傷か慢性疾患か	急性増悪か慢性病態か
現病歴	初発か，多発性か 発症からの治療までの時間	発症からの経過	発症からの経過と罹病期間 急性増悪の履歴
画像情報	MRI　CT　MRA 　病変の部位と範囲 SPECT 　局所的血流の低下の有無	単純Ｘ線　CT　MRI 　病変の部位と程度 　関節変形・骨棘 　骨量(骨皮質・骨梁)	単純Ｘ線　CT 　病変の部位と範囲 　　肺野の病変 　　胸郭の輪郭 　　縦隔(気管支・心臓)
手術・医学的治療歴	血栓溶解療法 血腫除去術 薬物療法 　などの何がなされたか	整形外科的治療 保存治療 　の何がなされたか	酸素療法 人工換気療法 　これまでなされた治療は
合併症	生活習慣病の合併の有無		
既往歴	他臓器の病歴と機能 関節疾患の有無	転倒・骨折歴 筋萎縮 他臓器の病歴と機能	他臓器の病歴と機能 関節疾患の有無
検査情報	バイタルサイン 心電図 心臓超音波検査 血液検査(血糖) 筋電図 神経伝導速度 筋生検 血液検査(炎症所見・CK)	骨量・骨萎縮 筋量・筋萎縮 心電図 血液検査	バイタルサイン 動脈血ガス分析 呼吸機能検査 心電図 心臓超音波検査 栄養状態
生活歴	しびれ・ふらつき・転倒歴	歩行障害・転倒歴 和式動作・階段昇降障害	喫煙歴 　量と期間
意識障害	意識レベル		意識レベル
疾患特有の情報	筋緊張　低緊張と痙縮の分布 反射 高次脳機能 筋力低下・運動麻痺 感覚障害 バランス 協調性	筋力低下 関節可動域 疼痛 姿勢・関節変形 バランス TUG・歩行速度など 運動能力検査	呼吸パターンと呼吸数 呼吸困難評価 聴診 関節可動域(頸・肩・体幹) 姿勢 筋量低下・るい痩

6）永冨史子：運動麻痺・機能の評価のポイント．嶋田智明，他(編)：ベッドサイド理学療法の基本技術・技能．pp41-50，文光堂，2013.
7）奈良信雄：図表でわかる臨床症状・検査異常値のメカニズム 第 2 版．第一出版，2014.
8）日本脳卒中学会脳卒中ガイドライン委員会(編)：脳卒中ガイドライン 2015〔追補 2017 対応〕．協和企画，2017.
9）林邦昭，他(編)：新版 胸部単純 X 線診断 画像の成り立ちと読影の進め方．秀潤社，2000.
10）本間光信(監)：PT・OT のための治療薬ガイドブック リハビリテーション実施時の注意点．メジカルビュー社，2017.
11）Houghton, A. R.，他(著)，村川裕二，他(訳)：ECG ブック 心電図センスを身につける 第 3 版．メディカル・サイエンス・インターナショナル，2010.
12）吉尾雅春：脳卒中の機能予後．黒川幸雄，他(編)：脳損傷の理学療法 1 超早期から急性期のリハビリテーション 第 2 版．pp47-56，三輪書店，2005.

	疾患群の医学的情報の選択例	
	内部障害	
	循環器疾患	代謝系疾患（糖尿病）
	虚血性か弁疾患か心不全か	
	急性発症か慢性進行型か 発症からの経過	罹病期間
	単純X線 　病変の部位と範囲 　心胸郭比 冠動脈造影	
	薬物治療 胸部症状治療歴	薬物治療 　内服治療 　インスリン投与 　　それらの量
	他臓器の病歴と機能 関節疾患の有無 血圧治療歴	他臓器の病歴と機能 　腎機能・眼症状
	バイタルサイン 心電図 心臓超音波検査 動脈血ガス分析 心臓カテーテル検査	血液検査 検査所見（糖・脂質代謝） 　HbA1c・BS・尿ケトン体 四肢循環障害検査 栄養障害
	喫煙歴 　量と期間 体重増減	運動歴・ライフスタイル
	意識レベル	
	呼吸困難評価 運動耐容能 浮腫 聴診 NYHA分類・Forester分類	運動耐容能 末梢神経障害 筋力低下 肥満 末梢循環低下

▶表5　脳血管障害の病期別情報収集項目（太字以外は他疾患も共通）

病期	情報収集項目
急性期	1. 基本情報 2. **脳血管疾患分類** 3. 現病歴（医学的治療歴を含む） 4. 画像情報 5. 既往歴・合併症 6. **意識レベル，理学所見，全身状態** 7. キーパーソンの有無と生活環境・生活歴
回復期	1. 基本情報 2. 急性期の機能改善状況 3. **理学所見と歩行補助具の適応** 4. 現在のADL 5. **高次脳機能障害の有無と程度** 6. 併存疾患・重複障害 7. 栄養状態と摂取方法，排泄・睡眠・生活リズム 8. キーパーソン・家族の意向と協力，生活スタイル 9. 自宅構造と環境 10. 要介護度
生活期	1. 基本情報 2. 現在のADL・APDL（日常生活関連活動：activities parallel to daily living） 3. **理学所見** 4. **高次脳機能障害の有無と程度** 5. 介護保険利用状況 6. 医療管理状況 7. 栄養状態と摂取方法，排泄・睡眠・生活リズム 8. 併存疾患・重複障害 9. **歩行補助具の適合と利用状況**

13）吉野秀朗（監）：ゼロからわかるモニター心電図．成美堂出版，2014.
14）南場芳文，他：5717の処方箋からみたリハビリテーションに必要な臨床薬学の知識の再検討．理学療法科学 34：371-375，2019.
15）成田年，他：NSAIDsの薬理．Mod Phy 32：1307-1313．2012.
16）久永欣哉，他：パーキンソン病のリハビリテーション．Jpn J Rehabil Med 49：738-745，2012.

3 社会的情報

- 社会的情報の必要性とその具体的内容について理解する.
- 居住環境評価時に必要な視点について理解する.
- 居住環境評価に必要な知識を理解する.

A 理学療法評価における社会的情報の必要性

国際生活機能分類(international classification of functioning, disability and health; ICF)[1,2]では，人が生きていくために必要な能力や働きを，心身機能・構造(body function and structure)，活動(activity)，参加(participation)の3つのレベルでとらえ，これを生活機能と称している．また背景因子として環境因子と個人因子を配置している．環境因子には介護者の有無などの人的な環境，段差の有無などの物的な環境，介護保険サービスの充実などの制度的な環境，人々の社会的な態度による環境などがあり，環境の良し悪しが生活機能に影響を及ぼす．また個人因子には性別，年齢，習慣，生育歴，性格，過去および現在の経験，心理的な資質などが含まれ，対象者の生活や人生を形づくり，生活機能の良否にも影響を及ぼす．

生活機能の再獲得を目的としたリハビリテーションでは，対象者を生活機能に障害を有する「**生活者**」としてとらえることが必要であり，日常生活での活動性を高め，家庭や地域社会のなかで自らの役割や自立した生活を再獲得すること求められる．したがって理学療法評価においては，検査・測定で得られる情報はもちろんのこと，対象者の周辺情報を把握することで「生活者」としての実態が浮かび上がり，障害像をより的確に把握することができる．

理学療法評価における情報収集は，対象者の障害像を的確に把握し，適切な理学療法プログラムを立案するために行う最初の行動である．また，検査・測定所見は臨床推論の主要な判断材料であり，同時に医学的情報や社会的情報を十分考慮しプログラムに反映させることによって質の高い効果的な理学療法が展開できる．

さまざまな情報のうち社会的情報とは家族に関する情報，経済的な情報，居住環境に関する情報に大別される．家族関係や介護力，職業や保険の種類，屋内や居住地周辺の環境を総合的に評価し，他職種とも共有していくことが求められる．

B 社会的情報収集の実際

1 家族に関する情報：家族構成(介護負担の評価も含む)

対象者が在宅で生活するうえで家族の協力は欠かせない．**キーパーソン**は誰か，キーパーソンを補助する家族や親戚はいるか，家族は協力的か，息子，娘，兄弟が近隣に居住しているか，日常的な交流はあるかなどを確認する．また本人の家庭内での役割，入院前の生活，趣味や嗜好，1 週間の主なスケジュールも把握しておきたい．職業に就いていればその業務内容や職場の環境，通勤手段を調べる．職業に就いていなければ，地域での活動歴(趣味に関した知人・友人の集まり，老人会，婦人会，自治会など)，要介護認定を受け，介護保険サービスを受けていればそのサービス内容も調べておく．

いちばん身近な家族の構成や配偶者の有無などはカルテから入手できる．より有効な情報を得るには本人はもちろんのこと，頻回に病室を訪問する家族や知人，また，介護保険サービスを受けているのであれば**ケアマネジャー**から直接情報を聴取することを心がけたい．

本人と家族との関係性の把握は，理学療法士との信頼関係がないと収集しにくい情報である．しかし転帰先や退院後の療養生活を考えていくうえでは重要であり，正確な情報を入手したい．病棟で勤務する看護職や介護職は本人と家族の関係の強さなど理学療法士には知ることが難しい有用な情報をもっている場合も多いため，病棟スタッフとの情報交換も大切にしたい．

2 経済的な情報：職業，公的制度の利用など

在宅での生活を維持していくには経済状態が安定していることが必要である．医療費負担に関しては健康保険，共済組合，国民健康保険などの保険種別，休職中であれば雇用保険(傷病手当金)，民間の保険など加入の有無を，また年金受給者か無年金者かなども確認する．安定した収入の有無は退院先の選択にも影響を及ぼす．金銭にかかわることなので聞き取りは難しいことが多いが，医療ソーシャルワーカーや社会福祉士の協力も得ながら情報を入手する．

3 居住環境：家屋構造(玄関・トイレ・浴室・寝室など)，家屋周辺の環境

居住環境の評価に関し，**屋内環境**では本人の居室を中心とした**動線**を確認し，動線上の段差，家具の配置なども含めて確認するとともに，対象者の運動機能と家族の介護力で安全，安楽に動作が遂行できるかを念頭におき評価していく．

屋外環境では対象者の行動範囲，外出範囲，近隣との交流のもち方など対象者が地域社会での生活を実現していくために必要な情報を中心に把握する．また敷地内から容易に出入りできるか，住宅の位置や隣接する道路の幅，十分な駐車スペースがあるかなども確認する．

住宅改修を想定するなら，持ち家か借家か，手すりなどの取り付けや敷居の撤去，間取りの変更が構造上可能かも調べておきたい．

本人とともに介護者の動線を把握することは，生活動作の自立や家族との交流，余暇活動を検討していくうえで必要であり，平面図を入手したり，間取り図を作成し把握する．木造住宅では約 910 mm(3 尺)を基本寸法としている．方眼紙を用い間取り図を作成するときは 1 cm を 3 尺などとして作図するとよい．図面上の開口部の幅と実際に通過可能な幅(有効幅)は異なることが多い．開き戸は戸の厚さ，引き戸は取っ手の位置，アコーディオンカーテンや折たたみ戸は畳んだ状態の厚さの分だけ開口部が狭くなるので注意が必要である．以下に居住区分ごとの観察，評価のポイントを示した．また**表 1** に住環境評価表を，**図 1** には間取り図の作成方法を示した．

a 玄関・アプローチ

門や駐車場から玄関までのアプローチには段差が多くあり，杖歩行や車椅子では移動しにくい

▶表 1　住環境評価表

住環境評価表

氏名　＿＿＿＿＿＿＿＿＿＿(　　　)歳

同居家族　＿＿＿＿＿＿＿＿＿＿　　記入者氏名＿＿＿＿＿＿

要介護認定　□あり　介護度(　　　)　□なし　　記入年月日＿＿＿＿＿＿

移動方法　□独歩　□杖　□歩行器　□車椅子

所有区分　□持ち家　□借家　　建て方　□戸建　□共同　階数(　　)階建て

築年数　築(　　　)年　　構造　□木造　□鉄筋コンクリート　□鉄骨　□その他

区分	ポイント		備考(スケッチ，問題点など)
本人の居室	広さ	(　　　)畳　□和室　□洋室	
	段差(廊下から)	□ある　□ない　ある場合(　　　)mm	
	床	□畳　□フローリング　□その他	
	扉の形態	□引き戸　□開き戸　□その他	
	手すり	□ある　□ない(□設置は可能)	
	家具の配置	□おおむね良好　□検討の余地あり	
居間	広さ	(　　　)畳　□和室　□洋室	
	段差(廊下から)	□ある　□ない　ある場合(　　　)mm	
	床	□畳　□フローリング　□その他	
	扉の形態	□引き戸　□開き戸　□その他	
	家具の配置	□おおむね良好　□検討の余地あり	
台所・食堂	広さ	(　　　)畳　□本人の食事場所　□別	
	段差(廊下から)	□ある　□ない　ある場合(　　　)mm	
	扉の形態	□引き戸　□開き戸　□その他	
トイレ	広さ	□ 1 人分　□介護者 OK　□車椅子 OK	
	手すり	□ある　□ない(□設置は可能)	
	位置	本人居室から　□近い　□遠い	
	便器	□洋式　□和式　□温水洗浄器あり	
	段差(廊下から)	□ある　□ない　ある場合(　　　)mm	
浴室	広さ	□ 1 人分　□介護者 OK　□シャワーチェア OK	
	手すり	□ある　□ない(□設置は可能)	
	段差(脱衣所から)	□ある　□ない　ある場合(　　　)mm	
	浴槽の様式	□据置　□埋込　□ユニットバス　□その他	
	浴槽の形状	深さ(　　　)mm　高さ(　　　)mm	
	扉の形状	□引き戸　□開き戸　□折たたみ戸　□その他	
脱衣所	段差(廊下から)	□ある　□ない　ある場合(　　　)mm	
	扉の形態	□引き戸　□開き戸　□その他	
洗面所	洗面台下部	車椅子クリアランス　□ある　□ない	
	高さ	(　　　)mm	
	蛇口	□一般　□レバー式	
廊下	扉の形態	□引き戸　□開き戸　□その他	
	床	□フローリング　□クッションフロア　□その他	
	手すり	□ある　□ない(□設置は可能)	
玄関	上り框の高さ	(　　　)mm	
	扉の形態	□引き戸　□外開き　□内開き　□その他	
	手すり	□ある　□ない(□設置は可能)	
玄関アプローチ	仕上げ	□アスファルト塗装　□その他	
	段差(道路から)	□ある　□ない　ある場合(　　　)mm	
	広さ(道路に面し)	車椅子乗り降りスペース　□ある　□ない	
	車庫	□ 1 台分　□ 2 台分　□なし　□その他	
その他 (　　　)	広さ	(　　　)畳　□和室　□洋室	
	段差	□ある　□ない　ある場合(　　　)mm	
	扉の形態	□引き戸　□外開き　□内開き　□その他	

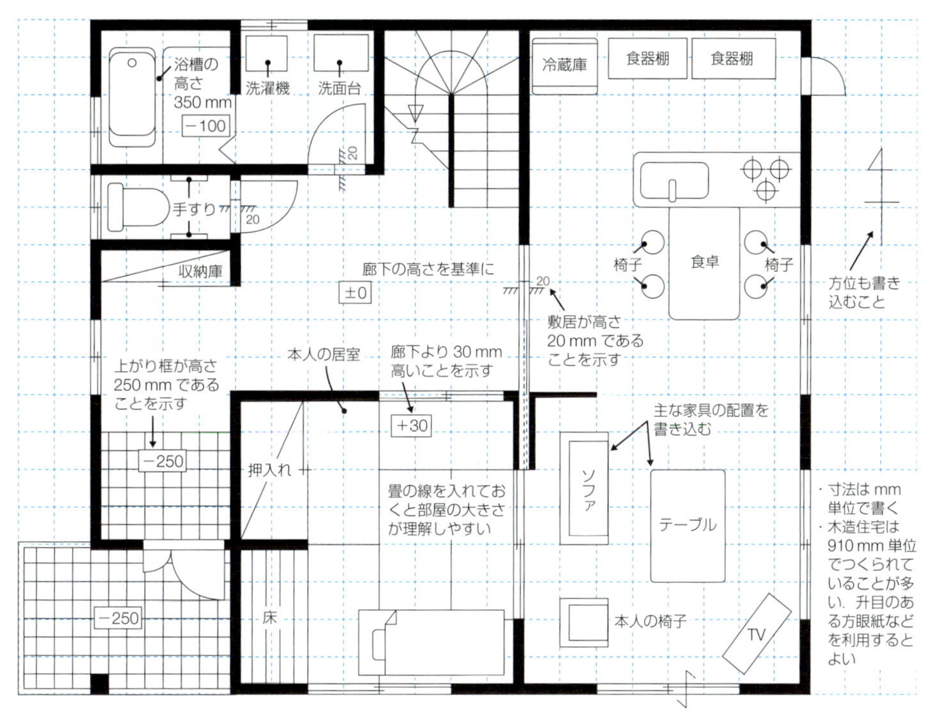

▶**図 1　間取り図の作成方法**

ことが多い．玄関が車椅子の置き場となったり，椅子，手すり，式台(土間と床の段差が大きい場合に設置する台)の設置を検討したりする可能性も高い．玄関自体の広さ，上(あが)り框(かまち)の高さ，手すりを取り付ける場所と壁の構造，靴箱の位置などを確認する．

b トイレ

排泄は特に自立が強く望まれる動作であり，介助量の軽減，安全な動作環境を目的に改修が行われることも多い．便座への移乗に必要な空間や手すりを取り付ける位置，便座の種類，その高さ，照明のスイッチやトイレットペーパーホルダーの位置を確認する．手すりを取り付けた場合，実際の動作範囲が狭くなることにも注意する．排泄は昼夜を問わず行われる動作であるため，居室，寝室からトイレへの動線も含めて，出入口の段差や，照明，温度差などを確認する．

c 脱衣所・浴室

入浴は身体の清潔を保つために必要な行為であるとともに，この行為自体がくつろぎの時間であり精神的な安定をも得ることができる．築年数が経過した家屋では脱衣所と浴室には段差があり，浴槽も深いものが設置されていることが多い．身体機能が低下した場合でもシャワー浴ができる環境は確保したい．

脱衣所と浴室の広さと段差の有無，洗い場の床面から浴槽の縁までの高さ，浴槽の深さ，シャワーチェアやバスボードの配置，シャワーや蛇口の位置，手すりの有無，壁面の材質(手すりが設置できるか)，床面の素材(濡れた状態でも滑りにくくないか)など，介助者の動作範囲も含め十分な広さがあるかなどを確認する．

d 洗面所

洗顔，整髪，歯磨き，髭剃り，化粧などの整容は身体の清潔を保つのが目的である．同時に来客や外出に際して身だしなみを整えるという点では，心理面や精神面の自立にも結びつく重要な動作である．洗面台の高さや蛇口の種類，また，車椅子でのアプローチは可能か，椅子や車椅子で洗面台に向かう場合，リーチの範囲で櫛や歯ブラシの収納棚に手が届くかなどを確認する．

e 台所

家事は人の活動力の再生産を目的として行われ，特に炊事は家族生活の維持においても重要な役割を占める．調理台や流し台の高さ，また，車椅子を使用する場合には，膝下が奥まで入るスペースがあるか，炊事道具が出し入れしやすい位置にあるかなどを確認する．

f 寝室

寝室では睡眠，休息を妨げない環境を確保するとともに，家族とのコミュニケーションがとりやすい位置にあることが望まれる．布団であれば立ち上がりに必要な支持台，ベッドであれば柵，手すりがあるか，車椅子を使用する場合には十分な場所があるか，布団，ベッドまでの動線などを確認する．

C 社会的情報収集に必要な基礎知識

1 関係者との信頼関係の醸成

身体機能や ADL の遂行状況は検査・測定でその情報を入手できる．しかし社会的情報は聴取することが入手方法の基本となるため，対象者や家族，介護保険事業所の担当者，**ケアマネジャー**など，聴取する相手の信頼を得てはじめて有益な情報を得ることができる．理学療法士は相手から信頼を得ることや，良好な関係を構築することに常に努める必要がある．

2 社会保障制度の理解

わが国の医療保険制度は医療保険，退職者医療，高齢者医療に大別され，医療保険は健康保険，共済組合，船員保険，国民健康保険などに分類される．

傷病手当金は健康保険から支払われる給付金である．病気やけがで就業できなくなり長期間休職しなければならないときに適応される制度である．労災保険(労働者災害補償保険)は業務中や通勤途上での病気やけがに対し保険給付が行われる．休職中の賃金補償や後遺障害が残った場合，死亡した場合でも被災した労働者やその遺族は保険給付を受けることができる．

入院，通院には必ず治療費が発生し，対象者やその家族は治療費をさまざまな保険を使い支払っている．社会的情報のうち，経済的な情報を得ようとする場合，社会保障制度の概要を理解しておくことが望ましい．

3 住環境評価に関する基礎知識

退院前訪問や住宅改修を前提として住環境を評価するとき，**ケアマネジャー**や建築関係者と打ち合わせをすることも多い．また，平面図を見たり間取り図を書いたりすることで，対象者の在

▶表2 住環境評価時に必要な標準値

項目	標準値
手すり(高さ)	750～800 mm(利用者の大腿骨大転子)が基本
(直径)	階段，廊下 32～36 mm，トイレ，浴室 28～32 mm が望ましい
廊下幅(介助用車椅子)	780 mm 以上
(自走用車椅子)	850～900 mm は必要
階段(幅)	踏面(ふみづら) 300～330 mm が望ましい
(高さ)	蹴上(けあ)げ 110～160 mm が望ましい
トイレの広さ(介助が必要)	間口 1,350 mm，奥行 1,350 mm が望ましい
(自走用車椅子)	間口 1,650 mm，奥行 1,650 mm が望ましい
浴室の広さ(介助を想定)	間口 1,600 mm×奥行 1,600 mm もしくは間口 1,800 mm×奥行 1,400 mm
浴槽縁の高さ	400 mm 程度
スロープ勾配	1/12～1/15 程度が望ましい H(高低差)/L(水平距離)

〔東京商工会議所(編)：福祉住環境コーディネーター検定試験2級公式テキスト 改訂第6版．東京商工会議所，2022をもとに作成〕

宅での暮らしぶりをより具体的に把握できる．このとき手すりの高さや廊下の幅などの標準的な値や簡単な平面表示記号，住宅用語などを理解しておくと関係者との情報交換も円滑に進む．**表2**に住環境評価時に必要な標準値[3]を示した．

●引用文献
1) 障害者福祉研究会(編)：ICF 国際生活機能分類－国際障害分類改訂版．pp169-200，中央法規，2002.
2) 佐藤久夫：ICF と今後の障害評価．総合リハ 30：983-986，2002.
3) 東京商工会議所(編)：福祉住環境コーディネーター検定試験2級公式テキスト 改訂第6版．東京商工会議所，2022.

検査・測定

1 バイタルサイン

- バイタルサインの評価の目的を理解する.
- バイタルサインの測定原理について理解する.
- バイタルサインを正しく測定できる.

A バイタルサインの概要と目的

概要

バイタルサインは生命徴候と訳され，**意識**や**血圧**，**脈拍**，**呼吸**などがその指標となる．バイタルサインは，危険を回避するためのリスク管理にその主眼が置かれることが多いが，一方で運動負荷を設定する際の指標としても用いられるため，あらゆる患者に適用すべき評価である．

目的

バイタルサインを評価する目的は2つに大別される．1つ目はコンディションの把握であり，これにより理学療法実施の可否を判断する．2つ目は運動負荷に伴う生体反応の把握であり，運動負荷の調整や運動中止などを判断する．

B バイタルサインの実際

理学療法を実施する際には，まず患者のコンディションを把握する必要があり，事前にカルテからバイタルサインなどを確認する．そして対面で問診を行い，睡眠や食事摂取状況などを聴取する．その後，安静時のバイタルサインを測定する．このとき視診や触診といった**フィジカルアセスメント**を組み合わせることが一般的である．具体的には，顔色や表情，呼吸パターン，浮腫などを評価する．運動中や運動後もバイタルサインを測定し，安静時の値と比較することで，運動中止や運動負荷の軽減などを判断する．理学療法開始や運動中止の基準は疾患によって異なるため，患者の状態に応じて適切な基準を用いるべきである．

1 フィジカルアセスメント

視診，触診，打診，聴診といった身体所見の解釈を指す．活気などの見た目による心臓外科術後死亡率の予測は統計学的予測と同等という報告もあり，古典的ではあるものの，検者の五感を駆使して簡便に実施できる重要な評価方法である．常に患者の顔色や表情を観察し，コンディションを推察しながら問診やバイタルサインを測定することで，病態を的確に把握できる．

疾患特異的な身体所見を把握しておくことも重要で，たとえば心不全患者であれば浮腫の有無を視診・触診で確認すべきである．また，これを毎日繰り返すことで，主観的な評価であっても小さな変化に気づくことができる．詳細は「第3章11 呼吸(➡172頁)」を参照されたい．

❷ 意識

覚醒状態であれば，自分の状態や周囲の状況を認識できるが，意識障害が生じるとこれらの認識が不足する．つまり，指示に従えなかったり，筋力の発揮や姿勢保持などの随意的な努力が不十分となり，適切で安全な運動の実施が困難となる．意識障害の代表的な評価スケールとしてJapan coma scale(JCS)(➡157頁)とGlasgow coma scale(GCS)(➡157頁)があり，JCSは緊急時，GCSは言語や運動反応の側面を含めて評価する．評価スケールを用いた意識の評価よりも，理学療法遂行上の問題があるかという観点で評価することが重要である．また，バイタルサインの悪化とともに意識障害が生じた場合は，コンディションの急激な悪化を示している可能性が高いため，緊急対応を考慮する．

❸ 血圧

血圧とは，血管壁に与える血液の圧力であり，血液循環の指標である．血圧は1回拍出量と心拍数と末梢血管抵抗の積で求められ，多くの要因で血圧は変動する．心疾患による心ポンプ機能の低下だけでなく，脱水などのコンディション不良でも血圧は低下し，全身への血液供給が不足することで運動療法の遂行が困難となる場合がある．

一方，血圧調整機能が障害されたり塩分摂取が過多となると血圧が上昇し，脳出血などをきたすリスクが上昇する．このようなリスクを回避するうえで，循環機能の総合指標である血圧は，バイタルサインのなかでも重要な評価項目である．

a 測定機器と原理

理学療法における血圧の測定は，身体部位にカフを巻いて測定する間接法を用いる．測定機器は大きく分けて2種類あり，1つは手動血圧計で，血管音を聴取して測定する(▶図1)．この測定方法を**コロトコフ**(Korotkoff)**法**という．機器のエラーもなく，正確な血圧測定が可能な方法であるものの，測定技術の習得が必要である．もう1つは自動血圧計で，血管壁に生じる振動(脈波)を用いて測定する(▶図2)．この測定方法を**オシロメトリック法**という．自動血圧計のマンシェットに内蔵されているマイクロフォンで脈波の振動を感知し，機器によって血圧が測定されるため，測定が簡便である．しかしながら，不整脈が頻発したり，脈拍が微弱であったりする

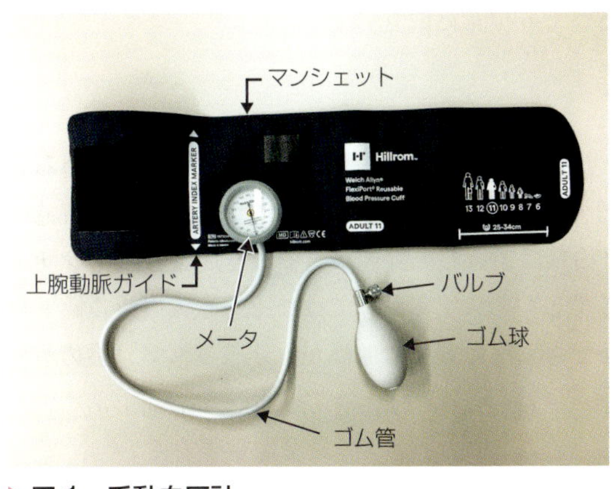

▶図1 手動血圧計

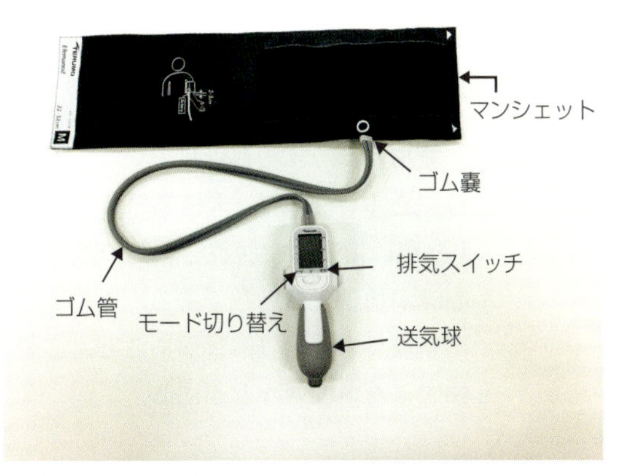

▶図2 自動血圧計

場合では，振動の感知や血圧の測定でエラーとなる場合が多い．

臨床では両者の機能を有する医用電子血圧計を用いることが多く，オシロメトリック法での測定が困難な場合は，聴診モードに切り替えてコロトコフ法で測定する．最近では患者の高齢化が進み，不整脈などを有する患者が多いため，可能な限りコロトコフ法での血圧測定が望ましい．これ以降は手動血圧計による測定(コロトコフ法)について説明する．

b 測定手順

1）測定準備

カルテや問診で普段の血圧を確認しておく．座位や臥位で安楽な姿勢を取らせ，上腕(マンシェットを巻く部位)が心臓と同じ高さになるようにする．着衣に厚みがある場合は血管音の聴取が困難になるため，袖をまくるか上衣を脱衣する．測定する上肢は肘関節を軽く伸展し，前腕回外位とする．

2）マンシェットを上腕に巻く

マンシェット下端を肘窩より上 2 cm 程度の位置とし，ゴム嚢と上腕動脈の位置が合うように巻く．聴診器のチェストピースを挿入するために，巻く強さは指が 1～2 本入る程度の余裕をもたせるが，強く巻き付けなければこの程度の余裕は自然と生まれる．メータは検者が見える位置に設置する．

3）聴診器を挿入する

聴診器(▶図 3)のイヤーピースを耳孔に沿うように装着し，チェストピースのダイアフラム面を上腕動脈にあて，上腕をつかむようにして母指でチェストピースを軽く押さえる．

4）血管音を聴取する

バルブが閉まっていることを確認し，ゴム球を押して加圧する(▶図 4)．この時，患者の普段の収縮期血圧に 20～30 mmHg 程度加えた値まで速やかに加圧する．コロトコフ音が聞こえない点まで加圧した後，バルブを緩めて減圧する．コロトコフ音が聞こえ始めた点が**収縮期血圧**(systolic blood pressure；SBP)，減圧を進めてコロトコフ音が消失した点が**拡張期血圧**(diastolic blood pressure；DBP)である．0 mmHg までコロトコフ音が聴取できる場合は，コロトコフ音が小さくなる点を拡張期血圧とする．

5）測定終了

拡張期血圧まで読み取れたら，速やかに最後まで減圧し，患者から機器を取り外す．聴診器のチェストピースは重く硬いため，患者にあてないよう慎重に取り外す．

4 脈拍

脈拍とは，末梢血管において，心臓の収縮と拡張による血流の変化を拍動として感知できるものである(▶図 5)．末梢動脈までの循環を確認できる最も簡便な評価方法である．一般的には，1 分間に拍動した回数を脈拍の数値とする．**心拍数**は類似した評価項目であり，これは 1 分間に心臓が拍動する回数である．脈拍と心拍数は必ずしも一致するわけではなく，心臓機能の低下や不整脈，末梢血管障害があると，心臓が拍動しても末梢血管まで血液が十分送られず，拍動が感知できない場合などがある．

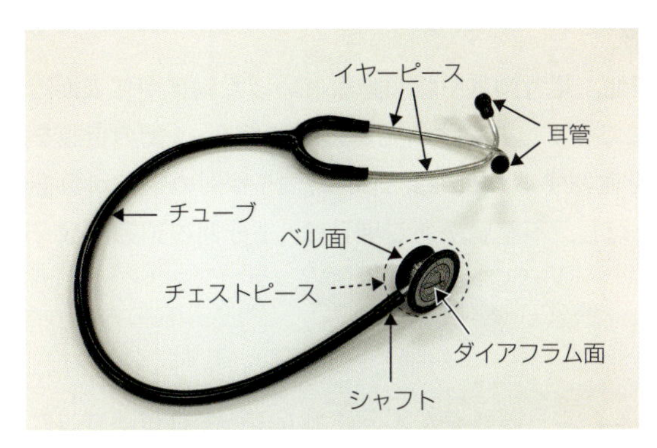

▶図3　聴診器

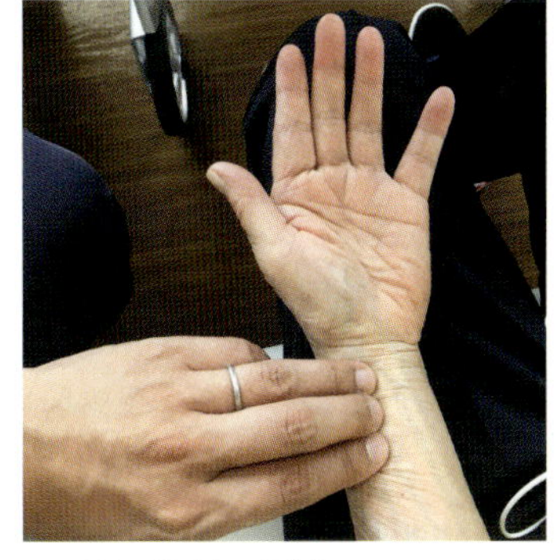

▶図5　脈拍の測定

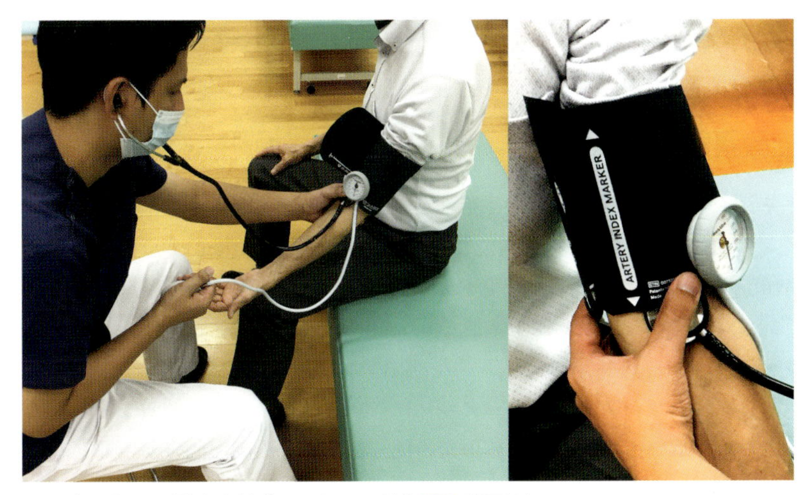

▶図4　血圧の測定方法(コロトコフ法)(動画1)

a 測定項目

1) 拍数

1分間に拍動する回数を計測する．基準値は60～100拍/分であり，100拍/分以上であれば頻脈，60拍/分以下であれば徐脈という．

2) リズム

正常洞調律であれば，規則的なリズムで拍動を触知できる．**不整脈**の場合，不規則なリズムが触知されたり，規則的なリズムに不規則な拍動が入り混じって触知されることがある．脈拍では不整脈の特定はできず，あくまでもスクリーニングとして理解する．不整脈の詳細を評価するには心電図による評価が必要となる．

3) 大きさ

拍動の大きさによって大脈や小脈に分類される．また，大脈と小脈が交互に触知される交互脈や，吸気時に小脈となる奇脈などがある．主観的な評価であり，その判別は難しいことも多い．心疾患によって脈の大きさに特徴がある．

b 測定手順

通常は橈骨動脈を触知する．その他，足背動脈や総頸動脈といった動脈が体表面近くを走行する脈点と呼ばれる部位で脈拍を触知できる．測定する動脈の上に第2〜4指の指腹をあてて軽く圧迫し，数やリズム，脈の大きさを確認する．数の計測では，15秒間の拍動回数を4倍することで，1分間の脈拍を算出する．ただし，不整脈がある場合は，1分間の拍動回数を触知することが望ましい．

5 呼吸数

一般的には，1分間に吸気と呼気を行った回数である．計測方法は，目視や聴診器では，吸気を開始して呼気が終了するまでを1回とカウントし，15秒間の呼吸数を4倍する．心電図を用いるとリアルタイムに**呼吸数**が表示される．呼吸数の基準値は10〜20回/分である．また，呼吸を評価する際は，数に加えてリズムを評価する．健常者では吸気と呼気の比率は1：2であるが，喘息やCOPDの患者では気道狭窄の影響で呼気が延長する．

6 経皮的動脈血酸素飽和度

パルスオキシメータにより，赤外光と赤色光の2種類の光の透過から酸化ヘモグロビンと還元ヘモグロビンの比率を求め，血中酸素飽和濃度(oxygen saturation of arterial blood measured by pulse oximeter；SpO_2)として算出される(▶図6)．ヘモグロビンの約96%以上が酸化ヘモグロビンであり，SpO_2 96%以上が基準値で，SpO_2 90%以上が運動開始の最低水準と考えられている．

測定手順としては，パルスオキシメータのプローブを患者の指先に装着するだけであるが，光信号は微小のため，爪の汚れや外部からの光の侵入があると正確な測定が困難となる．また，末梢循環不全の場合，測定部位に十分な血流が確保できず，測定が困難となる．このように，パルスオキシメータの測定は不安定なため，装着後15秒程度経過してから値を読み取るべきである．さらに，測定結果には生体情報とのタイムラグがある．これは，肺胞でガス交換した酸素がヘモグロビンと結合し，指先の測定部位に到達するまでに時間を要するためである．運動時にSpO_2が低下する場合も同様であり，測定値は15〜20秒程度前の生体情報を反映していることに留意する．

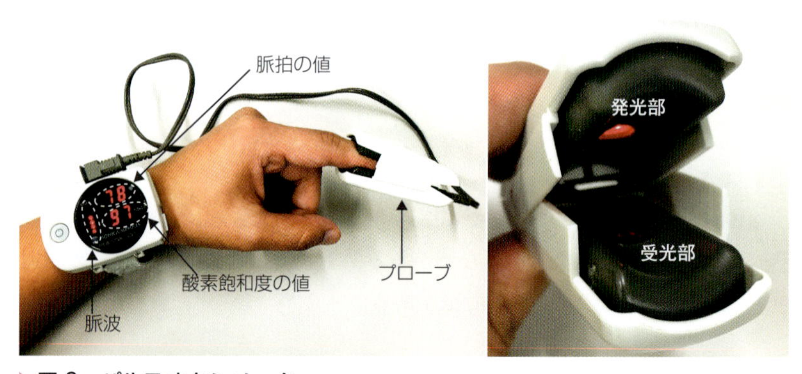

▶図6　パルスオキシメータ

C バイタルサイン検査に必要な基礎知識

バイタルサインを正確に測定できることは理学療法士にとって基本技術であり，これによって患者の状態を把握し，適切な理学療法が遂行可能となる．そのためには，各バイタルサインの評価結果とフィジカルアセスメントを合わせて総合的に解釈することが重要である．また，収縮期血圧と心拍数の積で求められる二重積は心筋酸素需要量を示し，これは心臓の負担の指標となる．さらに，酸素飽和度は酸化ヘモグロビンの割合を示すに過ぎないが，酸素飽和度と酸素分圧の関係を示す酸素解離曲線を用いると，酸素飽和度から酸素分圧を算出することもできる．このように，バイタルサインの測定値からさまざまな値を新たに算出することもできる．

リスク管理を目的にバイタルサインを評価することが多いが，リスクが"ゼロ"になることはなく，いかにリスクを回避できるかを考えなければならない．さまざまなバイタルサインの基準値が報告されており，各領域のガイドラインなどを参考にするとよい．ただし，疾患が同一でも患者個人によってリスクを回避するための値は異なることが多く，基準値はあくまでも参考程度とし，テーラーメイドのリスク管理を実践すべきである．

●参考文献

1) 日本循環器学会/日本心臓リハビリテーション学会：心血管疾患におけるリハビリテーションに関するガイドライン 2021 年改訂版．
https://www.j-circ.or.jp/cms/wp-content/uploads/2021/03/JCS2021_Makita.pdf
2) 植木純，他：呼吸リハビリテーションに関するステートメント．日本呼吸ケア・リハビリテーション学会誌 27：95-114，2018.
3) 日本呼吸ケア・リハビリテーション学会，他(編)：呼吸リハビリテーションマニュアル 運動療法 第2版．照林社，2012.
4) 日本リハビリテーション医学会(編)：リハビリテーション医療における安全管理・推進のためのガイドライン 第2版．診断と治療社，2018.
5) 木村貞治，他(編)：障害別 運動療法学の基礎と臨床実践．金原出版，2020.

復習問題

血圧測定

- □ 1 マンシェットは[①]の上[②]cm 程度の位置に巻く．(44AM048 改変)
- □ 2 測定では上腕(マンシェットを巻く部位)を[③]の高さに合わせる．
- □ 3 減圧時に血管音(コロトコフ音)が初めて聞こえた時の血圧を，[④]という．
- □ 4 呼吸数の基準値は，[⑤]回である．

---

①肘窩 ②2(解説：マンシェットの下縁が肘窩の上 2 cm になるように巻く)
③心臓(解説：マンシェットの高さが心臓より高いと血圧が低く，マンシェットの高さが心臓より低いと血圧が高く測定される)
④収縮期血圧〔解説：減圧時に血管音(コロトコフ音)が初めて聞こえた点(第 1 点)の血圧が収縮期血圧で，さらに圧を下げ，聴診音が消失下点(第 5 点)の血圧が拡張期血圧である〕
⑤10～20(解説：1 分間に吸気と呼気を行った回数を数える．正常な呼吸数は 10～20 回である．健常者では吸気と呼気の比率は 1：2 である)

2 姿勢と形態

- 姿勢検査の目的，観察するポイントについて理解する．
- 形態測定の目的と基本的な測定項目の手順，注意事項について理解する．
- 形態測定により得られた結果の記録方法と解釈について理解する．

I 姿勢検査

A 姿勢検査の概要と目的

概要

身体が重力に抗してバランスを保っている状況を**姿勢**(posture)という．姿勢は，運動学的な視点から“**構え**(attitude)”と“**体位**(position)”の2つの側面に大別される．構えとは，身体各部の相対的な位置関係を表すもので，上肢伸展位，体幹屈曲位と表現したり，関節の角度で表示したりする場合もある．体位は，身体と重力方向(垂線)との関係を表すもので，背臥位，座位，立位などと表示される．このように，ヒトの姿勢は，重力の方向に基づいて身体各部の位置を決め，その場の状況に合った働きかけを構えとして表現している．

姿勢検査(assessment of posture)の目的は，静的姿勢の観察によって，主として不良姿勢や形態異常の有無とその程度を知ることである．

B 姿勢検査の実際

1 実施前の準備

重りをつけた紐や水準器を利用し，垂直や水平の基準を知ることができる．アライメントの偏倚や変形の程度は，メジャーや角度計で測定する．

2 姿勢検査の進め方とその注意点

日常生活における姿勢は一般的に，立位姿勢，座位姿勢，臥位姿勢に分けられる．姿勢検査の手順は対象者の状況に応じて判断する．姿勢によって症状の悪化や軽減がみられる場合は，それらの姿勢についても観察する．手順を(1)～(5)に示す．

(1)座位・立位などの抗重力姿勢の保持が困難，または可能であっても転倒リスクが大きい場合は，臥位姿勢から検査を始める．

(2)検者は，前方，後方，側方(左右)から，必要に応じて距離をとり，視線の高さを変えながら，

▶表 1　姿勢検査の基本的な確認項目

部位	基本的な確認項目
頸・頭部	斜頸，頭部前方突出
肩・上肢	肩(左右高位，前後の位置)，肩甲骨(外転偏倚，翼状肩甲)，上肢の左右対称性
脊柱・体幹	脊柱アライメント〔前弯，後弯(平背，突背，円背，側弯(胸椎カーブ，胸腰椎カーブ，腰椎カーブ，ダブルカーブ)〕，胸郭(漏斗胸，樽状胸，鳩胸，片側性の肋骨隆起)
骨盤	左右高位，前後傾斜，水平ねじれ
膝・下肢	膝関節アライメント(内反膝・外反膝・反張膝・屈曲)，膝蓋骨の動き，膝関節の左右高位，下肢の左右対称性
足部・足趾	足のアーチ(扁平足・凹足)，踵骨のアライメント(内反・外反変形)，尖足，足趾(槌趾・外反母趾)

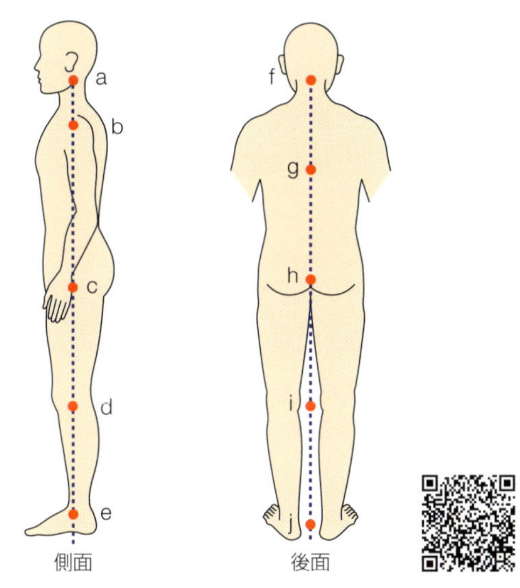

▶図 1　正常な立位姿勢アライメント(動画 2)

a：耳垂，b：肩峰，c：大転子，d：膝関節前面(膝蓋骨後面)，e：外果の約 2 cm 前，f：後頭隆起，g：椎骨棘突起，h：殿裂，i：両膝関節内側面の中間，j：両内果の中間

まず，全身の姿勢を観察する．

(3) 観察は，骨指標(ランドマークと呼ばれることもある)をもとに全身から身体各部位へ，頭部から足部(あるいは足部から頭部)へと系統的に進め，偏倚がないかを調べる．**表 1** に姿勢検査の基本的項目を示す．

(4) 姿勢検査では，構造上の左右対称性に特に注意する．

(5) 補装具などを使用している場合は，装着の有無による姿勢の違いを調べる．

3 各姿勢での検査の実際

a 立位姿勢での観察ポイント

立位姿勢では，まず，両足を 15 cm 程度開いて，リラックスした姿勢をとる．

基準となる正常な**立位姿勢アライメント**(▶**図 1**)を参考に，重りをつけた紐を肩峰，後頭隆起から垂らし，各骨指標をもとに観察し，偏倚した部分を確認する．

(1) 立位姿勢の前後・側方への安定性は，支持基底面に対する重心線の位置を確認することで推測できる．

(2) 重心線の位置は，足部の反応により大まかに把握できる．
足趾が屈曲している場合は前方への偏倚を，足趾が伸展している場合は後方への偏倚の可能性を考える．

(3) 骨盤は，脊柱のアライメントを決定する重要な身体部位であるため，その傾斜と重心線からの偏倚を確認する．

b 立位前屈姿勢での観察ポイント

立位姿勢の状態から，体幹を屈曲し，前屈位をとってもらう．

(1)前面・側面の観察では，ハムストリングスの柔軟性を推察することができる．ハムストリングスの筋緊張の異常を認める場合は，腰椎の代償による前屈を確認することができる．

(2)後面の観察では，胸郭の片側性の隆起や左右非対称性の有無を確認する．

c 座位姿勢での観察ポイント

ベッド上端座位(足底を接地する場合・しない場合)，車椅子座位など必要に応じて複数の座位姿勢を観察する．座位姿勢では下肢の影響を除いたリラックスした姿勢をとってもらう．

(1)前面・後面の観察では，身体各部のアライメントや骨指標の左右差を確認する．

(2)側面の観察では，脊柱の前弯，後弯や骨盤の傾き，足部・殿部の位置などを見る．

(3)脊柱のアライメントと骨盤の傾斜は関連づけて捉え，上肢や下肢に過剰な筋活動が生じていないかを確認する．

(4)股関節の筋緊張が低下することにより，骨盤は後方へ崩れやすくなる．骨盤の傾斜に伴い，体幹の姿勢筋緊張も影響を受けるため，腹筋・背筋群などの筋活動も確認する．

d 臥位姿勢での観察ポイント

ベッド上での背臥位姿勢を観察する．必要に応じて側臥位，腹臥位での姿勢を観察する．臥位姿勢は，重力の影響が最小限となるため，抗重力位での姿勢と比較し，症状の悪化や軽減がみられるかどうか，注意深く観察する．

(1)前面の観察では，左右対称性を確認する．

(2)側面の観察では，床面に接する部分の脊柱の弯曲や骨盤の傾きを見る．

4 姿勢検査の記録

姿勢検査の結果については，姿勢保持に関与している筋や骨・関節を考慮したうえで，観察した事実をそのまま正確に記載することが大切である．

II 形態測定

A 形態測定の概要と目的

概要

形態測定(anthropometric measurement)とは，一定の測定器具を使って身体全体あるいは身体各部の形状を測定することであり，**身体測定**ともいわれる．形態測定には，筋萎縮・筋肥大を把握する周径や，骨の形状上の長さを把握する肢長などがある．

目的

形態測定の目的は，疾病や障害によって生じた形態上の変化や異常の程度を数量的，客観的に把握することである．四肢周径の変化から機能障害の程度や治療効果を判定したり，切断などでは断端の形状を客観的に表現したりすることができる．

B 形態測定の実際

1 身長・体重の測定と体格指数

a 身長

身長(standing height)は，身長計で測定する．単位は cm で，0.1 cm まで記録する．測定時間は，日内変動の少ない午前 10 時頃が望ましい．直立姿勢が困難な場合，背臥位でメジャーを用いて測定する．

b 体重

体重(body weight)は，体重計で測定する．単位は kg で，0.1 kg まで記録する．測定前約 1 時間は飲食を避け，排尿(排便)後が望ましい．本来，裸体で測定するが，臨床的には衣類を着用したまま測定する．通常は測定値より 1.0 kg ほど差し引いて補正する．直立姿勢が困難で体重計にのることができない場合には，車椅子用体重計などを用いる．

c 体格指数

身長と体重の測定値を組み合わせて，1 つの指標として表したものを**体格指数**といい，体格の程度や性質を表している．近年，肥満や生活習慣病などに関連して，身長と体重の相互関係が注目されている．指数を導き出す方法として多用されているものを**表 2** に示す．

2 四肢長

a 四肢長の測定の目的

四肢長(length of extremities)とは，肢の長軸方向の長さを示すもので，上肢の長さと下肢の長さを示す肢長と，上腕や大腿など肢節ごとの長さを示す肢節長がある．測定値を左右比較することで，関節拘縮や変形の有無，骨折の転位・偽関節の有無，切断肢の長さといった身体情報を知ることができる．

b 実施前の準備

測定する部位は，原則として脱衣してもらうため，プライバシーに配慮し，個室あるいはカー

▶表 2 体格指数

体格指数	算出方法	特徴
Kaup(カウプ)指数	体重(kg)/身長(cm)^2×10^4	乳幼児期の発育状態をみるための参考指数
Rohrer(ローレル)指数	体重(kg)/身長(cm)^3×10^7	学童児期の発育状態をみるための参考指数
体容量指数 (body mass index：BMI)	体重(kg)/身長(m)^2	成人向けの肥満度を表す指数．臨床で最も普及している 18.5 未満(やせ) 18.5 以上 25.0 未満(普通体重) 25.0 以上 30.0 未満(肥満 1 度) 30.0 以上 35.0 未満(肥満 2 度) 35.0 以上 40.0 未満(肥満 3 度) 40.0 以上(肥満 4 度) 最も疾病にかかりにくいとされる BMI 22 前後となる体重が標準(理想)体重とされる

テンで仕切られた環境で測定する．対象者に不快な思いを与えないためにも測定の目的や方法などを事前によく説明したうえで，協力を依頼する．

c 測定の進め方と測定上の注意点

測定は 1)〜4)の順に進める．測定時の注意点を示す．

1）測定肢位を選択する．

測定肢位は，上肢では座位または背臥位で肘関節伸展位，前腕回外位，手関節中間位とし，下肢では背臥位で骨盤を水平位にして股関節内・外旋中間位，膝関節伸展位とする．測定肢位の角度差により測定値に変化が生じるため注意する．異常姿勢を認める場合は，できるかぎり矯正した肢位で測定する．1 人での矯正が難しい場合，タオルなどを差し込んで安定させる．

2）測定点となる骨指標を確認する．

骨指標は，幅が数 cm に及ぶものや凹凸もあるため，メジャーのあて方により，測定誤差が生じやすい．最上端・最下端・最も隆起した部分など骨指標の基準を一定にすることにより，測定誤差が減少し，測定の再現性にもつながる．

3）メジャーを用いて測定する．

測定点間の最短距離を測定する．測定する際には，メジャーのねじれや緩みに注意する．肢長では，関節をまたがって測定するが，その際，皮膚に添わせるのではなく，測定点間の直線距離を測定する．

4）左右を測定して比較する．

手術により非術側と術側がある場合は非術側を先に，変形性関節症などで両側に障害がある場合は，より非障害側と考えられる側を先に測定することで，基準値を明確にすることができる．また，身体的負荷による緊張への影響も少なくなる．

d 四肢長の種類と測定点

上肢では，**上腕長**，**前腕長**，**手長**があり，下肢では，**大腿長**，**下腿長**，**足長**がある．四肢長の種類と測定点を表 3 に示す．下肢長には，**棘果長**(spina malleolar distance；SMD)と**転子果長**(trochanter malleolar distance；TMD)の 2 つの測定方法があり，どちらかを明記する．

▶表 3　四肢長の種類と測定点（動画 3）

上肢長	肩峰（外側突出点）から橈骨茎状突起（最突端）まで	
上腕長	肩峰（外側突出点）から上腕骨外側上顆（外側突出点）まで	
前腕長	上腕骨外側上顆（外側突出点）から橈骨茎状突起（最突端）まで	
手長	橈骨茎状突起と尺骨茎状突起を結んだ線の中点から中指先端まで	
下肢長	棘果長	上前腸骨棘（最下端）から内果（最下端）まで
	転子果長	大転子（最上端）から外果（最下端）
大腿長	大転子（最上端）から膝関節外側裂隙（中央）または大腿骨外側上顆まで	
下腿長	膝関節外側裂隙（中央）または大腿骨外側上顆から外果（最下端）まで	
足長	踵後端から第 2 足趾先端または最も長い足趾まで	
指極	両上肢を 90° 外転，肘関節・手指を伸展した肢位での左右の中指先端間	

e 測定結果と記録

同じ測定を3回行い，その平均値を測定値とする．単位はcmで，臨床的には0.1 cm(0.5 cm間隔の場合もある)まで記録する．術後の安静保持や拘縮などのため，本来の方法で測定できなかった場合は，その測定方法を記録しておく．

f 結果の解釈とポイント

下肢のどこに問題があるのかを明らかにするためには，棘果長と転子果長を測定する．転子果長に左右差がなく，棘果長に左右差があるときは，股関節にその原因があると考えられる．下肢長における左右差は，歩容の異常などの原因を推察するうえで，有用な情報となる．

指極は身長に正比例するといわれ，両下肢切断などで本来の身長測定が行えず，数値が得られない場合の代替手法として用いる．

3 周径

a 周径の測定の目的

周径とは，四肢や体幹の太さを示すものである．四肢の場合，測定値を左右比較することで身体の栄養状態，筋萎縮・筋肥大，腫脹・浮腫の程度，切断肢の成熟度を知ることができる．

体幹，特に胸郭においては，呼吸機能に関係した身体情報を得ることができる．また，腹部においては，肥満度の目安にもなる．

b 実施前の準備

四肢長の測定と同様にプライバシーに配慮した環境を用意し，測定目的を十分に説明して対象者の了承を得る．

c 測定の進め方と測定上の注意点

測定は1)～3)の順に進める．測定時の注意点を示す．

1) 測定肢位を選択する．

測定肢位は，上肢では座位または背臥位で，肘関節伸展位，前腕回外位とし，下肢では背臥位で，骨盤を水平位にして，股関節内・外旋中間位，膝関節伸展位とする．異常姿勢により筋緊張を認める場合，できるかぎりリラックスした肢位で測定する．下肢の測定において一側の股関節や膝関節に屈曲拘縮を認める場合，膝の下にクッションなどを差し込んで，緊張感がないようにする．胸囲では座位または背臥位で，上肢を体側に垂らした肢位とする．腹囲では立位で，上肢を体側に垂らした肢位とする．

2) メジャーを用いて測定する．

測定では，メジャーにねじれや緩みがないことを確認して，皮膚の上をようやく移動できる程度(皮膚にしわが生じない)に一度締める．そのあと，生体のもつ自然な戻りを利用して，メジャーが戻ったところの目盛を読む．周径は，簡単なようで難しい検査でもあるため，以下のことに注意しながら測定するとよい．

①メジャーは測定する肢節の長軸と直角になるように伸ばす(▶図2)．

②メジャーと皮膚との間に隙間が生じないように少し持ち上げるようにまわす(▶図3)．

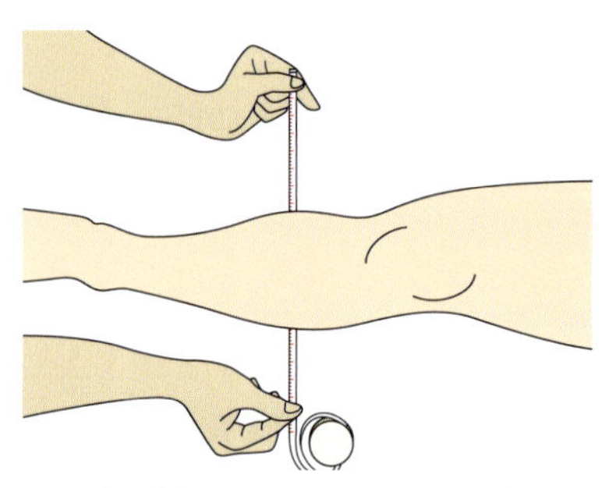

▶図2　斜めにならない周径測定

下腿に対し，直角になるようにメジャーを伸ばす．

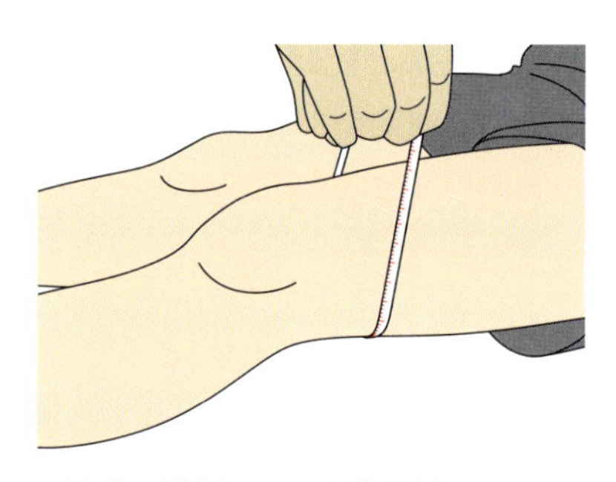

▶図3　隙間のない周径測定

メジャーと皮膚との間に隙間が生じないように脚をすこし持ち上げるようにしてメジャーをあてる．

▶表4　周径の種類と測定方法

上腕周径	肘伸展位上腕周径	肘関節伸展位とし，緊張を取り除いた状態で，上腕中央の最も太い部位を測定
	肘屈曲位上腕周径	肘関節屈曲位とし，力強く曲げた状態で，上腕中央の最も太い部位を測定
前腕周径	前腕最大周径	肘関節を伸展位，前腕を回外位とした状態で，前腕の近位側の最も太い部位を測定
	前腕最小周径	肘関節を伸展位，前腕を回外位とした状態で，前腕の遠位側の最も細い部位を測定
大腿周径	膝関節伸展位，股関節内・外旋中間位とした状態で，膝蓋骨上縁より 5 cm 上，10 cm 上，15 cm 上と複数の部位を測定	
下腿周径	下腿最大周径	膝関節伸展位，股関節内・外旋中間位とした状態で，下腿の近位側の最も太い部分を測定
	下腿最小周径	膝関節伸展位，股関節内・外旋中間位とした状態で，下腿の遠位側の最も細い部分を測定
胸囲	乳頭直上の高さと肩甲骨下角の直下の高さを通る水平線で，安静時呼気の終わりで測定	
腹囲	肋骨弓下縁と腸骨稜の中点を通る水平線で，安静時呼気の終わりで測定．または臍の高さで測定	

3）左右を測定して比較する．

四肢周径では，一方の関節に屈曲拘縮などを認める場合，他方も同じ角度で測定する．

手術により非術側と術側がある場合は非術側を先に，変形性関節症などで両側障害がある場合は，より非障害側と考えられる側を先に測定することで，基準値を明確にすることができる．また，身体的負荷による緊張への影響も少なくなる．

d 周径の種類と測定部位

四肢周径の種類と測定方法を**表4**に示す．

上腕周径には，肘伸展位で測定する場合と屈曲位で測定する場合がある．基本的には，肘伸展位での値を上腕周径とする場合が多い．

前腕周径，下腿周径は，最大部を測定する場合と最小部を測定する場合がある．最大部と最小部は目視で判断することから，毎回同じ部位で測定ができるように指標を決めておくと測定値の再現性につながる(例：最小下腿周径の場合，外果から 3 cm 上など)．

胸囲は，胸郭の周径であり，一般には安静呼吸の呼気終了後に測定する．臨床では，胸郭拡張差(最大吸気時と最大呼気時との差)を測定する場合が多い．

腹囲は，肋骨弓下縁と腸骨稜の中点の高さを測定する方法(WHO)と，臍の高さを測定する方法(日本肥満学会)がある．現在，臍周囲の周径で統一されている．

e 測定結果と記録

同じ測定を3回行い，その平均値を測定値とする．単位はcmで，臨床的には0.5 cm間隔で記録する．この場合，実測値を四捨五入ではなく，二捨三入による端数処理を用いる．定期的に測定して変化の推移を把握し，比較するためにも，測定した肢位と測定部位の指標を記録しておく．

f 結果の解釈とポイント

上腕周径において，肘伸展位での測定と屈曲位での測定を同時に行い，測定値の差(弛緩時と収縮時の差)が少ない場合，筋の萎縮を考える．

前腕周径，下腿周径において，最大膨隆部での測定(最大周径)は測定部位の筋の発達の程度を，最小部での測定(最小周径)は骨の発育や浮腫の程度を知ることができる．

大腿周径において，膝蓋骨直上は関節腫脹の程度，膝蓋骨直上より5 cm上では内側広筋，膝蓋骨直上より10 cm上では外側広筋，膝蓋骨直上より15 cm上では大腿全体の筋群の大きさを知ることができる．

胸郭拡張差は，呼吸機能の指標として用いられる．

腹囲は，内臓脂肪の蓄積量を反映することからメタボリックシンドロームの判定基準の1つとなっており，その基準値は，男性85 cm，女性90 cm以上とされている．

4 切断端における測定

切断端がどれだけ残存しているかによって**義肢**(**義手**・**義足**)に求められる性能が変化するため，切断肢の長さ(**断端長**)を知ることは重要である．また，義肢の長さの指標となる**実用長**の測定も必要である．

断端周径の測定は，断端の浮腫，断端の成熟度やソケットとの適合調整などを把握するために行われる．

a 測定の進め方と測定上の注意点

測定肢位は，立位を基本とする．断端の成熟度を把握するためには，午前・午後の2回，決まった時間に断端周径の測定を行い，日内変化をチェックすることが望ましい．断端周径では，断端の長さにより，測定間隔を大きくしたり，小さくしたりする場合がある．たとえば，長断端では3〜5 cm，短断端では1〜2 cmの間隔で測定する．

b 切断肢の種類と測定方法

切断肢における断端長と断端周径の測定方法を**表5**に示す．

c 測定結果と記録

同じ測定を3回行い，その平均値を測定値とする．単位はcmで，臨床的には0.1 cm間隔で記録する．

▶表5　切断肢の種類と測定方法

切断端	断端長	断端周径
上肢実用長	健側上肢腋窩から母指先端までの距離	
上腕切断	腋窩から断端末までの距離	腋窩から 2.5 cm 間隔で，断端末までの部位
前腕切断	上腕骨外側上顆から断端末までの距離	上腕骨外側上顆から 2.5 cm 間隔で，断端末までの部位
下肢実用長	健側坐骨結節から足底または床面までの距離	
大腿切断	坐骨結節から断端末までの距離	坐骨結節から 5 cm 間隔で，断端末までの部位
下腿切断	膝関節外側裂隙から断端末までの距離	膝関節外側裂隙から 5 cm 間隔で，断端末までの部位

e 結果の解釈のポイント

断端の成熟度は，断端周径の日内変化が 10 mm 以下で，約 1 週間にわたり同一の数値が得られたときに判断する．

5 皮下脂肪厚

皮下脂肪厚(skinfold)とは，測定専用の皮下脂肪厚測定器(キャリパー)を用いてつまんだ皮下脂肪の厚さをいい，体脂肪の状態を把握することができる．

a 実施前の準備

キャリパーによる皮下脂肪厚の測定は，**キャリパー法**と呼ばれ，キャリパーがあればどこでも測定することができる．ただし，測定には技術を要するため，測定値が安定するように練習する必要がある．

b 測定の進め方と測定上の注意点

測定前にキャリパーで，つまむ圧力が一定(10 Pa)となるようにバネばかりの重さを調節する．測定者は母指と示指で，測定部位の皮下脂肪組織全体をつまみ，つまんだ指から 1 cm 離れたところにキャリパーのつまみをあて測定点とする．つまんだ部位をはさむ際にキャリパーが斜めにならないようにする．つまんだ部位に対して垂直にキャリパーをあてるように注意する．

c 測定部位

一般的な測定部位は，上腕背部と肩甲骨下部の 2 か所である．上腕背部では，右上腕背部の肩峰と肘頭の中間点を測定し，つまみ方向は上腕長軸に平行とする(▶図4)．肩甲骨下部では，右肩甲骨下角直下を測定し，つまみ方向は肩甲骨内側縁に沿って脊柱に対し約 45° とする(▶図5)．

d 測定結果と記録

2 回測定し，値がほぼ同じであることを確認してその値を測定結果とする．単位は mm で，1.0 mm 間隔で記録する．

e 結果の解釈のポイント

皮下脂肪厚と身体密度(D)には高い相関がある．キャリパー法で測定した皮下脂肪厚から，身体密度(D)を推定し，体脂肪率を算出することができる．

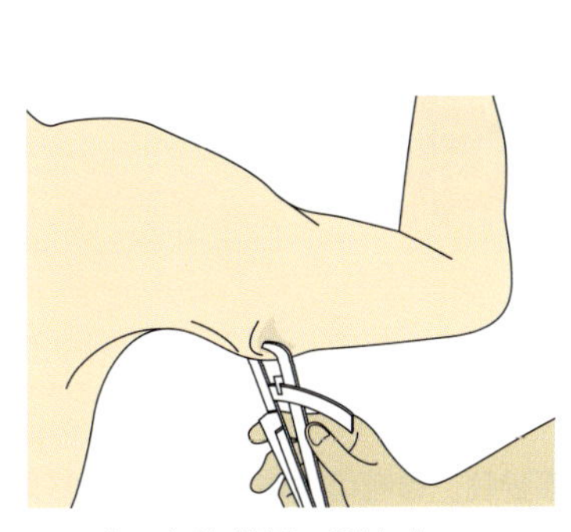

▶図 4 上腕背部の測定点

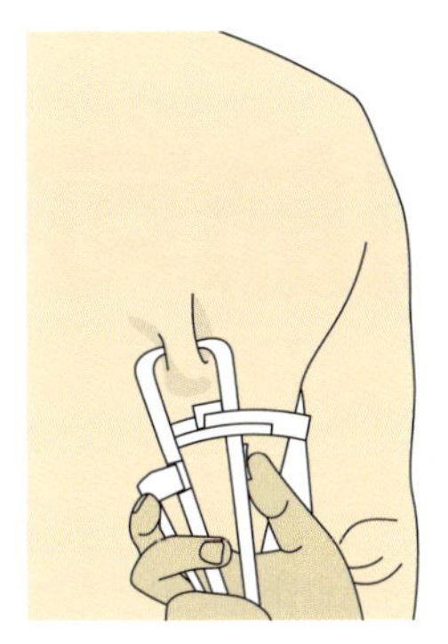

▶図 5 肩甲骨下部の測定点

1) 身体密度(D)(g/cm^3)の算出

D(成人男子) = 1.0913 − 0.00116 × 皮下脂肪厚(上腕背部 + 肩甲骨下部)mm

D(成人女子) = 1.0897 − 0.00133 × 皮下脂肪厚(上腕背部 + 肩甲骨下部)mm

2) 体脂肪率の(%)の算出

体脂肪率 = (4.570/身体密度(D) − 4.142) × 100

この計算式で算出された体脂肪率が男性では 20%，女性では 30% を超えると肥満と判定される．ただし人種，年齢，個人によって体脂肪蓄積の分布が異なることから，キャリパー法での肥満判定は慎重にしなければならない．あくまでも目安として考える．

●参考文献
1) 和才嘉昭，他：測定と評価 第 2 版．pp72-135，医歯薬出版，1987．
2) 奈良勲，他：図解理学療法検査・測定ガイド 第 2 版．pp126-139，文光堂，2009．
3) 千住英明，他：理学療法評価法 第 3 版．pp39-53，神陵文庫，2011．
4) Gross, J.(著)，石川 斉，他(監訳)：筋骨格系検査法 原著第 3 版．医歯薬出版，2011．

復習問題

□ 1 矢状面(側面)で重心線が通るのは，膝関節の[①]である．

□ 2 上肢長は，[②]の外側突出点から[③]の茎状突起までの距離のことである．

□ 3 上腕長の終点および前腕長の起点は，上腕骨外側上顆の[④]である．

□ 4 棘果長は，[⑤]の最下端から[⑥]までの距離のことである．

□ 5 大腿長は，[⑦]の最上端から[⑧]または[⑨]までの距離のことである．

□ 6 下腿最大周径の測定部位は，下腿[⑩]の最も太い部位である．

□ 7 大腿切断は，[⑪]から断端末までの距離を測る．

①前面 ②肩峰 ③橈骨 ④外側突出点 ⑤上前腸骨棘 ⑥内果 ⑦大転子 ⑧膝関節外側裂隙 ⑨大腿骨外側上顆 ⑩近位側 ⑪坐骨結節

3

関節可動域

- 関節可動域測定における基本軸，移動軸，参考可動域について理解する．
- 関節可動域の制限因子について理解する．
- 関節可動域測定の実際について理解する．

I 関節可動域総論

A 関節可動域とは何か

関節可動域(range of motion；ROM)とは，1つの関節が運動できる範囲(域)を指し，人の日常生活空間における運動範囲を規定する重要な要因の1つである．

運動器疾患に限らず中枢神経疾患なども含めたさまざまな疾患や長期臥床により，ROMの制限や過剰といったROM異常が生じる．このためROM測定は臨床で理学療法士が最も行うことが多い評価の1つとなっている．

ROM制限は，拘縮と強直に分類される[1]．

- **拘縮**(**関節拘縮**；contracture)：皮膚や骨格筋，腱，靱帯，関節包など関節周囲軟部組織の器質的変化に由来したROM制限である．
- **強直**(**関節強直**；ankylosis)：関節包内の骨，軟骨など関節構成体自体の病変に由来したROM制限であり，骨性強直と線維性強直に分けられる．骨性強直は関節面が骨組織で結合し，ROMがほとんど消失した状態(関節がある角度で固定されておりまったく動かない状態)である．線維性強直は関節面の一部または全部が結合組織で癒合し，ROMはわずかに残っている場合がある．

拘縮の由来となる関節周囲軟部組織の病変と，強直の由来となる関節構成体の病変は混在して生じるため，両者を厳密に区別することは難しい．一般に，ROMがある程度残存している場合を拘縮，ROMが完全に消失している場合を強直と呼ぶ．また臨床上，組織病変のみでなく，筋トーヌスの亢進や痛みによってROM制限が生じることもある．

一方，ROMは可動範囲が制限されるのみでなく，過剰となる場合もある．過剰ROMの因子には，軟部組織の過伸張性，腱・靱帯の断裂，筋トーヌス低下，関節破壊などがある．

B 関節可動域表示と測定法

ROM表示および測定法としては，現在，日本リハビリテーション医学会・日本整形外科学会，日本足の外科学会による「関節可動域表示ならびに測定法」（以下，「ROM 表示・測定法」）[2]が広く用いられている（▶表 1）．

① 関節可動域表示

1 平面上における関節運動（骨運動）は，関節中心を運動軸とした円運動（回転運動）として行われる．そのため ROM は，直交する 3 つの**運動面**〔**矢状面**，**前額面**，**水平面**（**横断面**）〕（▶図 1）上の可動範囲を角度（°）として表示する．基本肢位を 0° とし，1 つの運動面上で 1 方向とその反対方向の最終域までの角度をそれぞれ記録する（たとえば屈曲と伸展，外転と内転など）．ROM は一般的には 5° 単位で表示するが，より正確に評価する必要がある場合には 1° 単位で表示する．

表示方法の例として，股関節の可動範囲が屈曲 20〜70° の範囲であるならば，「股関節の ROM は屈曲 70°，伸展 −20°」あるいは「股関節の ROM は屈曲 20〜70°」とする．

「ROM 表示・測定法」で使用する関節運動とその名称について，**表 2**（➡69 頁）に示す．

② 関節可動域測定法

a 基本軸と移動軸

「ROM 表示・測定法」では，それぞれの関節に基本軸と移動軸を定めている．関節を構成する 2 つの骨のうち，**基本軸**は近位側（骨盤に近い側），**移動軸**は遠位側（骨盤から遠い側）の，骨長軸や骨指標の延長線上とされているのがほとんどである．基本軸と移動軸は外見上わかりやすい部位が選択されており，運動学上のものとは必ずしも一致しない．

ROM 測定の際は，基本軸となる部位は基本肢位の位置で固定し，移動軸となる部位を最終域まで動かした状態で，両者の間の角度を測定する．

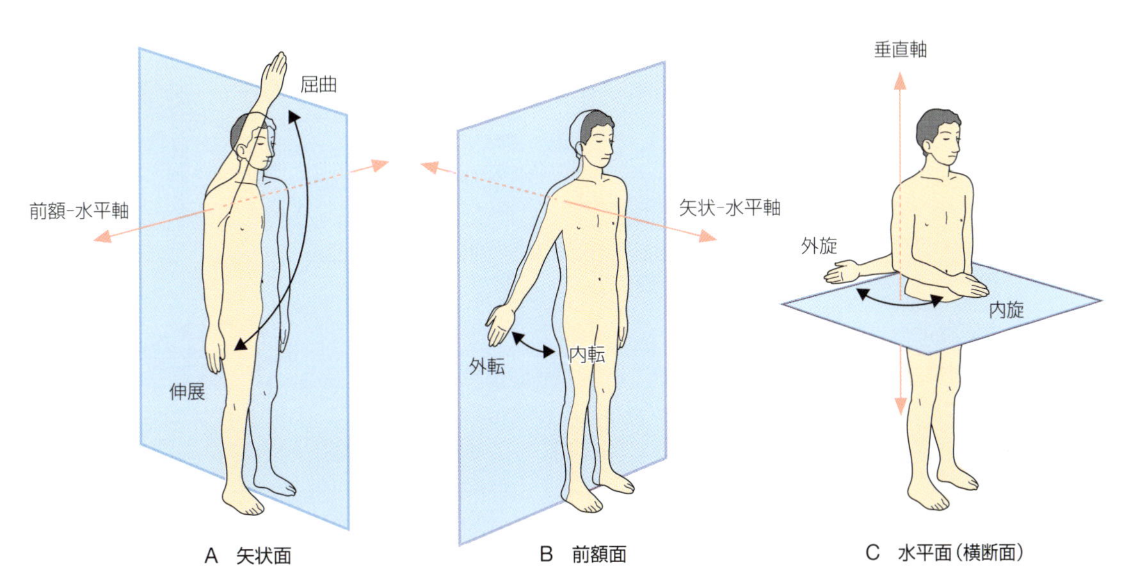

▶図 1 3 つの運動面と対応する運動軸

矢状面では前額-水平軸まわりで主に屈曲・伸展運動，前額面では矢状-水平軸まわりで主に外転・内転運動，水平面（横断面）では垂直軸まわりで主に外旋・内旋運動がおこる．図には肩関節運動の例を示す．

▶表１　関節可動域表示・測定法

部位名	運動方向	参考可動域角度	基本軸	移動軸	測定肢位および注意点	参考図
Ⅱ．上肢測定						
肩甲帯 shoulder girdle	屈曲 flexion	0～20°	両側の肩峰を結ぶ線	頭頂と肩峰を結ぶ線		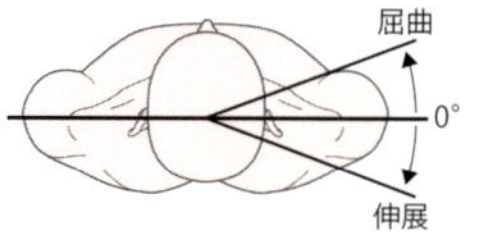 屈曲 0° 伸展
	伸展 extension	0～20°				
	挙上 elevation	0～20°	両側の肩峰を結ぶ線	肩峰と胸骨上縁を結ぶ線	背面から測定する．	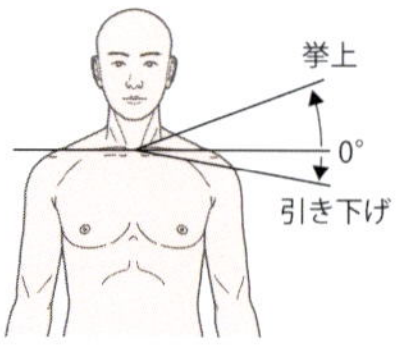 挙上 0° 引き下げ
	引き下げ（下制） depression	0～10°				
肩 shoulder（肩甲帯の動きを含む）	屈曲（前方挙上） forward flexion	0～180°	肩峰を通る床への垂直線（立位または座位）	上腕骨	前腕は中間位とする． 体幹が動かないように固定する． 脊柱が前後屈しないように注意する．	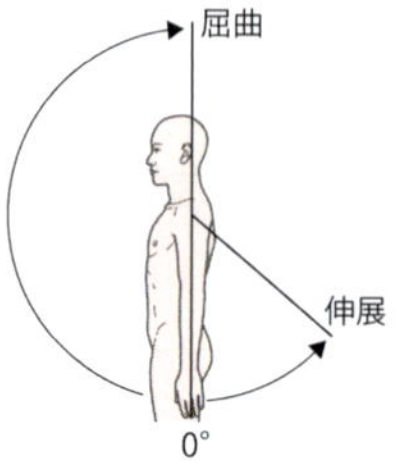 屈曲 伸展 0°
	伸展（後方挙上） backward extension	0～50°				
	外転（側方挙上） abduction	0～180°	肩峰を通る床への垂直線（立位または座位）	上腕骨	体幹の側屈がおこらないように 90° 以上になったら前腕を回外することを原則とする． 「Ⅵ. その他の検査法」参照（➡67 頁）	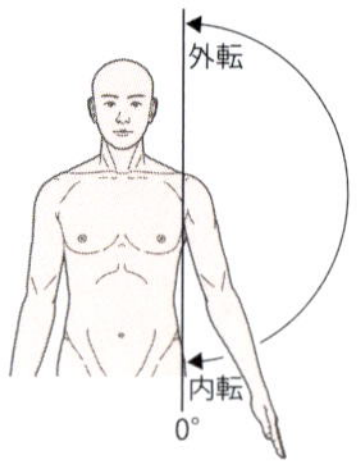 外転 内転 0°
	内転 adduction	0°				
	外旋 external rotation	0～60°	肘を通る前額面への垂直線	尺骨	上腕を体幹に接して，肘関節を前方 90° に屈曲した肢位で行う．前腕は中間位とする． 「Ⅵ. その他の検査法」参照（➡67 頁）	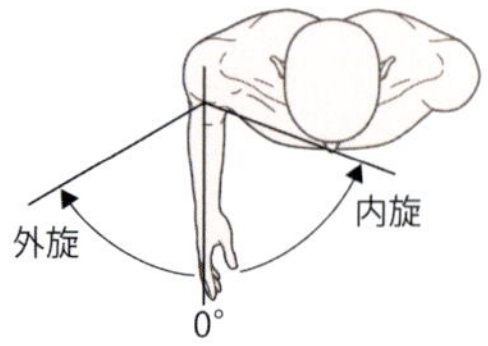 外旋 内旋 0°
	内旋 internal rotation	0～80°				
	水平屈曲 horizontal flexion（horizontal adduction）	0～135°	肩峰を通る矢状面への垂直線	上腕骨	肩関節を 90° 外転位とする．	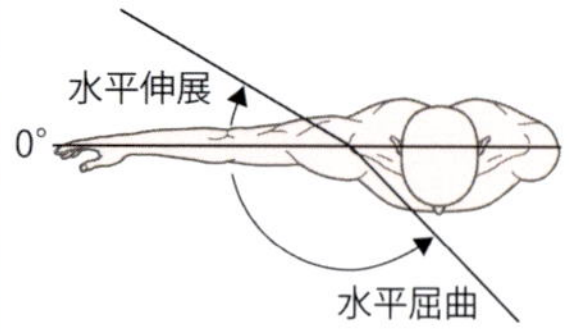 水平伸展 0° 水平屈曲
	水平伸展 horizontal extension（horizontal abduction）	0～30°				

（つづく）

部位名	運動方向	参考可動域角度	基本軸	移動軸	測定肢位および注意点	参考図
Ⅱ．上肢測定（つづき）						
肘 elbow	屈曲 flexion	0～145°	上腕骨	橈骨	前腕は回外位とする．	
	伸展 extension	0～5°				
前腕 forearm	回内 pronation	0～90°	上腕骨	手指を伸展した手掌面	肩の回旋が入らないように肘を 90° に屈曲する．	
	回外 supination	0～90°				
手 wrist	屈曲（掌屈） flexion （palmar flexion）	0～90°	橈骨	第２中手骨	前腕は中間位とする．	
	伸展（背屈） extension （dorsiflexion）	0～70°				
	橈屈 radial deviation	0～25°	前腕の中央線	第３中手骨	前腕を回内位で行う．	
	尺屈 ulnar deviation	0～55°				
Ⅲ．手指測定						
母指 thumb	橈側外転 radial abduction	0～60°	示指（橈骨の延長上）	母指	以下の手指の運動は，原則として手指の背側に角度計を当てる． 運動は手掌面とする．	
	尺側内転 ulnar adduction	0°				
	掌側外転 palmar abduction	0～90°			運動は手掌面に直角な面とする．	
	掌側内転 palmar adduction	0°				

（つづく）

▶表 1　関節可動域表示・測定法(つづき)

部位名	運動方向	参考可動域角度	基本軸	移動軸	測定肢位および注意点	参考図
Ⅲ．手指測定(つづき)						
母指 (つづき)	屈曲(MCP) flexion	0～60°	第 1 中手骨	第 1 基節骨		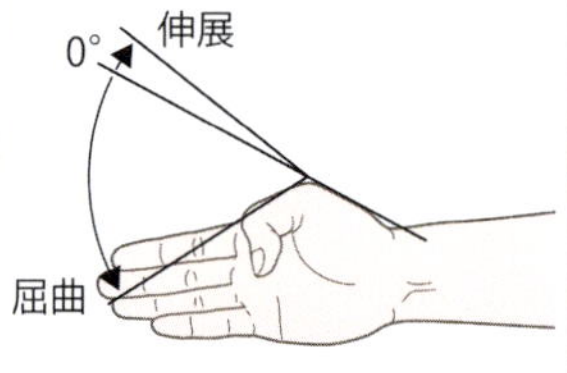
	伸展(MCP) extension	0～10°				
	屈曲(IP) flexion	0～80°	第 1 基節骨	第 1 末節骨		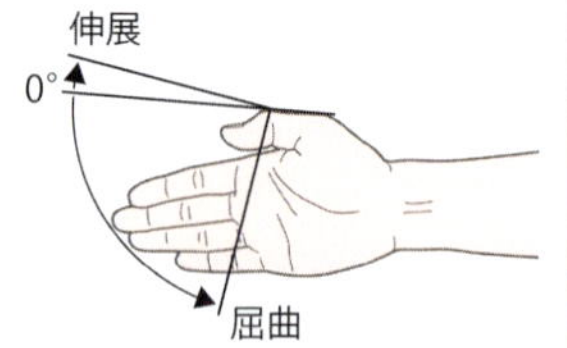
	伸展(IP) extension	0～10°				
指 finger	屈曲(MCP) flexion	0～90°	第 2～5 中手骨	第 2～5 基節骨	「Ⅵ. その他の検査法」参照(➡67 頁)	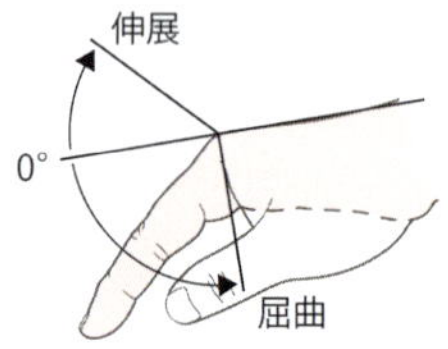
	伸展(MCP) extension	0～45°				
	屈曲(PIP) flexion	0～100°	第 2～5 基節骨	第 2～5 中節骨		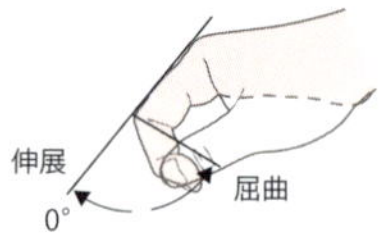
	伸展(PIP) extension	0°				
	屈曲(DIP) flexion	0～80°	第 2～5 中節骨	第 2～5 末節骨		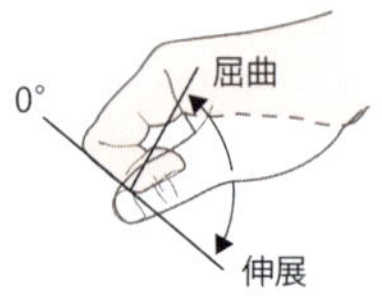
	伸展(DIP) extension	0°			DIP は 10° の過伸展をとりうる.	
	外転 abduction		第 3 中手骨延長線	第 2，4，5 指軸	中指の運動は橈側外転，尺側外転とする.	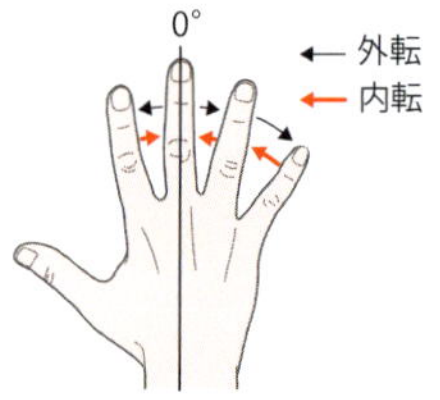
	内転 adduction				「Ⅵ. その他の検査法」参照(➡67 頁)	
Ⅳ．下肢測定						
股 hip	屈曲 flexion	0～125°	体幹と平行な線	大腿骨(大転子と大腿骨外顆の中心を結ぶ線)	骨盤と脊柱を十分に固定する. 屈曲は背臥位，膝屈曲位で行う. 伸展は腹臥位，膝伸展位で行う.	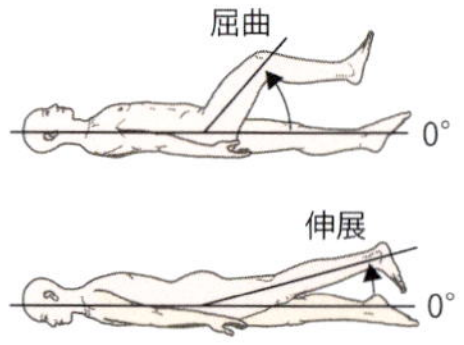
	伸展 extension	0～15°				

(つづく)

部位名	運動方向	参考可動域角度	基本軸	移動軸	測定肢位および注意点	参考図
Ⅳ. 下肢測定(つづき)						
股 (つづき)	外転 abduction	0~45°	両側の上前腸骨棘を結ぶ線への垂直線	大腿中央線(上前腸骨棘より膝蓋骨中心を結ぶ線)	背臥位で骨盤を固定する. 下肢は外旋しないようにする. 内転の場合は, 反対側の下肢を屈曲挙上してその下を通して内転させる.	
	内転 adduction	0~20°				
	外旋 external rotation	0~45°	膝蓋骨より下ろした垂直線	下腿中央線(膝蓋骨中心より足関節内外果中央を結ぶ線)	背臥位で股関節と膝関節を90°屈曲位にして行う. 骨盤の代償を少なくする.	
	内旋 internal rotation	0~45°				
膝 knee	屈曲 flexion	0~130°	大腿骨	腓骨(腓骨頭と外果を結ぶ線)	屈曲は股関節を屈曲位で行う.	
	伸展 extension	0°				
足関節 足部 foot and ankle	外転 abduction	0~10°	第2中足骨長軸	第2中足骨長軸	膝関節を屈曲位, 足関節を0度で行う.	
	内転 adduction	0~20°				
	背屈 dorsiflexion	0~20°	矢状面における腓骨長軸への垂直線	足底面	膝関節を屈曲位で行う.	
	底屈 plantar flexion	0~45°				
	内がえし inversion	0~30°	前額面における下腿軸への垂直線	足底面	膝関節を屈曲位, 足関節を0度で行う.	
	外がえし eversion	0~20°				

(つづく)

▶表１　関節可動域表示・測定法(つづき)

部位名	運動方向		参考可動域角度	基本軸	移動軸	測定肢位および注意点	参考図
Ⅳ．下肢測定(つづき)							
第１趾，母趾 great toe, big toe	屈曲(MTP) flexion		0～35°	第１中足骨	第１基節骨	以下の第１趾，母趾，趾の運動は，原則として趾の背側に角度計をあてる．	
	伸展(MTP) extension		0～60°				
	屈曲(IP) flexion		0～60°	第１基節骨	第１末節骨		
	伸展(IP) extension		0°				
趾 toe, lesser toe	屈曲(MTP) flexion		0～35°	第２～５中足骨	第２～５基節骨		
	伸展(MTP) extension		0～40°				
	屈曲(PIP) flexion		0～35°	第２～５基節骨	第２～５中節骨		
	伸展(PIP) extension		0°				
	屈曲(DIP) flexion		0～50°	第２～５中節骨	第２～５末節骨		
	伸展(DIP) extension		0°				
Ⅴ．体幹測定							
頸部 cervical spine	屈曲(前屈) flexion		0～60°	肩峰を通る床への垂直線	外耳孔と頭頂を結ぶ線	頭部体幹の側面で行う．原則として腰掛け座位とする．	
	伸展(後屈) extension		0～50°				
	回旋 rotation	左回旋	0～60°	両側の肩峰を結ぶ線への垂直線	鼻梁と後頭結節を結ぶ線	腰掛け座位で行う．	
		右回旋	0～60°				

(つづく)

部位名	運動方向		参考可動域角度	基本軸	移動軸	測定肢位および注意点	参考図
Ⅴ．体幹測定（つづき）							
頸部 （つづき）	側屈 lateral bending	左側屈	0〜50°	第７頸椎棘突起と第１仙椎の棘突起を結ぶ線	頭頂と第７頸椎棘突起を結ぶ線	体幹の背面で行う． 腰掛け座位とする．	0° 左側屈 右側屈
		右側屈	0〜50°				
胸腰部 thoracic and lumbar spine	屈曲（前屈） flexion		0〜45°	仙骨後面	第１胸椎棘突起と第５腰椎棘突起を結ぶ線	体幹側面より行う． 立位，腰掛け座位または側臥位で行う． 股関節の運動が入らないように行う． 「Ⅵ．その他の検査法」参照（➡本頁）	伸展 0° 屈曲
	伸展（後屈） extension		0〜30°				
	回旋 rotation	左回旋	0〜40°	両側の後上腸骨棘を結ぶ線	両側の肩峰を結ぶ線	座位で骨盤を固定して行う．	右回旋 左回旋 0°
		右回旋	0〜40°				
	側屈 lateral bending	左側屈	0〜50°	ヤコビー（Jacoby）線の中点に立てた垂直線	第１胸椎棘突起と第５腰椎棘突起を結ぶ線	体幹の背面で行う． 腰掛け座位または立位で行う．	0° 左側屈 右側屈
		右側屈	0〜50°				
Ⅵ．その他の検査法							
肩 shoulder （肩甲骨の動きを含む）	外旋 external rotation		0〜90°	肘を通る前額面への垂直線	尺骨	前腕は中間位とする． 肩関節は 90° 外転し，かつ肘関節は 90° 屈曲した肢位で行う．	外旋 0° 内旋
	内旋 internal rotation		0〜70°				

（つづく）

▶表 1　関節可動域表示・測定法(つづき)

部位名	運動方向	参考可動域角度	基本軸	移動軸	測定肢位および注意点	参考図
Ⅵ. その他の検査法(つづき)						
肩(つづき)	内転 adduction	0〜75°	肩峰を通る床への垂直線	上腕骨	20° または 45° 肩関節屈曲位で行う．立位で行う．	内転 0°
母指 thumb	対立 opposition				母指先端と小指基部(または先端)との距離(cm)で表示する．	
指 finger	外転 abduction		第 3 指中手骨延長線	2, 4, 5 指軸	中指先端と 2, 4, 5 指先端との距離(cm)で表示する．	
	内転 adduction					
	屈曲 flexion				指尖と近位手掌皮線(proximal palmar crease)または遠位手掌皮線(distal palmar crease)との距離(cm)で表示する．	
胸腰部 thoracic and lumbar spines	屈曲 flexion				最大屈曲は，指先と床との間の距離(cm)で表示する．	
Ⅶ. 顎関節計測						
顎関節 temporomandibular joint	• 開口位で上顎の正中線で上歯と下歯の先端との距離(cm)で表示する． • 左右偏位(lateral deviation)は上顎の正中線を軸として下歯列の動きの距離を左右とも cm で表示する． • 参考値は上下第 1 切歯列対向縁線間の距離 5.0 cm，左右偏位は 1.0 cm である．					

〔Jpn J Rehabil Med 2021；58：1188-1200，日本足の外科学会雑誌 2021，Vol. 42：S372-S385，日整会誌 2022；96：75-86：関節可動域表示ならびに測定法(2022 年改定)より一部簡略化〕

▶表 2 関節可動域表示ならびに測定法

【関節可動域測定とその表示で使用する関節運動とその名称】

(1)**屈曲と伸展**：多くは矢状面の運動で，基本肢位にある隣接する 2 つの部位が近づく動きが屈曲，遠ざかる動きが伸展である．ただし，肩関節，頸部・体幹に関しては，前方への動きが屈曲，後方への動きが伸展である．また，手関節，指，母趾・趾に関しては，手掌あるいは足底への動きが屈曲，手背あるいは足背への動きが伸展である．

(2)**背屈と底屈**：足関節・足部に関する矢状面の運動で，足背への動きが背屈，足底への動きが底屈である．屈曲と伸展は使用しないこととする．

(3)**外転と内転**：多くは前額面の運動であるが，足関節・足部および趾では横断面の運動である．体幹や指・足部・母趾・趾の軸から遠ざかる動きが外転，近づく動きが内転である．

(4)**外旋と内旋**：肩関節および股関節に関しては，上腕軸または大腿軸を中心として外方へ回旋する動きが外旋，内方に回旋する動きが内旋である．

(5)**外がえしと内がえし**：足関節・足部に関する前額面の運動で，足底が外方を向く動きが外がえし，足底が内方を向く動きが内がえしである．

(6)**回外と回内**：前腕に関しては，前腕軸を中心にして外方に回旋する動き(手掌が上を向く動き)が回外，内方に回旋する動き(手掌が下を向く動き)が回内である．足関節・足部に関しては，底屈，内転，内がえしからなる複合運動が回外，背屈，外転，外がえしからなる複合運動が回内である．母趾・趾に関しては，前額面における運動で，母趾・趾の長軸を中心にして趾腹が内方を向く動きが回外，趾腹が外方を向く動きが回内である．

(7)**水平屈曲と水平伸展**：水平面の運動で，肩関節を 90° 外転して前方への動きが水平屈曲，後方への動きが水平伸展である．

(8)**挙上と引き下げ(下制)**：肩甲帯の前額面での運動で，上方への動きが挙上，下方への動きが引き下げ(下制)である．

(9)**右側屈・左側屈**：頸部，体幹の前額面の運動で，右方向への動きが右側屈，左方向への動きが左側屈である．

(10)**右回旋と左回旋**：頸部と胸腰部に関しては右方に回旋する動きが右回旋，左方に回旋する動きが左回旋である．

(11)**橈屈と尺屈**：手関節の手掌面での運動で，橈側への動きが橈屈，尺側への動きが尺屈である．

(12)**母指の橈側外転と尺側内転**：母指の手掌面での運動で，母指の基本軸から遠ざかる動き(橈側への動き)が橈側外転，母指の基本軸に近づく動き(尺側への動き)が尺側内転である．

(13)**掌側外転と掌側内転**：母指の手掌面に垂直な平面の運動で，母指の基本面から遠ざかる動き(手掌方向への動き)が掌側外転，基本軸に近づく動き(背側方向への動き)が掌側内転である．

(14)**対立**：母指の対立は，外転，屈曲，回旋の 3 要素が複合した運動であり，母指で小指の先端または基部を触れる動きである．

(15)**中指の橈側外転と尺側外転**：中指の手掌面の運動で，中指の基本軸から橈側へ遠ざかる動きが橈側外転，尺側へ遠ざかる動きが尺側外転である．

※外反，内反：変形を意味する用語であり，関節運動の名称としては用いない．

関節可動域は年齢，性，肢位，個体による変動が大きいので，正常値は定めず参考可動域として記載した．関節可動域の異常を判定する場合は，健側上下肢関節可動域，参考可動域，(附)関節可動域の参考値一覧表，年齢，性，測定肢位，測定方法などを十分考慮して判定する必要がある．

〔Jpn J Rehabil Med 2021；58：1188-1200，日本足の外科学会雑誌 2021，Vol. 42：S372-S385，日整会誌 2022；96：75-86：関節可動域表示ならびに測定法(2022 年改定)より一部簡略化〕

b 測定器具

ROM 測定は**角度計(ゴニオメータ)**を用いて実施する(▶図 2)．角度計は，可動可能な 2 本のアーム(バーとも呼ぶ)と中央の分度計で構成されており，基本軸と移動軸にアームを合わせ，分度計の値を読み取る．必要に応じ，基本軸または移動軸からアームを平行移動させても差し支えない．2 本のアームのうち，基本軸に合わせるアームを固定(基準)アームと呼び，移動軸に合わせるアームを移動アームと呼ぶ．

角度計の種類には金属製とプラスチック製があり，アームの長さもさまざまで，関節の大きさ(基本軸，移動軸の長さ)に応じて使い分ける．小さいプラスチック製の角度計(▶図 2D)は，片手でも操作しやすいという利点がある．また，三関節角度計(▶図 2E)は手指・足趾関節の測定に用いられる．手指および足趾ではアームの合わせやすさを考慮し，指の背側にアームをあてて測定する．

c 測定肢位

測定肢位は，「ROM 表示・測定法」で規定されている場合には原則それに従う．測定値に影響を与えないよう，安定した姿勢・肢位を選択することが望ましい．たとえば肩 ROM 測定の場

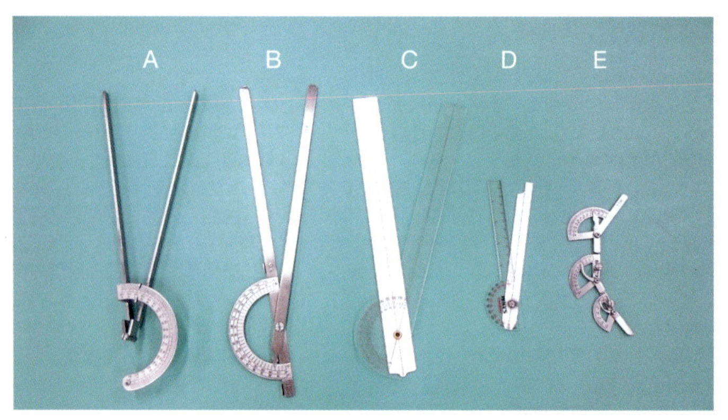

▶図2　代表的な角度計（ゴニオメータ）

A，B，E は金属製，C，D はプラスチック製である．A は東大式，B は神中式と呼ばれ，多くの臨床現場で用いられている．E は三関節角度計である．

合，背臥位は脊柱の動きによる代償を最小限にすることができ，また体力の低下した対象者でも安全に行える．一方，端座位であれば各運動方向への ROM を比較的短時間で測定できるという利点がある．

d 自動関節可動域と他動関節可動域

ROM には，対象者自身が随意的に関節運動を行う**自動 ROM** と，検者が他動的に関節運動を行う**他動 ROM** がある．他動 ROM は主に，前述の拘縮・強直の由来となる関節構成体や関節周囲軟部組織の状態に依存するが，自動 ROM は加えて動筋の筋力といった収縮組織や運動協調性，さらには対象者の意思にも依存する．多くは，自動 ROM よりも他動 ROM のほうが大きい．

原則としては他動 ROM を測定するが，必要に応じて自動 ROM の測定も行う．たとえば肩関節疾患をもつ対象者では，肩 ROM の日常生活における機能的側面を把握するため，座位で肩関節の自動 ROM を評価する場合がある．

C 関節可動域測定の目的

ROM 測定の目的は，ROM の制限・過剰といった異常の程度を数値化し，対象者の障害像を客観的に把握することである．ROM の測定結果は，予後予測，目標設定や理学療法プログラム立案の一助および理学療法の効果判定，さらには対象者の動機づけや学術資料としても用いられる．

理学療法プログラムを立案するにあたって，ROM 制限が ADL へどのように影響しているかの推察や，ROM 制限がどのような因子で生じているかの特定は重要である．

1 関節可動域制限と ADL との関連

ROM 制限は，ADL の遂行を困難にするだけでなく，他関節に代償運動による過剰 ROM，痛みや筋トーヌス亢進などの二次的な機能障害を引き起こす危険性がある．ADL を遂行するために必要な各 ROM の理解は，理学療法の目標設定や動作指導，環境設定を行ううえで重要である．近年の動作解析研究により，さまざまな ADL 遂行時の各関節の ROM が示されている[3-9]（▶表3，4）．

▶表3 上肢関連のADLと関節可動域

	肩関節	肘関節・前腕	手関節
洗顔	挙上 44° 水平屈曲 111° 内旋 17°	屈曲 128° 回外 21°	背屈 29° 橈屈 7°
結髪	挙上 110° 水平屈曲 60° 外旋 79°	屈曲 119° 回外 15°	背屈 3° 尺屈 9°
首部分のボタンを留める	挙上 29° 水平屈曲 76° 内旋 34°	屈曲 134° 回外 34°	掌屈 18° 尺屈 5°
グラスの水を飲む	挙上 87° 水平屈曲 80° 外旋 60°	屈曲 115° 回内 20°	背屈 15° 橈屈 3°
前頭部へのリーチ	挙上 59° 水平屈曲 108° 外旋 7°	屈曲 124° 回外 30°	背屈 24° 橈屈 8°
同側の耳へのリーチ	挙上 70° 水平屈曲 86° 外旋 40°	屈曲 132° 回内 19°	背屈 25° 尺屈 1°
反対側の脇へのリーチ	挙上 42° 水平屈曲 109° 内旋 65°	屈曲 100° 回外 63°	掌屈 32° 尺屈 18°
背中へのリーチ	挙上 52° 水平伸展 59° 内旋 110°	屈曲 115° 回外 86°	掌屈 45° 尺屈 20°
会陰部へのリーチ	挙上 41° 水平伸展 86° 内旋 66°	屈曲 56° 回外 78°	背屈 1° 橈屈 5°

表中の値は各動作の最終肢位の値を示す．挙上とは，水平屈曲・伸展で表される方向への上腕の上方への動きを示す．たとえば水平屈曲0°での挙上は前額面上での外転運動，水平屈曲90°での挙上は矢状面上での屈曲運動，水平伸展90°での挙上は矢状面上での伸展運動となる．
〔Aizawa J., et al.: Three-dimensional motion of the upper extremity joints during various activities of daily living. J Biomech 43: 2915-2922, 2010より〕

❷ 関節可動域制限因子の特定[10)]

ROM制限を引き起こす因子には，骨の衝突，腫脹・浮腫，軟部組織の伸張性の低下，筋トーヌスの亢進，疼痛，および関節内運動(関節の遊びなど)の障害などがあり，それぞれに応じて実施する理学療法は異なる．そのため，ROM制限因子を特定することは重要である．制限因子を特定するにあたっては，関節を他動で動かした最終域で検者が感じる抵抗感(**最終域感**；エンドフィール)の評価が重要である．**表5**に，一般にみられる最終域感との種類とそこから予想されるROM制限因子を示す．また検者の感覚だけでなく，対象者が感じる伸張感や痛みの部位・程度も参考にするとよい．

❸ 短縮している筋の特定

ROM測定は原則，二関節筋や多関節筋の影響を除いた肢位で行われる．たとえば，股関節屈曲ROMの測定は，膝関節を屈曲させ，二関節筋であるハムストリングスをゆるめた肢位で行う．しかしながら，ROM制限因子が筋か筋以外か，あるいはどの筋にあるのかを同定するため，隣接する関節の角度を変えて二関節筋を伸張させた状態でもROMを測定する必要がある．

例として，足関節背屈を膝関節屈曲位で行う場合と膝関節伸展位で行う場合に伸長される筋の違いを**図3**に示す．膝屈曲位での足背屈ROM制限は単関節筋の短縮，膝伸展位での足背屈

▶ 表 4　下肢関連の ADL と関節可動域

	股関節	膝関節	足関節
歩行[4, 5]	屈曲 35° 伸展 10°	屈曲 60° 伸展 −3〜0°	背屈 10° 底屈 15〜20°
階段昇段 (高さ 18 cm，踏面 28.5 cm)[6]	屈曲 65°	屈曲 94°	背屈 11° 底屈 31°
階段降段 (高さ 18cm，踏面 28.5 cm)[6]	屈曲 40°	屈曲 91°	背屈 21° 底屈 40°
椅子からの立ち上がり (膝と同じ高さの座面)[7]	屈曲 97°	屈曲 100°	
しゃがみ動作[8]	屈曲 95°	屈曲 154°	背屈 39°
胡座[8]	屈曲 84° 外転 34° 外旋 37°	屈曲 150°	
ズボンを履く(立位)[9]	屈曲 86°	屈曲 115°	底屈 37°
靴を履く (座位で脚を組んで実施)[9]	屈曲 85° 内転 17° 外旋 26°	屈曲 84°	
靴を履く (座位で足部を反対側の膝の上において実施)[9]	屈曲 82° 外転 18° 外旋 61°	屈曲 103°	
靴ひもを結ぶ (座位で足部まで手を伸ばして実施)[9]	屈曲 89°	屈曲 77°	

表中の値は各動作中の最大角度を示す.

▶ 表 5　最終域感の種類と予想される関節可動域制限因子

最終域感	特徴	制限因子	正常関節での例
1. 骨性 (bone to bone)	骨どうしが接触し，硬く弾力がない	骨の衝突	肘関節伸展
2. 軟部組織接触性 (soft tissue approximation)	弾力性のある軟部組織(特に筋)が圧迫されて運動が止まる最終域感(柔軟な衝突感)	腫脹・浮腫	肘関節・膝関節屈曲
3. 軟部組織伸張性 (tissue stretch)	少し弾力のある硬いバネ様の最終域感	軟部組織(皮膚・筋・腱・靱帯および関節包)の伸張性の低下，浮腫・腫脹	
関節包伸張性	最終域近くで急に硬くなるバネ様の最終域感	関節包や靱帯の短縮や癒着	肩関節外旋，前腕回外
筋伸張性	ROM の中間より徐々に抵抗感が始まり，最終域まで増加	筋や腱の短縮や筋トーヌスの亢進	股関節屈曲(膝伸展位)，足関節背屈(膝伸展位)
4. 筋スパズム性 (muscle spasm)	突然運動がさえぎられるような急な硬い最終域感で，痛みを伴うことが多い	筋トーヌスの亢進	なし
5. 無抵抗性 (empty)	疼痛や恐怖心のため対象者の訴えで他動運動ができなくなることによりおこり，構造的な抵抗感はない	疼痛	なし

ROM 制限因子のうち関節内運動の障害では，表中のさまざまな最終域感を生じる.

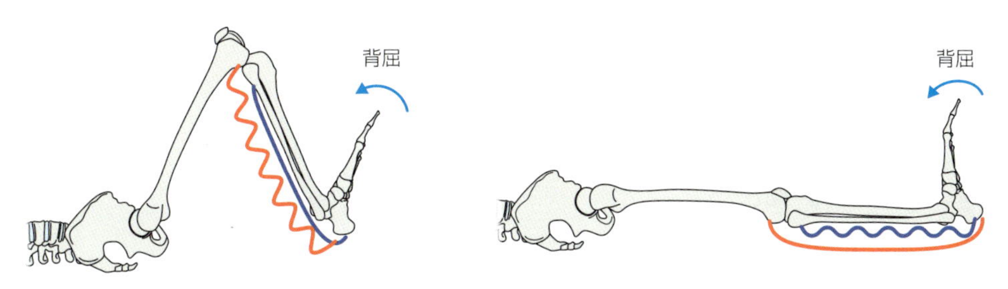

A　足関節背屈（膝関節屈曲位）　　B　足関節背屈（膝関節伸展位）

▶図3　膝関節屈曲位および伸展位での足関節背屈

膝関節と足関節の後方を走行する（膝屈曲作用と足底屈作用をもつ）二関節筋の代表として腓腹筋（赤），足関節のみの後方を走行する（足底屈作用のみをもつ）単関節筋の代表としてヒラメ筋（青）を示している．ROM 測定法では，A のように膝関節屈曲位にて足背屈角度を計測することとしている．この場合，膝屈曲作用をもつ二関節筋（腓腹筋）は，膝関節が屈曲位となっていることから短縮しゆるんだ状態となっている．そのため足関節を背屈させても十分伸張されず，足底屈作用をもつ単関節筋（ヒラメ筋）だけが伸張される．すなわち膝関節屈曲位での足背屈 ROM 制限は，単関節筋の短縮を意味する．
一方，B のように膝伸展位にて足関節を背屈させた場合には，膝屈曲作用と足底屈作用をもつ二関節筋（腓腹筋）が先に伸張されるため，単関節筋（ヒラメ筋）は十分に伸張されない．すなわち膝伸展位での足背屈 ROM 制限は，二関節筋の短縮を意味する．

▶表6　二関節筋を考慮した関節可動域測定

関節可動域の運動方向		他関節肢位による関節可動域制限の有無	短縮が予想される二関節筋
股関節	屈曲	膝伸展位での制限	大腿二頭筋長頭，半腱様筋，半膜様筋
	伸展	膝屈曲位での制限	大腿直筋
膝関節	屈曲	股伸展位での制限	大腿直筋
	伸展	股屈曲位での制限	大腿二頭筋長頭，半腱様筋，半膜様筋
		足背屈位での制限	腓腹筋，足底筋
足関節背屈		膝伸展位での制限	腓腹筋，足底筋

ROM 制限は二関節筋の短縮を表す．

表6 に，下肢の各関節の**二関節筋**を考慮した ROM 測定法を示す．この表では矢状面上での作用に基づいているが，さらに詳細に鑑別するためには，外転・内転角度や外がえし・内がえし角度も考慮する．なお，この表に従い隣接する関節の角度を変えても ROM 制限の程度が変わらない場合は，二関節筋が短縮している可能性は低く，単関節筋の短縮が疑われる．しかしその場合には，ほかの制限因子（筋以外の軟部組織の伸張や骨の衝突など）との鑑別を必ず行うことに留意する．

4 測定結果の解釈における注意点

日常生活動作をはじめとする動作能力には，ROM 制限以外にも筋力低下やバランス能力低下などさまざまな機能障害が関連することから，必ずしも ROM 制限が動作能力低下に直結しない場合がある．たとえば末期変形性股関節症や大腿骨近位部骨折術後の股関節伸展 ROM は，正常歩行で観察される股関節伸展 ROM である 10° よりも小さい値となるが，歩行速度の低下には下肢筋力低下が影響し，股関節伸展 ROM 制限は影響しないことが報告されている[11, 12]．また ROM 測定のみで関節周囲の病変を明らかにできるわけではないため，ROM 制限因子や予後予測などを明確にできないことも多く，ほかの検査結果や画像所見といった医学的所見もふまえたうえで総合的に判断する必要がある．

D 測定の手順

1 検査前の準備

- 医学的情報により，リスクとなる疾患や禁忌肢位の確認を行う．
- 必要な角度計やベッドなどの器具を用意する．ベッドは昇降機能を有するものが望ましい．
- 可能なかぎり測定部位の露出ができる服装とする．
- 検査内容やその意義について十分なオリエンテーションを行う．特に痛みや疲労がないかを十分確認し，検査中に痛みや疲労が出た場合には申し出るように伝える．
- 問診を行いながら，どの関節に制限があるかをおおまかに確認する．

2 検査の注意点

- 安全な肢位を選択することでリラックスして測定できるようにするとともに，転倒などのリスク管理を行う．
- 視診および触診により，基本軸・移動軸を十分に確認する．特に骨は軟部組織に覆われてわかりにくい部位があるために注意する．
- いきなり関節を動かさず，測定前に一度，自動で動かしてもらう．対象者は運動を理解できない場合があるため，検者の動きを模倣してもらうとよい．
- 痛みの出現や筋トーヌスの亢進を防ぐために愛護的に関節を動かす．
- 代償運動が生じないように注意する．特に基本軸は動かないように固定する．
- 角度計は運動面に合わせて操作し，皮膚に押し付けず接触は最小限とする．
- 検者は角度計の分度計に目線の高さを合わせて角度を読み取る．
- 別法を用いた場合や特別な配慮を要した場合には，記録用紙に記載する．なお，経時的変化を調べる場合には，測定方法は統一しておく．
- 最終域感や測定中に生じた痛みについても記載する．

3 記録用紙

ROMの記録用紙にはさまざまな形式があるが，用紙の中央列に関節・運動方向および参考可動域が記載され，その左右にROM測定値の記入欄があるものが多い．ROMの値だけでなく特記事項(自動か他動か，痛みの有無，最終域感，その他)を記載する欄を設ける．自動ではactiveの「a」，他動ではpassiveの「p」，痛みがあった場合にはpainの「ⓟ」と記載するなど，略語を決めておくとよい．

ROM記録用紙の例を**表7**に示す．

▶表 7　関節可動域記録用紙の例

関節可動域記録用紙

氏名＿＿＿＿＿＿＿＿＿＿　（　　歳　男・女　）　疾患名＿＿＿＿＿＿＿＿＿＿

右		部位	運動方向	参考可動域(°)	肢位	左	
年 月 日	年 月 日					年 月 日	年 月 日
(　)	(　)	肩甲帯	屈曲	20		(　)	(　)
(　)	(　)		伸展	20		(　)	(　)
(　)	(　)		挙上	20		(　)	(　)
(　)	(　)		引き下げ	10		(　)	(　)
(　)	(　)	肩	屈曲	180		(　)	(　)
(　)	(　)		伸展	50		(　)	(　)
(　)	(　)		外転	180		(　)	(　)
(　)	(　)		内転	0		(　)	(　)
(　)	(　)		外旋	60		(　)	(　)
(　)	(　)		内旋	80		(　)	(　)
(　)	(　)		水平屈曲	135		(　)	(　)
(　)	(　)		水平伸展	30		(　)	(　)
(　)	(　)	肘	屈曲	145		(　)	(　)
(　)	(　)		伸展	5		(　)	(　)
(　)	(　)	前腕	回内	90		(　)	(　)
(　)	(　)		回外	90		(　)	(　)
(　)	(　)	手	屈曲(掌屈)	90		(　)	(　)
(　)	(　)		伸展(背屈)	70		(　)	(　)
(　)	(　)		橈屈	25		(　)	(　)
(　)	(　)		尺屈	55		(　)	(　)
(　)	(　)	股	屈曲	125		(　)	(　)
(　)	(　)		伸展	15		(　)	(　)
(　)	(　)		外転	45		(　)	(　)
(　)	(　)		内転	20		(　)	(　)
(　)	(　)		外旋	45		(　)	(　)
(　)	(　)		内旋	45		(　)	(　)
(　)	(　)	膝	屈曲	130		(　)	(　)
(　)	(　)		伸展	0		(　)	(　)
(　)	(　)	足関節・足部	外転	10		(　)	(　)
(　)	(　)		内転	20		(　)	(　)
(　)	(　)		背屈	20		(　)	(　)
(　)	(　)		底屈	45		(　)	(　)
(　)	(　)		内がえし	30		(　)	(　)
(　)	(　)		外がえし	20		(　)	(　)
(　)	(　)	頸部	屈曲	60		(　)	(　)
(　)	(　)		伸展	50		(　)	(　)
(　)	(　)		回旋	60		(　)	(　)
(　)	(　)		側屈	50		(　)	(　)
(　)	(　)	胸腰部	屈曲	45		(　)	(　)
(　)	(　)		伸展	30		(　)	(　)
(　)	(　)		回旋	40		(　)	(　)
(　)	(　)		側屈	50		(　)	(　)

II 関節可動域測定の実際

一般的な他動 ROM の測定方法は，以下のとおりである．

(1) まず角度計を持たずに，対象者の移動軸の部位を他動で最終域まで動かし，最終域感を評価する．この際，代償運動が生じないように注意し，必要に応じて検者の反対側の手で基本軸の部位を固定しておく．

(2) 最終域を保持した状態で，角度計をあてる．検者の一側の手で角度計の固定アームを持って基本軸に合わせ，反対側の手では移動軸を最終域で保持しながら，角度計の移動アームを持って移動軸に合わせる（プラスチック製の角度計など片手で操作できる場合はこの限りではない）．

(3) 移動軸が最終域となっているか再度確認してから，分度計の目盛を読み取る．

しかし，代償運動その他に注意を払いながら，(2)(3)のように片手で対象者の移動軸と角度計の移動アームを把持することが困難な場合が多々ある．そのため，検者には左右の手だけなく肘部分や下肢を固定に使うなどのテクニックも必要である．また，検者１人で測定できるに越したことはないが，検査で最も重要なことは正確な測定値を得ることであるため，測定補助者をつけることも考慮する．

なお，検者が他動で動かした最終域の角度・肢位を対象者自身で保持できる場合は，必ずしも検者の手で移動軸を把持しなくてもよい．

各部位の ROM 測定の実際について，図を示しながら解説する．肢位は測定しやすいものを複数示すが，「ROM 表示・測定法」で規定されている肢位には下線を引いて示す．

A 上肢測定

1 肩甲帯

a 屈曲・伸展（▶図 4）

肢位：腰かけ座位，立位

b 挙上・引き下げ（下制）（▶図 5）

肢位：腰かけ座位，立位

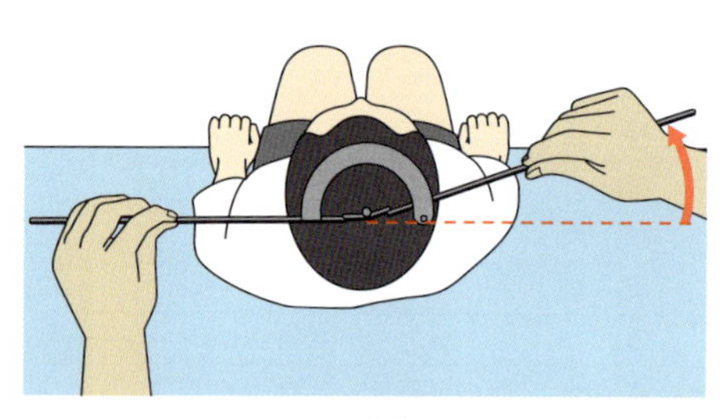

A 屈曲

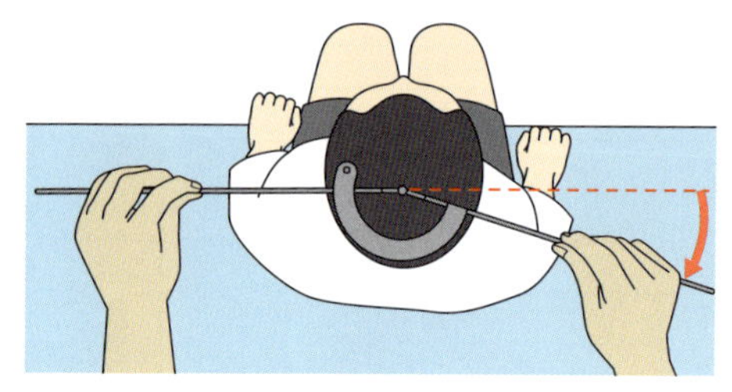

B 伸展

▶図 4 肩甲帯の屈曲・伸展

「関節可動域表示・測定法」では測定肢位は背面より測定することとなっているが，移動軸が肩峰と胸骨上縁を結ぶ線となっていることから，前方からの測定が実際的である．

❷ 肩関節

a 屈曲（前方挙上）・伸展（後方挙上）（▶図 6）

肢位：腰かけ座位，立位，背臥位（屈曲），腹臥位（伸展）

前腕は中間位とする．脊柱が前後屈しないように注意する．

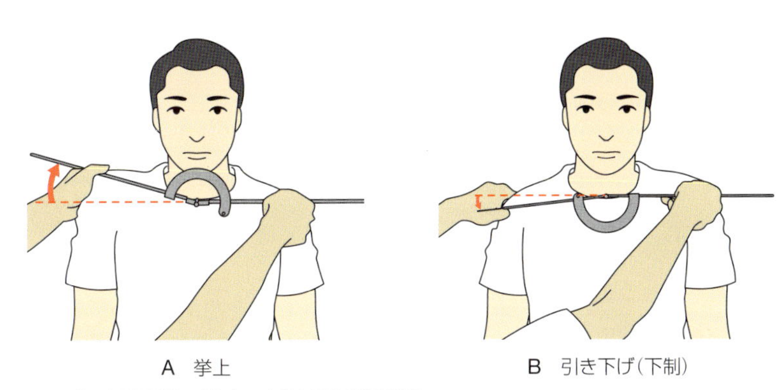

A 挙上　B 引き下げ（下制）

▶図 5 肩甲帯の挙上・引き下げ（下制）

母指と第 2 中手骨で角度計の移動アームを挟むように把持し，第 2〜5 指で移動軸（肩部分）を把持している．

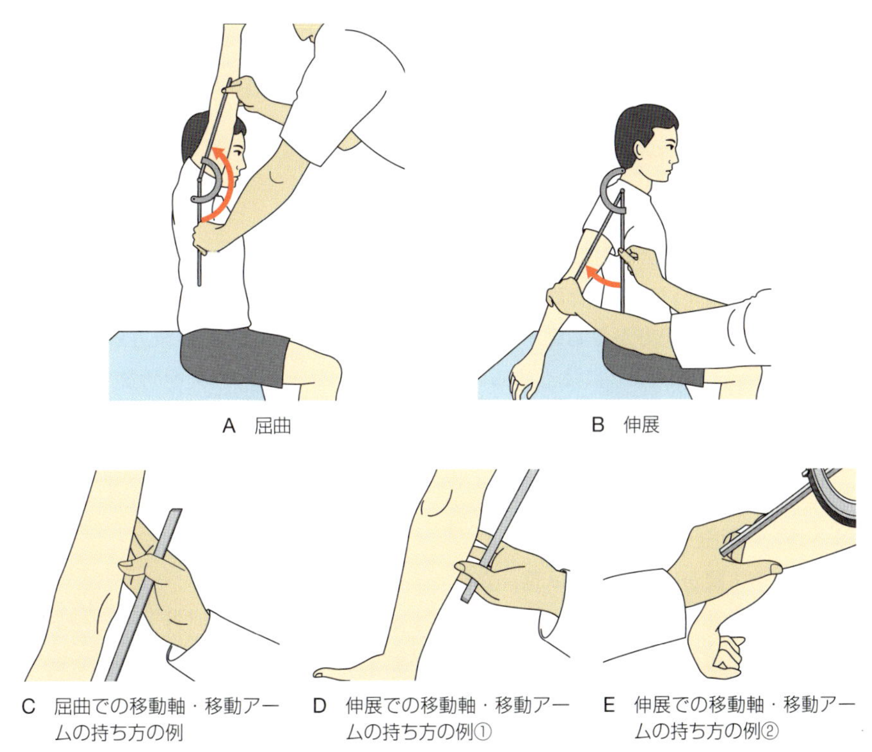

A 屈曲　B 伸展

C 屈曲での移動軸・移動アームの持ち方の例　D 伸展での移動軸・移動アームの持ち方の例①　E 伸展での移動軸・移動アームの持ち方の例②

▶図 6 肩関節の屈曲（前方挙上）・伸展（後方挙上）

A，C，D：母指と第 2 中手骨で角度計の移動アームを挟んで保持している．

B，E：第 3〜5 指で角度計の移動アームを把持し，母指と示指で移動軸を挟んで保持している．

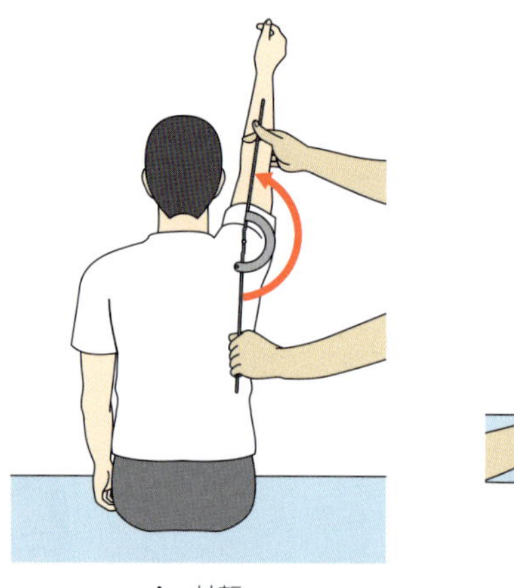
A　外転

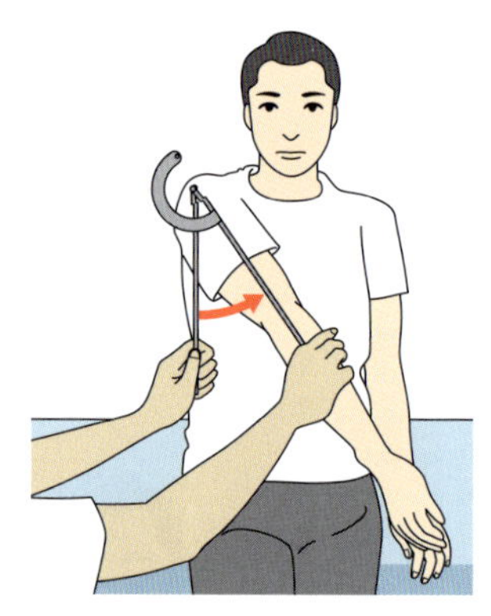
B　内転(別法)

▶図 7　肩関節の外転(側方挙上)・内転(動画 4〜6)

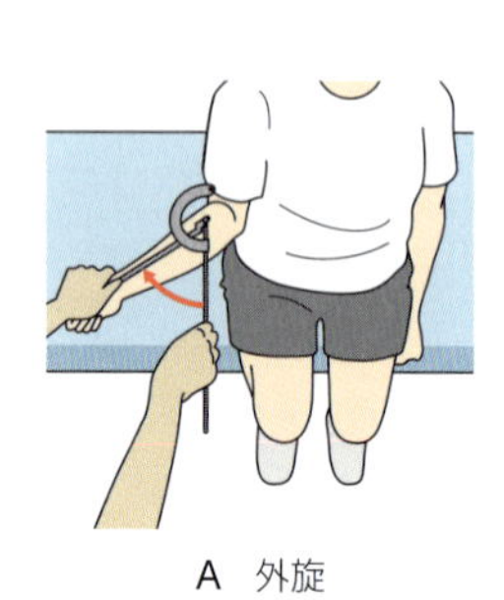
A　外旋

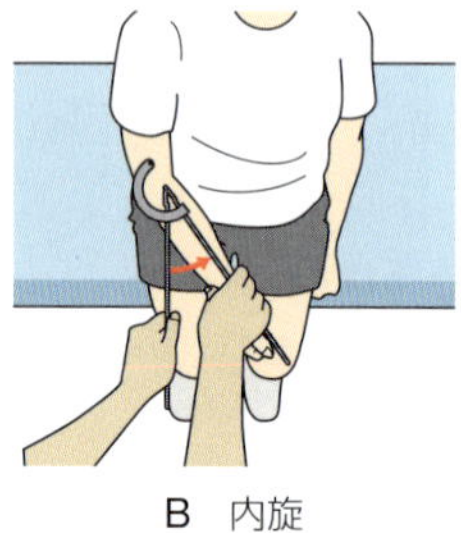
B　内旋

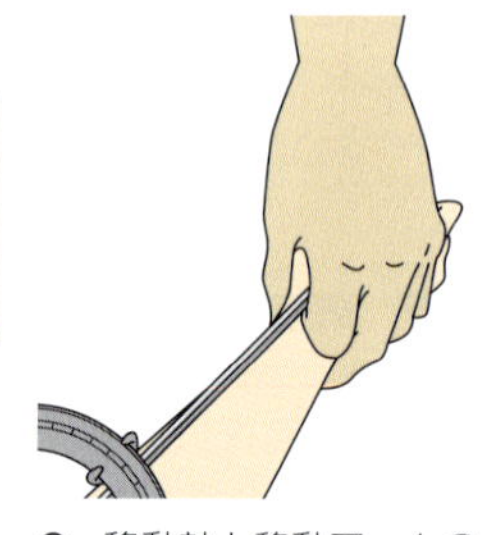
C　移動軸と移動アームの持ち方の例①

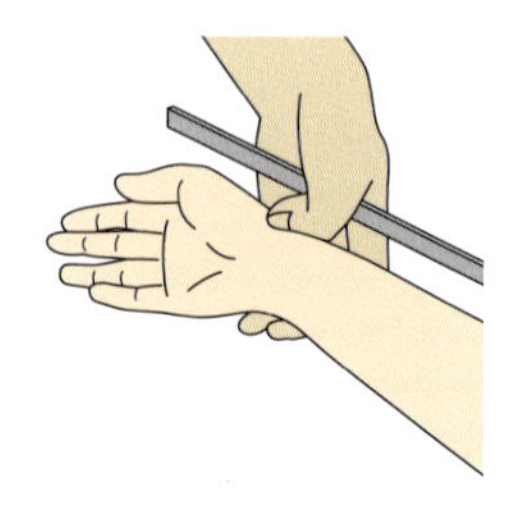
D　移動軸と移動アームの持ち方の例②

▶図 8　肩関節の外旋・内旋

C：示指で角度計の移動アームを把持し，母指と第 3〜5 指で移動軸を把持している．
D：母指で角度計の移動アームを把持し，第 2〜5 指で移動軸を下から支えている．

b 外転(側方挙上)・内転(▶図 7)

肢位：腰かけ座位，背臥位，立位

前方または後方から測定するが，肩峰の位置を確認しやすい後方から測定する場合が多い．体幹が側屈しないように注意する．また外転 90° 以上では上腕を外旋する．内転測定の別法として，肩関節を 20〜45° 屈曲位から内転してもらう方法がある．この際，屈曲角度に応じて運動面が前額面から変化することに留意して角度計をあてる必要がある．

c 外旋・内旋(▶図 8)

肢位：腰かけ座位，背臥位，立位

上腕を体幹に接して，肘関節を 90° 屈曲位とし，前腕は回外・回内中間位とする．別法として，肩関節 90° 外転位で測定する方法がある(▶図 9)．

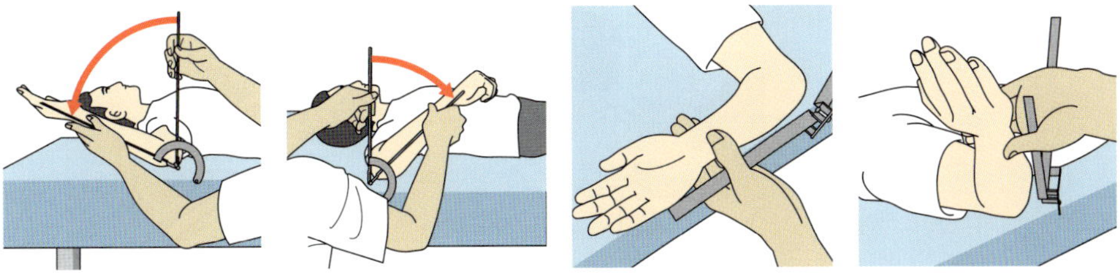

A 外旋　B 内旋　C 外旋での移動軸と移動アームの持ち方の例①　D 外旋での移動軸と移動アームの持ち方の例②

▶**図 9 肩関節の外旋・内旋(別法)**

C：第 2 中手骨あたりに角度計の移動アームを乗せている．D：母指基節骨あたりに角度計の移動アームを乗せている．

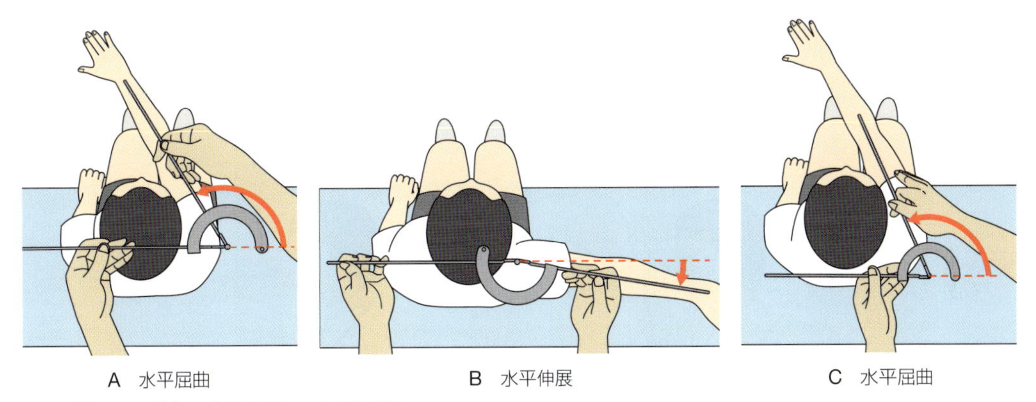

A 水平屈曲　B 水平伸展　C 水平屈曲

▶**図 10 肩関節の水平屈曲・水平伸展**

C は角度計の固定アームを後方に平行移動させている．この方法であれば，上腕を他動で把持しながら測定できる．

d 水平屈曲・水平伸展(▶図 10)

肢位：腰かけ座位，立位，背臥位(水平屈曲)，腹臥位(水平伸展)

肩関節 90° 外転位を開始肢位とする．体幹の回旋による代償が生じないように注意する．角度計の固定アームを頸部の後方に平行移動させると，上肢を他動で把持しながら測定することが可能である(▶図 10C)．

肩関節運動は，肩甲上腕関節と肩甲骨の両方の動きによりなされる．特に上肢挙上時に上腕骨と肩甲骨がおよそ 2：1 の割合で動くことは**肩甲上腕リズム**(scapulo-humeral rhythm)として知られている．肩関節運動時の肩甲上腕関節と肩甲骨の動きはさまざまな疾患により変化が生じるため，肩 ROM 異常の原因が，どちらの動きにあるのかを特定することが重要である．一般に肩関節疾患では，肩甲上腕関節の可動域が制限され，代償的に肩甲骨の動きが過剰となっていることが多い(臨床では屈曲や外転が問題視されることが多いが，伸展や内転に一見 ROM 制限がなくても，実際は肩甲骨の過剰な動きで代償している場合がある)．

肩甲骨の動きの評価としては後方より，肩甲骨の下角，内側縁(肩甲棘基部)の位置の左右差や肩甲棘長軸の傾きの左右差を，基本肢位および一定の肩関節屈曲角度(患側の最大屈曲角度など)で比較する方法がある(▶図 11)．肩甲骨の動きに問題があると，基本肢位においてもこれらの左右差が生じている場合がある．必要に応じてメジャーで胸椎棘突起からの距離を測定する．また動的な評価として，肩関節運動時に左右どちらの肩甲骨下角が早く動き始めるかも確認する．

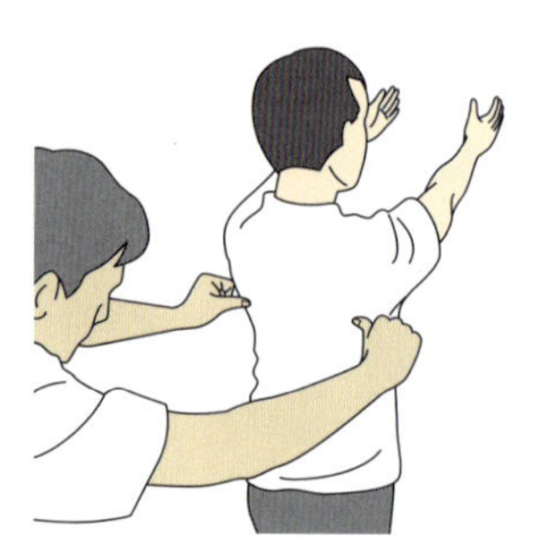

A　肩甲骨下角の位置の確認

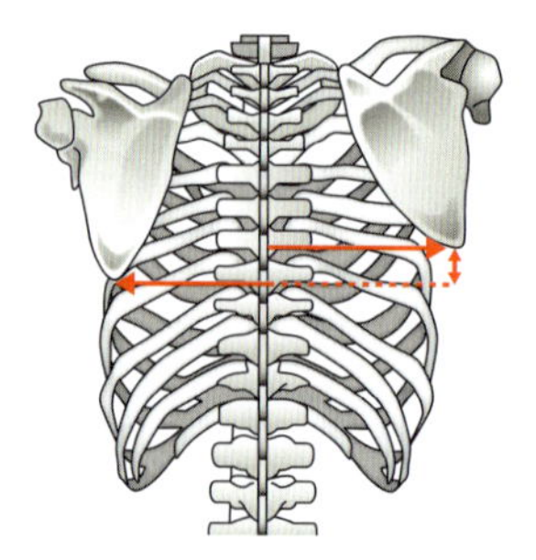

B　右の肩甲骨が過剰に上方回旋している例

▶図 11　肩関節屈曲における肩甲骨の動きの評価

A：簡便なスクリーニング方法は，左右の肩関節を一定の屈曲角度で保持してもらい，肩甲骨の下角を触診し，その位置の左右差を比較する手法である．
B：たとえば患側（右側）の下角が健側（左）と比べ上外側に位置していれば，患側の肩甲骨が過剰に上方回旋していると解釈できる．

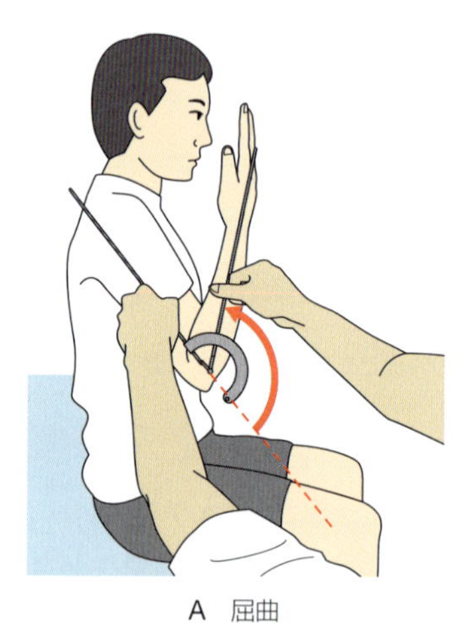

A　屈曲

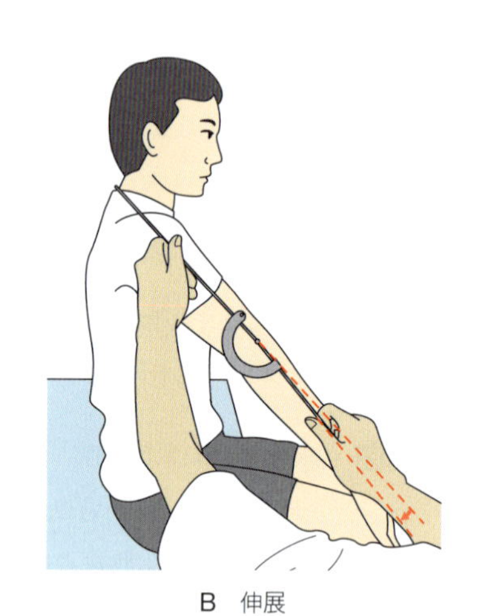

B　伸展

▶図 12　肘関節の屈曲・伸展

③ 肘関節

ⓐ 屈曲・伸展（▶図 12）

肢位：腰かけ座位，背臥位，立位

前腕回外位とする．

④ 前腕

ⓐ 回内・回外（▶図 13）

肢位：腰かけ座位，背臥位，立位

肘関節 90° 屈曲位とする．前腕の運動であるが移動軸は手掌面となっているため，手関節は掌屈・背屈および橈屈・尺屈の中間位とし，動きが生じないように注意する．

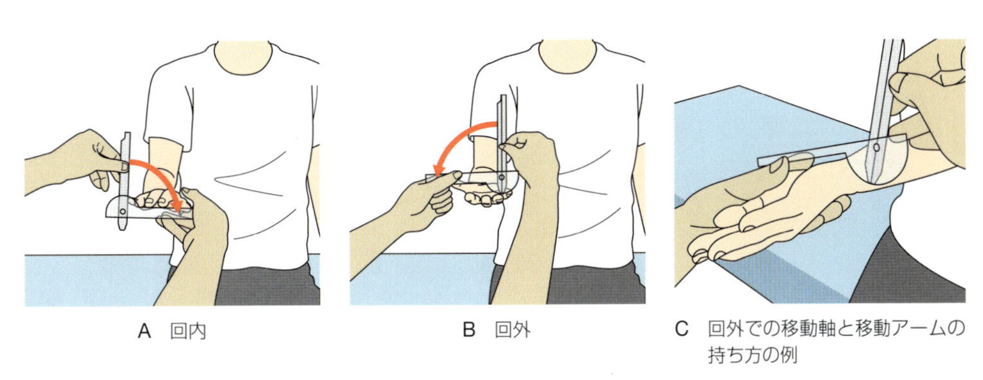

A 回内　　B 回外　　C 回外での移動軸と移動アームの持ち方の例

▶ **図 13 前腕の回内・回外**

C：母指・示指と，第3～5指で挟むように移動軸（手）を把持し，母指と示指で角度計の移動アームを把持している．

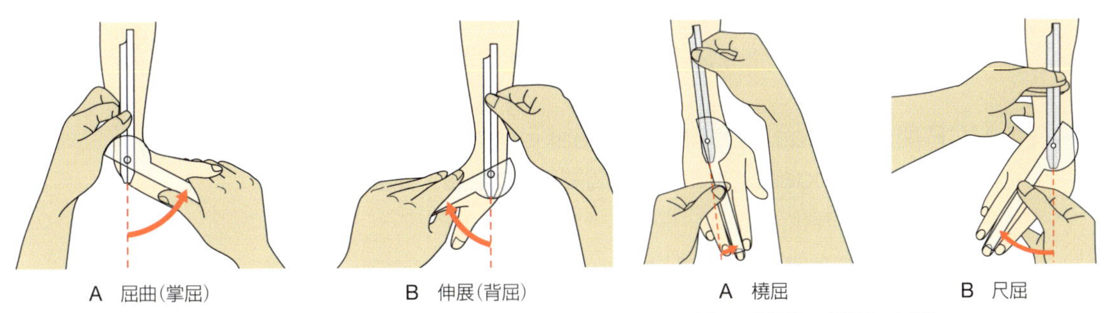

A 屈曲（掌屈）　　B 伸展（背屈）

▶ **図 14 手関節の屈曲（掌屈）・伸展（背屈）**

A 橈屈　　B 尺屈

▶ **図 15 手関節の橈屈・尺屈**

示指と第 3～5 指で移動軸（手）を挟むように把持し，母指と示指で角度計の移動アームを把持している（持ち方の例）．

5 手関節

対象者の手を机などの上に乗せてもらうと測定しやすい．

a 屈曲（掌屈）・伸展（背屈）（▶ 図 14）

肢位：腰かけ座位，背臥位，立位

前腕は中間位とする．手指にも作用をもつ多関節筋による影響を考慮し，掌屈時には手指を屈曲しないよう，また背屈時には手指を伸展しないよう注意する．

b 橈屈・尺屈（▶ 図 15）

肢位：腰かけ座位，背臥位，立位

前腕は回内位とする．

B 手指測定

対象者の手を机などの上に乗せてもらうと測定しやすい．

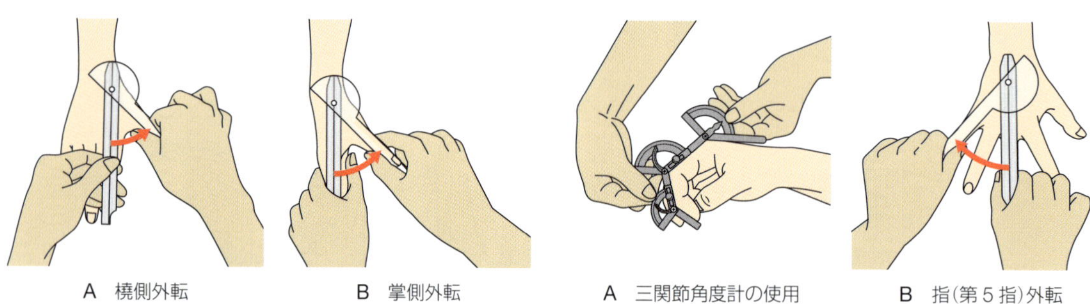

A 橈側外転　B 掌側外転
▶図 16 母指の橈側外転・掌側外転

A 三関節角度計の使用　B 指(第 5 指)外転
▶図 17 指(第 2～5 指)

❶ 母指

ⓐ 橈側外転・尺側内転，掌側外転・掌側内転(▶図 16)

肢位：腰かけ座位，背臥位，立位

ⓑ MCP 関節(metacarpopha langeal joint；中手指節間関節)，IP 関節(interpohalangeal joint；指節間関節)の屈曲・伸展

肢位：腰かけ座位，背臥位，立位

三関節角度計を使用してもよい．

❷ 指(第 2～5 指)

ⓐ MCP 関節，PIP 関節(proximal interphalangeal joint；近位指節間関節)，DIP 関節(distal interphalangeal joint；遠位指節間関節)の屈曲・伸展(▶図 17A)

肢位：腰かけ座位，背臥位，立位

三関節角度計のバーの長さが基節骨・中節骨と同じになるよう調節しておく．三関節屈曲位および伸展位で，手指背側面より角度計をあてて計測する．屈曲の別の測定法として，指の先端と手掌との距離を定規で測る方法がある．

ⓑ 外転・内転(▶図 17B)

肢位：腰かけ座位，背臥位，立位

外転は手掌面上で第 3 指から遠ざかる動き，内転は第 3 指に近づく動きである．

Ⓒ 下肢測定

❶ 股関節

ⓐ 屈曲・伸展(▶図 18)

肢位：背臥位(屈曲)，腹臥位(伸展)，側臥位

屈曲時には膝関節屈曲位，伸展時には膝関節伸展位で行う．脊柱と骨盤が動かないように十分に注意する．特に骨盤は，股関節運動に伴って容易に動きやすい一方，視覚的にはその動きを把握しにくいため，検者が徒手で骨盤に触れて，動きを確認するとよい．

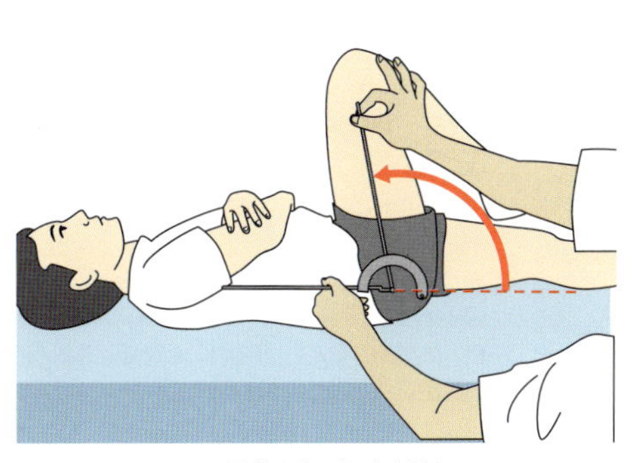

A 屈曲(手で押す方法)

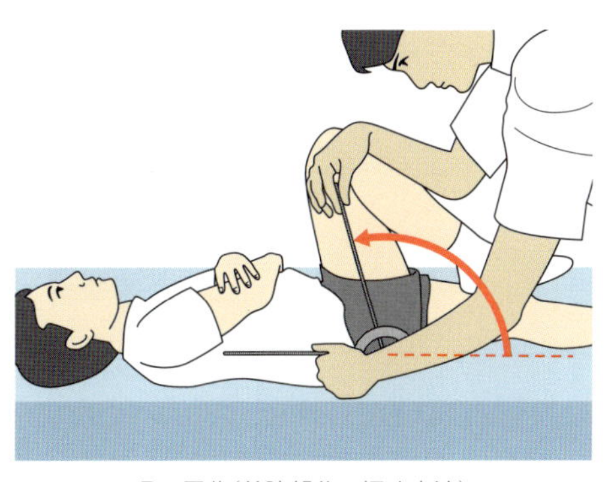

B 屈曲(前腕部分で押す方法)

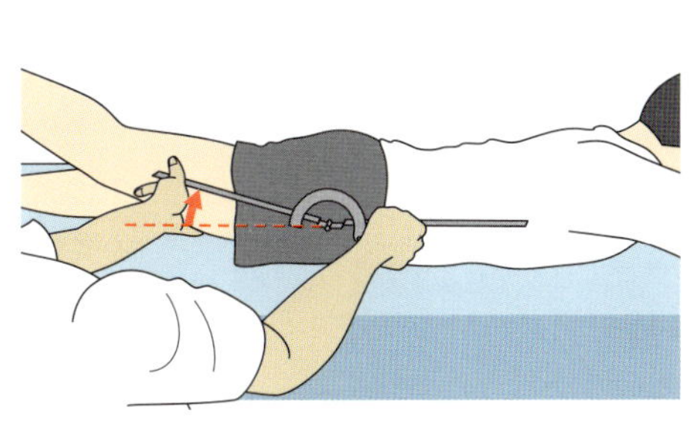

C 伸展(手で押す方法)

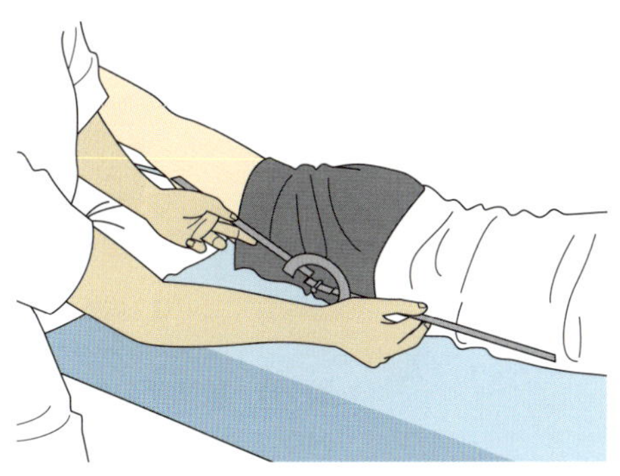

D 伸展(検者の膝に乗せる方法)

▶図 18 股関節の屈曲・伸展

下肢は重量が大きいため，B，D のように検者の前腕部分や膝を使うと測定しやすい．

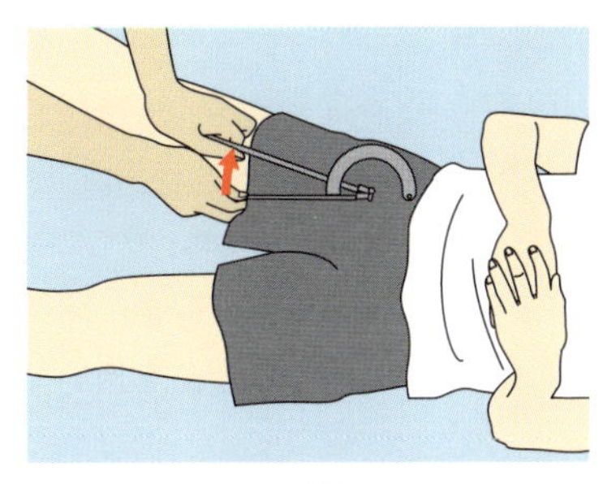

A 外転

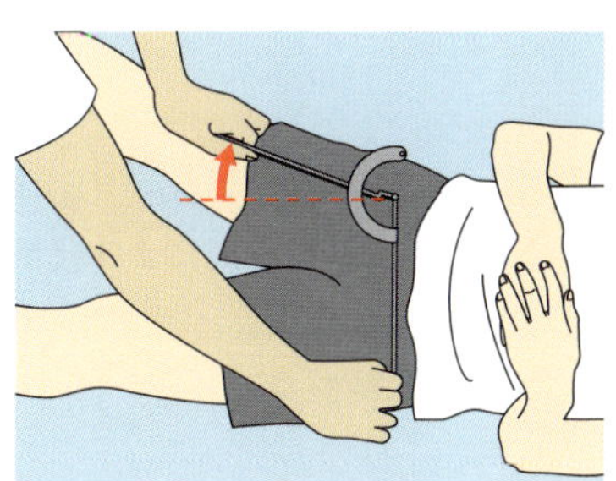

B 外転(両側の上前腸骨棘を結ぶ線に固定アームを合わせる方法)

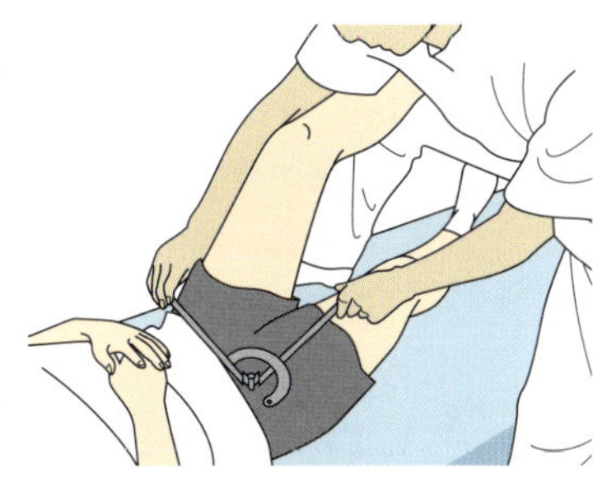

C 内転(反対側の下肢を検者の膝に乗せ，両側の上前腸骨棘を結ぶ線に固定アームを合わせる方法)

▶図 19 股関節の外転・内転

b 外転・内転(▶図 19)

肢位：背臥位

内転では反対側の股関節・膝関節を屈曲し，その下を通過してもらう．その際，検者が立て膝となり，その上に対象者の下腿部を乗せることによって浮かすと測定しやすい．

屈曲・伸展と同じように骨盤による代償に注意する．特に外転では骨盤の傾斜や回旋が生じやすいが，これは反対側も外転位とすることで防止できる．また，下肢の回旋が生じないように十分注意する．

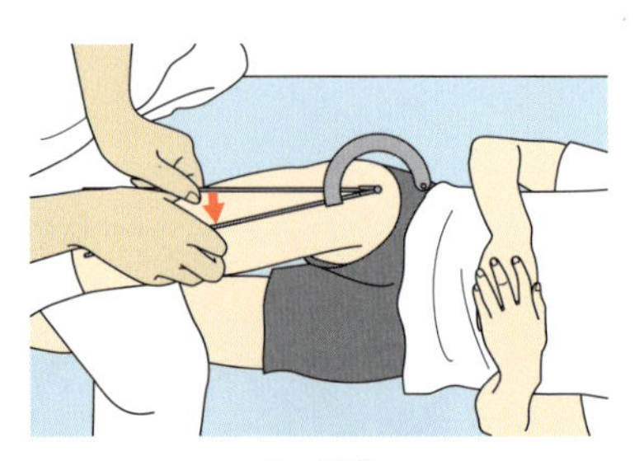

A　外旋

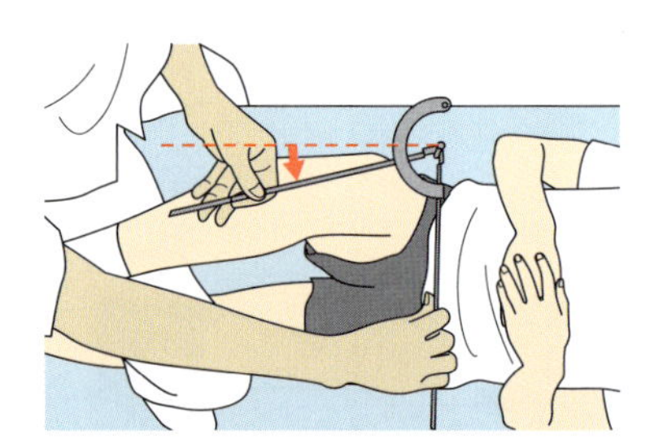

B　外旋（両側の上前腸骨棘を結ぶ線に固定アームを合わせる方法）

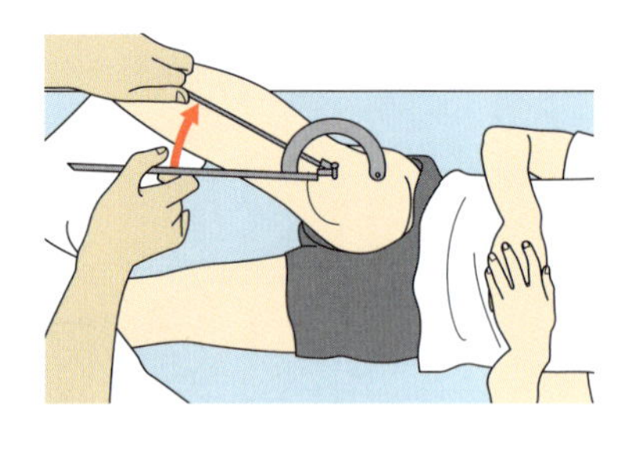

C　内旋

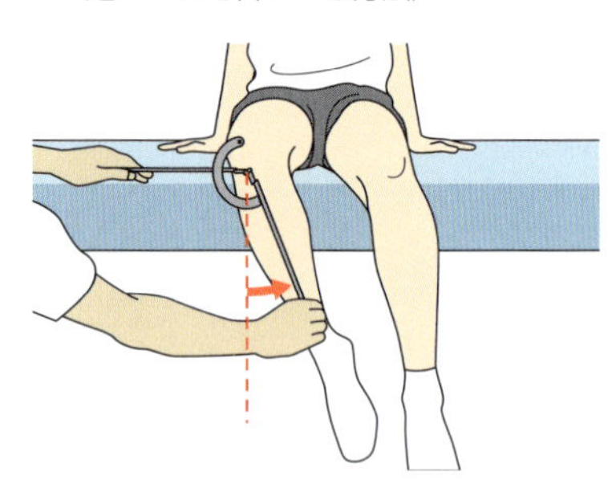

D　外旋（座位で床面に固定アームを合わせる方法）

▶図 20　股関節の外旋・内旋（動画 7）

基本軸は「両側の上前腸骨棘を結ぶ線への垂直線」だが，両側の上前腸骨棘を結ぶ線に角度計の基本軸側を合わせ，得られる値から 90° を減じる方法が容易である（この手法であれば，骨盤が動く影響を最小限にできる）．

C 外旋・内旋（▶図 20）

肢位：背臥位，腰かけ座位

股関節と膝関節を 90° 屈曲位で行う．骨盤傾斜による代償が生じやすいため注意する．

検者の立て膝の上に対象者の下腿部を乗せると測定しやすい．また，外転・内転と同様，両側の上前腸骨棘を結ぶ線に角度計の基本軸側を合わせ，得られる値から 90° を減じる方法を用いてもよい（▶図 20B）．

「関節可動域表示・測定法」では測定肢位は背臥位となっているが，足部を床から浮かした腰かけ座位での測定も許容されると考える．腰かけ座位では，上半身の重みにより骨盤傾斜が生じにくく，座面に角度計の固定アームを合わせることでより正確に測定できる（▶図 20D）．

2 膝関節

a 屈曲・伸展（▶図 21）

肢位：背臥位

屈曲は股関節を屈曲位で行う．

伸展可動域は背臥位で一見 0° であっても，過伸展の可動域を有する場合があるので，下腿を伸展方向に動かして確認する．

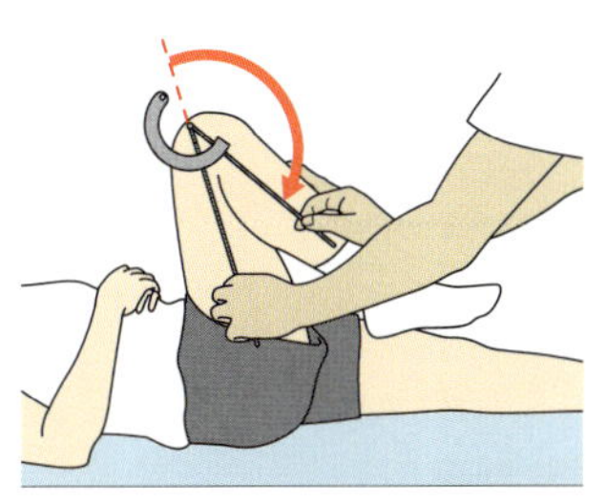

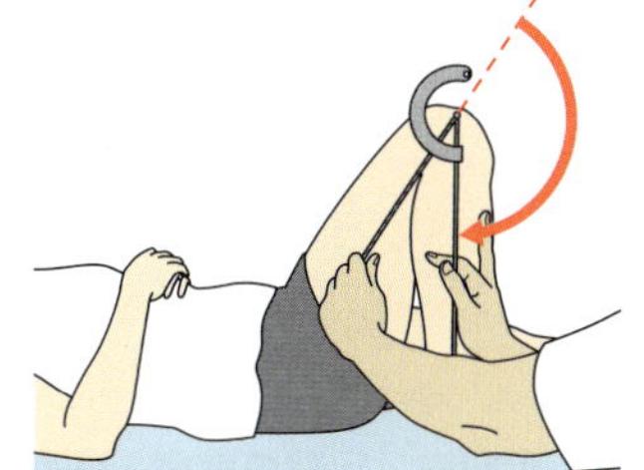

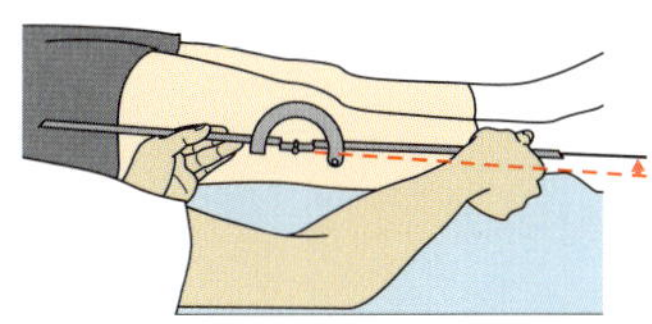

A 屈曲(足部を浮かした測定)　B 屈曲(足部をつけた測定)　C 伸展

▶図 21 膝関節の屈曲・伸展

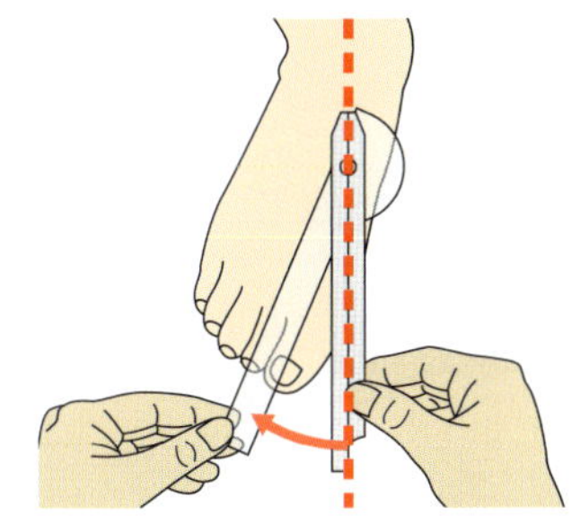

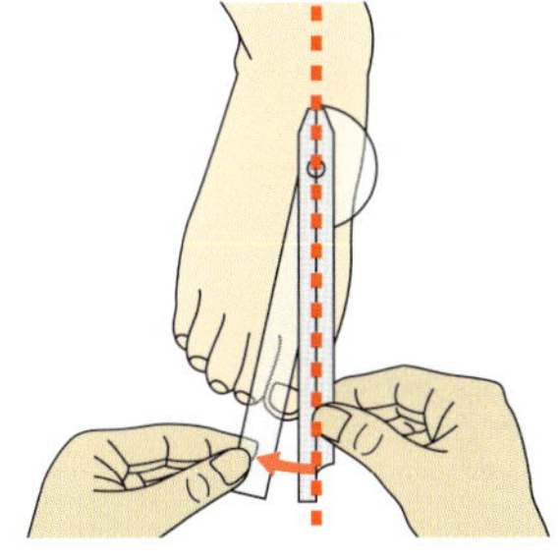

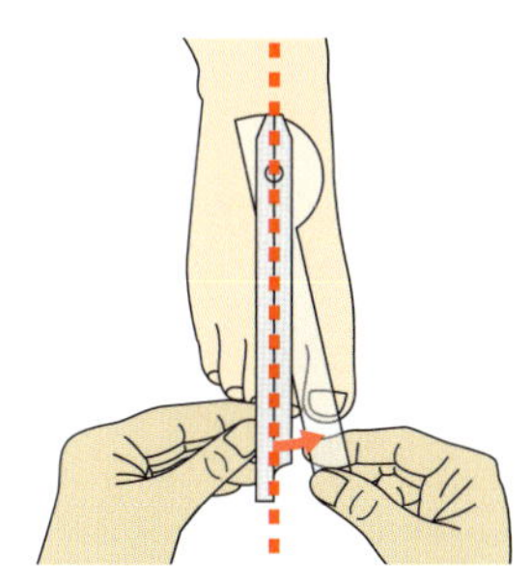

A 外転最終域での角度　B 開始肢位(自然な足部の向き)での角度の測定　C 内転最終域での角度の測定

▶図 22 足関節・足部の外転・内転

A，B，C：前額面への垂直線に角度計の固定アームを合わせる方法を示している．
A，C の値から B の値を減じることで，外転 ROM と内転 ROM を算出できる．

3 足関節・足部

a 外転・内転(▶図 22)

肢位：腰かけ座位，背臥位

腰かけ座位で足底を床面につけた状態で行うと測定しやすい．大腿の外転・内転や下腿の回旋を伴いやすいので，これらの動きが生じないように注意する．

この部位で難しい点は，基本軸と移動軸が同じとなっている点である．これを解決するポイントとしては，角度計の固定アームを前額面への垂直線に合わせ，外転最終域の角度・内転最終域の角度の計測と，さらに開始肢位の角度の計測を行う．そのうえで，外転角度および内転角度から開始肢位の角度を減じることで，外転 ROM と内転 ROM を算出するとよい．

b 背屈・底屈(▶図 23)

肢位：背臥位，腰かけ座位

背屈は，二関節筋である腓腹筋・足底筋の影響を除外するため，膝関節屈曲位で行う(図 3，➡73 頁)．底屈は二関節筋による影響がないため膝関節伸展位で測定しても差し支えない．

腓骨長軸に角度計の固定アームを合わせ，得られる値から 90° を減じる方法を用いると，測定が容易である．背屈では外がえし，底屈では内がえしの動きを伴いやすいので，これらの動きが出ないように注意する．

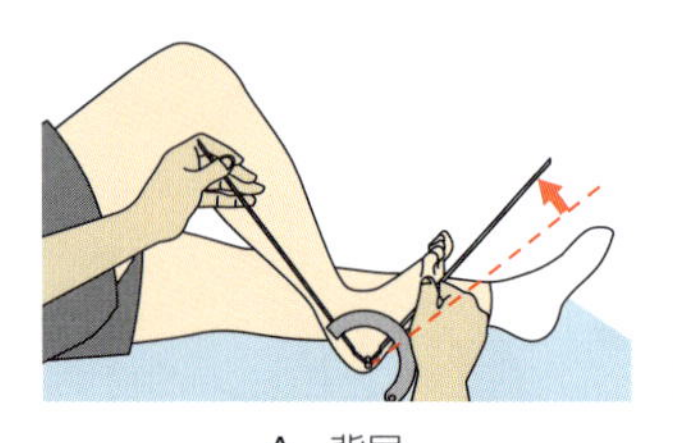
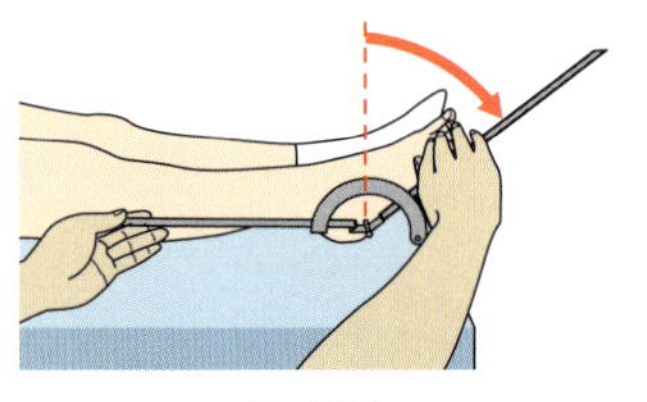

A　背屈　　B　底屈

▶図 23　足関節・足部の背屈・底屈（動画 8）
腓骨長軸に角度計の固定アームを合わせる方法を示している．

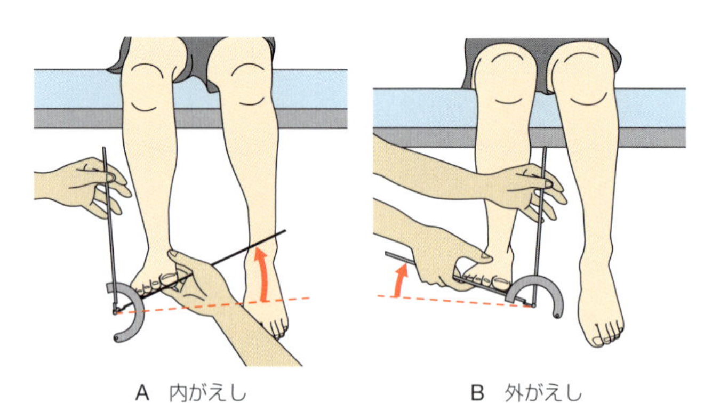

A　内がえし　　B　外がえし

▶図 24　足関節・足部の内がえし・外がえし
下腿長軸に平行に角度計の固定アームを合わせる方法を示している．

c 内がえし・外がえし（▶図 24）

肢位：腰かけ座位

座面が十分に高い腰かけ座位で行うと，検者の目線を関節に合わせやすい．また，下腿長軸に角度計の固定アームを合わせ，得られる値から 90° を減じる方法を用いるとよい．

股関節外旋・内旋による代償が生じやすいので注意する．

4 母趾 MTP(meta tarso phalangeal；中足趾節)，IP 関節の屈曲・伸展 第 2～5 趾 MTP，PIP，DIP 関節の屈曲・伸展

肢位：背臥位，腰かけ座位

手指と同様，三関節角度計を用いてもよい．

D 体幹測定

他動で測定するには，検者 1 人では困難であるので，補助者がいることが望ましい．

1 頸部

a 屈曲(前屈)・伸展(後屈)（▶図 25）

肢位：腰かけ座位，立位

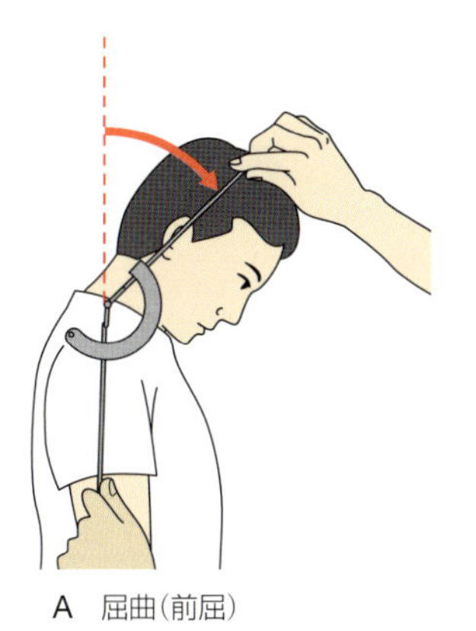

A 屈曲(前屈)　　B 伸展(後屈)

▶図 25　頸部の屈曲(前屈)・伸展(後屈)

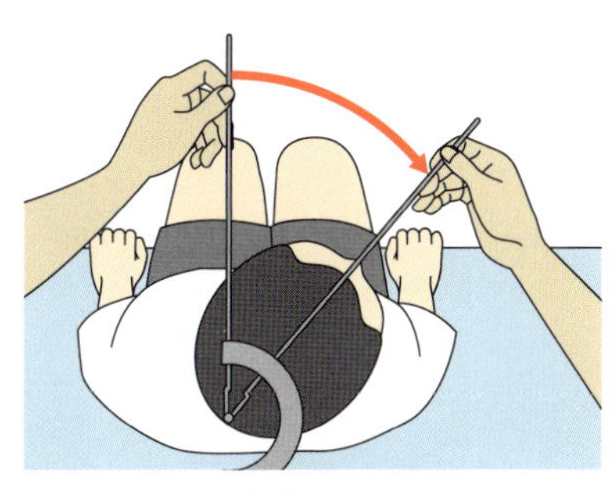

A 回旋(右回旋)

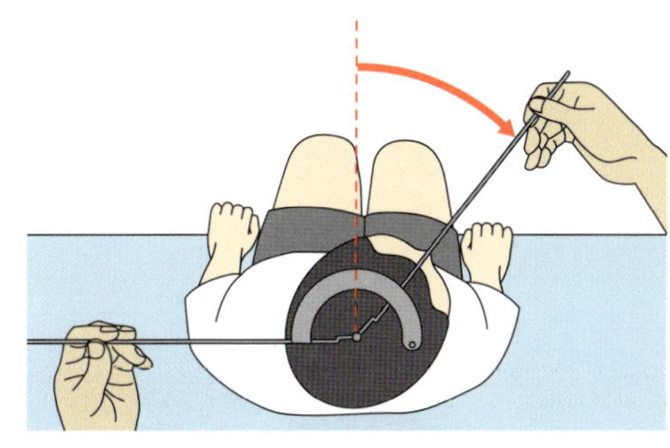

B 回旋(右回旋．両側の肩峰を結ぶ線に固定アームを合わせている)

▶図 26　頸部の回旋(右回旋)

b 回旋(▶図 26)

肢位：腰かけ座位，背臥位

両側の肩峰を結ぶ線に角度計の基本軸側を合わせ，得られる値から 90° を減じる方法を用いてもよい．

c 側屈(▶図 27)

肢位：腰かけ座位，立位

体幹側屈による代償が出ないように注意する．

2 胸腰部

a 屈曲(前屈)・伸展(後屈)(▶図 28)

肢位：腰かけ座位，立位

足底を床面につけた腰かけ座位で行うと，測定肢位の安定が得られる．また，前屈では両手を膝の上に，後屈では両手を座面後方についてもよい．

前屈時には骨盤の前傾，後屈時には骨盤の後傾による代償が生じやすいため，骨盤を固定する．固定が難しい場合には，前屈時には骨盤を後傾する(背中を丸める)ように，後屈時には骨盤

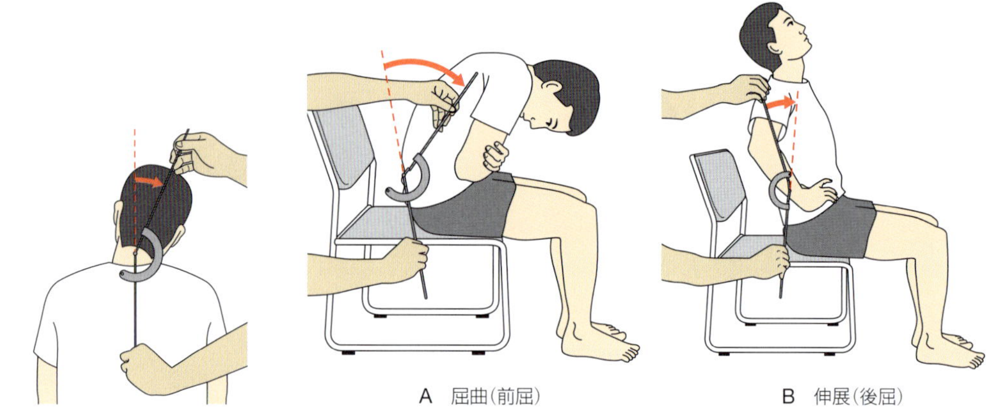

▶図27 頸部の側屈(右側屈)

▶図28 胸腰部の屈曲(前屈)・伸展(後屈)

A：背中を丸めるように指示して骨盤を後傾させている.
B：背中を反るように指示して骨盤を前傾させている.

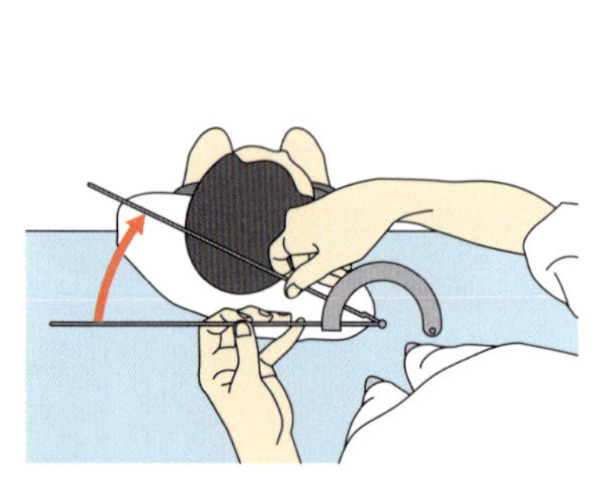

▶図29 胸腰部の回旋(右回旋)

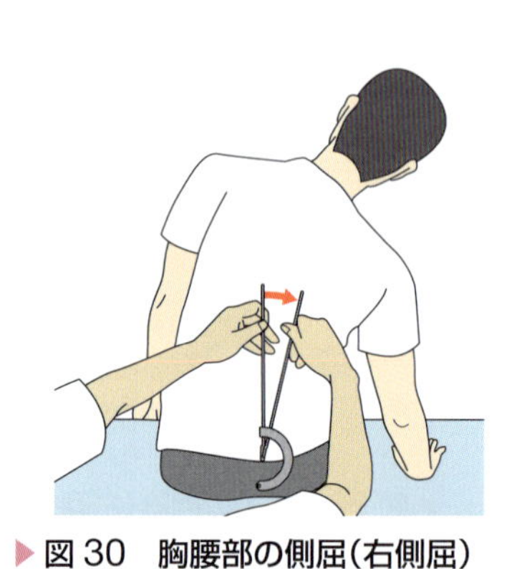

▶図30 胸腰部の側屈(右側屈)

右側屈(右側の手をベッド面について支える方法)

を前傾する(背中を反る)ように指示しても差し支えない. ただし, 基本軸が動いていることに留意して角度計をあてる. 屈曲測定の別法として, 立位・膝関節伸展位で最大屈曲したときの指先と床との距離で表す方法がある.

b 回旋(▶図29)

肢位：腰かけ座位

骨盤の回旋による代償が生じやすいので骨盤を固定する. 骨盤が回旋しているかどうかの判断として, 両側の膝の前後位置が一致しているかを確認するとよい. たとえば胸腰部の右回旋時に左膝が右よりも前方に位置している場合には, 骨盤の右回旋が生じていると判断できる.

c 側屈(▶図30)

肢位：腰かけ座位

骨盤の側方傾斜による代償が生じやすいので骨盤を固定する. 測定肢位の安定のために, 側屈する側に手をついてもよい.

●引用文献
1) 沖田実：関節可動域制限とは．沖田実(編)：関節可動域制限 第2版．pp2-20，三輪書店，2013.
2) 日本リハビリテーション医学会・日本整形外科学会・日本足の外科学会：関節可動域表示ならびに測定法．2022年改訂．
3) Aizawa, J., et al.：Three-dimensional motion of the upper extremity joints during various activities of daily living. J Biomech 43：2915-2922, 2010.
4) Perry, J., et al.(著)，武田功(監訳)：ペリー歩行分析 原著第2版．pp32-111，医歯薬出版，2012.
5) 小島悟：歩行．石川朗，他(編)：15レクチャーシリーズ理学療法・作業療法テキスト 運動学．pp121-132：中山書店，2012.
6) Protopapadaki, A., et al.：Hip, knee, ankle kinematics and kinetics during stair ascent and descent in healthy young individuals. Clin Biomech (Bristol, Avon) 22：203-210, 2007.
7) Fotoohabadi, M. R., et al.：Kinematics of rising from a chair：Image-based analysis of the sagittal hip-spine movement pattern in elderly people who are healthy. Phys Ther 90：561-571, 2010.
8) Hemmerich, A., et al.：Hip, knee, and ankle kinematics of high range of motion activities of daily living. J Orthop Res 24：770-781, 2006.
9) Hyodo, K., et al.：Hip, knee, and ankle kinematics during activities of daily living：A cross-sectional study. Braz J Phys Ther 21：159-166, 2017.
10) 市橋則明：関節可動域制限に対する運動療法．市橋則明(編)：運動療法学 第2版．pp186-220：文光堂，2014.
11) 塚越累，他：片側性末期変形性股関節症患者の最大歩行速度に影響を及ぼす因子．理学療法学 36：363-369，2009.
12) 福元喜啓，他：大腿骨近位部骨折術後患者の退院時における下肢筋力，股関節可動域と歩行速度との関連．PTジャーナル 44：523-526，2010.

●参考文献
1) 市橋則明(編)：運動療法学 第2版．文光堂，2014.
2) 沖田実(編)：関節可動域制限 第2版．三輪書店，2013.
3) Norkin, C. C.(著)，木村哲彦(監訳)：関節可動域測定法 改訂第2版．協同医書出版社，2003.

復習問題

- □ 1 肩外転の基本軸は，[①]を通る床への[②]である．〔44AM45，50PM21〕
- □ 2 手屈曲(掌屈)・伸展(背屈)の移動軸は，[③]である．〔52PM027，49PM021，48AM002〕
- □ 3 手関節掌屈位での第3指 PIP 関節の屈曲角度が低下している場合，短縮が疑われる筋は[④]である．〔43AM042〕
- □ 4 股屈曲・伸展の移動軸は，[⑤]([⑥]と[⑦]の中心を結ぶ線)である．〔41AM044〕
- □ 5 股伸展の測定肢位は，[⑧]の[⑨]である．
- □ 6 膝屈曲・伸展の移動軸は，[⑩]([⑪]と[⑫]を結ぶ線)である．〔49AM001〕
- □ 7 足背屈の参考可動域は，[⑬]である．〔42PM43，48PM23〕
- □ 8 足部外がえし・内がえしの移動軸は，[⑭]である．〔54AM024，51PM002，42AM003〕
- □ 9 胸腰部屈曲・伸展の移動軸は，[⑮]と[⑯]を結ぶ線である．〔46AM022〕

①肩峰　②垂直線　③第2中手骨　④[総]指伸筋　⑤大腿骨　⑥⑦大転子，大腿骨外側顆　⑧腹臥位　⑨膝伸展位　⑩腓骨　⑪⑫腓骨頭，外果　⑬20°　⑭足底面　⑮⑯第1胸椎棘突起，第5腰椎棘突起

筋力

- 筋力検査の目的や適用について理解する.
- 筋力検査を実施する際の注意点について説明できる.
- 筋力検査の結果を解釈する際のポイントについて理解を深める.

I 筋力総論

A 筋力とは何か

1 筋力とは

筋力(muscle strength)とは，筋の収縮により発生する張力のことである．各筋の筋力は，筋線維の太さとその数により決定し，筋断面積に比例する．絶対筋力は単位面積あたりの筋の発生張力のことであり，一般に 4.5～6.5 kg/cm^2 とされる．筋機能を評価する際には，筋力のほか，筋持久性，筋パワーを区別する必要がある．

2 筋持久性とは

筋持久性(muscle endurance)とは，筋作業(一定時間の筋収縮の持続，関節運動反復)の継続能力のことであり，筋疲労や呼吸循環機能と密接に関連する．筋持久性は，関節運動を伴わない**静的筋持久性**(等尺性筋持久性)と関節運動を伴う**動的筋持久性**(等張性筋持久性)とに大別される．静的筋持久性は持続時間を測定するのに対し，動的筋持久性は適当な負荷をかけたときの作業回数を測定する．

3 筋パワーとは

筋パワー(muscle power)とは，一般的に瞬発力のことを指し，筋収縮時に発揮される力と筋収縮速度との積で表される．筋パワーの測定方法としては，垂直跳び，立ち幅跳び，ボール投げなどの運動能力としてのパフォーマンスを測定する方法と，等速性筋力測定器などを用いて各関節の筋力発揮時の筋パワーを測定する方法とがある．

4 筋力低下の要因

理学療法士が臨床で接する対象者は筋力低下を呈する場合が多く，対象者の筋力を正しく評価することは適切な治療方針を決定するためにも重要である．**筋力低下**の要因としては，長期臥床や骨折後のギプス固定，手術後，関節拘縮，運動痛などで長期間にわたり筋・関節を動かさないことによる廃用性のもの，加齢による筋萎縮や筋力低下，一次(中枢性)・二次(末梢性)運動ニューロン障害による神経原性のもの，Duchenne(デュシェンヌ)型筋ジストロフィーなど，筋そのものに起因する筋原性のもの，発達過程での障害によるものなどがある．中枢性疾患や末梢神経損傷のように，筋の収縮・弛緩など筋出力過程に障害が生じれば，筋そのものが障害されなくても筋萎縮や筋力低下をきたす．

B 筋力検査の目的と方法

1 筋力検査の目的

理学療法における筋力検査の目的は，特定の筋または筋群がどの程度の麻痺や筋力低下をきたしているのか評価することである．対象者の筋機能の詳細な評価結果は適切な理学療法介入を提供するための判断材料となる．具体的には以下のように用いられる．

(1) **診断の補助**：末梢神経損傷や脊髄損傷の損傷部位を特定するための手段として用いる．脊髄損傷などで髄節レベルの損傷が生じた場合，そのレベルに支配される筋(群)の筋力低下を呈する．

(2) **障害の程度の判定**：ADL などの障害の原因を特定するための手段として用いる．

(3) **運動機能の判定と予後予測**：筋，神経系の障害の程度の判定と，予後予測のための手段として用いる．これにより適切な運動機能の予防手段や治療対策を立案する．

(4) **治療方法あるいは効果の判定**：機能低下を引き起こしている筋(群)を知り，筋力増強や整形外科手術の方法を決定し，その治療効果を判定する手段として用いる．

2 筋力検査の方法

目的に応じて以下の筋力検査を選択する．

a 徒手筋力検査

臨床では**徒手筋力検査**(manual muscle testing；MMT)が広く用いられている．MMT は対象者が重力や徒手的に加えた抵抗に抗して，各関節の筋または筋群の発揮しうる筋力を 0～5 の 6 段階で評価する方法である．MMT の判定基準を**表 1** に示す．MMT は特別な機器を用いずに簡便に行える利点がある一方，検査結果が検者の主観的な判断によるという欠点がある．

b 等尺性筋力検査

ハンドヘルドダイナモメータ(hand-held dynamometer；HHD)(▶**図 1**)は比較的安価で，簡便性，可搬性に優れ，HHD を用いることにより等尺性筋力を客観的に測定することが可能となる．HHD を用いた等尺性筋力検査の代表的なものとして，膝関節 90° 屈曲位における等尺性膝伸展筋力測定があげられる(▶**図 1A**)．測定は端座位で行い，ハムストリングスの筋緊張を和らげるために骨盤は少し後傾させる．HHD のセンサーパッド(▶**図 1B**)を下腿遠位の前面にあてた状態で対象者の膝関節を伸展させようとすることにより，等尺性膝伸展筋力を測定する．HHD を用いた等尺性筋力測定を実施する場合には，**表 2** に示すようにさまざまな因子が測定値に影響を

▶表 1　徒手筋力検査における筋力の判定基準

判定結果		判定内容
段階 5	normal(N)	自動運動の全可動域を重力に抗して動かすことができ，最大抵抗を加えてもそれに抗してテスト肢位を保ち続けることができる
段階 4	good(G)	重力に抗して全可動域にわたり自動運動を行うことができ，テスト肢位を崩されることなく強力な抵抗に対抗することができる
段階 3	fair(F)	重力だけに対抗して，全可動域にわたり自動運動を行うことができる
段階 2	poor(P)	重力の影響を最小にした肢位なら，全可動域にわたり自動運動を行うことができる
段階 1	trace(T)	何らかの筋収縮活動を視診もしくは手で触知できる
段階 0	zero(Z)	筋収縮の証拠が触知によっても視診によっても得られない

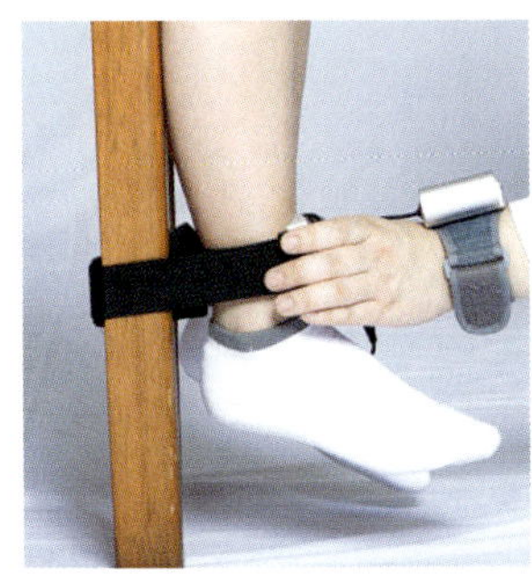
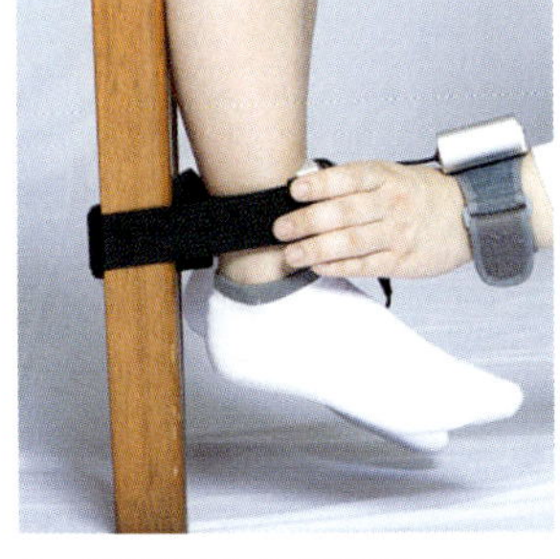
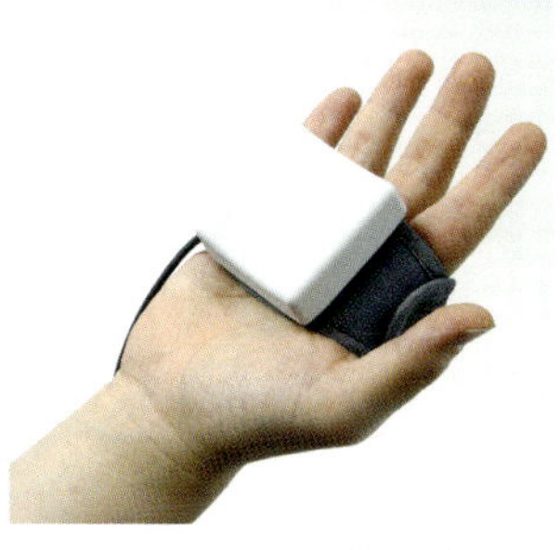
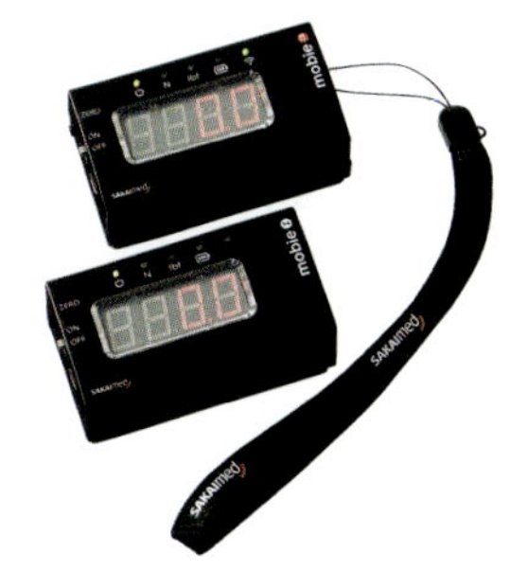

A　固定用ベルトを使用した HHD による等尺性膝伸展筋力測定〔アニマ株式会社製，ミュータス F-1〕 B　HHD のセンサーパッド〔アニマ株式会社製，ミュータス F-1〕 C　HHD〔酒井医療株式会社製，モービィ〕

▶図 1　ハンドヘルドダイナモメータ(HHD)による等尺性筋力測定

▶表 2　ハンドヘルドダイナモメータ(HHD)による等尺性筋力測定に影響を及ぼす因子

- レバーアーム長(関節の中心からセンサーパッドまでの距離)
- 関節の角度
- センサーの向きと固定
- 力の方向
- 関節近位部の固定
- 測定前の徒手抵抗での予備施行の有無

及ぼすことを考慮する必要がある．また，HHD を用いる場合，関節を運動中心とした肢節の円運動の大きさ，すなわち関節トルクとして筋力を測定する．HHD の測定値は kg や N として表示されるが，HHD のセンサーパッド(▶図 1B)をあてる位置により測定値が変化するため，必ずセンサーパッドの位置から関節中心までの距離(レバーアーム長)を測定し，トルク(kg もしくは N)にレバーアーム長(m)を乗じた筋トルク(kgm もしくは Nm)を求めることが重要である．検者の最大筋力が対象者を下回っている場合には検者の最大筋力までしか測定ができないため，伸縮性のない測定用固定ベルトの使用が推奨されている．測定した最大筋力は体重で除した体重比(Nm/kg)によって標準化されることが多い．

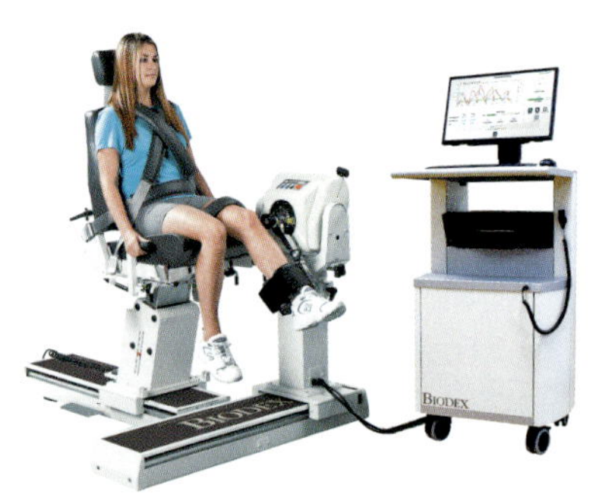

▶図2　等速性筋力測定器による等速性筋力測定
〔酒井医療株式会社製，バイオデックス〕

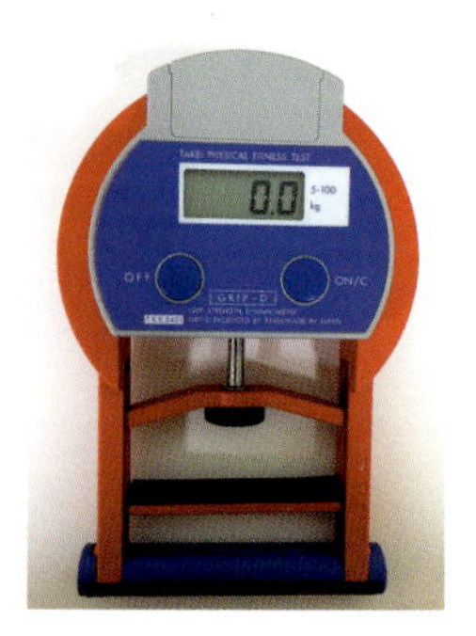

▶図3　握力計
〔竹井機器工業株式会社製，グリップ-D〕

c 等速性筋力検査

等速性筋力測定器（▶図2）を用いて，関節運動速度を一定に制御し，設定した角速度別の等速性筋力を測定する．測定機器は非常に高価であるため，臨床での使用は難しい場合が多い．等速性筋力検査では，関節運動軸から筋の作用点までの距離（てこのアームの長さ）に筋力を乗じて算出する筋トルク値が容易に測定できる．筋トルク値は，トルクを体重で除したトルク/体重比で表示されることが多い．筋トルク値の経時的変化を筋トルク曲線といい，その分析結果から，関節角度や角速度別のトルク値，最大トルク値，仕事量，パワーなどが算出される．

d 粗大筋力検査

粗大筋力検査は，個々の筋力を検査するのではなく，1つの動作に関与する筋群の総合的な筋力を，機器を用いて客観的に測定する方法である．

粗大筋力検査の代表的なものとして，握力計（▶図3）を用いた握力の測定があげられる．握力の測定肢位は自然に開脚した直立位とし，肘伸展位にて腕を自然に下垂してもらい，示指の近位指節間（PIP）関節が約90° になるように握り幅を調節したうえで測定を行う．握力は左右交互に2回ずつ測定を行い，その最大値を代表値とする．握力は測定が容易であり，将来的な機能低下や生命予後の長期予測の指標として有効であるとされていることから広く用いられている．

e 骨盤底筋群の筋力検査

Daniels らの『新・徒手筋力検査法 原著第9版』以降では，骨盤底筋群の筋力検査の方法が紹介されている．骨盤底筋群の筋力低下は腹圧性尿失禁や骨盤臓器脱などの骨盤機能障害を引き起こすことが知られている．骨盤底筋群の筋力検査として，0～5までの6段階に加えて，収縮が2つの段階の中間であると考えられるときには，＋または－を用いて15段階にて評価を行う modified Oxford grading scale が紹介されている．

C 測定手順

1 検査前の準備

筋力検査を実施する際には，以下の点を確認した後に検査に臨む必要がある．

a 禁忌肢位などの検査に影響を与える情報の確認

特に対象者が術後である場合には，**禁忌肢位**の有無を確認する必要がある．このほか，対象者の疾患の特徴や服薬状況などを確認する．

b 検査の目的や方法の説明

検査を実施する前に検査の目的や方法などを簡潔に説明し，対象者の不安を取り除く必要がある．対象者に不安が残存していると，最大筋力を発揮できず検査結果に影響を与える可能性がある．

c 体表面の露出

検査部位は，筋の視診・触診を行うためにできるだけ体表面を露出した状態とする．

d スクリーニングを兼ねた検査部位の確認

検者が対象となる関節を他動的に動かし，関節可動域（ROM）は確保されているのか，可動時に痛みが生じないかを確認し，対象者に運動方向を理解してもらう．さらに，対象筋（群）または拮抗筋の伸張性についても確認する．主動作筋がROM，特に最終域で活動を行うためには拮抗筋の伸張性が必要となる．

e 自動運動での代償運動や疼痛の出現の有無

他動的に関節を動かした後に自動運動を行わせ，**代償運動**や疼痛の出現の有無を確認する．代償運動とは，対象とする筋（群）の筋力低下が生じている場合などに代償的にほかの筋を収縮させることにより運動を行っているように見せかけるものを指す．どのような代償運動が生じているか観察することは，筋力低下が生じている部位を推定するうえで重要となる．

2 検査の注意点

筋力検査を実施する際には，以下の点に注意しながら検査に臨む必要がある．

a 疾患特異的な注意事項

疾患特異的な注意事項について**表3**に示す．

b 検査肢位の選択

頻回な検査肢位の変更は対象者の負担を増大させ，正確な測定が困難となるため，同一肢位で実施できる筋力検査をまとめて行うようにする．また，対象者への不快感や痛みを最小限にとどめるように留意する．痛みや姿勢保持困難などの理由で規定の肢位がとれない場合には，別法など無理のない肢位を選択して実施し，そのときの検査肢位を併せて記載するようにする．

▶表3 筋力検査を実施する際の疾患特異的な注意事項

疾患名	主な筋力検査の部位および注意点
骨折	・急性期では骨折周囲の測定は禁忌．骨折周囲の神経損傷の確認や疼痛に留意する ・術中に切除した筋の確認，禁忌肢位の確認（測定肢位の確保）をする
膝靱帯損傷	・慢性期においては，積極的に測定を行う ・膝周囲筋だけではなく，下肢・体幹の筋力も計測する
腰痛症	・腹部・背部の筋を中心に行うが，体幹の屈曲・伸展では疼痛に注意する ・下肢の神経症状の有無を確認する
変形性疾患	・アライメントに影響する抗重力筋を中心に評価を行う ・変形性脊椎症では，事前に上下肢の神経症状についても確認する ・変形性股関節症では，大転子高位などにより外転筋の筋力が十分ではない ・変形性膝関節症においては，膝関節周囲筋，特に大腿四頭筋の筋力低下が著明である ・足部の変形も合併していることが多いため，足関節周囲の測定も重要である ・術後の免荷能力の把握のために上肢筋力の測定も重要である ・変形部位の最終可動域での筋力低下が顕著である ・疼痛に留意する
頸部疾患	・特に上肢筋については詳細に検査を行う ・頸部周囲の筋力検査では，急激な頸部の屈伸に注意して測定を行う
肩関節疾患	・炎症の強い急性期においては，無理な筋力検査は避ける ・肩関節・肩甲帯周囲筋の筋力検査が中心となる ・単純な腱炎では比較的筋力は保たれているが，断裂の場合は筋力低下がみられる
切断	・切断予定肢の強い抵抗を避ける ・アームレバーが短いと筋力を強く感じやすい．必ず健側で同様の部位・位置で抵抗を加えて両肢を比較する ・上肢切断：肩甲帯・肩関節周囲筋 ・大腿切断：股関節周囲筋と体幹の腹部・背部筋・大殿筋・中殿筋・内転筋群 ・下腿切断：膝関節周囲筋と股関節・大腿四頭筋 ・足部切断：足背屈筋群・足外反筋群を中心に測定を行う
脊髄損傷	・代償動作に注意する（座位のテスト時，高位損傷の場合には，体幹の固定に問題を抱える） ・筋の萎縮・廃用性の筋力低下の有無を確認する ・頸髄損傷の場合は，ADL に際し上肢筋力の評価は重要である
関節リウマチ	・全身的な筋力評価が必要である ・午前中や炎症がひどいときは避ける．特に炎症が強い急性期は禁忌である ・関節変形と不安定性を確認し，抵抗のかけ方に注意する ・疼痛に注意（疼痛の影響が少ないときに実施）および疲労に留意する

〔塩田琴美：徒手筋力検査（MMT）．柳澤健（編）：理学療法学 ゴールド・マスター・テキスト 理学療法評価学．p76，メジカルビュー社，2010 より〕

c 適切な固定

対象筋（群）が関与する関節の中枢側をしっかりと**固定**する．固定が不十分な場合，代償運動の出現を助長し，最大筋力を発揮できない可能性がある．

d 適切な抵抗

抵抗を加える位置は，原則として対象筋（群）の運動がおこる関節の遠位端とし，抵抗を加える方向は，原則として関節運動の最終域で，対象筋の運動方向と正反対の方向に加える．抵抗を加える量は，骨のレバーアームの長さを考慮する．レバーアームが長い場合には抵抗を加える力は小さくてすむ一方，近位の関節には相応の負担がかかっていることに配慮する．切断患者ではレバーアームが短く，抵抗を加える力が大きくなるため過大評価にならないように留意し，対側の同一部位と比較する必要がある．また，検者の利き手で抵抗を加える際には過小評価傾向に，非利き手で抵抗を加える際には過大評価傾向になる可能性があるため，均一な抵抗量となるように留意する．抵抗の加え方は，徐々に抵抗を増大するようにする．急激に抵抗を加えると関節や骨，筋，腱の損傷を引き起こす可能性があるため，注意が必要である．

e 代償運動

代償運動が生じないように固定方法などを工夫し，代償運動が生じた際には適宜修正し，対象筋の収縮による運動が可能であるか評価する．

f 両側の評価

障害側だけでなく健側についても測定し，左右の比較を行う．

3 記録

検査終了後に検査結果を記録する際には，下記の点についても記載する．

a 疼痛，拘縮，痙性

検査に際して痛みを訴える場合は，pain の頭文字をとって P^{+}，著明な場合は P^{++}，拘縮がある場合は contracture の頭文字をとって C，痙性がある場合は spasticity の頭文字をとって S^{+}，著明な場合は S^{++} などを検査結果に書き加える場合もある．

b 検査中の所見

MMT や粗大筋力検査などの結果とともに，検査中に得られたその他の情報（ROM 制限の有無，筋萎縮の有無）についても併せて記載する．

4 結果の解釈のポイント

MMT の結果に影響を及ぼす因子について**表 4** に示す．

MMT は間隔尺度ではなく，検者の主観に基づく順序尺度であり，絶対値を求めることはできない．すなわち，「段階 4」は「段階 2」の 2 倍の筋力があるということを意味しているわけではないことに注意する必要がある．抗重力位で全可動域にわたり自動運動を行うことができるか否かを判断する「段階 3」，および重力の影響を最小にした肢位で全可動域にわたり自動運動を行うことができるか否かを判断する「段階 2」に関してはどの検者が検査を実施しても同じ結果が得られるはずである．その一方で，徒手的に抵抗を加える「段階 4」および「段階 5」の検査では，検者間での抵抗量の差や抵抗を加える位置の違いなどにより一定の結果が得られない可能性があり，検査結果は検者の主観的なものとなる．リハビリテーション実施前後の比較や，異なる対象者間で比較を行う際には，**等速性筋力測定器**や HHD などを用いた客観的な筋力検査も併用することが望まれる．

また，Daniels らの『新・徒手筋力検査法 原著第 5 版』までは，短縮性収縮に対して抵抗を用いて筋力を判定する方法である**可動域テスト**（full arc test）が採用されていたが，第 6 版以降は，等尺性収縮に対して抵抗を用いて筋力を判定する**ブレイクテスト**（break test）が採用されている．これは，動かしうる可動域の最終点，あるいは筋が最も働かなければならない運動範囲の 1 点で徒手抵抗を加え，検査を行うものである．単関節筋に対しては ROM の最終域，二関節筋に対しては可動域中央で徒手抵抗を加え，筋力検査を行う．ブレイクテストでは等尺性収縮の筋

▶表4　徒手筋力検査の結果に影響を及ぼす因子

対象者の問題	(1)協力・理解力 小児や高齢者では検者の指示を十分に理解できないこともある (2)意欲・痛み・疲労・不安定感・疾病利得の有無 これらの因子のため，筋収縮が阻害される (3)適切なポジショニング 免荷や手術後の禁忌事項などのために定められた肢位がとれないことがある
検者の問題	(1)抵抗のかけかた 検者間での抵抗量や，抵抗をかける位置などに差がある (2)固定のしかた 固定の方法が適切でないと代償運動が生じる (3)グレードの判断 特に＋，－の判断は検者の主観にゆだねられる (4)代償運動を見抜く能力 テストする筋の正しい運動方向を理解しておく必要がある (5)触診能力 zero(Z, 0)か trace(T, 1)の判断や，代償運動の鑑別のときに必要となる
測定結果の解釈の問題	(1)筋力の単位 MMT では 0～5 の 6 段階で筋力のグレード化をするが，絶対値を求めることはできない (2)上位運動神経障害の評価 中枢性の運動麻痺に対して，基本的には MMT の有効性は疑問視される．筋収縮以外にも筋トーヌスや共同収縮，姿勢反射などの影響も受けるので注意する (3)グレード間の関係 0～5 までのグレード間の関係は連続変数ではないので注意する

力を評価するため，実際の ADL 動作から乖離していることも指摘されている．したがって，どの可動域で筋力低下が生じているのか，あるいは，どの可動域で疼痛が出現するのかなどを詳細に評価する場合には，可動域テストも併せて個別の筋力検査をすることが必要となる．

II 筋力検査の実際

A 上肢の徒手筋力検査

上肢の MMT は，頸髄損傷の障害高位診断や末梢神経損傷の診断などに用いられるほか，肩関節疾患などの対象者に対しても頻繁に実施され，対象者の機能に応じた ADL を考える際に非常に重要となる．MMT を実施する際には，主動作筋の起始，停止，神経支配，筋の機能解剖についてよく学習したうえで，検査に臨む必要がある．

1 実施前の準備

上肢の MMT を実施する際には，下記の点について事前に確認する．

(1)翼状肩甲骨(winged scapula)(▶図 4)の有無や肩の高さの非対称性についてチェックする．

(2)触診で肩甲骨の可動範囲を確認する．

(3)動作観察や対象者の訴えから筋力低下をきたしている可能性がある上肢筋(群)を推定し，検査部位を選択する(▶表 5)．

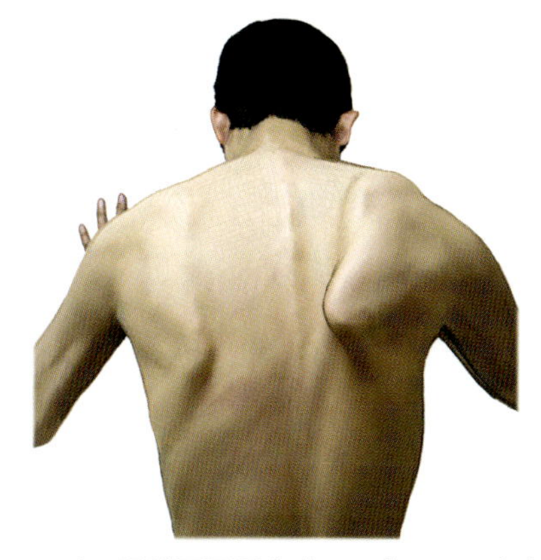

▶図4　翼状肩甲骨(winged scapula)
前鋸筋の筋力低下などが生じると，背中に翼が生えたように肩甲骨の内側縁が浮き上がった状態を呈する(本図では右側).
〔坂井建雄：標準解剖学. p239, 医学書院, 2017より〕

▶表5　上肢の徒手筋力検査における検査部位の選択

動作観察・対象者の訴え	検査部位
上肢の挙上が困難な場合	肩関節屈曲，肩関節外転
上肢の支持性に問題がある場合	肩関節伸展，肘関節伸展
上肢の操作性に問題がある場合	肩関節内旋，肩関節外旋，肘関節屈曲，肘関節伸展
把持機能に問題がある場合	手関節屈曲，手関節伸展，握力
上肢の不全麻痺が疑われる場合	Barré 徴候テスト(Barré's sign test)

Barré 徴候テスト：座位または立位で両上肢を前方水平挙上位，前腕回外位とし，開眼あるいは閉眼でその姿勢を保持してもらう．一方の上肢が下降し，前腕が回内するとBarré 徴候陽性となる(動画 9).
〔松本直人：上肢の筋力. 奈良勲, 他(編)：図解理学療法検査・測定ガイド 第2版. pp195-211, 文光堂, 2009を参考に作表〕

2 検査の実際

三角筋中部線維および棘上筋による肩関節外転のMMTを例にあげ，MMTの手順を以下に示す．

(1) 検者は対象となる肩関節を他動的に外転し，ROM，可動時の疼痛の有無，対象筋(群)または拮抗筋の伸張性について確認する．

(2) 他動的に関節を動かした後に自動運動を行い，代償運動や疼痛の有無を確認し，対象者に運動方向を理解してもらう．

(3) まずは**抗重力位**で全可動域にわたり自動運動を行うことができるか否かを判断する「段階3」の検査を行う(▶図5)．肩関節外転のMMTでは，体幹を側屈することで肩関節が外転しているように見せかける代償運動が生じる場合がある(▶図6)．

(4)「段階3以上」と判断される場合には，抗重力位で徒手的に抵抗を加え，中等度あるいは最大の抵抗に抗することができるか否かを判断する「段階4」「段階5」の検査を行う(▶図7)．「段階4」「段階5」の検査を行う際には，対象筋(群)が関与する関節の中枢側をしっかりと固定する．動作時の疼痛の出現や代償運動の有無を確認する．

(5)「段階3未満」であると判断される場合には，肩関節外転に対して重力の影響を最小にした肢位である背臥位で全可動域にわたり自動運動を行うことができるか否かを判断する「段階2」の検査を行う(▶図8)．

(6)「段階2未満」であると判断される場合には，背臥位で対象筋を視診・触診し，筋収縮が認められるか否かを判断する「段階1」の検査を行う(▶図9)．

(7) 視診・触診で筋収縮が認められない場合には「段階0」と判断する．

その他の上肢筋の具体的なMMTの測定方法については成書に譲り，ここでは代表的ないくつかの上肢筋のMMTについて検査中に注意すべきポイントを述べる．

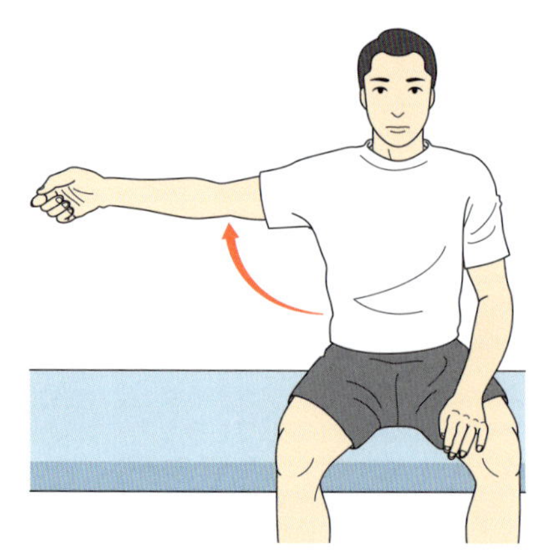

▶図 5　肩関節外転 MMT「段階 3」の検査

抗重力位で全可動域にわたり自動運動を行うことができるか否かを判断する.

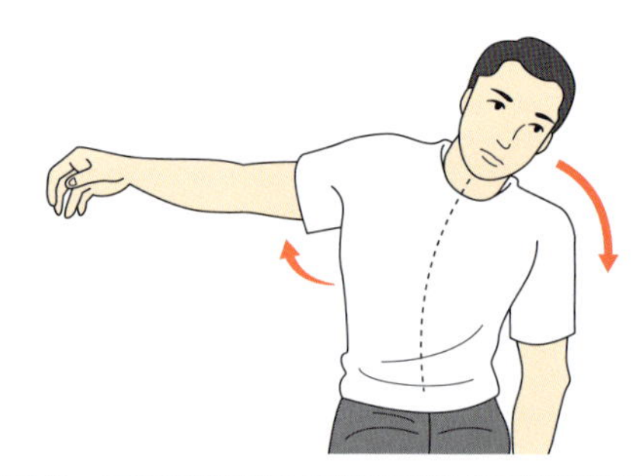

▶図 6　肩関節外転 MMT における代償運動の例

体幹を側屈することで肩関節が外転しているように見せかける代償運動が生じる場合がある.

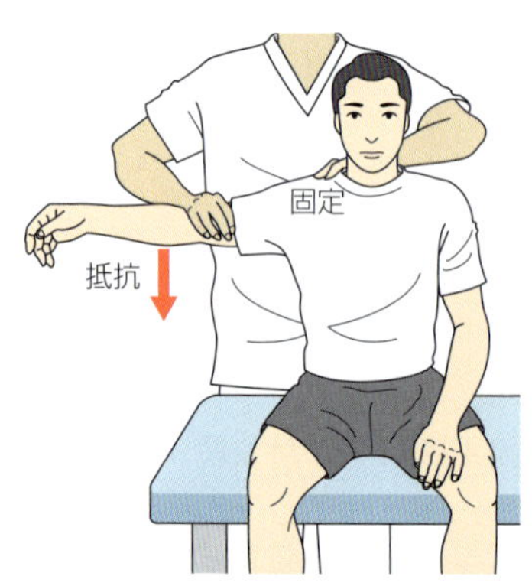

▶図 7　肩関節外転 MMT「段階 4」「段階 5」の検査

抗重力位で徒手的に抵抗を加え，中等度あるいは最大の抵抗に抗することができるか否かを判断する.

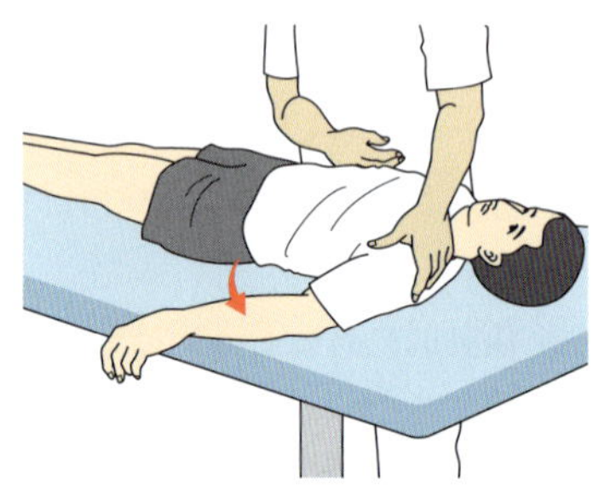

▶図 8　肩関節 MMT「段階 2」の除重力位での検査

重力の影響を最小にした肢位で全可動域にわたり自動運動を行うことができるか否かを判断する.

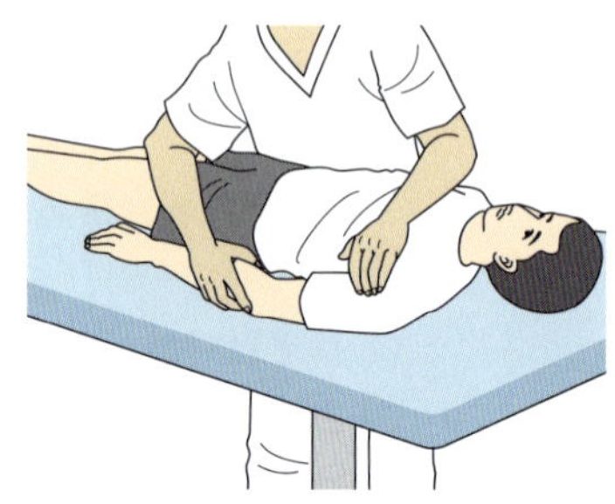

▶図 9　肩関節外転 MMT「段階 1」の除重力位での検査

重力の影響を最小にした肢位にて対象筋を視診・触診し，筋収縮が認められるか否かを判断する.

(図 8, 9 では測定手順を明確に示すために，検者は実際の立ち位置とは反対側に表示している).

a 前鋸筋

前鋸筋は肩甲骨の外転と上方回旋の作用をもち，前述の翼状肩甲骨は前鋸筋の筋力低下を示唆する所見である．上肢を挙上するなかで，肩甲上腕関節の屈曲や外転に伴い前鋸筋が肩甲骨の外転と上方回旋を行い，肩甲上腕リズム (scapulo-humeral rhythm) を形成している．前鋸筋の MMT では，肩甲骨の動きを確認し，肩甲骨の固定性が得られるかがポイントとなる.

b 三角筋（動画 10, 11）

三角筋前部線維は肩関節屈曲，中部線維は肩関節外転，後部線維は肩関節伸展の作用をもち，頻繁に検査される．右上肢の検査では右手で，左上肢の検査では左手で抵抗を加えることが多く，検者の利き手により過小評価あるいは過大評価にならないよう留意する必要がある．肩関節外転を検査する際は，上腕二頭筋による代償運動を避けるために，肘関節は軽度屈曲位とする.

c 棘上筋

棘上筋は三角筋中部線維とともに肩関節外転の作用をもつ．棘上筋の腱は上腕骨頭と肩峰の間に位置し，腱板損傷を受けやすい．棘上筋の筋力低下が疑われる場合には筋の触診が必要となる．検査の際は，体幹の伸展や側屈などの代償運動に注意する．

d 肩甲下筋

肩甲下筋は肩関節内旋の作用をもち，肩関節前方の安定性に重要な筋である．肩関節内旋筋は肩関節外旋筋より強力である．腰部に手を回し，その位置からさらに内旋させる lift off テスト，手を腹部にあて，腹部を手で押すように内旋方向に力を発揮させる belly press テストは肩甲下筋の筋力を反映するテストである．

e 上腕二頭筋，上腕筋，腕橈骨筋（動画 12）

いずれの筋も肘関節屈曲の作用をもつ．前腕の肢位により 3 つの筋を個々に分けて検査を行う．前腕回外位では上腕二頭筋，前腕回内位では上腕筋，前腕中間位では腕橈骨筋の筋力検査となる．

f 上腕三頭筋

上腕三頭筋は肘関節伸展の作用をもつ．上腕三頭筋の検査で抵抗を加える際には肘関節を軽度屈曲位とし，過伸展により肘関節をロックすることのないように注意する．

B 下肢の徒手筋力検査

加齢に伴う筋力低下は上肢筋よりも下肢筋で著しく，高齢者の下肢の筋力低下は立ち上がりや歩行，階段昇降などの移動動作能力の低下をもたらす大きな要因であると考えられている．さらに，下肢の筋力低下は転倒リスクのなかでも最も危険性の高い因子である．これらのことから下肢筋力を評価することは非常に重要であるといえる．

1 実施前の準備

下肢の MMT を実施する際には，下記の点について事前に確認する．

(1) 入室時の歩行や動作を観察し，異常歩行の出現の有無などを確認し，筋力低下が生じている可能性がある部位を推定する（▶表 6，図 10）．
(2) 動作観察や対象者の訴えから検査部位を選択する．

2 検査の実際

大腰筋および腸骨筋による股関節屈曲の MMT を例にあげ，手順を以下に示す．

(1) 検者は対象となる股関節を他動的に屈曲し，ROM，可動時の疼痛の有無，対象筋（群）または拮抗筋の伸張性について確認する．
(2) 他動的に関節を動かした後に自動運動を行い，代償運動や疼痛の有無を確認し，対象者に運動方向を理解してもらう．
(3) まずは**抗重力位**である座位で全可動域にわたり自動運動を行うことができるか否かを判断す

▶表6　筋力低下を示す異常歩行

異常歩行	特徴
中殿筋歩行	変形性股関節症などにより中殿筋の筋力が低下した患者にみられる．中殿筋は歩行中の骨盤の安定に寄与しており，中殿筋の筋力低下が生じている患肢での立脚相で骨盤が反対側に傾斜する Trendelenburg（トレンデレンブルグ）徴候が陽性となる（▶図10）．体幹を患側に傾けることにより代償がはかられる
大殿筋歩行	大殿筋は踵接地（heel contact）時に骨盤が過度に傾斜するのを防いでおり，この作用が損われると患肢での立脚相で股関節が過伸展し，体幹が後方に傾斜する
大腿四頭筋歩行	大腿四頭筋の筋力低下により膝関節の屈曲の制御が失われると立脚相にて膝崩れ現象が生じる．その代償として，膝関節に伸展ロックをかける，あるいは，大腿前面を手で後方に強く押さえつける様子が観察される
下垂足歩行（鶏歩）	足関節背屈筋群の筋力低下による下垂足（drop foot）の患者にみられる．遊脚相にて下垂した足部が床に触れないようにするために股関節，膝関節を屈曲し，患肢を高く上げて振り出し，立脚相初期から足底全面で接地する

〔塩田琴美：筋力検査．柳澤健（編）：理学療法学 ゴールド・マスター・テキスト 理学療法評価学．p69，メジカルビュー社，2010より改変〕

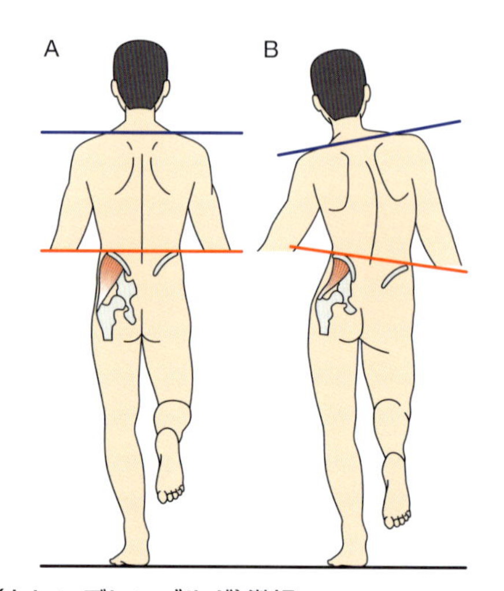

▶図10　Trendelenburg（トレンデレンブルグ）徴候

A：正常：片脚で起立したとき，股関節外転筋の力で骨盤は水平もしくは遊脚側が少し上がって，体幹は垂直となる．
B：Trendelenburg 徴候：股関節脱臼や股関節外転筋力不全があると，遊脚側の骨盤が沈下する．体幹を立脚側に傾けることによりバランスを保つ．歩行時には肩が立脚側に振れる．
〔津村弘：股関節 機能解剖とバイオメカニクス．井樋栄二，他（編）：標準整形外科学 第14版．p597，医学書院，2020より〕

る「段階3」の検査を行う（▶図11）．縫工筋を使った代償運動では股関節の外旋と外転がおこる（▶図12）．また，骨盤を後傾させた場合には大腰筋および腸骨筋の起始と付着部の間の距離が長くなり，大腰筋および腸骨筋が実際よりも大きな力を発揮することとなるため，骨盤は中間位で検査を行うようにする．

(4)「段階3以上」と判断される場合には，抗重力位で徒手的に抵抗を加え，中等度あるいは最大の抵抗に抗することができるか否かを判断する「段階4」「段階5」の検査を行う（▶図13）．動作時の疼痛の出現や代償運動の有無を確認する．

(5)「段階3未満」であると判断される場合には，股関節屈曲に対して重力の影響を最小にした肢位である側臥位で，検者の手で下肢を支えた状態で全可動域にわたり自動運動を行うこと

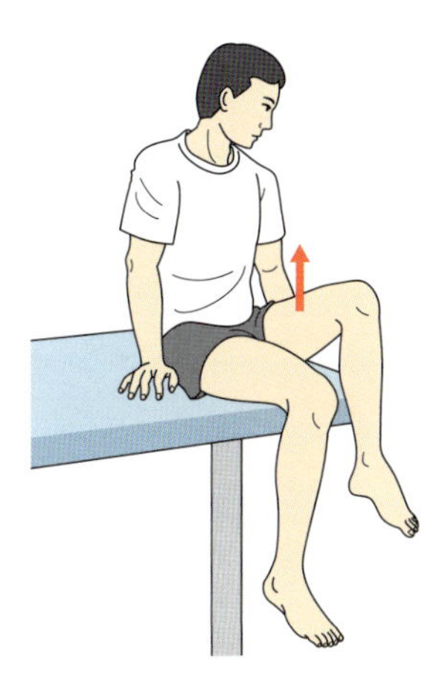

▶図 11　股関節屈曲 MMT「段階 3」の検査

抗重力位で全可動域にわたり自動運動を行うことができるか否かを判断する．

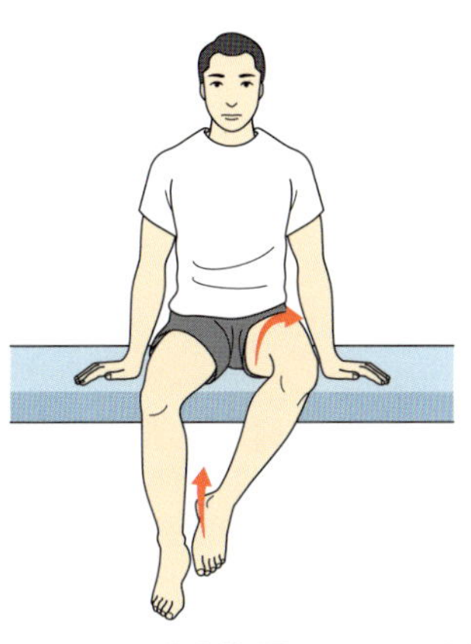

▶図 12　股関節屈曲 MMT における代償運動

縫工筋による代償運動では，股関節の外旋と外転がおこる．

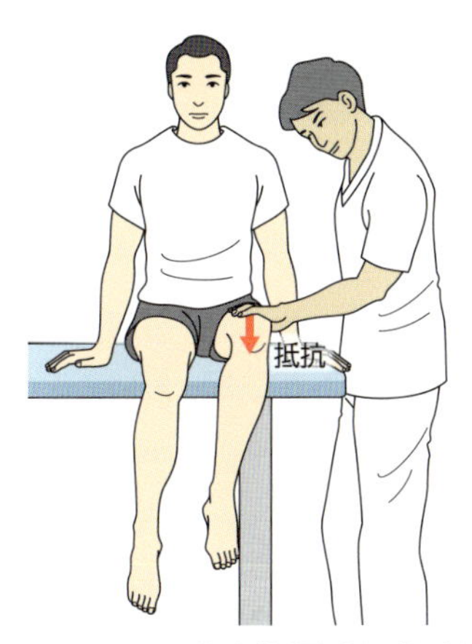

▶図 13　股関節屈曲 MMT「段階 4」「段階 5」の検査

抗重力位で徒手的に抵抗を加え，中等度あるいは最大の抵抗に抗することができるか否かを判断する．

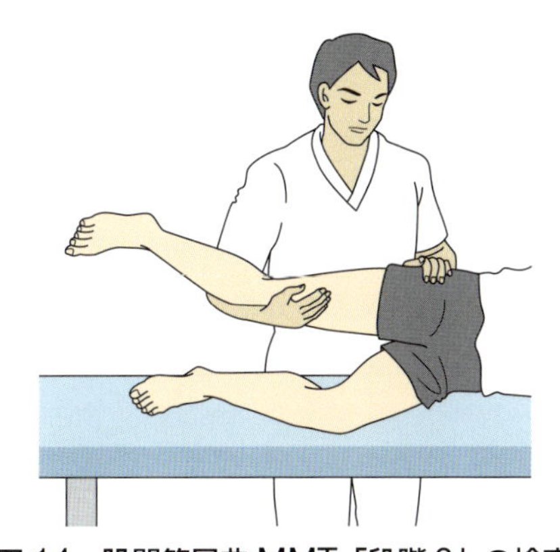

▶図 14　股関節屈曲 MMT「段階 2」の検査

重力の影響を最小にした肢位で全可動域にわたり自動運動を行うことができるか否かを判断する．

ができるか否かを判断する「段階 2」の検査を行う(▶図 14)．下肢を支える際には，手掌面全体と前腕を使い，しっかりと支えるようにする．

(6)「段階 2 未満」であると判断される場合には，対象筋(群)を視診・触診し，筋収縮が認められるか否かを判断する「段階 1」の検査を行う．触診を行うため，背臥位にて検者の手で下肢を支えた状態で股関節の屈曲を試みてもらい，視診・触診を行う(▶図 15)．

(7)視診・触診で筋収縮が認められない場合には「段階 0」と判断する．

a 大殿筋

大殿筋はハムストリングス(hamstrings)とともに股関節伸展の作用をもつ．膝関節を屈曲させハムストリングスを弛緩させることにより，大殿筋のみを分離して検査することができる．代償運動として骨盤のベッドからの挙上がある．

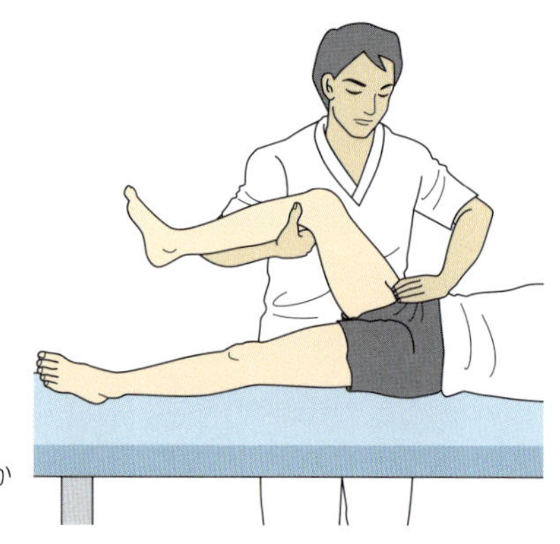

▶図 15　股関節屈曲 MMT「段階 1」の検査
背臥位で対象筋を視診・触診し，筋収縮が認められるか否かを判断する．

b 縫工筋

縫工筋は股関節屈曲，外転，外旋の作用をもつ．運動方向の理解が得られにくい場合には，検者が他動的に動かす，あるいはデモンストレーションをして対象者に模倣してもらうなどして，十分に運動方向の理解が得られたうえで検査を行う必要がある．腸腰筋または大腿直筋による代償運動では股関節屈曲のみがおこり，外転や外旋はおこらないことに留意する．

c 中殿筋，大腿筋膜張筋（動画 13）

中殿筋および大腿筋膜張筋はともに股関節外転の作用をもつ．股関節軽度伸展位を開始肢位として股関節の外転を行った場合には中殿筋の筋力検査となる一方，股関節屈曲位を開始肢位として股関節の外転を行った場合には大腿筋膜張筋の筋力検査となる．股関節が外旋位になると股関節屈曲筋群による代償運動が生じるため，注意する必要がある．

d ハムストリングス

二関節筋であるハムストリングスは股関節伸展と膝関節屈曲の作用をもつ．内側ハムストリングスである半腱様筋および半膜様筋を検査する場合には下腿を内旋位に，外側ハムストリングスである大腿二頭筋を検査する場合には下腿を外旋位とし，腱や筋腹を視診・触診しながら行う．膝関節屈曲最終域で股関節の屈曲がおこる場合には，大腿直筋の伸張性について確認しておく必要がある．

e 大腿四頭筋（動画 14）

大腿四頭筋は膝関節伸展の作用をもち，椅子からの立ち上がりや階段昇降などの ADL に大きくかかわることから，大腿四頭筋の筋力検査は臨床で最も多く行われる検査の 1 つである．大腿四頭筋の筋力検査の際には膝関節を軽度屈曲位とし，過伸展により膝関節をロックさせることのないように注意する．また，ハムストリングスが膝関節伸展の可動域を制限しないように骨盤や体幹を後傾させて検査を行うようにする．

f 前脛骨筋（動画 15）

前脛骨筋は足関節背屈および内がえしの作用をもつ．他動的に関節を動かし，必要に応じて検者が運動方向のデモンストレーションを行うなどして，対象者に運動方向を十分に理解してもら

う必要がある．検者は腱の膨隆を視診・触診し，後脛骨筋が収縮していないことを確認しながら検査を行う．

●参考文献 1）森山英樹：筋力検査(1)-筋力検査の基礎．石川朗，他(編)：15 レクチャーシリーズ 理学療法テキスト 理学療法評価学 I．pp75-94，中山書店，2013．
2）市橋則明(編)：運動療法学 第 2 版．pp253-268，文光堂，2014．
3）Hislop, H. J.，他(著)，津山直一，他(訳)：新・徒手筋力検査法 原著第 10 版．協同医書出版社，2020．

復習問題

□ 1 徒手筋力検査は[①]尺度である[49PM024]．
□ 2 肩関節外転(三角筋)を検査する場合には，体幹の[②]や[③]などの代償運動に注意する．
□ 3 外側ハムストリングスである大腿二頭筋を検査する場合には，下腿を[④]とする．

①順序 ②③伸展，側屈 ④外旋位

5 感覚

学習目標

- 感覚評価の目的と適用を説明できる.
- 感覚検査の手順を理解し実践できる.
- 感覚評価の解剖・生理学的な基礎を説明できる.

A 感覚評価の目的・適用

1 感覚評価の目的

理学療法における感覚評価の目的は,「安全・安寧で効率的な行為に必要となる感覚の状態を知り,それを回復・代償しうる可能性と方法を明らかにする」ことである.

具体的には,感覚の状態が ① 防御,② 識別,③ 情動,④ 運動の制御,⑤ 運動の学習の程度や過程にどのような影響を与えているのかを判断し,治療・指導の対象と方法を選択していく.

2 感覚の範疇

感覚は,**表 1** に示すような 3 つの階層に区分することができる[1].

最も広義の概念は,ひとが自らを定位・認識するために必要な哲学的な範疇で,次に特殊感覚,体性感覚,内臓痛覚を含む生理学的な範疇,3 つ目には実践的意味に即した体性感覚に限定した臨床医学的な範疇がある.

▶表 1 感覚の範疇

哲学的範疇
定位と認識 ・「感性的経験(物知覚)は,一般定位が養分を汲み取る究極の源泉であり,空間構成と身体においてはキネステーゼ的感覚が最も本質である」(Husserl) ・「身体の理論はすでに知覚の理論である」(Merleau-Ponty) ・「感覚は認識の源泉であり,能動的・選択的性格とともに運動的成分を含んだ過程から成立している」(Luria)
生理学的範疇
嗅覚,視覚,聴覚,前庭覚,味覚の特殊感覚,体性感覚,内臓痛覚を含む ・感覚(sensation)とは,「単一または異なった適刺激によって起こされた最も単純な意識された経験」 〔日本生理学会(編):生理学用語集 改訂第 5 版.p57,南江堂,1998〕 ・「感覚とは光・音・機械的刺激などに対応する感覚受容器からの情報を指し,知覚とは感覚受容器官を通じて伝えられた情報から外界の対象の性質・形態・関係や体内の諸臓器・器官の状態を感知分別することである」 〔日本神経学会用語委員会(編):神経学用語集 改訂第 3 版.p19,文光堂,2008〕
臨床医学的範疇
上記のうち,体性感覚ならびに痛みやしびれの異常感覚を含んだ範囲

本項では，最も狭義の体性感覚に関する検査法を中心に取り上げる(▶**図 1**)．なお，顔面や口腔内の一部の触覚も体性感覚として分類できるが，臨床的には脳神経の検査として行われることが多いため，本書でも脳神経検査の項で記載している(➡134 頁)．同様に，疼痛についても別項の記載を参考にしていただきたい(➡216 頁)．

3 感覚評価における 3 つの視点

感覚評価に必要な視点は**表 2** に示すとおり，わかる感覚，能動的な感覚，意識にのぼらない感覚をいかにとらえるかにある．

a わからない感覚とわかる感覚

医学的な検査では，感覚受容器の特性や神経支配領域・皮膚分節から，わかりにくい刺激に対する反応から“わからない感覚”を明確にすることに重きがおかれる．これは病態の性質や広がりなどの責任病巣の同定や診断を行ううえで重要な過程である．理学療法においても，わからない感覚を知ることは，病態の重症度と病巣の広がり，安全管理，フィードバック方法の選択などから重要な点である．

一方で，回復の可能性，代償の選択，感覚-運動の再学習，生活指導の点からは，“**わかる感覚**”の程度や性質を明らかにすることが大切となる．

上記をふまえた 2 つの感覚評価における検査法の着眼点は**表 3** に示したとおりである．

b 受動的感覚と能動的感覚

医学的な感覚検査では受動的刺激による反応を検査するが，理学療法では実生活に不可欠な**能動的な感覚**をもとらえる必要がある．特に，両者の状態の違いを知ることは，運動の要素を含めた**感覚-運動の再教育**(sensory-motor re-education)をいかに進めていくかの治療志向的な評価として重要である．

感覚は，能動的で運動的な成分を含んでいる(▶**表 1**；Luria)もので，日常生活では受動的な刺激の反応というよりも，必要な感覚を自らが選択して積極的に取り込んでいる．たとえば，外部の音の大きさに合わせて鼓膜の緊張を変えるアブミ骨筋反射(stapedial reflex；SR)は適切な

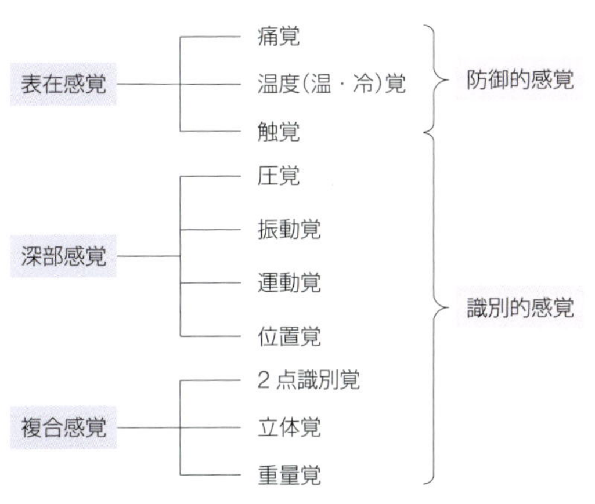

▶**図 1　体性感覚の分類**

▶**表 2　理学療法における感覚評価に重要な視点**

a	わからない感覚と**わかる感覚**
b	受動的な感覚と**能動的な感覚**
c	意識にのぼる感覚と**意識にのぼらない感覚**

▶表3　わからない感覚とわかる感覚の評価の視点

	わからない感覚の同定	わかる感覚の同定
刺激方法	・受容器に応じた単一的な刺激を与える	・機能に応じた複合的な刺激を与える
評価環境	・集中できる静かな環境で行う	・生活を考慮した環境で行う
評価基準	・基準値と比較する	・相対的に比較する
代償	・代償を除外する	・代償を許容する
評価のポイント	・わかりにくい刺激，領域，閾値の変化などを調べる	・わかる刺激，領域，閾値の変化などを調べる

感覚を得るための運動調節である．騒音のなかで必要な声を聞き取るカクテルパーティー効果(cocktail-party effect)は，選択的注意による選択的聴取(selective listening to speech)であり，生活に必要な聴力である．また，対象物の硬さや形状を識別する際には，感覚受容器が反応しやすいように探索的な動きや速さを調節している．たとえば薄い紙コップに入った熱いお茶を飲むときには，コップが変形しない強度で押さえつつ，熱が過敏に伝わらないような指の向きや圧を調節する．

このようなことは，「身体の理論はすでに知覚の理論である」とするMerleau-Ponty(メルロ＝ポンティ)(▶**表1**)の概念に包含され，アクティブタッチとしての体性感覚は，自己の姿勢，運動の制御，接触する物体の認識，自己を取り巻く3次元空間の認識など，多彩なものといえる[2]．

C 意識にのぼる感覚と意識にのぼらない感覚

一般的な感覚評価では，刺激を与えたときに意識にのぼる感覚の種類や程度を口頭で回答することで評価する．これは「C. 感覚評価に必要な基礎知識」(➡115頁)で示す大脳皮質感覚野へ投射する感覚であるが，実際の運動制御や学習においては，反射・反応による階層的な感覚情報が活用されており，これらを間接的にとらえることが理学療法における感覚の評価として重要となる．

B 感覚評価の実際

「A. 感覚評価の目的・適用」で示した，感覚評価の視点をふまえて，① 防御，② 識別，③ 情動，④ 運動の制御，⑤ 運動の学習への影響をとらえる[3]．

1 スクリーニング

a 自覚症状

面接によって感覚機能を広くとらえる．

対象者にとって，疼痛，異常感覚(しびれ，めまい，浮動感)は比較的自ら認識しやすい．また，温痛覚や運動覚などの感覚低下についてもある程度自覚していることが多い．逆に，ぎこちなさ，不安定感などは，むしろ運動機能の低下としてとらえている場合があり，はじめは特定の感覚を強く連想させるような問いかけとせずに，さまざまな訴えを理学療法士が感覚機能と関連づけていく**臨床推論**(clinical reasoning)が重要となる．

この際，対象者が気がかりな点や程度をたずねておくと，のちの詳細な面接や検査の際に対象者の協力が得やすく，協働型臨床推論が展開しやすくなる．

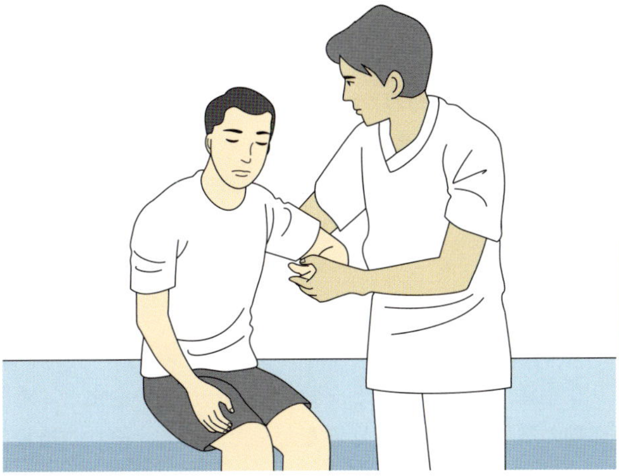

判定基準
1 ：すばやく母指をつまむことができる
1＋：つまむことはできるが検査肢に力が入るか，対象者がわかりにくさを自覚する
2 ：母指周辺を探ったのちにつまむことができる
3 ：大きくずれ，偶然自身の前・上腕にあたり手繰り寄せるように母指をつまむか，指をつまめない

▶図2 母指探し試験

図では，対象者の左上肢が検査肢．対象者は閉眼(または遮眼)で，検者は対象者の検査肢を包むように支える．その後，対象者の運動肢(図では右)の手指が検査肢に届く範囲の任意の位置に固定し，対象者に運動肢で検査肢の母指をつまむように教示する．この際，対象者には検査肢には力を入れないように伝えておく．なお，開眼でつまみ動作を試行した後に閉眼での検査を行う．

b 他覚症状

動作を観察するなかで感覚機能の低下との関連を推測する．

感覚機能との関連で観察される現象は多岐にわたる．ただし，あくまでもその関連性が推測されるにすぎず，注意機能，無視，(小脳性)運動失調，軽度の麻痺，習慣やくせによる場合も多いので，この段階で過度な判断を進めないように注意する．

臥位・座位・立位姿勢の非対称性や不自然な上下肢の位置(掌屈位で手をついている，座位で上肢が後方へ位置している，内反位での足底接地など)，逃避的な姿勢や動作，動きが円滑でない，動作時に力の入れ方が強すぎる(ようにみえる)，などの状態は，感覚が低下している際に生じることがある．また，視野から外れた際の動作が拙劣となる，視線を過度に動作肢に向けている(歩行時に常に下を向いている場合を含む)場合にも感覚低下を疑う．

c スクリーニングとしての母指探し試験

母指探し試験(▶図2)は複合的な位置覚(関節定位覚と呼ばれることもある[4])を検査するもので，軽微な感覚低下を検出できる検査であるとともに，スクリーニングとしての有用性も高い．

この試験の特徴は，① 検査の感度が高い，② 検査の過程が対象者の動きとして客観的に観察できる，③ 口頭による回答が不要，④ 道具を必要としないことがあげられる．そのため，認知機能の低下や運動失語がある対象者でも正確に検査が行えることが多い．また，検査実施の過程を対象者の動きとして観察でき，同時に対象者の腕を支えている感触から過度な収縮が生じているかをとらえることも可能である．他方，検査に反対肢の上肢を用いることから，切断や重度な両麻痺がある対象者には適用できない．なお，体幹の可動域制限が少ない対象者であれば，臥位もしくは座位で下肢の母指を探す試験として応用することが可能である．

あわせて，本試験は，対象者の理解，顕著な高次脳機能低下(失行，失認，無視)，関節可動域，運動機能をおおまかにとらえることができる．

❷ スキャニング(詳細な検査)

スクリーニングならびにほかの機能(関節可動域，筋力・麻痺，高次脳機能など)で，詳細な検査の目的と適用が明確になったのちに，必要な検査を選択して行う．

その機能的な役割から，表在感覚は遠位部(手掌・手指や足底)で鋭敏であり，深部感覚(特に位置覚)は近位部(肩，股・膝)で鋭敏であることを念頭において検査を進めるとよい．

a 面接

スクリーニングをふまえて，ぎこちなさ，過度な筋収縮が生じやすく力が抜けにくい，疲れやすさ，薄皮が1枚はりついているような感覚，日中(明所)と夕刻や夜(暗所)での変化，二重課題(意識や視線がほかへ移ったとき)の運動の制御や動作の安定性などをたずねて，検査の結果と照合していく．その際，異常感覚や感覚低下に対する対象者自身の解釈モデルや対応(意図的な代償)についても確認していく．

b 各検査の実際

1) 触覚

1. 検査法：柔らかい筆もしくは専用の機器(Semmes-Weinstein monofilament)を用いて，皮膚に触れた際の反応をみる．必要に応じて，接触の有無に加えて，強さ，持続時間，触られた質(触感)についてもたずねる．

末梢神経や髄節レベルの機能低下による場合には，**デルマトーム**(dermatome；皮膚分節)に沿って，わからない部位からわかる部位へと筆を動かすと境界が明瞭になる(▶図3)．

2. 判定：主観的な回答から，基準範囲，鈍麻(軽度，中等度，重度)，脱失，そのほか(過敏，感覚異常)に区分する．また，強さや明確さなどから，低下のない部位と比較して10段階の相対値で回答を求めることもある(例：反対側の同じ部位と比べ3/10程度)．

3. 留意点：信憑性が疑われる場合には，刺激をしない試行を入れて確認する．

しびれや感覚過敏がある場合には，実際の触覚は低下していても強度を高く回答することがあるので，触れられた質を確認する．

2) 痛覚

1. 検査法：安全ピンもしくは検査機器で刺激した際の反応をみる．
2. 判定：主観的な回答から，基準範囲，鈍麻(軽度，中等度，重度)，脱失，そのほか(過敏，感覚異常)に区分する．
3. 留意点：皮膚の損傷や感染に注意する．意識障害があるときには，開眼や体動などの反応から判断する．

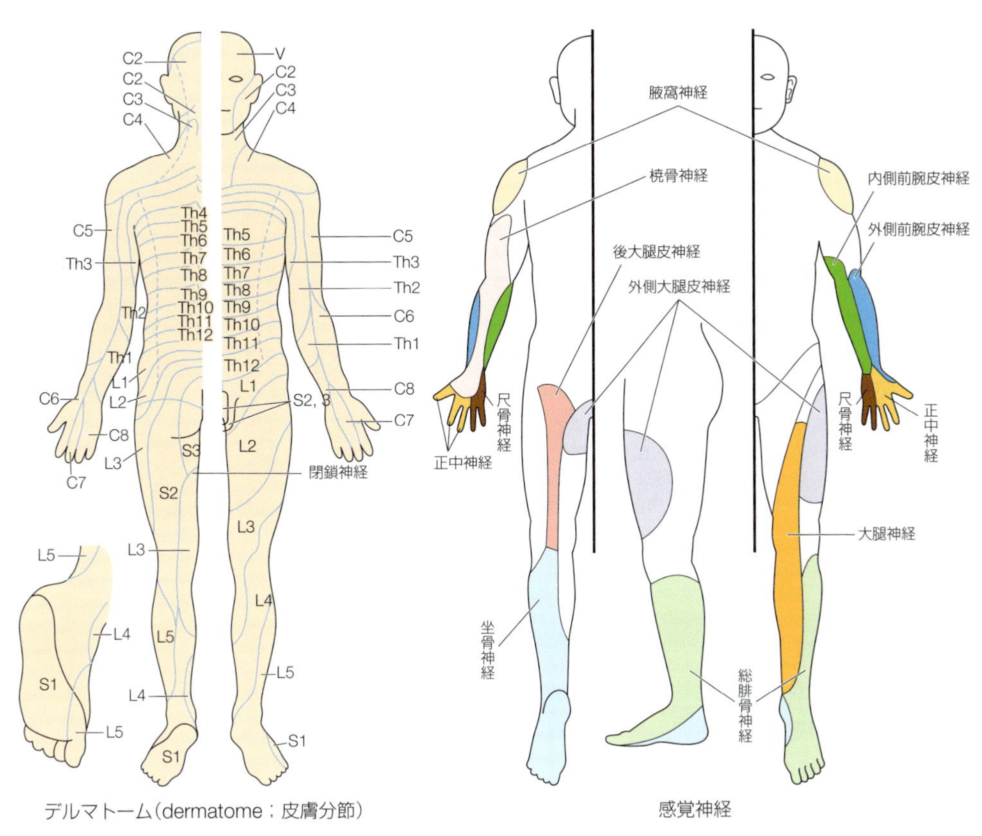

▶図3　感覚神経支配領域

3) 温度覚

1. **検査法**：試験管もしくは検査機器を用い，一定範囲の温度(温覚では 40℃ 程度，冷覚では 10℃ 程度)を皮膚に接触させて温かさや冷たさを感じるかを調べる．

2. **判定**：主観的な回答から，基準範囲，低下，脱失，そのほか(過敏，感覚異常)に区分する．

3. **留意点**：どちらかの症状のみが強い場合がある．

交代性片麻痺などの感覚解離が疑われる場合には重要な検査となり，生活指導に反映する必要もある．

4) 振動覚

1. **検査法**：音叉(通常は 128 Hz)を用いて，骨隆起部〔上肢(肩峰，肘頭，尺骨茎状突起)，下肢(上前腸骨棘，膝蓋骨，内果)〕にあてて振動を感じる時間や強度を調べる．音叉をあて，振動を感じなくなった(止まった)と回答するまで刺激を続ける．

2. **判定**：検者が音叉の振動を感じている時間に対する相対値(例：右内果 50%，右尺骨茎状突起 80%)を記録する．また，音叉を強く一定の方法で振動させた場合には，感受できる時間はおおむね 10 秒間を超えることが多いため，持続時間を記録することで個人内の変化を定量的に比較できる．

3. **留意点**：臨床的な検査法のなかでは軽度の深部感覚の低下を検出しやすい．

糖尿病ニューロパチーでは感覚検査の中では感度の高い検査法である．また，転倒による大腿骨近位部もしくは前腕部を骨折した対象者には実施する必要がある．

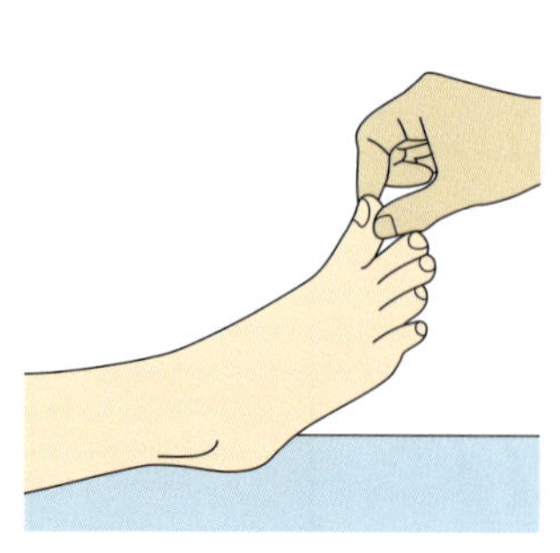

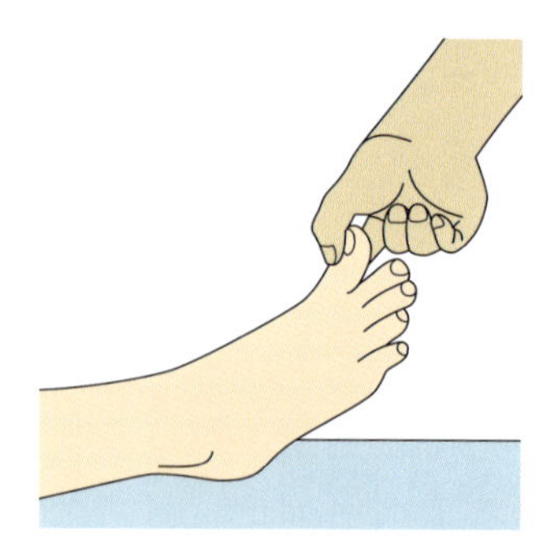

A　標準的な検査法　　B　わかる感覚を調べる検査法

図 4　運動覚の検査法

A：関節を動かすための最小限の刺激とするため，検者は運動方向と平行となる方向で軽く把持し，注意深く動かす．動かす範囲(本文中の小振り，大振りの説明も参考)に加えて，加速度や速度によって対象者の反応は変わる．機能低下がなければ，わずかな刺激で即座に運動とその方向を回答できる．
B：A で中等度以上の低下や脱失と判定した場合，圧覚や触覚，皮膚の伸張が加わる方向に把持した条件で，同様に検査してみる．

5）運動覚

1. **検査法**：他動的に関節を動かした際の運動方向を回答してもらう．
2. **判定**：基準範囲，低下(軽度，中等度，重度)，脱失に分類する．

標準化された判定基準ではないが，① わずかな刺激で即座にわかる，② 小振り(可動範囲の 50% 未満)の刺激でわかる，③ 大振り(可動範囲の 50% 以上の動き)でわかる，④ 大振りでもわからないの段階で示す方法も用いられている．

3. **留意点**：わからない感覚を調べる場合(通常の臨床医学で用いられる方法)には，圧覚などの刺激が加わらないように運動方向と平行な部位を把持するが，わかる感覚の程度を調べる場合にはあえて接触部位を広くしたり圧覚を加えた際の反応をみる(▶図 4)．

6）位置覚(動画 16)

1. **検査法**：一般的な検査法は，検査肢を受動的にある位置に保持したときに，対象者が反対側を同じ角度に動かす「模倣試験」を行う．これは，反対肢に運動機能(可動域，麻痺など)の低下がない場合には有用で正確に実施しやすい．

他方，検査肢を一定の位置にしてその角度を対象者が記憶し，一度，もとの位置に戻して再び自動的もしくは他動的にその角度にする「再現試験」を行う場合もある．これは，反対肢の運動機能が低下している場合に加えて，短期の記銘力低下がない場合には検査肢の感覚と運動を含めた機能を評価することができる．

2. **判定**：両者の誤差(ずれ)を角度で表記する．また，明確な基準値はないが，基準範囲内，軽度のずれ，重度なずれ，わからないの段階に分けることもある．
3. **留意点**：単関節を検査する場合には，ほかの関節や部位へ刺激が波及しないように注意する．たとえば，背臥位で膝の屈曲角度をみる場合には，股関節の角度や足底の皮膚感覚などの情報は回答の参考になる．

また，仮に同じ 10° のずれでも足関節と肘関節ではその意味は異なり，同じ膝関節であっても最終伸展域近くでのずれは立位・歩行での安定性の低下につながりやすい．

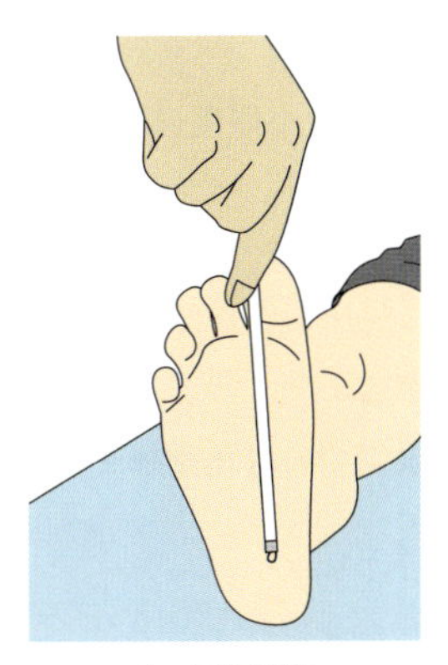

A 足底感覚

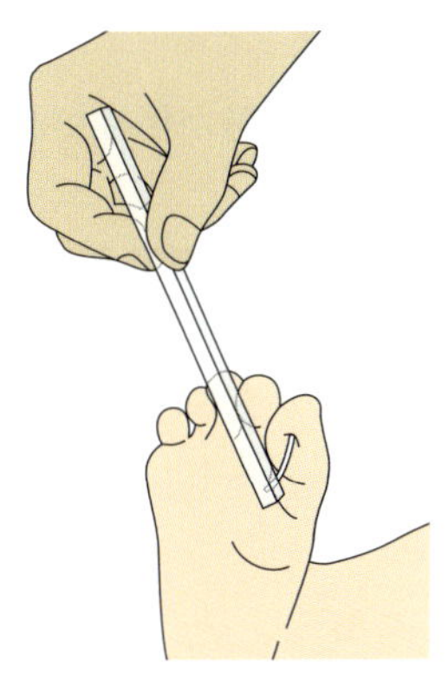

B 足底部の触覚(Semmes-Weinstein monofilament)

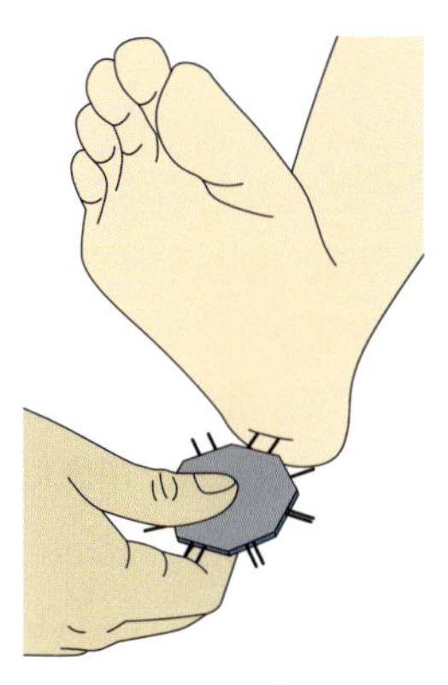

C 足底部の2点識別覚

▶図5 足底感覚の検査法

A：足底感覚は，触覚検査に用いる筆もしくはペンを足底部に接触させて，その方向を回答してもらう．縦，横，斜めで何度か試行して正答率をみる．
B，C：各検査を足底部に応用したもの．

7) 異常感覚

自発痛．他動的な触刺激による痛み．錯感覚などをみる．

8) 2点識別覚

1. **検査法**：検査用具を用いて，皮膚と垂直方向から軽度の圧刺激を加え，刺激を2点と感じるか1点と感じるかを問う．この際，不明確な場合は，当て推量で答えずに「わからない」と回答するように伝えておく．

　点での刺激による「静的」検査と，長軸方向に数cm動かす「動的」検査を行う．

2. **判定**：3回試行して2回以上の正答が得られた実測した最小値を閾値としてmmの単位で記録する．

3. **留意点**：一般的には，動的閾値 ≦ 静的閾値となる．逆転している場合にはしびれなどの異常感覚の影響なども考えられる．なお，静的と動的の識別に寄与する主な感覚受容器が異なるため，末梢神経損傷では神経回復の過程で両者に乖離が生じる．

9) そのほか

i) 足底感覚

1. **検査法**：図5Aに示すように，足底に刺激を与えた際の方向を回答してもらう．
2. **判定**：縦，横，斜めなどの刺激に対する回答率をみる．
3. **留意点**：触覚(▶図5B)，振動覚，2点識別覚(▶図5C)を足底部に応用し，姿勢・歩行の圧中心の制御に資する感覚の機能をとらえる．

ii) 立体覚

1. **検査法**：球，筒状，立方などの形状の識別を手で行う．
2. **判定**：正答率を記録する．
3. **留意点**：曲線，角，直線，面を識別する際の主な感覚受容器や統合過程が異なるため，識別の程度に乖離が生じる場合がある．

iii）Romberg（ロンベルグ）徴候

1. **検査法**：開眼位で閉脚位（安定した姿勢が保持できない場合は最小限度に開脚）をとり，閉眼した際の動揺の変化を観察する．
2. **判定**：動揺が一定以上増大すれば陽性と判定する．
3. **留意点**：閉眼位をとって数秒間は安定していることもあるため，10 秒間以上は閉眼での観察を続ける．重度な例では転倒することがあるので十分に注意する．

なお，原法は，閉脚位で両上肢を前方へ挙上した姿勢で閉眼位での身体動揺を観察するものである．

C 記録

各検査の結果を図 6 の記録用紙に記載する．この際，判定結果に加えて検査中の対象者の反応や検者の印象を付記しておくことが有用な情報となる．

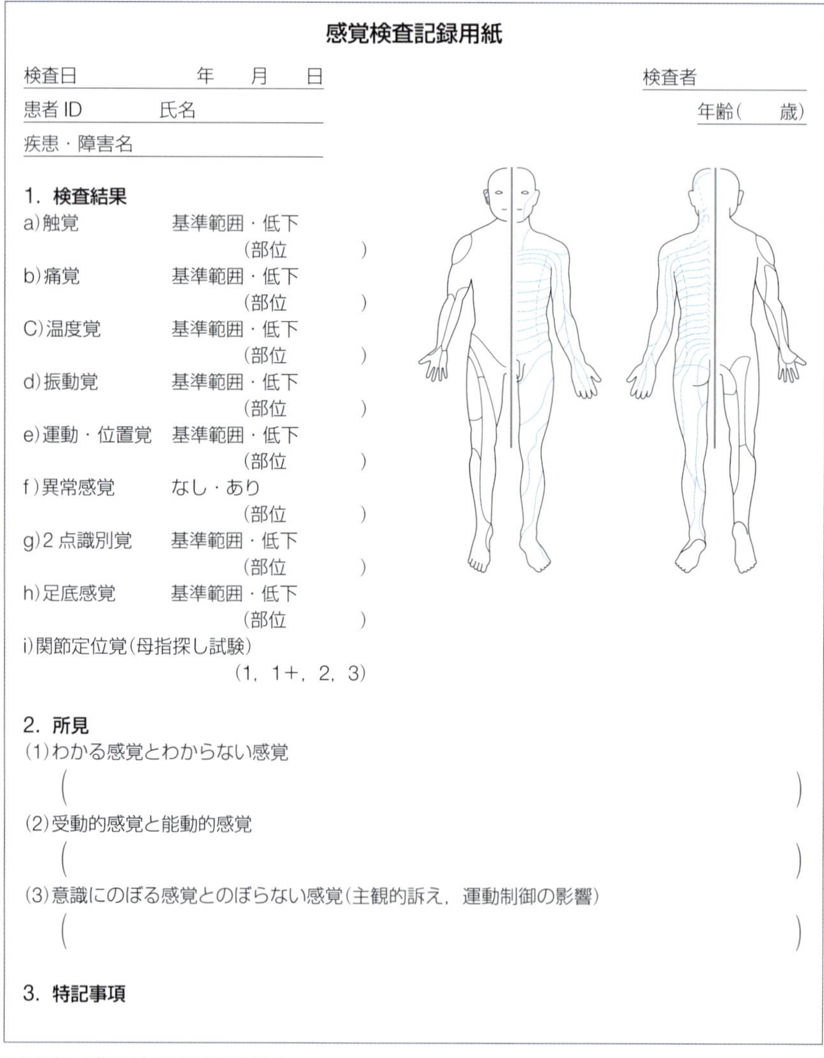

感覚検査記録用紙

検査日　　年　月　日　　　　検査者

患者 ID　　氏名　　　　　　年齢（　歳）

疾患・障害名

1. 検査結果

a）触覚　基準範囲・低下（部位　）

b）痛覚　基準範囲・低下（部位　）

C）温度覚　基準範囲・低下（部位　）

d）振動覚　基準範囲・低下（部位　）

e）運動・位置覚　基準範囲・低下（部位　）

f）異常感覚　なし・あり（部位　）

g）2 点識別覚　基準範囲・低下（部位　）

h）足底感覚　基準範囲・低下（部位　）

i）関節定位覚（母指探し試験）（1，1+，2，3）

2. 所見

（1）わかる感覚とわからない感覚
（　）

（2）受動的感覚と能動的感覚
（　）

（3）意識にのぼる感覚とのぼらない感覚（主観的訴え，運動制御の影響）
（　）

3. 特記事項

▶図 6　感覚検査の記録用紙

デルマトーム，感覚神経の詳細は図 3（➡111 頁）を参照．

3 統合と解釈

a 各検査の相対的な判断

基準範囲に加えて，加齢変化，左右差などを考慮して，相対的な低下の意味と治療の必要性を判断する．

b 機能系としての役割の判断

各検査から防御，識別，情動にどの程度の影響があるかを明らかにする．

c 感覚-運動機能としての位置づけ

運動の制御と学習にどのような影響があるかを解釈する．

ここでは，疾病や病態の特性をふまえた解釈が求められる．脳卒中者では，糖尿病を併存している場合に中枢と末梢要因による感覚機能の低下が混在している場合がある．視床病変では，意識にのぼる感覚の低下，異常感覚，感覚異常，意識にのぼらない感覚の低下による運動制御や学習の低下伴う場合が混在しているので鑑別が必要となる．

また，視覚，前庭覚，聴覚などのほかの感覚と統合して，バランスにおける体性感覚の機能不全が運動・動作に与える影響を解釈する必要もある．

d 回復・改善・代償の可能性

疾患の特性と重症度から回復の可能性を判断する．また，そのほかの感覚や運動機能から代償方法やその可能性を検討する．

e 治療戦略

上記をふまえて，適切な目標設定のもとで具体的な治療戦略を立てる．

C 感覚評価に必要な基礎知識

1 感覚受容器

a 皮膚感覚受容器

無毛部の皮膚断面の感覚受容器とその特性を図7にまとめた[5]．順応の速い受容器(rapidly adapting receptor；RA)は刺激に変化が生じたときのみに反応し，順応の遅い受容器(slowly adapting receptor；SA)は刺激が加わっている間は反応が持続する．RAは速度，加速度を検出し，SAは変位を検出するのに優れる．

構造と機能との関連から，受容野が狭く境界が明瞭なメルケル盤とマイスナー小体は，受容野が広く境界が不明瞭なルフィニ終末とパチニ小体よりも表層に位置している．

b 深部受容器

筋紡錘，ゴルジ腱器官，関節受容器，深部組織に侵害受容器がある．

筋紡錘は，一次終末である核袋線維と核鎖線維をグループⅠa感覚神経が支配し，二次終末で

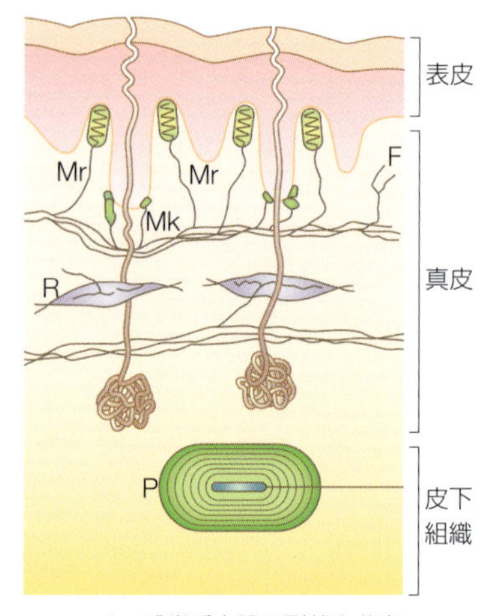

A 感覚受容器の形状と分布

		受容野の大きさ		刺激への応答
		狭い	広い	
順応の速さ	速い	マイスナー小体 (RA Ⅰ)	パチニ小体 (RA Ⅱ)	
	遅い	メルケル盤 (SA Ⅰ)	ルフィニ終末 (SA Ⅱ)	

B 感覚受容器の特性

▶図 7 無毛部の感覚受容器と特性

Mr：マイスナー小体，Mk：メルケル盤，P：パチニ小体，R：ルフィニ終末，F：自由神経終末.

ある核鎖線維はグループⅡ感覚神経が支配している．一次終末では，動的反応と静的反応がみられ，二次終末は静的反応が主になる．

ゴルジ腱器官は，筋と腱の移行部に枝分かれした神経終末が腱線維に絡みあったもので，グループⅠbが支配している．

関節受容器のうち，関節包にはルフィニ終末とパチニ小体があり，多くの自由神経終末も存在する．ルフィニ終末は，関節包に対して正接方向の力に応答する．靱帯には，ゴルジ終末，Golgi-Mazzoni(ゴルジ-マッツォーニ)小体がある．

2 伝導路

Bell-Magendie(ベル-マジャンディ)の法則によって後根に入った感覚線維は，反対側の側索を上行する**脊髄視床路**(spinothalamic tract；STT)もしくは同側の後索から内側毛帯を上行する**後索-内側毛帯路**(dorsal column-lemniscus medial tract；DC-LMT)の2つの系に大別される．主として防御感覚はSTT，識別感覚はDC-LMTを上行する(▶図 8)．

主な大脳皮質体性感覚野は3，2，1野で，3a野は深部感覚に反応し，3b野は表在感覚の境界域が明瞭な再現地図の反応がみられる．1野は能動的な動きを伴う感覚(アクティブタッチ)によく反応し，2野は局在性が減弱して形の識別などに反応する．なお，大脳皮質体性感覚野へ投射されるものは意識にのぼる感覚となるが，前索・後索の一部は視床から小脳・大脳皮質運動野へ投射し，意識にのぼらない感覚として運動の制御に寄与している．

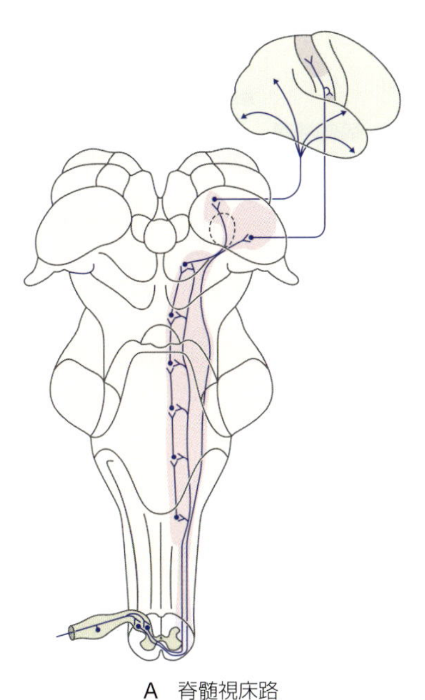

A 脊髄視床路

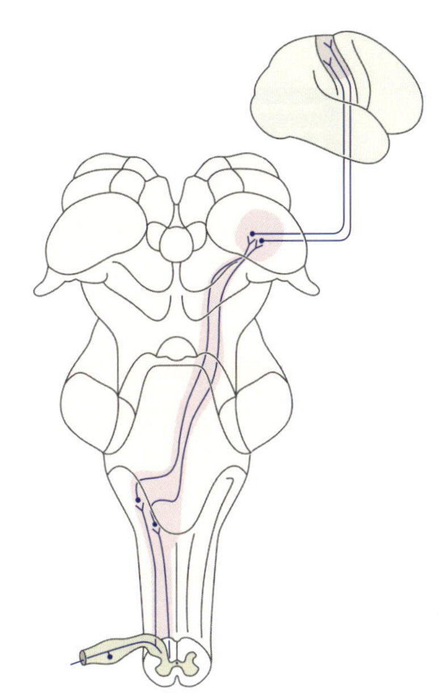

B 後索-内側毛帯路

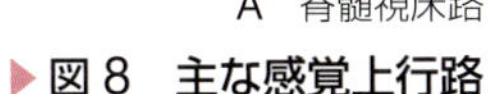

▶図 8 主な感覚上行路

●引用文献

1）内山靖：理学療法における感覚障害の評価．理学療法 12：271-280，1995．

2）岩村吉晃：神経心理学コレクション タッチ．pp17-19，医学書院，2001．

3）内山靖：体性感覚．奈良勲，他(編)：図解理学療法検査・測定ガイド 第 2 版．pp255-274，文光堂，2009．

4）平山惠造，他：母指探し試験—関節定位覚障害の検査．臨床神経 26：448-454，1986．

5）岩村吉晃：体性感覚．本郷利憲，他(編)：標準生理学 第 3 版．pp194-205，医学書院，1993．

復習問題

- □ 1 乳頭部の表在感覚の髄節レベルは，[①]である．〔42AM044〕
- □ 2 小指の表在感覚の髄節レベルは，[②]である．〔42AM044〕
- □ 3 膝蓋部の表在感覚の髄節レベルは，[③]である．〔42AM044〕
- □ 4 アキレス腱部の表在感覚の髄節レベルは，[④]である．〔42AM044〕
- □ 5 母指探し検査において，理学療法士が，対象者の右上肢を包むように支え，対象者の左手の指で右の母指をつまむように指示した．対象者が左手の指で右母指をつまむ過程を観察することにより評価するのは，[⑤]の(体性)感覚障害である．〔46AM003 改変〕

①T4(Th4) ②C8 ③L3 ④S1 ⑤右上肢

6 反射・筋トーヌス

学習目標
- 反射検査，筋トーヌス検査の目的・意義を理解する．
- 反射検査の正確な実施と記録ができる．
- 筋トーヌス検査の正確な実施と記録ができる．

I 反射検査

A 反射検査の概要と目的

概要

反射検査は，神経疾患の局在診断の際に活用されることが多い．また，意識障害，認知機能障害，注意障害などにより，検査に協力を得られない対象者の場合は，重要な神経学的検査になる．

反射には多くの種類があるが，臨床で一般的に多く用いられる基本的な反射検査は，**深部腱反射**，**表在反射**，**病的反射**の３つである．

目的

反射検査の目的は，感覚検査や筋力検査，筋トーヌス検査などの結果を含めて解釈し，理学療法の治療法の決定や予後予測に役立てることである．

B 反射検査の実際

1 実施前の準備

反射は，刺激の加え方や，対象者の心理的要因により，結果が異なることがあるため，正しい方法を身につける必要がある．

検査にあたって，主に深部腱反射検査の際に使用する打腱器(ハンマー)，表在反射検査で皮膚や粘膜に刺激を与えるための綿や針などを用意する．

理学療法士が鑑別診断を直接行うことはないが，反射の亢進または減弱・消失の意味を理解する必要がある．反射検査を実施するうえでは，① 左右差があるか，② 上肢と下肢に差があるか，③ それぞれの反射のなかで差があるかを見極めることが非常に重要である．

2 検査の実際

a 深部腱反射

深部腱反射(deep tendon reflex；DTR)は，筋伸張反射であり，**腱反射**とも呼ばれる．骨の突出部や筋の付着部の腱をハンマーで急激に叩くことで引き起こされる反射である．

1) ハンマーの使い方

腱反射を正しく行うには，ハンマーで急速な衝撃をつくる必要がある．ハンマーは母指と示指で軽く握り，手首の力を抜いてスナップをきかせるようにすばやく叩打する．ハンマーを強く握り，手首を固定したままで叩打するとスピードが出ず，うまく腱反射を出すことができないので注意する(▶図1)．

2) 深部腱反射の検査法

i) 下顎反射(中枢〜橋)

軽く開口し，下顎の中央頤(おとがい)部に示指をあててその上をハンマーで叩く．両側の咬筋に収縮がおこり，明らかに下顎が挙上すれば亢進と判断する(▶図2A)．

ii) 上腕二頭筋反射(中枢〜C5, 6)

上肢を軽度外転位，肘関節屈曲で前腕軽度回外位とする．上腕二頭筋腱を検者の母指で押さえて，その上をハンマーで叩くと上腕二頭筋が収縮し，肘関節が屈曲する(▶図2B)．

iii) 上腕三頭筋反射(中枢〜C6-8)

座位で手を大腿部に乗せ，検者の手で前腕を支えながら，肘関節を屈曲させる．肘頭から3横指上方の上腕三頭筋腱を直接ハンマーで叩打すると，上腕三頭筋が収縮し，前腕が伸展する．背臥位では，手を腹部に乗せ，手首を検者が支えながら叩打する(▶図2C)．

iv) 腕橈骨筋反射(中枢〜C5, 6)

座位では，手を大腿部に乗せ，肘関節軽度屈曲・前腕回内外中間位にする．橈骨茎状突起の2〜3 cm上方をハンマーで叩打すると，肘関節が屈曲する．背臥位では，手を腹部に乗せ，座位と同様に行う(▶図2D)．

v) 胸筋反射(中枢〜C5-Th1)

肩関節を軽度外転し，大胸筋の付着部に検者の母指をあて，その上からハンマーで叩くと，肩関節の内転・内旋が生じる．健常者ではこの腱反射は弱く，指で大胸筋の収縮を感じる程度である(▶図2E)．

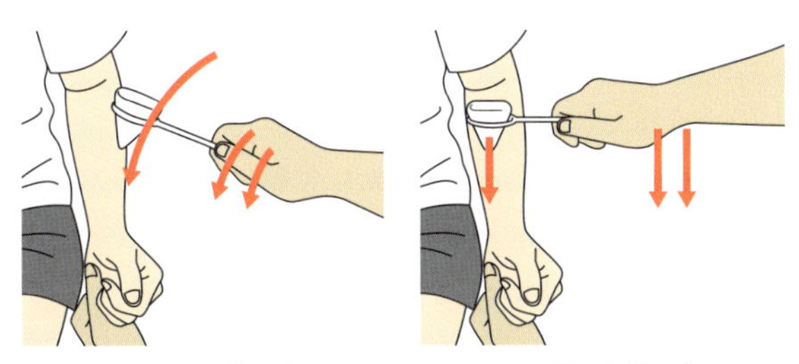

A 正しい使い方　　B 誤った使い方

▶**図1 ハンマーの使い方**

A：ハンマーは母指と示指で軽く握り，スナップをきかせて振り下ろす．
B：ハンマーを強く握り，手首を固定して振り下ろすと，スピードが出ない．

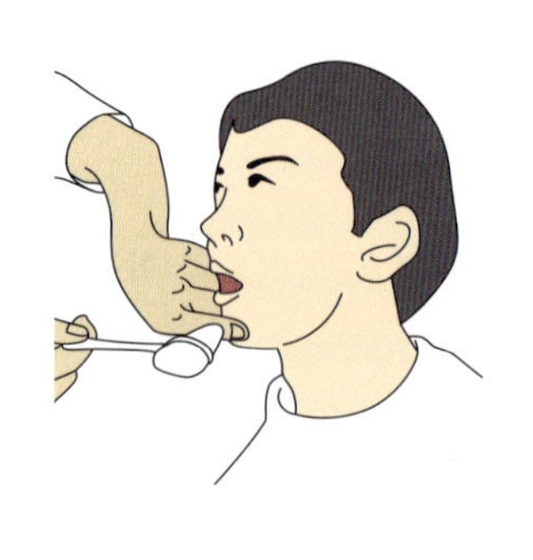

A　下顎反射（中枢-橋）

動画 17

B　上腕二頭筋反射（中枢-C5, 6）

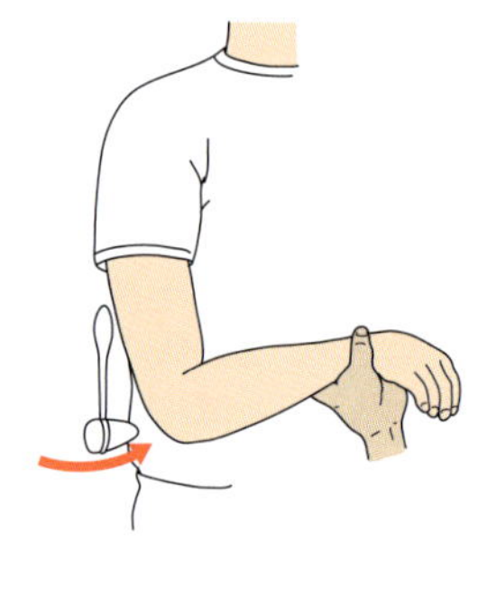

動画 18

C　上腕三頭筋反射（中枢-C6〜8）

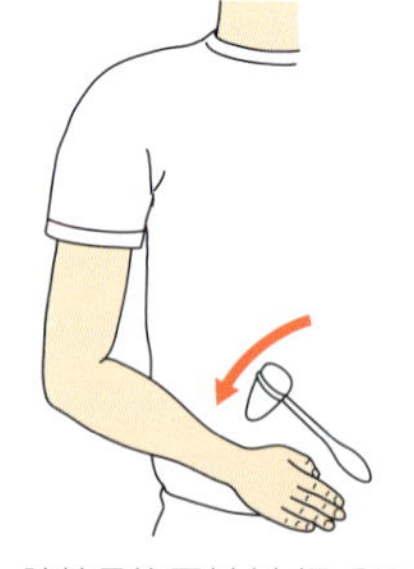

動画 19

D　腕橈骨筋反射（中枢-C5, 6）

E　胸筋反射（中枢-C5〜Th1）

▶図 2　下顎反射と上肢の腱反射（動画 17〜19）

vi）膝蓋腱反射（中枢〜L2-4）（動画 20）

下腿を下垂させた座位で，膝蓋腱を直接ハンマーで叩打すると，大腿四頭筋が収縮し，膝関節が伸展する（▶図 3A）．背臥位では，両下肢をそろえ，膝関節を 60° 屈曲位にして，座位と同様に行う（▶図 3B）．反射が亢進している場合は，膝蓋上部の大腿四頭筋筋腹を叩いても反射は出現する．反射が減弱や消失している場合は，Jendrassik（エンドラシック）増強法を試みる（▶図 3C）．

vii）アキレス腱反射（中枢〜L5-S2）

股関節外旋・膝関節屈曲位で行う方法と，検査足を他足の下腿前面に置く方法がある．どちらの方法も検者の手で足関節を背屈しながら，アキレス腱を直接叩打すると下腿三頭筋が収縮し，足関節が底屈する（▶図 3D, E）．

viii）膝クローヌス，足クローヌス

クローヌスは反射が著明に亢進しているのと同様の意義がある．**膝クローヌス**は膝蓋腱反射が，**足クローヌス**はアキレス腱反射が亢進しているときにみられる現象である（▶図 4）．

b 表在反射

表在反射（superficial reflex）は，皮膚または粘膜にハンマーの柄，針や綿などで刺激を与えて筋の反射的収縮を引き起こすものであり，腹壁反射があげられる（▶図 5）．刺激は加重が可能で，反復して刺激を与えると反応が出やすくなる．皮膚の表在反射の消失は，錐体路障害の重要な徴候である．

c 病的反射

病的反射（pathologic reflex）は，筋の伸展や皮膚表面の刺激によって引き起こされるもので，

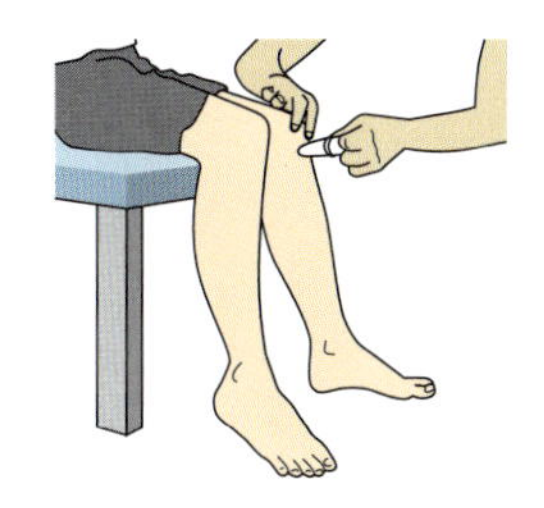

A 膝蓋腱反射(中枢〜L2-4)(座位)

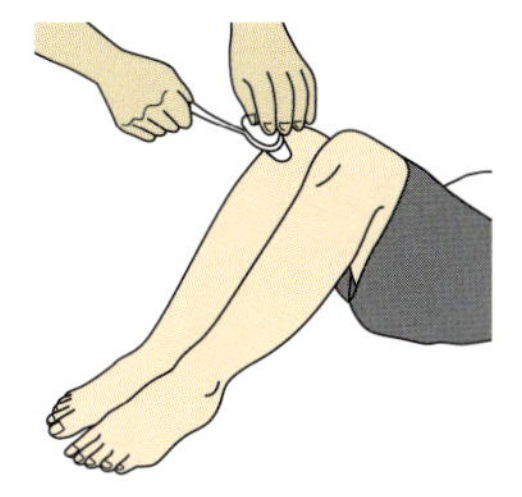

B 膝蓋腱反射(中枢〜L2-4)(背臥位)

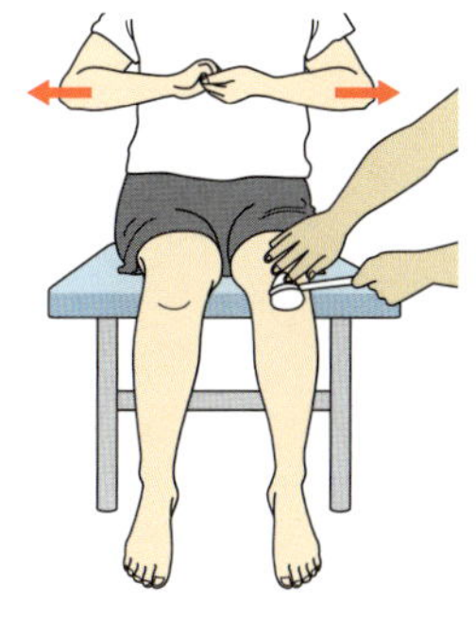

C Jendrassik 増強法
手を組んでもらい，ハンマーで叩く瞬間に矢印の方向に強く引っ張る.

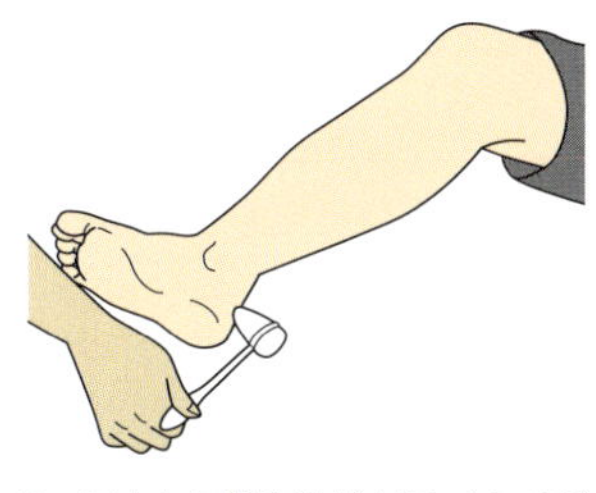

D アキレス腱反射(中枢〜L5-S2)
(股関節外旋・膝関節屈曲位)

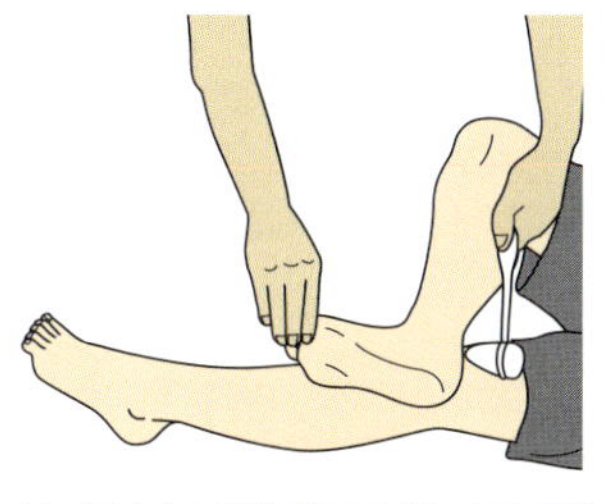

E アキレス腱反射(中枢〜L5-S2)
(対側下腿前面に置く方法)

動画 21

▶図 3 下肢の腱反射(動画 21)

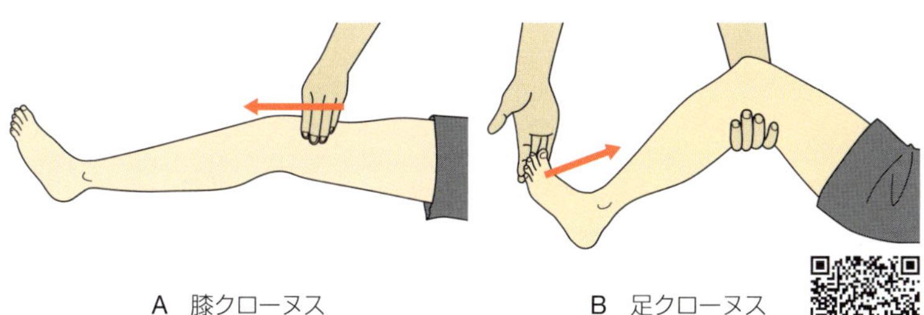

A 膝クローヌス

B 足クローヌス

▶図 4 クローヌスの検査(動画 22)

A：膝クローヌスは，下肢を伸展した状態で，検者の母指と示指で膝蓋骨を挟むようにつかみ，すばやく下方に押し下げてそのまま力を加え続ける．膝蓋骨が上下に連続的に動くと陽性とする.

B：足クローヌスは，膝関節を軽度屈曲した状態で，検者の手で膝を下方から支えたまま，もう一方の手で対象者の足底をすばやく背屈してそのまま力を加え続ける．下腿三頭筋の間代性痙攣がおこり，足が上下に連続的に動けば陽性とする.

動画 23

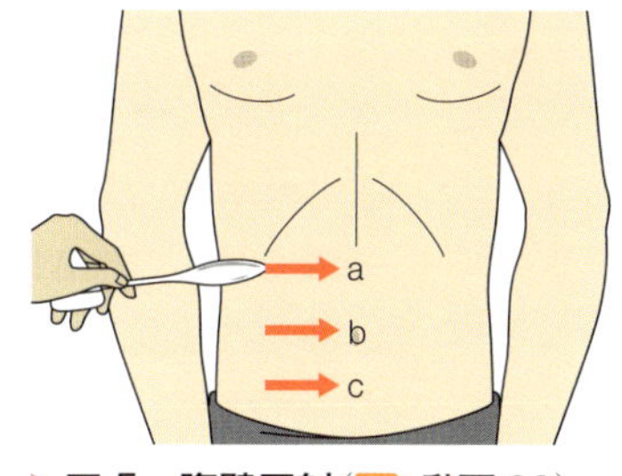

▶図 5 腹壁反射(動画 23)

a：上部．臍と肋骨縁との間を水平に擦る(中枢-Th6〜9).

b：中部．臍の高さを水平に擦る(中枢-Th9〜11).

c：下部．臍より下を水平に擦る(中枢-Th11〜L1).

健常者では通常ほとんど認められない．病的反射の出現は，錐体路障害の重要な徴候である.

i）Hoffmann(ホフマン)反射

手関節を軽度掌屈位にし，対象者の中指の爪を手掌側に屈曲するように強く弾く．陽性では，母指がすばやく内転する．この反射は刺激閾値が高いため，陽性であれば病的意義が大きい(▶図 6A).

ii）Trömner(トレムナー)反射

手関節を軽度背屈位にし，検者は対象者の中指を支え，中指遠位指節を手背側に伸展するように強く弾く．陽性では，母指がすばやく内転する(▶図 6B).

iii）Wartenberg(ワルテンベルグ)反射

前腕回外・手指軽度屈曲位で，検者の示指と中指を対象者の 4 指の末梢に置き，その上をハンマーで叩く．陽性では，母指が内転屈曲する(▶図 6C).

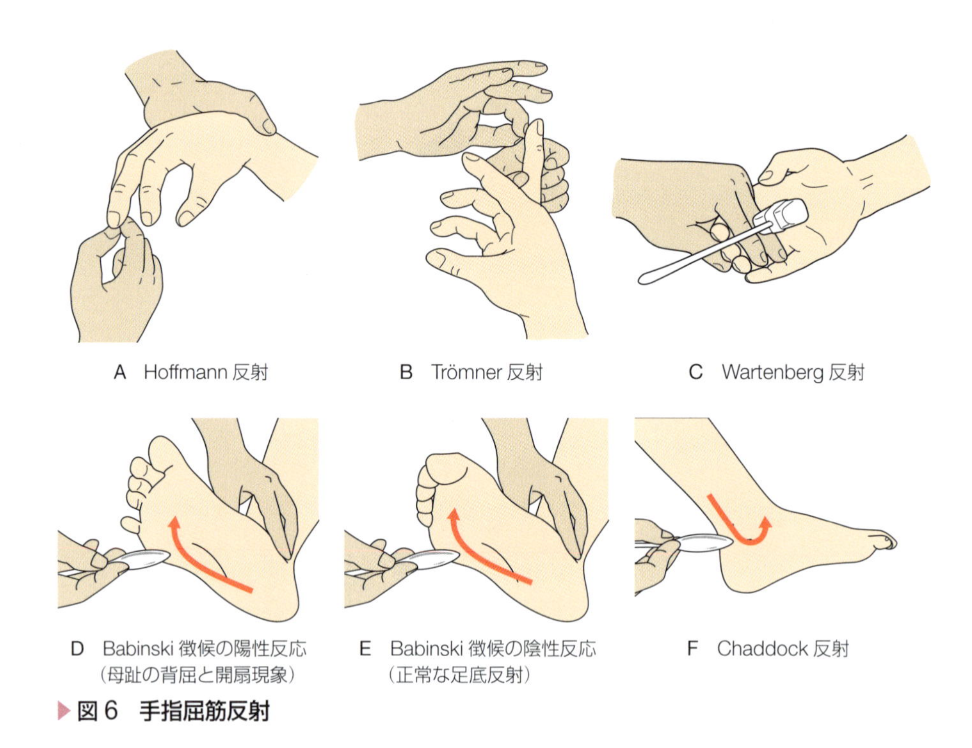

▶図 6　手指屈筋反射

iv）Babinski（バビンスキー）徴候

膝を伸展し，検者は手で足関節を軽く固定する．ハンマーの柄などで，足底外側を踵から小趾に向かって擦り上げ，小趾基部で内側に曲げる．刺激部位が母趾基部まで及ばないように注意する．陽性では，母趾が背屈し，ほかの足趾は扇状に開く（開扇現象）（▶図 6D）．正常の場合は，足趾が軽く底屈する（▶図 6E）．

v）Chaddock（チャドック）反射

Babinski 徴候で対象者が不快に感じる場合は，本法を用いる．外果下方を後ろから前へ外果を囲むように，ハンマーの柄などで刺激する（▶図 6F）．

d 判定・記録法

明らかな亢進は，通常よりも弱い刺激で十分な反射が得られる，または誘発された筋収縮が著しく，その可動範囲が大きいなどの要素で判断される．腱反射の結果の記録は，**図 7** のように提示される．

表在反射の結果は，正常（＋），減弱（±），消失（－）で示される．病的反射は，陽性（＋または↖），疑わしい（±または⤡），陰性（－または↘）と記録する．**図 8** に記録の例を示しておく．

また，多面的な脳卒中片麻痺患者の機能評価法である Stroke Impairment Assessment Set（SIAS）に腱反射の項目がある．上肢と下肢の腱反射が 5 段階スコア化されている（▶**表 1**）．

C 反射検査に必要な基礎知識

腱反射のメカニズムは，(1)～(3)の順におこる（▶図 9）．

−	まったく反応のないもの
±	軽度の反応，または増強法によって出現するもの
＋	正常
＋＋	やや亢進
＋＋＋	亢進
＋＋＋＋	著明な亢進，クローヌスの出現

▶図 7　腱反射の結果の記録

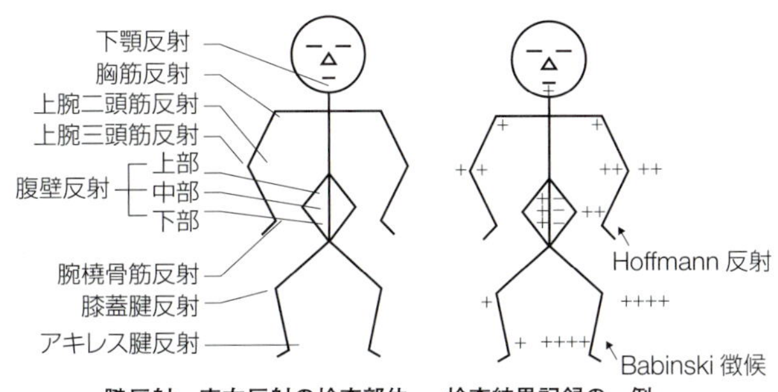

▶図 8　反射の検査部位と記載方法

〔平井俊作(編)：目でみる神経学的診察法．p48，医歯薬出版，1993 を参考に作成〕

▶表 1　Stroke Impairment Assessment Set(SIAS)の腱反射評価

段階	上肢腱反射(上腕二頭筋反射および上腕三頭筋反射)
0	2 つの腱反射がどちらも著明に亢進している．あるいは容易に手指の屈筋クローヌスが誘発される
1A	中等度(はっきりと)亢進している
1B	減弱またはほぼ消失している
2	軽度(わずかに)亢進している
3	正常あるいは非麻痺側と比較して対称的
段階	**下肢腱反射(膝蓋腱反射およびアキレス腱反射)**
0	2 つの腱反射がどちらも著明に亢進している．あるいは容易に足クローヌスが誘発される
1A，1B，2，3 は上肢腱反射の定義と同じ	

(1)腱の叩打により筋が伸張され，筋紡錘が引き伸ばされる．
(2)筋紡錘が興奮し，Ⅰa 線維を通じて α 運動ニューロンへ興奮を伝達する．
(3) α 運動ニューロンが興奮し，α 線維を通じて適度な強さの筋収縮をおこす．

α 運動ニューロンは，抑制性に働く上位運動ニューロンによって制御されている．したがって，大脳皮質から脊髄前角に至る抑制性に機能する上位運動ニューロンが障害されると，抑制がなくなるために反射が亢進する．反射の減弱・消失は，反射弓であるⅠa 線維の障害，下位運動ニューロンの障害，神経・筋接合部の障害，または筋自身の障害があることを示している．

Ⅱ 筋トーヌス検査

A 筋トーヌス検査の概要と目的

概要

骨格筋は，随意的に収縮をしていないときでも一定の緊張を保ち，姿勢保持や運動のコントロールに大きな役割を果たしている．筋トーヌス(筋緊張)は，安静状態において四肢や体幹筋を他動的に伸張したときに生じる抵抗と定義される．筋トーヌスは，① 伸展性，② 被動性，③ 硬度の 3 因子に分けられる．

目的

筋トーヌス検査の目的は，身体をリラックスさせた状態で，視診と触診により，伸展性，被動性，懸振性を検査することで対象者の状態を把握し，理学療法プログラムの検討に役立てることである．

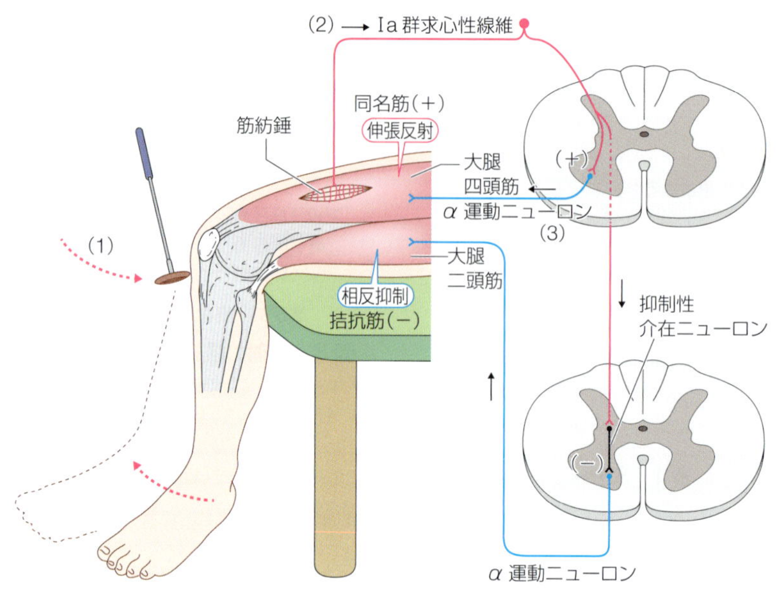

▶図 9　腱反射のメカニズム
〔岡田隆夫，他：標準理学療法学・作業療法学 専門基礎分野 生理学 第 5 版．p37，医学書院，2018 より〕

B 筋トーヌス検査の実際

1 筋トーヌスの種類

筋トーヌスの状態を表現する場合は，正常（normal tones），亢進（hypertonus），低下（hypotonus）を用いることが多い．

a 筋トーヌス亢進

1）痙縮

痙縮（spasticity）は，速さに依存した相動性伸張反射の亢進である．急激な伸張運動に対して，過度の抵抗を示す．伸張の初期に抵抗が大きく，伸張を続けると急に抵抗が減弱する**折りたたみナイフ現象**がみられる．また，他動運動の速度で抵抗が変わり，速く動かすほど抵抗が大きくなる．

2）固縮または強剛

固縮または**強剛**（rigidity）は，緊張性伸張反射の亢進である．他動運動時の速度によって抵抗が変わることはない．運動範囲全般にわたって，始めから終わりまでほぼ一様な抵抗があるものを，**鉛管様現象**という．また，Parkinson 病では，関節運動時に断続的，律動的に抵抗が感じられるものがあり，これを**歯車様現象**と呼ぶ．

b 筋トーヌス低下

筋トーヌス低下は，伸張反射回路が遮断され，安静時に他動的に筋をどのように伸張しても抵抗が少なくなった，あるいは抵抗がなくなった状態である．抵抗がまったくない場合，**弛緩**（flaccidity）という．

2 検査の実際

a 視診・触診検査

筋トーヌスが低下していると，筋肉の膨隆がみられずに平らになり，重力に対して垂れ下がるようになる．また，触れると軟らかく，筋特有の抵抗が減弱している．腹部前面筋の筋トーヌスが低下している場合は，腹部が凹となり，下部胸郭が浮き上がった様子が観察できる．下肢は股関節が外旋することが多い．

b 伸展性検査

関節を他動的に伸展させたときの，筋の伸張の程度を測定する．関節可動域(ROM)や指標点間距離を計測し，過屈曲，過伸展の有無を観察する．伸展性の亢進は筋トーヌス低下ととらえる．

c 被動性検査

四肢の他動運動時の抵抗感を検者が感じとる検査である．他動運動の速度を変化させ，筋トーヌスの程度，質を判断する．被動性の亢進は筋トーヌスの亢進を示し，低下は筋トーヌス低下を意味する[1)]．

d 懸振性検査

1）上肢の懸振性検査

両上肢を下垂させた立位で行う．検者は後方から両肩，または骨盤を持ち，体軸を中心に左右に回旋させたときの抵抗感と上肢の振れ幅の左右差を観察する(▶図 10A)[2)]．筋トーヌスが亢進していれば振れ幅が小さく，低下していれば振れ幅は大きくなる．小脳性運動失調では，患側上肢の振れ幅が大きく，体幹から遠ざかるように動く(pendulousness)．

2）下肢の懸振性検査

端座位で足部が床に接しないように下腿を下垂させる．検者は膝関節を他動的に伸展させ，落下させる．このときの下腿の振れ幅や速度，持続時間などを観察する[2)]．筋トーヌスが著明に亢進していると，振れはほとんどおこらず，筋トーヌスが低下していると振れ幅は大きく，振れる時間も長くなる(▶図 10B)．

e その他の筋トーヌス検査

機器を用いた筋トーヌスの評価法として，筋硬度計を用いた測定，表面筋電図による測定，誘発筋電図(H 波)を用いた測定などがある．

3 判定・記録法

筋トーヌス検査の多くは，主観的な抵抗感が評価尺度となるため，検査結果は客観性が乏しくなりやすい．適切に記録に残すためにも信頼性，妥当性の得られた評価尺度を用いて段階づけを行うことが重要である．

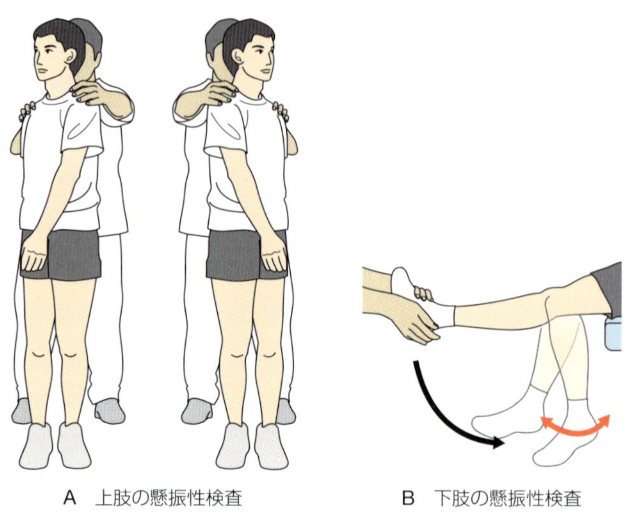

A 上肢の懸振性検査　　B 下肢の懸振性検査

▶図 10 懸振性検査

▶表 2 Ashworth 尺度改訂版(Modified Ashworth Scale；MAS)

段階	
0	筋トーヌスの亢進なし
1	軽度の筋トーヌスの亢進あり．他動的屈伸で軽い引っかかりと消失，あるいは可動域の終わりに若干の抵抗がある
1^{+}	軽度の筋トーヌスの亢進あり．他動的屈伸で引っかかりが明らかで，可動域の 1/2 以下の範囲で若干の抵抗がある
2	明確な筋トーヌス亢進．他動的屈伸で全可動域に抵抗があるが，他動的運動は容易である
3	著明な筋トーヌス亢進．他動的運動は困難である
4	四肢が固く，他動的運動は不可能である

a Ashworth(アシュワース)尺度改訂版(modified Ashworth scale；MAS)

被動性検査を定量化するために用いられる(▶表 2)．筋を他動的に動かしたときの抵抗感により，6 段階に段階づけされている．主に痙縮の非神経原性要素である軟部組織の粘弾性や伸張性を評価しているといわれている．

b Stroke Impairment Assessment Set(SIAS)

腱反射と同様に，SIAS のなかに筋トーヌスの評価項目がある．上肢と下肢の筋トーヌスが 5 段階に段階づけられてスコア化されている(▶表 3)．

C 筋トーヌス検査に必要な基礎知識

筋トーヌスは，障害される部位ごとに特有の性状を示すので，そのメカニズムを理解すると結果の解釈が容易になる．

一般的に，上位運動ニューロンの障害では，腱反射亢進，病的反射陽性となり，筋トーヌスが亢進した，いわゆる錐体路徴候がみられる．しかし，正確には上位運動ニューロンのうち，皮質脊髄路は脊髄に対して促通的に働き，背側網様体脊髄路は抑制的に働いているため，皮質脊髄路

▶表3 Stroke Impairment Assessment Set(SIAS)の上肢と下肢の筋トーヌス評価

段階	
0	筋トーヌスが著明に亢進している
1A	中等度(はっきりと)亢進している
1B	他動的筋トーヌスの低下
2	軽度(わずかに)亢進している
3	正常あるいは非麻痺側と比較して対称的

上肢筋トーヌスは肘関節を他動的に屈伸させ，筋トーヌスの状態を評価する．
下肢筋トーヌスは膝関節の他動的な屈伸により評価する．

が単独で障害されると，弛緩性麻痺が生じ，腱反射消失，病的反射陽性となり，筋トーヌスは低下または弛緩する．一方，網様体脊髄路を制御している皮質網様体路が障害されると，痙性麻痺がおこり，錐体路徴候が生じる．下位運動ニューロンの障害では，腱反射消失，病的反射陰性となり，筋トーヌスは低下する．固縮の場合，筋トーヌスは亢進するが，腱反射の亢進はみられない．小脳や末梢神経障害では，腱反射消失，筋トーヌスは低下する．神経筋接合部の障害では，筋トーヌスは低下し，腱反射は正常または低下，病的反射は陰性を示す．廃用性筋萎縮の場合，筋線維の小径化や筋線維数の減少により，筋張力が低下するため筋トーヌスが低下する．筋短縮では筋トーヌスが亢進することが多い．

反射や筋トーヌス検査は，環境要因，心理的要因や機械的要素などに大きく影響を受けるが，神経疾患だけでなくあらゆる疾患において重要な所見を与えてくれる．

●引用文献
1）原寛美，他(編)：脳卒中理学療法の理論と技術．p210，メジカルビュー社，2016.
2）斉藤秀之，他(編)：筋緊張に挑む．p22，文光堂，2015.

●参考文献
1）医療情報科学研究所(編)：病気がみえる vol. 7 脳・神経 第2版．メディックメディア，2017.
2）石川朗，他(編)：15 レクチャーシリーズ 理学療法テキスト 神経障害理学療法Ⅰ．中山書店，2011.
3）塩尻俊明：手軽にとれる神経所見．文光堂，2011.
4）田崎義昭，他：ベッドサイドの神経の診かた 第18版．南山堂，2016.

復習問題

□ 1 上腕二頭筋反射の反射中枢は，［ ① ］～［ ② ］である．〔50PM045〕
□ 2 アキレス腱反射の反射中枢は，［ ③ ］～［ ④ ］である．〔50PM045〕
□ 3 外果下方を後ろから前へこすることで誘発するのは，［ ⑤ ］反射である．〔54PM024，51AM005，44AM051〕

①C5 ②C6 ③L5 ④S2 ⑤Chaddock(チャドック)

7 片麻痺運動機能

- 片麻痺運動機能障害の定義と検査の目的・意義について理解する.
- 片麻痺運動機能検査の正確な実施ができる.
- 片麻痺運動機能検査から得た結果の解釈ができる.

A 片麻痺運動機能検査の概要と目的

急性期・回復期・生活期のさまざまな臨床場面で脳卒中片麻痺の対象者の理学療法を担当する機会は多い. しかし, 片麻痺の状態やその回復過程はイメージしにくく, 対象者の全体像を理解するには難しさを伴うことも多く経験する.

目的

片麻痺運動機能検査の目的は, 中枢神経系の回復過程や麻痺側の運動機能を評価し, 歩行や移動能力をはじめとしたADLの予後予測に活用することである.

B 片麻痺運動機能検査の実際

片麻痺の運動機能検査の総合評価スケールとして汎用され, 信頼性・妥当性が検証されているものに, 片麻痺の回復ステージに基づいて評価を行う**ブルンストロームステージ**がある.

❶ ブルンストロームステージ(Brunnstrom recovery stage ; BRS)

運動麻痺の程度を簡便に評価できるため日本の臨床現場でよく用いられている検査である. **病的共同運動パターン**を指標とし, 随意運動の回復過程を検査していく(▶表1). 上肢, 下肢, 手指のそれぞれのステージをⅠ～Ⅵの6段階で分類し, 評価する(▶表2～4). 特に検査機器は必要なく, 簡便に実施できる検査である.

▶表1 Brunnstrom recovery stage(上肢・手指・下肢)

Stage	判定方法
Ⅰ	随意運動, 連合反応なし(弛緩性麻痺)
Ⅱ	随意運動なし. 共同運動の一部要素が連合反応として出現する.
Ⅲ	随意運動が共同運動として可能となる.
Ⅳ	基本的共同運動から分離した運動ができるようになりはじめる.
Ⅴ	基本的共同運動からさらに分離した運動ができるようになり, いくつかの分離運動の組み合わせが実施可能となる.
Ⅵ	協調性のある運動がほぼ正常に実施可能となる.

▶表2 Brunnstrom recovery stage(上肢)

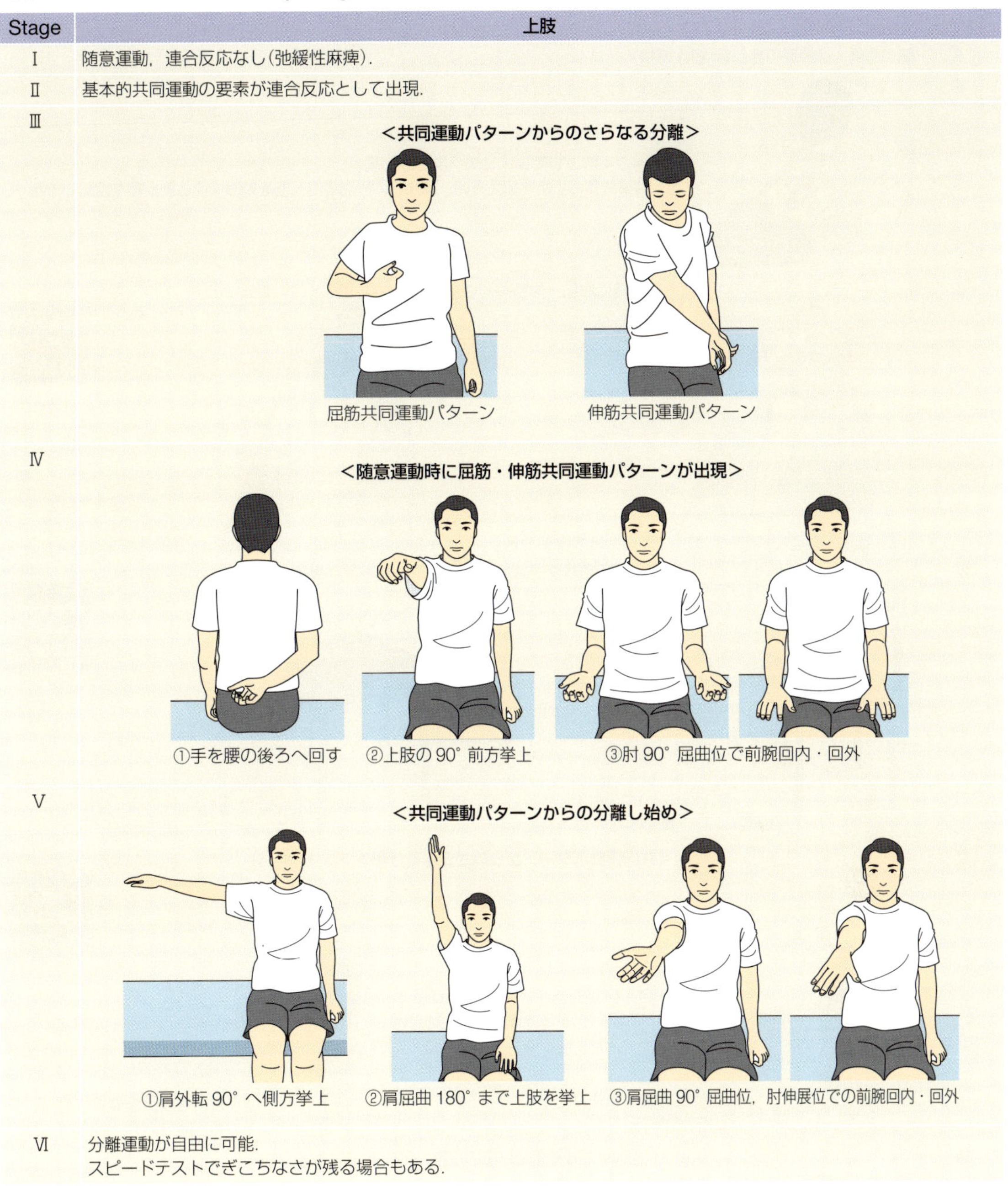

Stage	上肢
Ⅰ	随意運動，連合反応なし(弛緩性麻痺).
Ⅱ	基本的共同運動の要素が連合反応として出現.
Ⅲ	<共同運動パターンからのさらなる分離> 屈筋共同運動パターン　伸筋共同運動パターン
Ⅳ	<随意運動時に屈筋・伸筋共同運動パターンが出現> ①手を腰の後ろへ回す　②上肢の 90° 前方挙上　③肘 90° 屈曲位で前腕回内・回外
Ⅴ	<共同運動パターンからの分離し始め> ①肩外転 90° へ側方挙上　②肩屈曲 180° まで上肢を挙上　③肩屈曲 90° 屈曲位，肘伸展位での前腕回内・回外
Ⅵ	分離運動が自由に可能. スピードテストでぎこちなさが残る場合もある.

▶表3　Brunnstrom recovery stage(下肢)

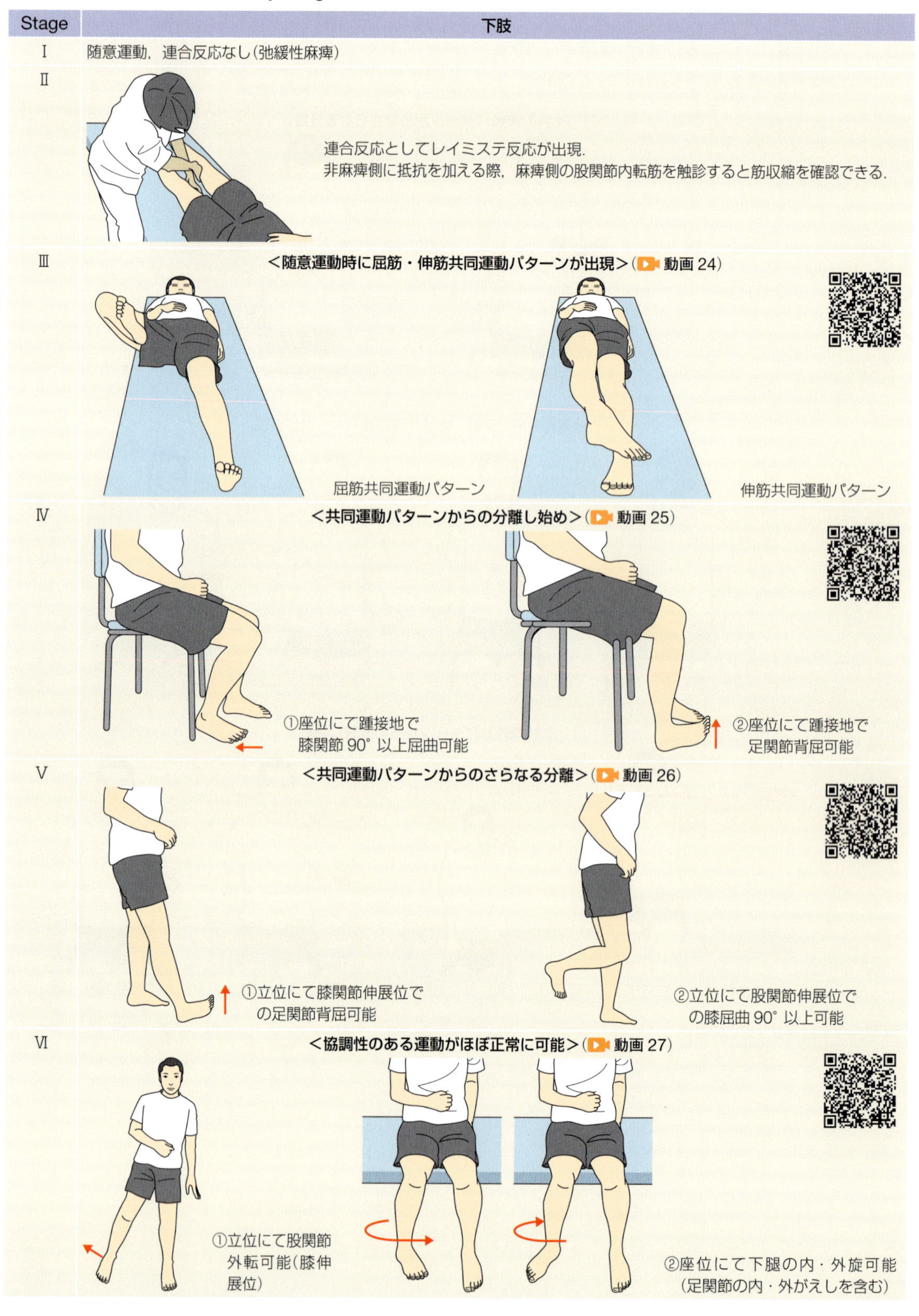

Stage	下肢
Ⅰ	随意運動，連合反応なし(弛緩性麻痺)
Ⅱ	連合反応としてレイミステ反応が出現. 非麻痺側に抵抗を加える際，麻痺側の股関節内転筋を触診すると筋収縮を確認できる.
Ⅲ	<随意運動時に屈筋・伸筋共同運動パターンが出現>(動画 24) 屈筋共同運動パターン 伸筋共同運動パターン
Ⅳ	<共同運動パターンからの分離し始め>(動画 25) ①座位にて踵接地で膝関節 90° 以上屈曲可能 ②座位にて踵接地で足関節背屈可能
Ⅴ	<共同運動パターンからのさらなる分離>(動画 26) ①立位にて膝関節伸展位での足関節背屈可能 ②立位にて股関節伸展位での膝屈曲 90° 以上可能
Ⅵ	<協調性のある運動がほぼ正常に可能>(動画 27) ①立位にて股関節外転可能(膝伸展位) ②座位にて下腿の内・外旋可能(足関節の内・外がえしを含む)

▶表 4 Brunnstrom recovery stage(手指)

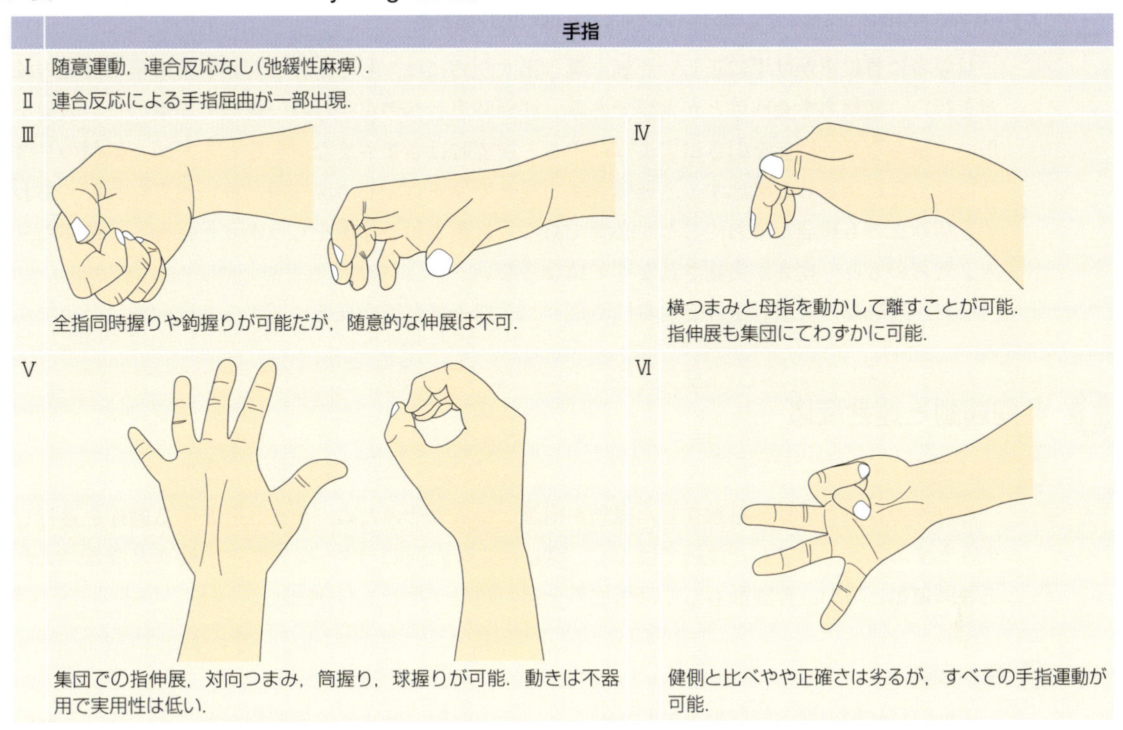

	手指
Ⅰ	随意運動，連合反応なし(弛緩性麻痺).
Ⅱ	連合反応による手指屈曲が一部出現.
Ⅲ	全指同時握りや鈎握りが可能だが，随意的な伸展は不可.
Ⅳ	横つまみと母指を動かして離すことが可能. 指伸展も集団にてわずかに可能.
Ⅴ	集団での指伸展，対向つまみ，筒握り，球握りが可能．動きは不器用で実用性は低い.
Ⅵ	健側と比べやや正確さは劣るが，すべての手指運動が可能.

a 検査の手順

①麻痺側の上下肢に随意運動が出現しているかどうかを確認する.

②検査は BRS Ⅲの検査から実施し，評価次第でⅡやⅣへ移行して進めていく．随意運動が出現していなければ BRS Ⅰとなる.

③BRS Ⅰ，Ⅱの区別は連合反応の出現によって分ける．随意性はなく，連合反応も出現しなければ BRS Ⅰと判定する.

b 検査結果の解釈

上肢の BRS ⅣとⅤには 3 つの**分離運動**があるが，そのうちどれか 1 つでも可動域全体にわたり完全に可能であれば，BRS ⅣまたはⅤと判定する．なお，臨床現場では麻痺の回復過程の移行期に若干の矛盾を感じる場合があることも念頭におく必要がある．BRS Ⅳを確定するには BRS Ⅴのすべてが不十分であることも確認しておく．麻痺側に関節可動域制限がある場合には，その可動域内で最終可動域まで動くかどうかで判定する．なお，上肢についてはすべての動きで完全な分離運動ができたらⅥと判定する．上肢の BRS Ⅳ，Ⅴ，Ⅵにはスピードテストがあり，回復過程における痙縮の程度を確認するために実施する．5 秒間に何回動作(例：大腿においた手を顎まで持っていき，できるだけ早く開始位置へ戻すという往復運動)ができるか，両側で実施して測定する．左右差や回復過程の経過を比較する[1].

C 片麻痺運動機能検査に必要な基礎知識

対象者に負担をかけずに正しい評価を導き出すためには，しっかりとした事前準備と評価の練習を行い，観察力を養うことが重要である．評価時患者への声かけは，簡潔で誤解のない表現を用い，適切な運動機能を引き出すようにする．検査時はさまざまな肢位をとるため，転倒のリスクには十分に注意して実施する．運動麻痺の検査ではあらかじめ関節可動域の検査を行い，あわせて痛みなども確認しておくことが必要である．対象者の全体像をしっかりと把握し，適切なリスク管理のもと，検査が実施されなくてはならない．

なお，片麻痺の対象者を評価するにあたり，共同運動と連合反応に関する基礎知識は必須である．

1 共同運動と連合反応

a 共同運動

片麻痺の対象者では分離独立した運動が困難となる．そのため，何か目的とする動作を遂行しようとする際に，分離した運動ではなく，常に決まった同じパターンとしての動きとなる．これを**共同運動**といい，伸筋群もしくは屈筋群全体の運動が生じる(▶**表5**)．

b 連合反応

非麻痺側に努力性の筋収縮を生じさせると，その影響で麻痺側の筋収縮が引き起こされるものを**連合反応**という．特徴的なものとして，下肢の対側性連合反応に**レイミステ反応**(Raimiste's phenomena)がある(▶**表6**)．脳卒中の初期などにみられやすい．

▶表5　共同運動パターン

		屈筋共同運動	伸筋共同運動			屈筋共同運動	伸筋共同運動
上肢	肩甲帯	挙上，後退	前方突出	下肢	股関節	屈曲，外転，外旋	伸展，内転，内旋
	肩関節	屈曲，外転，外旋	伸展，内転，内旋		膝関節	屈曲	伸展
	肘関節	屈曲	伸展，内転，内旋		足関節	背屈，内反	底屈，内反
	前腕	回外	回内		足指	伸展	屈曲(clawing)
	手関節	掌屈，尺屈	背屈，橈屈				
	手指	屈曲	伸展				

▶表6　連合反応

	対称性	同側性
上肢	非麻痺側の屈曲(伸展)→麻痺側の屈曲(伸展)	上肢の屈曲(伸展)→下肢の屈曲(伸展) 下肢の伸展(屈曲)→上肢の伸展(屈曲)など
下肢	1. **対称性(レイミステ反応)** 非麻痺側の内転→麻痺側の内転(と内旋) 非麻痺側の外転→麻痺側の外転(と外旋) 2. **相反性(屈曲・伸展)** 非麻痺側の屈曲(伸展)→麻痺側の伸展(屈曲)	

〔伊藤俊一：片麻痺機能検査・協調性検査．pp2-5，三輪書店，2015より一部改変〕

●引用文献　1) 佐久間穣繭，他(訳)：片麻痺の運動療法．pp38-62，医歯薬出版，1974.
2) 伊藤俊一：片麻痺機能検査・協調性検査．pp2-5，三輪書店，2015.

復習問題

□ 1 以下の，片麻痺患者の上肢・手指機能に関するブルンストロームステージの検査内容について，該当するステージを答えなさい．

(1) 肘伸展位で肩関節 90° 外転が可能である．
(2) 肘を体側につけたまま 90° 屈曲位で前腕の回内・回外が可能である．
(3) 指の伸展が随意的にわずかに可能である．
(4) 手の甲を後ろに回して手を腰にあてることが可能である．
(5) 横つまみが可能である．

(1)は，ステージ[①]．(2)は，ステージ[②]．(3)は，ステージ[③]．(4)は，ステージ[④]．(5)は，ステージ[⑤]

□ 2 片麻痺患者の下肢機能について下図のブルンストロームステージの検査内容を答えなさい．

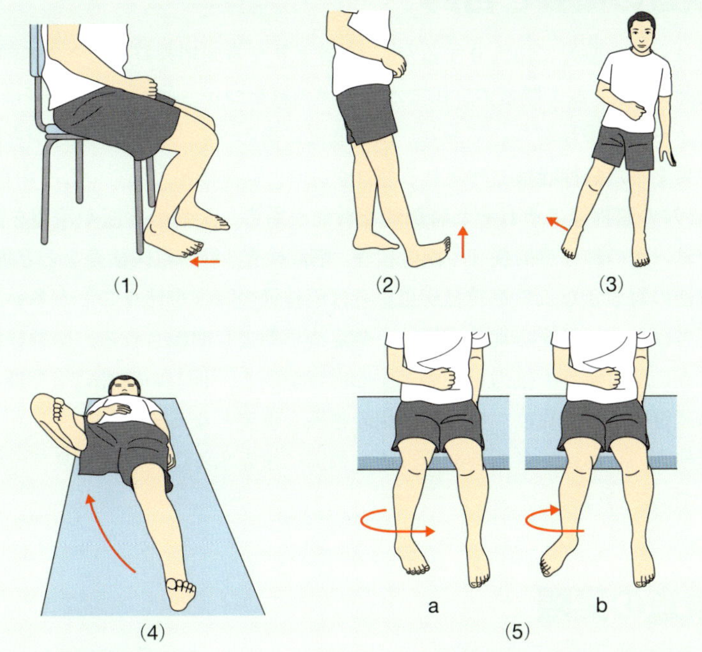

・1 はステージ[⑥]の検査姿勢で，[⑦]にて[⑧]を 90° 以上屈曲する検査である．
・2 はステージ[⑨]の検査姿勢で，[⑩]にて[⑪]を背屈する検査である．
・3 はステージ[⑫]の検査姿勢で，[⑬]を[⑭]する検査である．
・4 はステージ[⑮]の検査姿勢で，[⑯]の出現を確認する検査である．
・5 はステージ[⑰]の検査姿勢で，下腿の a[⑱]・b[⑲]をする検査である．

①Ⅴ ②Ⅳ ③Ⅳ ④Ⅳ ⑤Ⅳ ⑥Ⅳ ⑦踵接地 ⑧膝関節 ⑨Ⅴ ⑩股関節伸展位 ⑪足関節 ⑫Ⅵ ⑬股関節 ⑭外転 ⑮Ⅲ ⑯屈筋共同運動 ⑰Ⅵ ⑱内旋 ⑲外旋

8

脳神経

- 脳神経の機能を理解する．
- 各種検査法の手順を理解し実施できる．
- 各種検査から得た結果の解釈ができる．

A 脳神経検査の概要と目的

脳神経は大脳や脳幹に出入りする左右12対よりなる末梢神経で，主に頭部や顔面，舌，咽頭・喉頭の運動や感覚，涙や唾液の分泌などの自律神経をつかさどる．各脳神経は中枢神経系から出る高さ順にⅠ～Ⅻの番号がついており，頭蓋底部にある「孔」を通り頭蓋から出る．脳幹には神経細胞体が集まった**脳神経核**と呼ばれる部分があり，脳神経と大脳をつなぐ中継地点となっている．これら12対の脳神経はそれぞれ特徴的な機能がある．疾病の診断や治療を進めるにあたり，脳神経検査はほかの神経学的検査や画像検査，脳波検査，針筋電図検査などと併せて実施される．

理学療法の対象となる中枢神経疾患患者は脳神経の障害を伴うことが多い．なかでも脳血管障害や頭部外傷などに対する理学療法は，発症後早期より開始される．脳神経検査をはじめとする多くの検査には対象者の協力を必要とする内容が多く，正しい検査結果を得るために脳幹機能である意識障害の有無，程度，経時的変化の把握も重要となる．

目的

脳神経検査の目的は，各脳神経の機能を個別に検査することで，病巣部位の補助的診断に役立てることである(▶表1)．

B 脳神経検査の実際

1 第Ⅰ脳神経(嗅神経)

臭いを感じる神経で，特殊感覚の1つである．

a 実施前の準備

刺激臭の少ない検体(石鹸，コーヒーなど)を用意する．アンモニアなどの強い刺激物は三叉神経を刺激するので不適当である．検査結果に影響する鼻疾患などがないかを確認する．

b 検査の実際

対象者に閉眼してもらい，検者は一側の鼻孔を押さえてふさぎ，対側の鼻孔に検体を近づけ臭いをかがせ，臭いの有無，何の臭いかを答えてもらう．次にもう一方の鼻孔でも同じ方法で検査

▶表 1 脳神経の構成と機能

No	脳神経	神経成分	脳神経が通る孔	効果器	主な機能
Ⅰ	嗅神経	感覚性	篩骨篩板	嗅上皮	嗅覚
Ⅱ	視神経	感覚性	視神経管	網膜	視覚
Ⅲ	動眼神経	運動性	上眼窩裂	上・下直筋，内側直筋，下斜筋，眼瞼挙筋	眼球運動
				瞳孔括約筋，毛様体筋	瞳孔縮小
Ⅳ	滑車神経	運動性	上眼窩裂	上斜筋	眼球運動
Ⅴ	三叉神経	混合性	Ｖ１：眼神経 上眼窩裂	眼窩の内容，前頭部，鼻腔，角膜	顔面などの知覚
			Ｖ２：上顎神経 正円孔	顔，鼻口腔粘膜	顔面などの知覚
			Ｖ３：下顎神経 卵円孔	咀嚼筋群	咀嚼運動
Ⅵ	外転神経	運動性	上眼窩裂	外側直筋	眼球運動
Ⅶ	顔面神経	混合性	茎乳突孔	表情筋，舌骨上筋群	顔面運動
			内耳孔	顎下，舌下，涙腺	唾液，涙の分泌
				舌の前方 2/3 の味蕾	味覚
Ⅷ	聴神経	感覚性	内耳道	三半規管，卵形・球形嚢	平衡感覚，加速度
				コルチ器官	聴覚
Ⅸ	舌咽神経	混合性	頸静脈孔	耳下腺	唾液腺分泌
				咽頭，軟口蓋	咽頭，軟口蓋の運動
				舌の後方 1/3 の味蕾	味覚
				舌根，咽頭，中耳の粘膜	咽頭，耳などの知覚
Ⅹ	迷走神経	混合性	頸静脈孔	胸腔，腹腔の臓器	内臓の運動
				咽頭，軟口蓋	咽頭，軟口蓋の運動
				胸腔，腹腔の臓器	内臓の知覚
				耳翼	耳の知覚（温痛覚）
Ⅺ	副神経	運動性	頸静脈孔	胸鎖乳突筋，僧帽筋	頸部の運動
Ⅻ	舌下神経	運動性	舌下神経管	舌筋	舌の運動

を実施し，左右を比較する．

c 記録方法

臭いを感じないものを嗅覚消失，何の臭いかわからないものを嗅覚低下，臭いを異常に強く感じるものを嗅覚過敏，不快な臭いに感じられるものを異臭症，臭いを錯覚するものを嗅覚錯誤と記録する．左右差の記録も重要である．

d 結果の解釈のポイント

嗅覚消失は感冒，鼻炎，前頭蓋底骨折，前頭蓋底部病変，Parkinson 病，嗅覚過敏は側頭葉病変，精神疾患などが考えられる．

2 第Ⅱ脳神経（視神経）

視覚をつかさどる神経で，特殊感覚の１つである．

a 実施前の準備

眼鏡やコンタクトレンズを使用している対象者については矯正視力を確認する．

▶図 1　視野検査（動画 28, 29）

b 検査の実際

1）視力検査

片眼を閉じてもらい，眼前 30 cm に提示した検者の指の本数を数えることができるかを検査する（**指数弁**；numerus digitorum）．視力の低下があり，指数弁で答えることが難しい場合は，検者の手を動かしてわかるかどうかをたずねる（**手動弁**；motus manus）．手動弁でも難しい場合は，部屋を暗くし，ペンライトなどで光を反復して眼にあて，明暗を判別できるかを検査する（**光覚弁**；sensus luminis）．対側でも同様の方法で検査を行う．

2）視野検査（▶図 1）

対象者と検者の眼の距離が約 80 cm になるよう向かい合って座る．対象者の一方の眼（例：右眼）を手で覆ってもらい，検者の反対側の眼（左眼）を見つめ，検査中はそのまま眼を動かさないよう指示する．次に検者は示指を立て，両腕を広げ，自身の視野の左右両端におき，示指を動かし，左右どちらが動いているかを指でさすように指示する．外縁部で指の動きが確認できない場合は，徐々に中心に向けて動かし，どこから見えるようになるかを確認する．検査中は対象者の眼が固定しているかどうかを常に確認する．両眼に対して，上下左右方向の検査をする．

c 記録方法

視力検査の結果は，眼前 30 cm の指の数がわかるときは「n. d. 30」，眼前 30 cm の手の動きがわかるときは「m. m. 30」と記載する．光覚弁での明暗判別ができる場合は「s. l.」と記載する．光覚弁もない場合は「ゼロ（0）」で，「no p. l.」（no perception of light）とする．視野検査の結果は見える範囲を円の 4 区分（右上，右下，左上，左下）でとらえ，見えない部位を斜線で記録する．

d 結果の解釈のポイント

視力の減弱や消失は球後視神経炎，視神経萎縮などが考えられる．視野欠損は視覚経路の障害部位によってさまざまな視野欠損パターンをきたす（▶図 2）．視索の障害では，**同名半盲**がおこる．片側の視索（例：左）が障害された場合，左眼の耳側網膜からの神経線維と右眼球の鼻側網膜からの線維が障害されるため，両眼の右側半分の視野欠損を生じる（▶図 2D）．これを右同名半盲という．視放線・有線野の障害では，1/4 同名半盲がおこることが多い．視放線部は神経線維が放射状で広範囲にわたるため，完全な同名半盲は少ない．眼球・視神経の障害では一側の眼の失明を呈する．視交叉部中央の障害では両耳側半盲が生じ，下垂体腫瘍にみられる特徴的所見である．

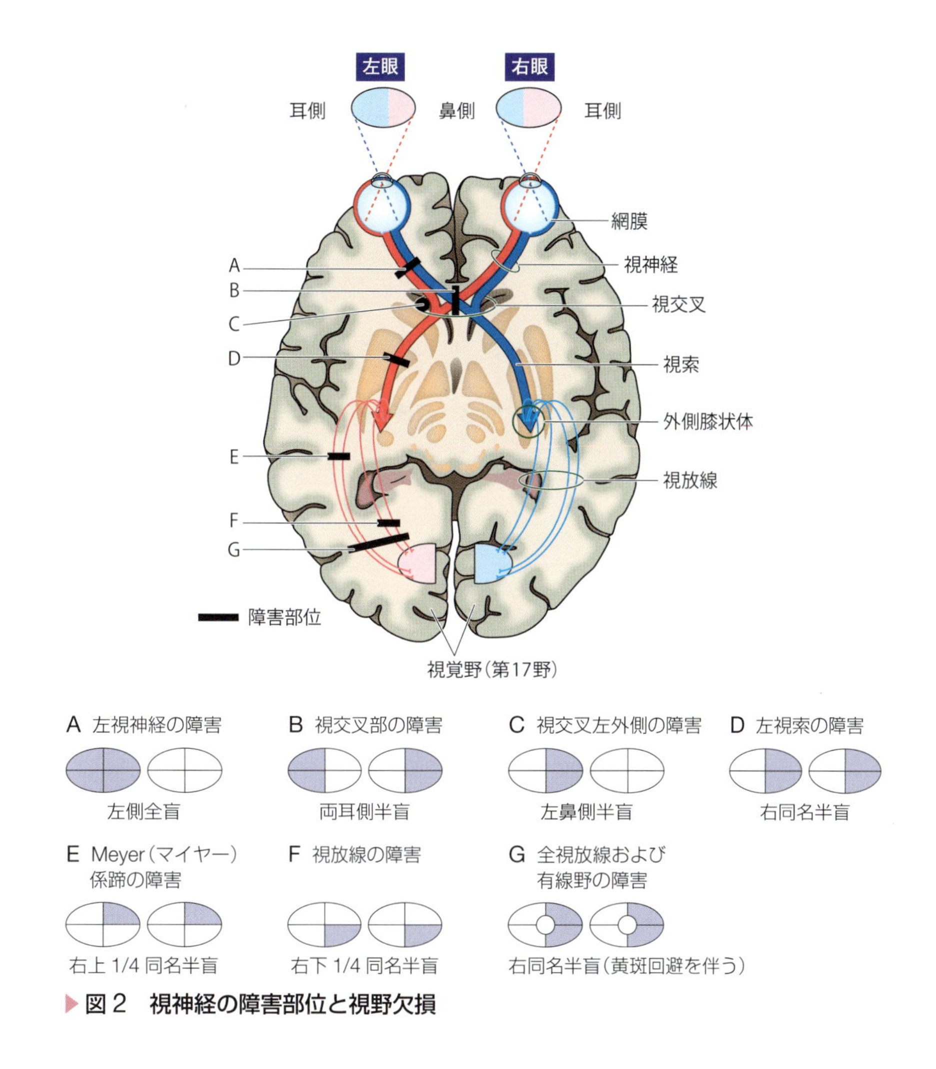

▶図 2 視神経の障害部位と視野欠損

❸ 第Ⅲ脳神経(動眼神経), 第Ⅳ脳神経(滑車神経), 第Ⅵ脳神経(外転神経)

共同して外眼筋と内眼筋の機能をつかさどる運動神経である.

a 実施前の準備

瞳孔の観察をする際は, 評価室に直接日光が入らないように配慮する.

b 検査の実際

1) 眼瞼の観察

正面前方を見てもらい, 左右眼瞼を観察した際に上眼瞼の下端が瞳孔にかかっていると**眼瞼下垂**である.

2) 眼球の観察

眼球の向きを観察し, 斜視の有無をみる. 両眼がそろって一方を向いている**眼球共同偏倚**や, 眼振にも注意して観察する.

▶図 3　輻輳反射

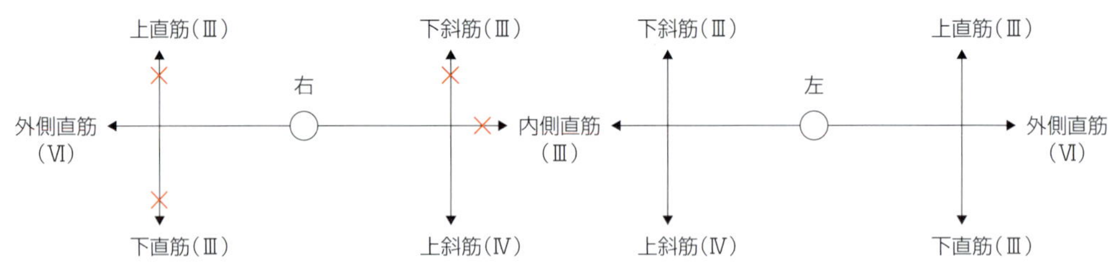

▶図 4　眼球運動の方向と記載例

右動眼神経麻痺（末梢神経障害）の記載例を図内に示す．上・下直筋，下斜筋，内側直筋が麻痺するため，外側上方，外側下方，内側方，内側上方への眼球運動障害が生じる．
〔田崎義昭，他：ベッドサイドの神経の診かた 第 18 版．pp105-126，南山堂，2016 より改変〕

3）瞳孔の観察

瞳孔の形状や大きさ，左右差について確認する．正常では 2.5〜4 mm の直径をしており，2 mm より小さいときは**縮瞳**，5 mm より大きいときは**散瞳**という．

4）瞳孔に関する反射（対光反射，調節反射，輻輳反射）

対光反射とは，光をあてると瞳孔が収縮する反射である．実施する際は，部屋の遠くを見てもらい，ペンライトの光を対象者の一方の眼にすばやく入れる．瞳孔は収縮し，反対側の瞳孔も収縮する．瞳孔が遠くのものを見るときに散大し，近くのものを見るときに縮小する反射を**調節反射**といい，近くのものを注視すると両眼が内転する反射を**輻輳反射**という（▶**図 3**）．調節反射および輻輳反射を実施する際は，対象者に遠方を見てもらっているとき，対象者の眉間から 10〜20 cm の距離においた検者の指をすばやく見るよう指示する（▶**図 3**）．その際，正常では瞳孔が収縮する．いずれの反射においても必ず左右差について確認する．

5）眼球運動，眼振の観察

対象者の眼前 50〜60 cm に検者の指をおき，先端を両眼で見つめてもらい，指標の動きを追視するように指示する．指をゆっくり左右上下に動かし，眼球の動きをみる．次に，左または右を注目してもらい，その位置で指を上下に動かして眼球の動きをみる．なお，同時に眼振がおこるかどうかについても観察する．一連の検査中は頭部を動かさずに，眼だけで追うようにあらかじめ指示する．

C 記録方法

眼瞼下垂や眼球，瞳孔，各反射について左右差や程度，大きさなどを記録しておく．眼球運動の記載方法は図4に示す．眼振については眼振の有無，方向，振幅，頻度などを記録しておく．

d 結果の解釈のポイント

第Ⅲ脳神経(動眼神経)，第Ⅳ脳神経(滑車神経)，第Ⅵ脳神経(外転神経)が脳血管障害や頭蓋底部・眼窩部腫瘍などにより障害された場合，さまざまな症状が出現する．

動眼神経麻痺がおこると，①眼球運動障害(外眼筋麻痺のため，麻痺側眼球はやや外側に偏倚)，②瞳孔括約筋麻痺(瞳孔散大，対光反射は消失)や瞳孔不同，③一側性の眼瞼下垂がみられる．そのほかにも一側性の眼瞼下垂では軽度の頸部交感神経麻痺〔Horner(ホルネル)症候群〕を，両側の眼瞼下垂では重症筋無力症，筋強直性ジストロフィーなどを疑う．また，仮性眼瞼下垂では眼球陥凹や眼瞼攣縮，眼瞼腫脹が原因であると考えられる．滑車神経麻痺では上斜筋は麻痺し，対象者の麻痺側眼球は内上方に偏倚する．外転神経麻痺では外側直筋は麻痺し，眼球を外転させることができず，対象者の麻痺側眼球はやや内側に偏倚する．外傷や脳圧亢進，頭蓋底腫瘍などにより外転神経単独での障害がおこる場合もある．

4 第Ⅴ脳神経(三叉神経)

3枝に分かれており，第1枝(V1)は眼神経，第2枝(V2)は上顎神経，第3枝(V3)は下顎神経である．顔面の皮膚と舌(前方2/3)，頬粘膜，歯肉，鼻粘膜および結膜の感覚をつかさどる感覚枝と，咀嚼筋，その他の一部の筋に分布して運動をつかさどる運動枝からなる混合神経である．

a 実施前の準備

清潔な脱脂綿(触覚)，爪楊枝(痛覚)を準備する．感染を考慮し，使い捨てできるものがよい．

b 検査の実際

1) 感覚検査

触覚・痛覚・温度覚を検査する．3分枝それぞれの領域を区別し，左右を比較しながら検査する．

2) 運動機能検査

奥歯をしっかり噛み合わせるよう指示し，両側の咬筋と側頭筋を触診し，筋萎縮の有無や収縮力をみる．次に，対象者に口を大きく開けてもらい，下顎が一方に偏倚するか確認する．

3) 下顎反射

軽く開口してもらい，対象者の下顎中央を検者の示指で押さえ，自身の指をハンマーで叩く．

4) 角膜反射

対象者の視線を一側または上方へ注視してもらい，その反対側から細くした脱脂綿で角膜を軽く刺激する．正常では両眼がただちに閉じる．反対側の角膜でも同様に検査を行う．

c 記録方法

感覚障害は程度や左右差，異常感覚の有無などを，運動機能は各筋の萎縮の有無や収縮力の程度，左右差について記録する．角膜反射は反射の有無，減弱の程度，左右差を記録する．

d 結果の解釈のポイント

三叉神経脊髄路および核の障害がある場合，病巣側に感覚乖離(触覚は正常だが，温痛覚が障害されている状態)がおこる．一側の三叉神経障害による外側翼突筋の麻痺があると，下顎が障害側に偏倚する．

下顎反射が認められるときは両側咬筋の収縮がおこる．これを亢進と判定し，三叉神経運動核より中枢側の障害を疑う．末梢側の障害の場合は減弱する．

角膜反射の求心路は三叉神経で，遠心路は顔面神経からなり，中枢は橋にある．三叉神経の障害では，患側刺激による反射は両側性に減弱ないし消失する．顔面神経障害では，患側刺激による反射は患側でのみ減弱ないし消失する．昏睡や脳幹の障害では両側性に消失する．

5 第Ⅶ脳神経(顔面神経)

顔面の表情筋や分泌腺に分布する運動性と，舌の前方 2/3 の味覚をつかさどる知覚性の混合神経である．

a 実施前の準備

甘味(砂糖)，辛味(塩)，酸味(クエン酸)，苦味(キニーネ)などの飽和溶液と綿棒を用意する．

b 検査の実際

1) 上顔面筋

- **前頭筋**：眉を上げるように指示し，額に皺がよるかどうか，またその左右差を確認する．できない場合は，検者の指を患者の頭の前上方に置き，その指を見るように指示する(▶図 5)．
- **眼輪筋**：目をできるだけ強く閉じてもらう．目を閉じることはできるものの，弱い場合には睫毛に注意する．検者の指で目を開くようにして収縮力の左右差を比較する．

2) 下顔面筋

- **口輪筋**：「イー」と発声してもらう．麻痺があると，口角は非麻痺側に引っ張られ，麻痺側の鼻唇溝は浅くなる(▶図 6)．頬をふくらませ，ふくらんだ頬を軽く押すと麻痺側の口角からは空気が漏れる．
- **広頸筋**：口角を「へ」の字に強く曲げてもらい，前頸部の収縮を視診と触診で確認する．

3) 味覚検査

綿棒にしみ込ませた各飽和溶液を対象者の舌の前方 2/3 に塗り，味覚を確認する．

4) 顔面筋反射

- **眼輪筋反射**：検者の母指と示指で対象者の眼の外側の皮膚をつまみ，検者の母指をハンマーで

▶図 5　上顔面筋(前頭筋)

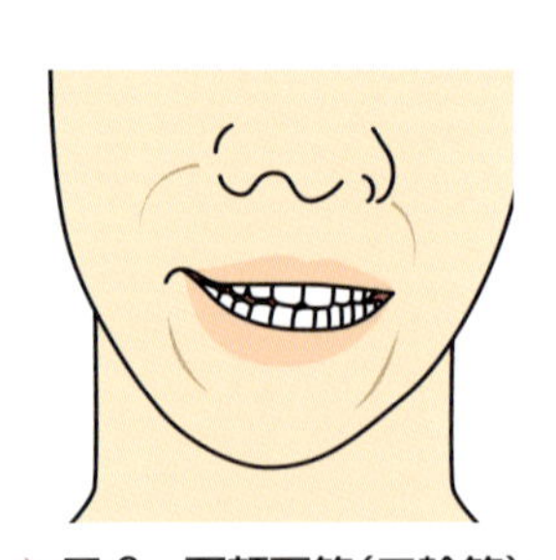

▶図 6　下顔面筋(口輪筋)

麻痺側は左側である．

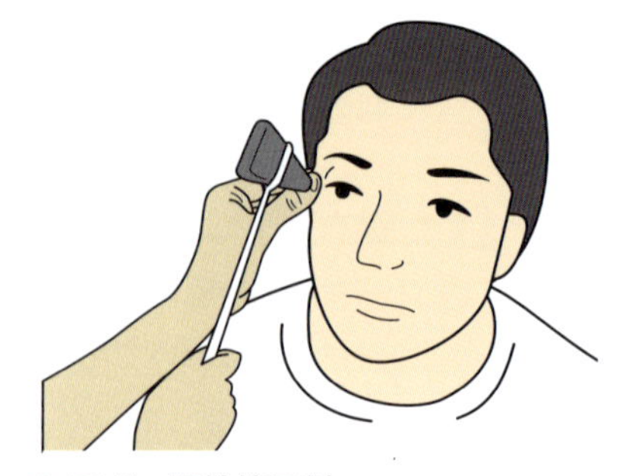

▶図 7　眼輪筋反射

軽く叩くと，眼輪筋が収縮する．同時に対側の眼輪筋にも軽度な収縮がみられる（▶図7）．

- **眉間反射**：対象者の眉間をハンマーで軽く叩くと，両側の眼輪筋に収縮がみられる．必ず左右を比較する．
- **口輪筋反射**：上口唇を叩くか，口角に指をあててその上から軽く叩き，口輪筋の収縮をみる．正常では微弱か欠如である．

c 記録方法

各検査項目について，障害の有無，程度，左右差などを記録しておく．

d 結果の解釈のポイント

前頭筋の検査において，末梢性顔面神経麻痺では障害側の額に皺がよらず，中枢性麻痺では額の皺よせは正常である．

眼輪筋は，著明な末梢神経麻痺ではまったく閉眼できず，眼裂の隙間から白目が見え，兎眼となる．眼瞼を閉じようとすると，眼球が上方に偏倚してしまう〔Bell（ベル）現象〕．麻痺が軽い場合は，強く閉眼した際に，麻痺側の睫毛が外からよく確認できる（睫毛徴候）．

上顔面筋は両側の大脳皮質から支配を受けているため，顔面神経核より上の障害では影響を受けないのが特徴である．また，一側性に広頸筋の収縮が欠如している場合は広頸筋徴候陽性とし，顔面神経麻痺が考えられる．なお，下顔面筋は反対側の大脳皮質からの一側性支配である．

舌の前方 2/3 の味覚障害は，顔面神経核から膝神経節，膝神経節から鼓索神経の損傷を疑う．眉間反射は，末梢性顔面神経麻痺では障害側で低下し，中枢性顔面神経麻痺では亢進する．口輪筋反射は中枢性顔面神経麻痺で亢進する．

6 第Ⅷ脳神経（聴神経）

聴覚と平衡感覚をつかさどる感覚神経であり，蝸牛神経と前庭神経からなる．

a 実施前の準備

評価室は静かな環境とし，聴力検査の妨げとなる音が入らないように注意する．音叉を準備する．

b 検査の実際

1）聴力検査

片耳にアナログ腕時計を近づけて，秒針の音などが聞こえるかどうか，左右差も含めて確認する．次に音叉の振動音を聞かせ，音が聞こえなくなったら伝えるように指示する．その際，検者がまだ音を確認できた場合は，対象者の難聴を疑う．**Rinne（リンネ）試験**では，音叉を振動させ，乳様突起にあて（骨導），聞こえなくなったら音叉を耳元 5～6 cm にあて（気導），さらに音が聞こえるかどうかを確認する（▶図8）．正常では気導のほうが骨導より長く聞こえる（Rinne 陽性）．**Weber（ウェーバー）試験**では，振動させた音叉の柄を前額中央にあて，左右の耳のどちらに強く響くかを確認する．正常では両側で同じとなる．

2）前庭機能検査

眼振の有無や，Romberg（ロンベルグ）試験，閉眼歩行におけるふらつきの有無を確認する．また，片脚立位試験でのふらつきの程度（➡149 頁）や左右差，閉眼足踏み試験での体の揺れや偏

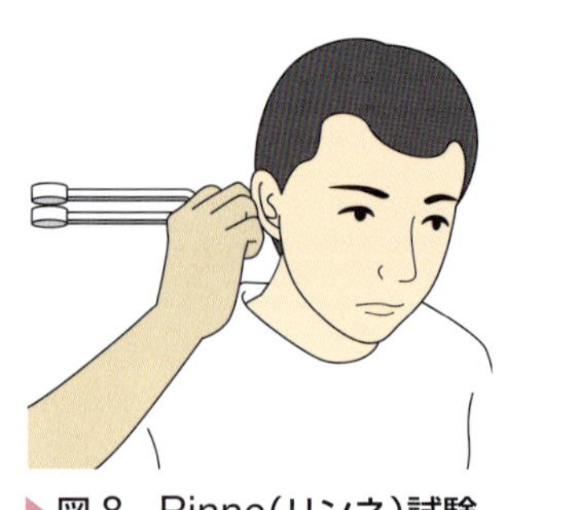
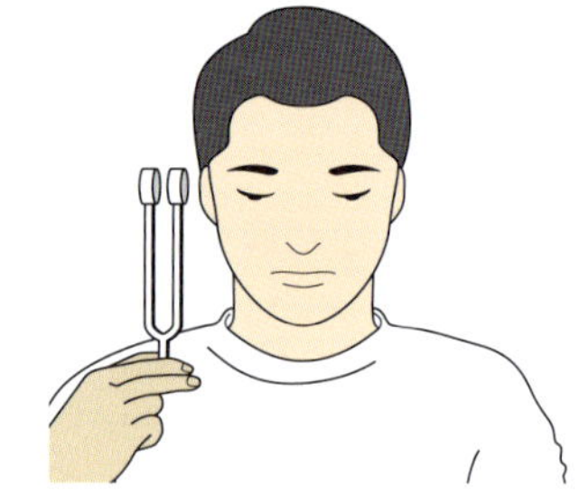

▶図 8　Rinne(リンネ)試験

倚の程度，方向を確認する．

c 記録方法

音の聞こえ方の程度や左右差，Rinne 試験の結果を合わせて記録する．前庭機能検査についてもふらつきの左右差や程度，方向について記載する．

d 結果の解釈のポイント

Rinne 試験では，伝導性難聴で気導が短縮し，骨導が長くなる(Rinne 陰性)．Weber 試験は，伝音性難聴では障害側の耳に，感音性難聴では健側の耳の方が大きく聞こえる．一側に前庭障害がある場合は，前庭機能検査でふらつきや回転などがみられる．

7 第Ⅸ脳神経(舌咽神経)，第Ⅹ脳神経(迷走神経)

舌咽神経は，舌の後方 1/3 の味覚と知覚，咽頭壁の知覚・運動・耳下腺，その他粘膜の分泌腺をつかさどる混合神経である．

迷走神経は，頸，胸，腹の内臓に分布し，その知覚，運動，分泌をつかさどる混合神経である．

a 実施前の準備

舌圧子を準備する．感染を考慮し，使い捨てできるものがよい．

b 検査の実際

1）軟口蓋，咽頭の観察

対象者に「アー」と発声してもらい，軟口蓋の挙上や咽頭後壁の収縮を，左右差に注意しながら観察する．

2）咽頭反射

対象者の咽頭後壁などの粘膜を左右それぞれ舌圧子で刺激し，「ゲエ」という反応が生じるか，嘔気の反射をみる．

c 記録方法

軟口蓋の挙上や咽頭後壁の収縮，咽頭反射の有無を左右差に注意して記録する．

d 結果の解釈のポイント

軟口蓋，咽頭は，一側の麻痺では非麻痺側のみが収縮するため，咽頭後壁は非麻痺側に引っ張られる(**カーテン徴候**)．両側の麻痺では口蓋垂の挙上はみられない．咽頭反射の一側の欠如には病的意義がある．ヒステリーでは両側の欠如がみられる．

8 第XI脳神経(副神経)

胸鎖乳突筋と僧帽筋を支配する運動神経である．

a 実施前の準備

あらかじめ頸椎疾患や頸部痛の有無を聴取しておく．

b 検査の実際

胸鎖乳突筋には頭部を反対側に回旋する作用があり，僧帽筋には肩を挙上する作用がある．それぞれの筋力検査を行う．筋の萎縮の有無や左右差も確認する．

c 記録方法

筋収縮力や左右差，姿勢の偏倚などを記録する．

d 結果の解釈のポイント

一側の副神経麻痺では患側の肩が下がり，肩甲骨は外側下方に偏倚する．

9 第XII脳神経(舌下神経)

舌筋を支配し，舌の運動をつかさどる運動神経である．

a 実施前の準備

普段の会話や食事の様子から，構音障害や嚥下障害の有無について情報を得ておく．

b 検査の実際

舌を出してもらい，萎縮や偏倚，不随意運動の有無，舌の筋力を検査する．

c 記録方法

舌の萎縮の有無や程度，舌の筋力や偏倚，線維束性攣縮，不随意運動の有無を記録する．

d 結果の解釈のポイント

一側性麻痺では発語，嚥下・咀嚼障害は軽いが，両側性麻痺では重度に障害される．舌の萎縮や線維束性攣縮がない場合は正常もしくは中枢性障害を疑う．舌の運動に異常がある場合は，中枢性障害(一側性 / 両側性)を意味する．一方，舌の萎縮や線維束性攣縮がある場合は末梢性障害を疑う．

C 脳神経検査に必要な基礎知識

脳神経検査の意義や検査結果，対象者の病態を正確にとらえるためには，神経系に関する構造と機能に関する基礎的事項の理解が必要である．

脳神経のうち，嗅神経(Ⅰ)と視神経(Ⅱ)は大脳の一部であるため，厳密には末梢神経ではないが，一般的に脳神経はすべて末梢神経として扱われる．脳幹(中脳，橋，延髄)には第Ⅲ～Ⅻ脳神経までの脳神経核が集中している．ここを境界としてこれより末梢側が障害される場合を末梢神経障害として，中枢神経障害と区別する．運動指令を末梢の筋肉へ伝える神経路は，大脳皮質の運動野から出て，内包を経由し，脳幹へ下行する．そのうち四肢や体幹への神経伝導路を皮質脊髄路，顔面や咽頭・喉頭，舌などへの神経伝導路を皮質延髄路と呼ぶ．皮質脊髄路は延髄の最下端部にある錐体で反対側に交叉(錐体交叉)し，脊髄内を下行していく．一方，皮質延髄路は脳神経核に入る手前で反対側に交叉し，各脳神経核に入る．

臨床場面において，**脳神経核**が集中している脳幹部に障害がおこった対象者を評価する際には，病態の理解に注意が必要である．たとえば，脳幹の片側(左側)に脳梗塞や脳出血などの病変を発症した場合，左側の脳神経核や下位運動ニューロンとなる脳神経が損傷するため，病巣と同側，つまり左側に脳神経障害がおこる．しかし，病巣周辺を通る皮質脊髄路の上位運動ニューロンはこの高さではまだ交叉しておらず，脳幹の下部に位置する延髄の腹側部において錐体交叉する．したがって，運動麻痺は病変と反対側である右側に出現する．病変と同側の脳神経障害と，病変と反対側の四肢の麻痺が出現する病態を交代性片麻痺という．

このように脳幹部の障害を理解するには，神経解剖学や病態生理学の知識が必須である．なお，12 対の脳神経のうち，嗅神経(Ⅰ)と視神経(Ⅱ)，聴神経(Ⅷ)は感覚性をつかさどる脳神経のため，皮質延髄路には属さない．

●参考文献
1）大橋高志：脳神経の検査．服部光男，他(監)：全部見える 脳・神経疾患．pp78-79，成美堂出版，2014．
2）苅田典生，他：脳神経．尾上尚志，他(監)：病気がみえる vol.7 脳・神経 第2版．pp242-279，メディックメディア，2017．
3）柴﨑浩：神経診断学を学ぶ人のために 第2版．pp19-122，医学書院，2013．
4）田崎義昭，他：ベッドサイドの神経の診かた 第18版．pp105-126，南山堂，2016．
5）馬場元毅：絵でみる脳と神経 第4版．pp109-190，医学書院，2017．

復習問題

□ 1 視力検査における[①]の検査では，片眼を閉じてもらい，眼前 30cm に提示した検者の指の本数を数えることができるかをたずねる．

□ 2 右同名半盲とは，[②]視索が障害された場合，両眼の[③]側半分の視野欠損を生じる症状である．

□ 3 前頭筋の検査において，[④]性顔面神経麻痺では障害側の額に皺をよせることができない．[⑤]性顔面神経麻痺では，額の皺よせが可能である．

□ 4 Rinne(リンネ)試験が陰性の場合，[⑥]が[⑦]より長い時間聞こえる．

□ 5 カーテン徴候とは，軟口蓋と咽頭が[⑧]側のみ収縮するため，咽頭後壁が[⑨]側に引っ張られる現象である．

①指数弁 ②左 ③右 ④末梢 ⑤中枢 ⑥骨導 ⑦気導 ⑧非麻痺 ⑨非麻痺

9 協調運動機能

- 協調運動機能について理解する．
- 協調運動機能検査の目的や種類を説明できる．
- 協調運動機能検査の方法を説明できる．

A 協調運動機能検査の概要と目的

私たちが日ごろ何気なくしている動作，たとえば朝起きてベッドから立ち上がり身支度をする，歩く，走る，スキップするといった運動・動作すべてが広義に解釈して協調運動の連続ともいえる．**協調運動**(coordination)とは，合目的的かつ円滑に行われる運動を指す[1)]．ある目的にそって，必要な筋のみ働き，必要のない筋は抑制される(空間的な協調)．そして，選択された筋は必要なだけ収縮し(強さの協調)，さらに，筋の収縮による力だけでなく，その力がタイミングよく発揮される(時間的な協調)．そういったことの連続で私たちの日常の運動は無駄なくかつスムーズに行われている．たとえば，コップに水道から水を汲んで適量を飲むという動作では，私たちはコップを持つ力をコップと水の重さによって微調整し，口内に水を流し込む量やタイミングを過去の経験などからはかって，コップを傾ける動作を行っているため，コップが手から落ちず，なおかつ口から水があふれ出ることなく飲める．

このような協調運動の遂行が阻害された状態を**協調運動障害**という．運動失調(小脳性，脊髄性，前庭迷路性，大脳性)や運動麻痺，筋トーヌス異常による障害，感覚障害などが原因としてあげられる．つまり，神経系の損傷や機能異常によって協調運動機能は障害される．徴候として，測定異常，反復拮抗運動不能，書字障害，構音障害，平衡機能障害，脳卒中片麻痺などにみられる中枢性の運動麻痺，Parkinson 病などにみられる筋トーヌス異常による運動障害などがある．したがって，主に四肢の運動失調に対する検査を協調運動機能検査あるいは協調性検査として扱うが，四肢の運動だけでなく，座位・立位といった姿勢にかかわる体幹機能や姿勢を保つバランス機能も協調運動機能の検査として含めて考えることもできる．

目的

協調運動障害の評価の目的は，動作に関与する筋群が協調性をもって働いているかを確認し，ADL への影響を知ることである．よって，この項にあげる検査だけでなく，感覚検査や筋トーヌス検査，歩行に関する評価など種々の検査・測定を行い，その原因を探ることである．

B 協調運動機能検査の実際

協調運動機能検査というと，協調運動障害の1つ，**運動失調**(ataxia)の症状に対する検査が取り上げられることが多い．一般的な四肢運動失調，たとえば測定異常，時間測定異常，反復拮抗運動不能(症)，運動分解，振戦，共同運動不能(症)などの症状に対する検査を扱う．測定異常や運動分解は共同運動不能に含まれることもある．四肢に対する検査が多く，小脳性運動失調などで症状がみられることが多い．

各検査の詳細に入る前に，各症状について簡単に説明する．

(1) **測定異常**(dysmetria)：随意運動を目標のところで止めることができない現象．測定過小〔hypometria（目標のところまで達しない）〕と測定過大〔hypermetria（目標のところより行きすぎる）〕がある．

(2) **時間測定異常**(dyschronometria)：動作を始めようとするとき，また止めようとするときに，時間的に遅れることを指す．

(3) **反復拮抗運動不能(症)**〔adiadochokinesis(-sia)〕：一肢または身体の一部が反復運動を正確に行うことができない状態を指す．しかし，運動麻痺，筋トーヌスの異常，関節の異常，深部感覚障害のあるときにも出現するため注意を要する．

(4) **運動分解**(decomposition of movement)(▶図1)：直線的な動きで目標に到達する運動(▶図1の直線)を，複数の動きに分解(▶図1の波線)すること．

(5) **振戦**(tremor)：身体の一部あるいは全身に現れる機械的振動で律動的な不随意運動を指す．企図振戦(intention tremor)とは，特に上肢などの先端が目標に近づくのを微調整しようとして震えが強くなる現象を指す．

(6) **共同運動不能(症)**〔asynergy(-gia)〕：複数の筋，関節が一定の順序もしくは同時に働いて動作全体を効率的に構成することができない状態を指す．

検査では，(1)～(6)のような症状がみられないかを観察する．

以下，検査の方法を示す．検査を進めるにあたっては，観察するポイントを把握しておくことが大切である．上述した特徴的な徴候を理解しておき，各検査において徴候を見逃さないようにする．また，両側で検査を実施し，左右差をみるようにする．一側ずつ検査する場合(この場合，健側を先に検査する)や，両側同時に検査する場合もある．

さらに，検査実施上，小脳障害の場合，四肢の障害のほか，眼振や言語障害がある可能性も考えられるので注意する．また，姿勢保持が困難な場合や，転倒の危険性のある検査では，事前の環境設定やリスク管理は十分準備することが必要である．

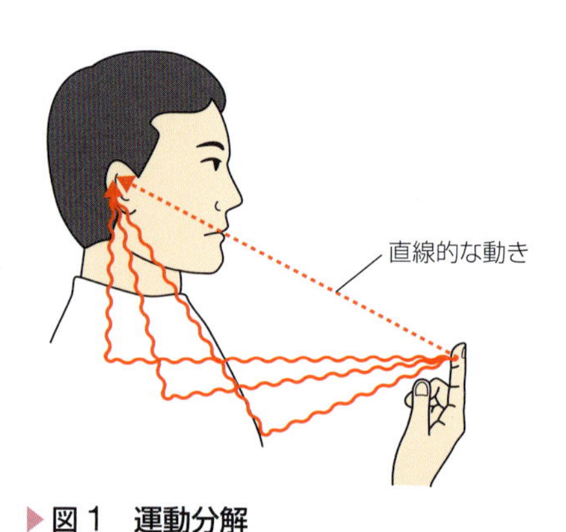

▶図1　運動分解

直線的な動きで目標に到達せず，三角形の2つの辺を通るような動きを示す．

1 四肢に対する検査

a 指鼻試験(finger-nose test)

上肢を伸ばし，やや肩関節外転位をとらせ，そこから示指で自分の鼻に触るように指示する．最初は開眼で行わせ，次に閉眼で検査する．測定異常および運動分解を観察する．

b 指鼻指試験(finger-nose-finger test)(▶図2)

対象者の示指を自分の鼻先と検者の指先を交互に反復して触るよう指示する．検者の指先は，対象者の示指の先端が肘を伸ばしてちょうどぐらいのところに設定し，また1回ごとに指の位置を移動させるようにする．測定異常や企図振戦を観察する．

c 指耳試験(finger-ear test)

指鼻試験と同様に，指先で耳朶(じだ)(耳たぶ)に触るように指示する．指鼻試験同様，測定異常および運動分解を観察する．

d 線描きテスト(line drawing test)(▶図3)

白紙に2本の平行な縦線(通常10 cm程度離す)を引いておき，左の縦線から右の縦線に達するように横線を数本描くよう指示する．測定異常を観察する．異常があると，目標である縦線まで到達しなかったり(測定過小)，縦線を通りすぎてしまったり(測定過大)する．また，横線が直線にならず，細かく波打つ．

e コップ把握試験

手を伸ばしてコップをつかみ，一度持ち上げて，同じ場所において手を離すよう指示する．測定障害などを観察する．非障害側と障害側でのしぐさの違い，たとえばコップにどのように手を伸ばすか，コップをつかもうとするときの手の形の作り方はどうかなどを観察する．障害側の手では指を過度に伸展し，コップより上にもっていってから，コップをつかむしぐさがみられる傾向にある．

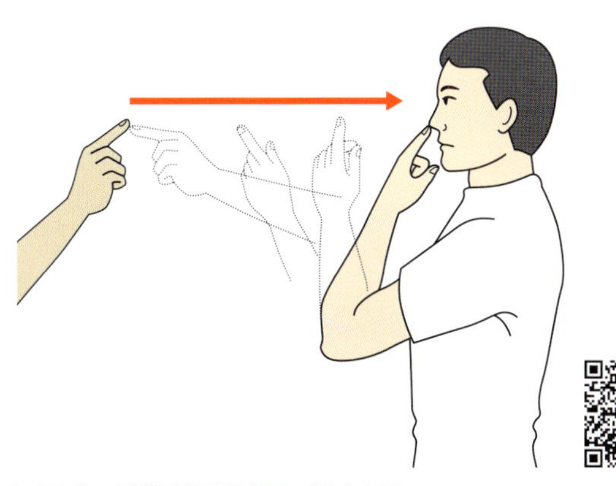

▶図2 指鼻指試験(動画30)

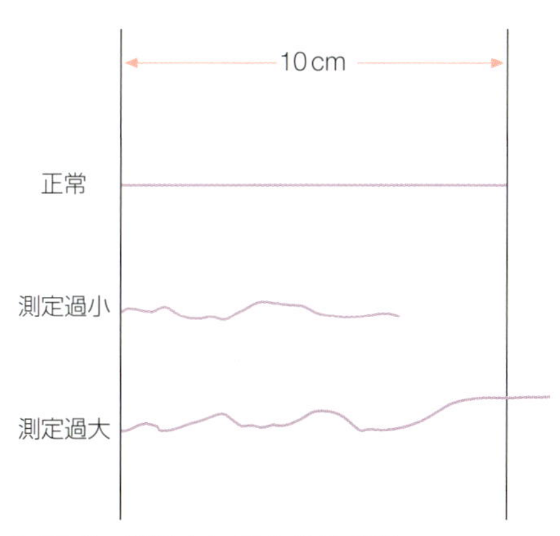

▶図3 線描きテスト(結果例)

f 膝打ち試験(knee pat test, thigh-slapping test)

椅子座位で，対象者に自分の膝を一側ずつ，手掌および手背で交互にすばやく叩くように指示する．両側同時に行わせると左右差を観察しやすい．この場合，最初はゆっくりと，次第に速度を増して，できるだけ速く行わせる．障害側においては運動が不規則で，可動域も運動ごとで一定にならない様子がみられるなど反復拮抗運動不能(症)を観察する．

g 手回内回外試験(hand pronation supination test)(動画 31)

膝打ち試験に似ているが，両上肢を前方に挙上させ，軽く肘を屈曲して，連続して前腕を回内外させるように指示する．反復拮抗運動不能(症)を観察するほか，前腕の回内外に伴い肩関節の内外旋がみられ，肘が固定できないといった共同運動不能(症)を観察することもある．

h 前腕過回内テスト(hyperpronation test)

両腕を前腕回外位で水平に挙上し，次に回内して手掌を下向きにするように指示すると，障害側の手は回りすぎて障害側の母指は非障害側よりも下方に向く．

i 足趾-手指試験(toe-finger test)

背臥位で対象者の母趾を検者の示指につけるよう指示する．検者の示指は対象者が膝を曲げて到達できるような位置におくことが必要である．次に検者は示指の位置をいろいろ変えて，対象者に母趾でこれを追うように指示する．うまく追うことができないなど測定異常を観察する．

j 踵膝試験(heel-knee test)(▶図 4)

背臥位で，なるべく閉眼で行う．一側の踵を反対側の膝にのせ，足関節を少し背屈させた状態で踵を向こう脛にそってまっすぐ足首まで下降し，足背に達したら，もとの位置に戻す．向こう脛にそって円滑に動かすことができないといった測定障害を観察する．

k 向こう脛叩打試験(shin-tapping test)(動画 32)

背臥位で，一側の踵で反対側の向こう脛(脛骨部の1点)を，足関節を背屈させた状態でリズミカルに叩くように指示する．毎秒1〜2回の速度で7〜8回軽く叩かせる．一定のところを叩けないといった測定異常と反復拮抗運動不能(症)を観察する．

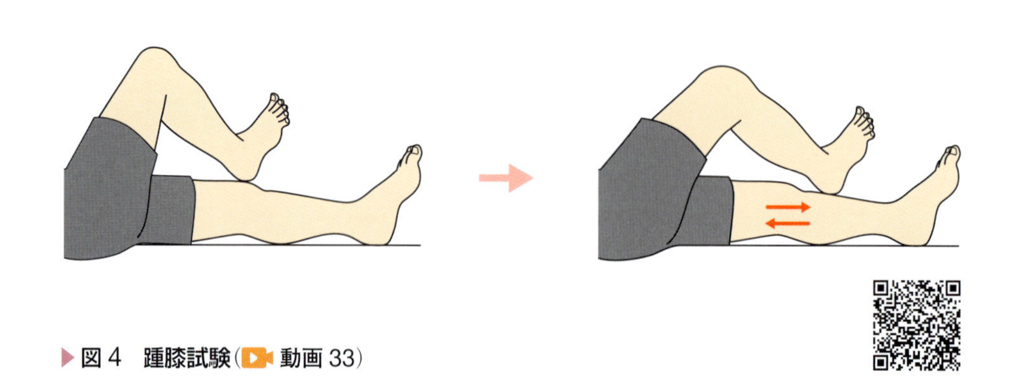

▶図 4　踵膝試験(動画 33)

2 体幹機能などを含む協調運動機能検査

立位や歩行を含んだ協調性を評価する検査をあげる．小脳や脊髄後索の障害などで運動失調があるときに症状が現れることが多い．また，バランス機能の検査として取り上げられることもある．

a Romberg(ロンベルグ)試験(▶図5)

頭位を垂直に保って正面を向き，つま先をそろえた直立姿勢(Romberg 肢位)を 30 秒間保持する．最初は開眼して行い，次いで閉眼する．閉眼したときに，大きく揺れて倒れてしまうことがある．これを Romberg 徴候陽性という．

b Mann(マン)試験〔継ぎ足 Romberg 試験(tandem Romberg test)〕

両足を前後一直線上に，すなわち前足の踵と後足のつま先をつけて，起立してもらう．安定して立位を保てるようであれば，閉眼する．閉眼時に，大きく揺れて倒れそうにならないかを観察する．

c 継ぎ足歩行(tandem gait)(▶図6)

両足を前後に一側の足先と他側の踵部が交互につくように直線上をまっすぐ歩いてもらう．Mann 試験と同様，大きく揺れて倒れそうにならないかを観察する．

d 軀幹(くかん)協調運動検査(▶図7)

台上で対象者に座位をとらせ，まず体幹の動揺性を観察する．さらに，両大腿を把持して座位バランスを崩すような外乱刺激を加えたときの動揺性を観察し，結果を 4 つのステージに分けて評価する．

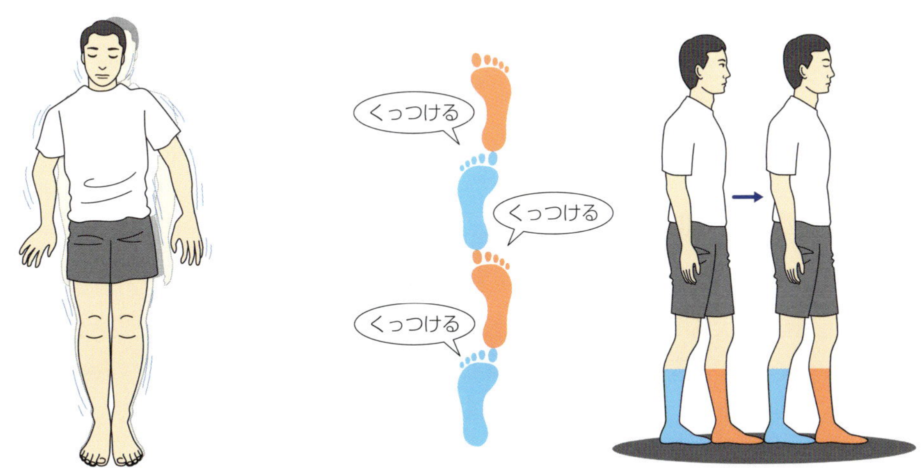

▶図5 Romberg(ロンベルグ)試験　▶図6 継ぎ足歩行

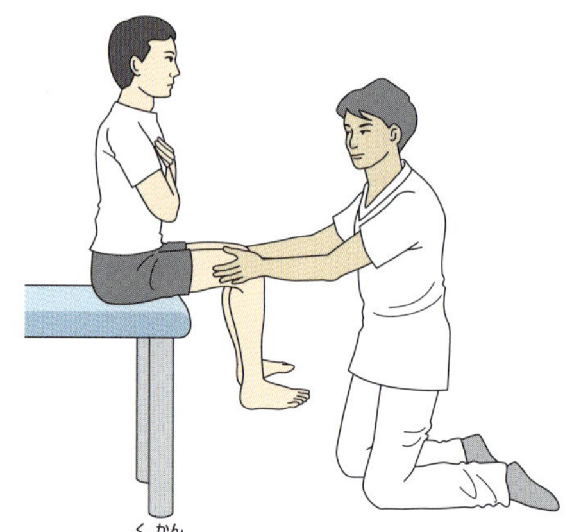

ステージⅠ：運動失調を認めない
ステージⅡ：試験肢位で軽度*1の動揺・運動失調を認める
ステージⅢ：試験肢位で中等度*2の運動失調を認める
　　　　　　通常の椅子座位で軽度の運動失調を認める
ステージⅣ：通常の椅子座位で中等度の運動失調を認める

*1 検者の外的刺激により，はじめて軀幹の動揺・バランス保持能力の低下を示すもの
*2 試験肢位において，刺激なしですでに動揺を認めたり，1 回の外的刺激により著しいバランス保持能力の低下をきたすもの

▶図 7　軀幹協調運動検査

C 協調運動機能検査に必要な基礎知識

1 運動失調とその分類

運動失調とは，随意運動における空間的，時間的な秩序・配列が崩れた状態で，運動の正確性が障害された状態といえる．運動失調は障害された部位によって次の4つに分けられることが多い．

(1) **小脳性運動失調**：小脳の病変でおこり，筋力や深部感覚には異常がなく，四肢および体幹の運動失調を認める．Romberg 徴候はみられず，閉眼しても運動失調は増悪しない．つまり，視覚での代償は生じないことが多い．脊髄小脳変性症，多系統萎縮症，小脳出血，小脳梗塞で主にみられる．

(2) **脊髄性運動失調**：脊髄の病変でおこり，深部感覚の障害によっておこる運動失調である．Romberg 徴候は陽性で，運動失調は下肢に著明であり，歩行は床を見ながらパタンパタンと歩くのが特徴である．閉眼すると運動失調が増悪する，つまり視覚で代償することで運動失調が改善する．脊髄癆，Friedreich(フリードライヒ)運動失調症で主にみられる．

(3) **前庭迷路性運動失調**：前庭迷路系の病変でおこり，起立と歩行時の体幹の平衡障害が特徴的である．Romberg 徴候は陽性であり，深部感覚は正常である．眼振を伴う．前庭神経炎，Ménière(メニエール)病，聴神経腫瘍で主にみられる．

(4) **大脳性運動失調**：前頭葉・側頭葉・頭頂葉などの病変でおこる．症状は小脳性と似ており，病巣と反対側に症状がみられる．運動失調以外の脳の局所症状がみられる．脳腫瘍で主にみられる．

2 神経機構の知識

運動を滑らかにできるようにコントロールするためには，多くの神経系が関与している．随意運動は大脳皮質一次運動野からの指令が，上位そして下位運動ニューロンを通って筋に伝達されることでおこる．このとき，随意運動は**小脳**や**大脳基底核**によって調節され，運動の出現は細かくコントロールされ，ひいては協調運動を可能にしている(▶図 8)．

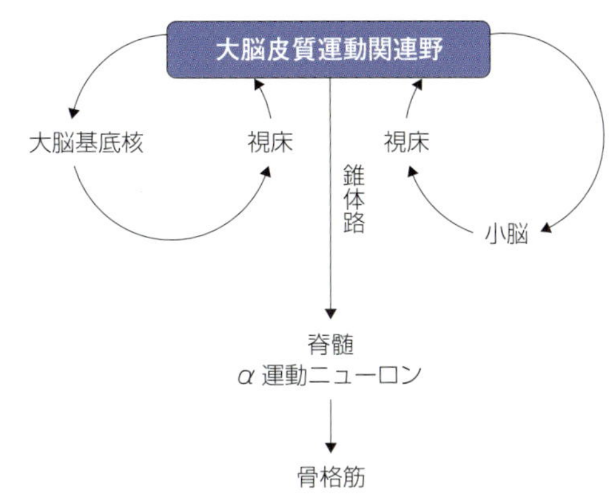

▶図8 運動の出現にかかわる神経機構

a 小脳

大脳の後下部に位置し，大脳小脳(小脳半球)・脊髄小脳(小脳虫部)・前庭小脳(片葉小節葉)に区分される．このうち協調運動に主にかかわるのは大脳小脳と脊髄小脳である．**大脳小脳**は大脳皮質からの情報が橋を介して伝えられ，小脳半球で統合され，視床を経由して再び大脳皮質に出力される．運動の円滑化や計画にかかわり，主に四肢の運動制御にかかわる．**脊髄小脳**には筋・腱の感覚受容器から深部感覚の情報が脊髄を介して伝えられる．姿勢保持や歩行の調節など体幹の運動制御にかかわる．したがって，大脳小脳(小脳半球)は主に四肢の運動失調と関連し，脊髄小脳(小脳虫部)は体幹の運動失調や酩酊歩行といった歩行障害に関連する．

さらに，小脳は末梢からの体性感覚や平衡感覚などの感覚情報の入力を受け，実際の運動中の運動プログラムと比較して運動を調節するフィードバック運動制御を行うと同時に，運動が発現の計画段階あるいは運動学習に関与するフィードフォワード運動制御も行うという重要な役割をもつ．

b 大脳基底核

大脳基底核は左右大脳半球の深部の白質内にみられる神経核(灰白質)である．大脳基底核は**大脳皮質-基底核ループ**を形成しており，大脳から情報を受け取り，統合し，再び視床を介して大脳に出力する．このとき，大脳基底核は大脳皮質に抑制作用を及ぼしている．つまり，大脳皮質の働きにブレーキをかけている．大脳皮質を適度に抑制することで，適切な，滑らかな運動を発現させる．

さらに，大脳基底核内には直接路と間接路があり，この2種類の経路によって，必要な運動は抑制を解かれ，不必要な運動は抑制される．この2つの経路がバランスよく機能することによって滑らかな運動が可能となる．Parkinson 病はこのバランスが崩れ，必要な運動が抑制されて動きが少なくなり，協調運動が障害される．

●**引用文献** 1）平本一郎：協調運動．奈良勲(監)，内山靖(編)：理学療法学事典．p211，医学書院，2006．

●**参考文献** 1）医療情報科学研究所：病気がみえる vol.7 脳・神経．メディックメディア，2017．
2）内山靖，他：運動失調症の軀幹協調能と歩行・移動能力．総合リハ 18：715-721，1990．

3）鈴木則宏（編）：神経診察クローズアップ 改訂第3版．メジカルビュー社，2020.
4）田崎義昭，他：ベッドサイドの神経の診かた 第18版．南山堂，2016.
5）對馬均，他：Timed Up and Go Test, Berg Balance Scale. 臨床リハ 16：566-571，2007.
6）道免和久（編）：リハビリテーション評価データブック．医学書院，2010.
7）奈良勲（監），内山靖（編）：理学療法学事典．医学書院，2006.

復習問題

□ 1 ［ ① ］試験は，患者に自分の鼻と検査者の示指を，自分の示指で繰り返し触れてもらう検査である．

□ 2 ［ ② ］試験は，両腕を前腕回外位で水平に挙上し，手掌を上向きにしてもらい，次に手掌を下向きにしてもらう．患側で［ ③ ］が生じれば陽性である．

□ 3 ［ ④ ］試験ではまず，開眼した状態で両足をそろえ，つま先を閉じて立位をとり，身体の安定性を確認する．次に，閉眼した時に身体の動揺が大きくなる場合は，陽性である．

□ 4 ［ ④ ］試験は，小脳性運動失調では［ ⑤ ］になる．〔47AM027，41AM049〕

①指鼻指 ②前腕過回内 ③過度の回内および内旋 ④Romberg（ロンベルグ）
⑤陰性（解説：小脳病変のため筋力や深部感覚には異常がなく，視覚での代償が生じないことが多いので，閉眼しても失調は増悪しない）

10

高次脳機能障害

学習目標
- 高次脳機能障害の定義と検査の意義について理解する．
- 高次脳機能障害の検査の前に留意すべき事項について理解する．
- 高次脳機能障害の各検査・評価の実際について理解する．

I 高次脳機能障害の定義と検査の意義

A 高次脳機能障害の検査の概要と目的

概要

高次脳機能障害は，古くは失語，失行，失認を意味したが，近年は記憶，注意，意欲，意識，運動の維持の障害，認知症も含めた脳機能全般の障害をいう．高次脳機能障害という用語はわが国独特のもので，欧米でこれに相当する言葉は，cognitive dysfunction（認知機能障害），neuropsychological dysfunction（神経心理学的障害）などがある．

目的

高次脳機能障害を検査する目的は，脳損傷によって引き起こされる記憶，注意，意欲などの障害を明らかにし，理学療法実施時に配慮すべき点や ADL への影響を知ることである．

B 高次脳機能障害の検査前に確認・留意すべき事項

1 脳の病変部位と病歴（現病歴，既往歴）

脳卒中などの場合，特に病変部位が多発的，あるいは広汎な症例は，複数の神経症候や神経心理学的症候が混在し障害が複雑化する．脳卒中を繰り返す症例も少なくないため，カルテの確認や問診は当然のこと，CT や MRI などの脳画像を積極的に活用し，病巣に対応した症候や障害の有無をチェックするとよい．

2 利き手

大脳の高次領域（連合野）には，**機能的左右差**（側性化；lateralization）が存在し，それは利き手に依存する．たとえば言語野の優位半球は右利き者では左半球，左利き者では両側半球が多いとされる．つまり左利き者が右半球損傷の場合，失語を伴うことがあり，左半球損傷では失語はないか，あってもごく軽度とされる．このように高次脳機能障害の有無や程度，予後に大きく影響を及ぼすことから脳損傷例を評価する場合，利き手の調査は必須である．

❸ 病前の教育歴

教育歴の長さ(学歴の高さ)は，病前の知的機能を知るうえで欠かせない情報である．教育歴の違いによって，結果が影響される高次脳機能検査が存在する．

❹ 対象者との人間関係を構築し全体像をとらえる

高次脳機能障害の検査は，対象者の協力が前提にあって成立するものが多いため，検者は対象者との人間関係をある程度構築してから実施するほうがよい．初対面では，対象者の会話や表情，視線，姿勢などから種々の高次脳機能障害がある程度予測できるため，観察のみにとどめ，いきなり詳細な検査は行わない．

Ⅱ 認知機能テスト(注意機能，知的機能)

A 検査の概要と目的

概要 対象者の全般的な認知機能は，テストの結果や行動に大きく影響を及ぼすため，これらの状態を事前に把握することは重要である．なかでも注意機能は認知活動や行動の心理的基盤となり，種々の行為に影響を及ぼす．簡便かつ容易に行えるテストもあるため，理学療法でもルーチンに実施すべきである(ここでは注意機能と知的機能のテストについて述べる)．

目的 認知機能テストの目的は，注意力や記憶力を検査し，理学療法実施上の配慮すべき点や患者のADLやセルフケアへの影響について知ることである．

B 検査の実際

❶ 注意機能テスト

注意機能は方向性と全般性の2つに大きく分類される．**方向性注意**は，ある方向に特異的に向ける注意のことで，その障害は半側空間無視に代表される．**全般性注意**は，3つの構成要素からなり，(1)覚度(アラートネス；alertness)ないし持続性，(2)選択性，(3)注意による(認知機能の)制御機能に分類される[1]．特殊系として，行為のpacing(ペーシング)機能がある．

標準注意検査法(clinical assessment for attention；CAT)[2]は臨床でも広く用いられる評価指標である．全般性注意の構成要素を網羅した7つの下位検査から構成され，年代別の基準値が設定されている．

理学療法でも実施可能なCAT以外も含む簡便な検査について，各構成要素に対応させて以下に解説する(▶**表1**)．

(1) **覚度および持続性注意**：覚度は，注意の強度と関連し，ある刺激に対する受容性，感度に影響を与える神経系の状態をいう．持続性注意は，覚度を一定時間の経過のなかで維持させる基盤をなす．覚度のテストには，数字の順唱が用いられる．

(2) **選択性注意**：ある刺激に対して注意を向ける機能で，この選択性注意が低下すると，注意を

▶表1 全般性注意の構成要素と対応するテストおよび概要

構成要素	テスト	テスト概要
覚度・持続性注意	数字の順唱(覚度)	1秒間に1個のリズムで数字をランダムに聞かせた後, 復唱してもらう. 6桁以上(統計上, 40歳以下は7桁, 70歳以上は5桁)の正解が正常範囲. 短期記憶の代表的な検査でもある
	① audio-motor method(持続性注意) ② continuous performance task(CPT)(持続性注意)	CATの課題. ①は聴覚刺激「ト」「ド」「ポ」「コ」「ゴ」の5音がランダムに提示され,「ト」の音にのみ反応する選択性注意課題. 課題を5分間持続し, 成績の変化をみる. ②は視覚性注意の反応時間課題だが, 400個の連続した提示画面であるため持続性注意機能もみることができる
選択性注意	記号抹消試験, 仮名ひろいテスト(無意味つづり)	ランダムに配置された多数の干渉刺激のなかから1種類ないし複数種類の標的(文字や記号)を選択・抹消する
	trail making test part A(TMT-A)(▶図1A)	ランダムに配置された1～25の数字を, 1から順に極力速く線を引いてつなぐ課題. 完遂するまでの時間を計測する
注意による制御機能	trail making test part B(TMT-B)(分配性注意+転換性注意)(▶図1B)	TMT-Aに平仮名を加え, 数字(13個)と仮名(12個)を交互に順に(①→あ→②→い→③……)つなぐ課題. 完遂するまでの時間を計測する
	仮名ひろいテスト(物語文)(分配性注意)	物語を読み, 内容を記憶しながら, 標的となる仮名を同時に選択・抹消する課題. 物語の内容の理解度について, 後に質問される
	stroop test(分配性注意)	習慣的な行為や認知傾向(ステレオタイプ)を抑制しながら, 適切な回答を導き出す課題. Modified Stroop Test(MST), 後出し負けじゃんけんなどがある

1点に向けられず, ほかの干渉刺激や妨害刺激に容易に煩わされてしまい, 注意の転導がおこる. 検査では記号抹消試験や仮名ひろいテストなどが用いられる.

(3) **注意による(認知機能の)制御機能**：覚度や選択性注意に比べ, より高次な注意機能とされる. 前頭連合野との関連が強いことから前頭葉性注意とも呼ばれる. 2つ以上のことを同時に(あるいは交互に)認識・遂行したり(分配性注意), ある認知活動を一時中止し, ほかの認知活動に切り換えることを可能にする(転換性注意).

臨床場面では二重(多重)課題の遂行や, 認知活動や行動の切り替えが困難(高次の保続や固執傾向)になる. 動作では「歩行中, 足元だけを見つめ周囲を見渡せない」「歩行(動作)中に, 会話や認知活動を同時に行うと, 歩容や手順が乱れたり, 認知活動が困難となったりする」などがみられる. 検査ではtrail making test part B(TMT-B)(▶図1B)やmodified stroop test(MST)を用いる.

(4) **行為のpacing機能**：状況に合わせて臨機応変に動作遂行のスピード(ペース)を制御する機能である. この機能の障害は右半球損傷例に多くみられ,「落ち着きがない」「せっかち」といった, きわめて不用意で唐突な行動となり, 危険な事態を誘発する. 図形のトレース課題(1辺200 mmの正方形の線上を2分間, 右回りに極力ゆっくりなぞる課題)で検出できる.

❷ 知的機能テスト

(1) **簡易版テスト：改訂長谷川式簡易知能評価スケール**(Hasegawa dementia scale-revised；HDS-R)やmini-mental state examination(MMSE)が最も一般的である. 両テストともに言語性の質問項目が多いため, 失語を伴う場合, 成績は低下する.

(2) **Wechsler(ウェクスラー)成人知能尺度Ⅲ**(Wechsler adult intelligence scale-third edition；WAIS-Ⅲ)：幅広く知的機能を網羅した精度の高い検査である. 言語性課題の7項目(知識, 類似, 単語, 理解, 算数, 数唱, 語音整列)と動作性課題の7項目(絵画完成, 行列推理, 積木模様, 組み合わせ, 絵画配列, 記号探し, 符号)からなり, 言語性, 動作性, 全検査の各

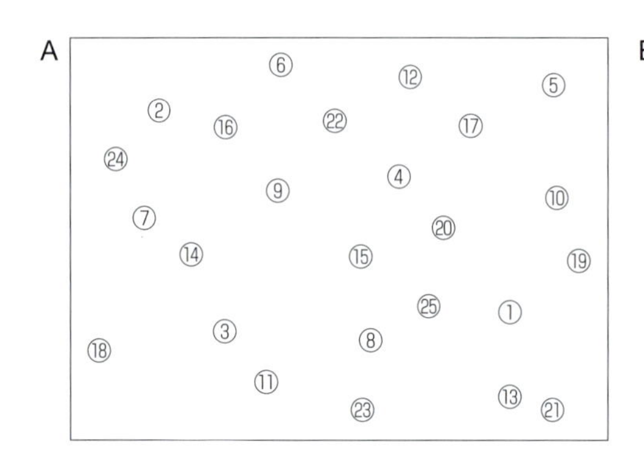

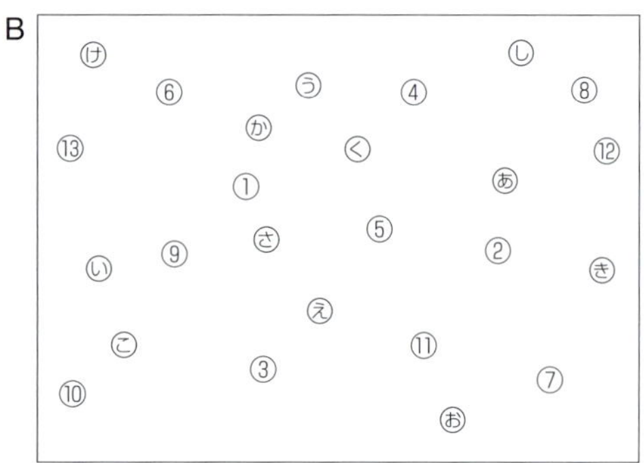

C　TMT の年代別基準値

年代群	TMT-A（秒）	TMT-B（秒）
20 歳台	66.9±15.4	83.9±23.7
30 歳台	70.9±18.5	90.1±25.3
40 歳台	87.2±27.9	121.2±48.6
50 歳台	109.3±35.6	150.2±51.3
60 歳台	157.6±65.8	216.2±84.7

▶図 1　trail making test (TMT)（日本語版）と年代別基準値

A：trail making test part A（TMT-A）．紙面上にランダムに配置された 1〜25 の数字を，1 から順になるべく速く線を引いてつなぐ課題．完遂するまでの時間を計測する．間違えたら検者がすぐに指摘し，間違った場所から再び始めるように指示する．その間ストップウォッチの計測は止めない．持ったペン（鉛筆）は，最初から最後まで紙から離さず行う．

B：trail making test part B（TMT-B）．TMT-A に平仮名を加え，数字（13 個）と平仮名（12 個）を交互に順に（①→あ→②→い→③…→し→⑬）つなぐ課題．数字と仮名の異なる刺激に対して同時に注意を払いながら，交互に注意を転換するため，難度は TMT-A よりも高くなる．

C：年代別の基準値．TMT-A，B のいずれも年代とともに時間は延長している．A と B との比較では，どの年代も B は A よりも難度が高いことがわかる．さらに B−A の差分で比較すると，年代とともに増加していることから，年齢とともに B の難度が高くなると考えられる．

〔豊倉穣，他：情報処理速度に関する簡便な認知検査の加齢変化−健常人における paced auditory serial addition task および trail making test の検討−．脳と精神の医学 7：401-409，1996 より〕

知能（知能指数）を算出する．課題が多く，長時間を要し，専門的な解釈を要するため，検査を専門とする職種（臨床心理士など）が実施することが多い．

(3) **ほかのテスト**：

① **Raven（レーヴン）色彩マトリクス検査**：提示される図柄のなかで，一部欠けた箇所にあてはまる図を選択する課題．非言語性テストのため，失語症患者のスクリーニングに適用される．

② **Kohs（コース）立方体組み合わせテスト**：4 色からなる 1 辺 3 cm の立方体を複数個組み合わせて，難度順に出題される見本と同じ模様を作る課題．正解するまでの時間によって得点が変わり，知能を算出することができる．

C 検査に必要な基礎知識

高次脳機能障害の検査を実施する際，意識障害やせん妄の状態を確認し，次いで注意状態を把握することが前提となる．そのため意識レベルは事前にチェックすること．意識障害のないものを「意識清明」と呼び，障害の軽いものから「明識不能状態（senselessness）」「傾眠（somno-

▶表 2　Japan coma scale(JCS)

Ⅲ．刺激をしても覚醒しない状態(3 桁の点数で表現) (deep coma, coma, semicoma)
300．痛み刺激にまったく反応しない 200．痛み刺激で少し手足を動かしたり顔をしかめる 100．痛み刺激に対し，払いのけるような動作をする
Ⅱ．刺激すると覚醒する状態(刺激をやめるとともとに戻る)(2 桁の点数で表現) (stupor, lethargy, hypersomnia, somnolence, drowsiness)
30．痛み刺激を加えつつ呼びかけを繰り返すと辛うじて開眼する 20．大きな声または体を揺さぶることにより開眼する 10．普通の呼びかけで容易に開眼する
Ⅰ．刺激しないでも覚醒している状態(1 桁の点数で表現) (delirium, confusion, senselessness)
3．自分の名前，生年月日がいえない 2．見当識障害がある 1．意識清明とはいえない

R：Restlessness(不穏)，I：Incontinence(失禁)，A：Apallic state(失外套状態)または Akinetic mutism(無動無言)
記載方法例は，30-R(30 不穏)，2-Ⅰ(2 失禁)として記す．

▶表 3　Glasgow coma scale(GCS)

開眼(eye opening)	スコア
4．自発的に	E4
3．言葉により	3
2．痛み刺激により	2
1．開眼しない	1
言葉による最良の応答 (best verbal response)	**スコア**
5．見当識あり	V5
4．錯乱状態	4
3．不適当な言葉	3
2．理解できない言葉	2
1．発語みられず	1
運動による最良の応答 (best motor response)	**スコア**
6．命令にしたがう	M6
5．痛み刺激部位に手足をもってくる	5
4．逃避反応として四肢を屈曲する	4
3．異常な四肢の屈曲反応がみられる	3
2．四肢の伸展反応がみられる	2
1．まったく反応しない	1

意識清明：15 点，深昏睡：3 点
〈記載例〉合計点：9(E-2，V-3，M-4)

lence)」「昏迷(stupor)」「半昏睡(semicoma)」「昏睡(coma)」「深昏睡(deep coma)」などに分類される．客観的評価スケールとして，Japan coma scale(JCS)(▶表 2)や Glasgow coma scale(GCS)(▶表 3)が広く用いられる．せん妄の検査には前述の HDS-R や MMSE も用いられる．

HDS-R や MMSE，Stroop Test や TMT は，複数回使用すると学習効果が生じるため，使用する頻度や期間などは十分考慮したほうがよい．

Ⅲ 抑うつ

A 検査の概要と目的

概要

脳卒中後にみられる精神症状，なかでも抑うつ状態〔**脳卒中後うつ**(post stroke depression；PSD)〕は，一般人口における有病率よりも高頻度に合併することが知られている．脳卒中の急性期からみられ，2 年以内まで高頻度に残存する．実際，リハビリテーションに意欲的でない脳卒中患者の多くは PSD を併発しているとの指摘がある．しかし，PSD はほかの症候と合併したり，見間違われたりするため，臨床現場では見落とされやすいのも特徴である．

目的

PSD を合併すると，意欲などの低下により身体機能や認知機能の低下，ADL や QOL の低下を招き，リハビリテーションの大きな阻害因子となる．そのため，理学療法においては，抑うつ症状を早めに評価し，PSD が疑われれば精神科に相談し，適切な治療介入(薬物治療など)につなげていくことが重要である．

B 検査の実際

精神科で，内因性うつ病の診断に一般的に用いられる自己評価スケールとして，Zung self-rating depression scale（SDS），Beck depression inventory，hamilton depression rating scale などがある．しかしこれらを PSD の評価に用いるには限界があるとされ，PSD の特徴を簡便に検出するために日本脳卒中学会により作成された Japan stroke scale-depression scale（JSS-D）[3] がある．JSS-D は行動観察法のため，失語などのコミュニケーションによる影響は除外できる利点がある．カットオフ値を 3 以上で PSD とする報告がある[4]．

C 検査に必要な基礎知識

PSD の責任病巣は，左前頭前野やそれと皮質下を結ぶ神経回路の障害であると指摘する報告が多い．しかし病期に応じた追跡調査[5]では，発症早期は左半球（特に前頭葉）損傷による発症頻度が高く，発症後 3〜6 か月は左および右半球損傷で同等になり，慢性期（発症後 1〜2 年）では右半球損傷例の発症が多いとされる．

IV 無視症候群

A 検査の概要と目的

概要

右半球損傷後にみられる主な高次脳機能障害として，無視症候群と運動維持困難がある．無視症候群には，半側空間無視や半側身体失認，病態失認などが含まれる．対象者自身がその症候に気づかず，積極的に障害を訴えることがないため，第三者が気づかないかぎり見過ごされてしまう特徴がある．また，病識が低く，転倒などのリスクがきわめて高いため，理学療法士は決して見過ごしてはならない症候である．

目的

無視症候群の検査の目的は，理学療法を行うにあたって極めてリスクの高い，転倒リスクなどを見過ごさないことである．

B 検査の実際

1 半側空間無視

半側空間無視（unilateral spatial neglect；USN）は大脳半球損傷側と対側空間に提示された刺激を報告・反応せず，与えられた刺激の定位が不能な症候である．USN の多くは右半球損傷後に生じ，左半側空間を無視する．

検査には机上検査と行動観察がある．机上検査では，紙面の左側の見落としや欠落がみられる（▶図 2A〜E）．また，無視は左空間だけでなく，右空間内の対象に注意を向けた場合でも，その左側を無視する“入れ子現象”が観察される（▶図 2E）．行動観察では，車椅子駆動などの動作場面で USN が顕著になる症例も多い．

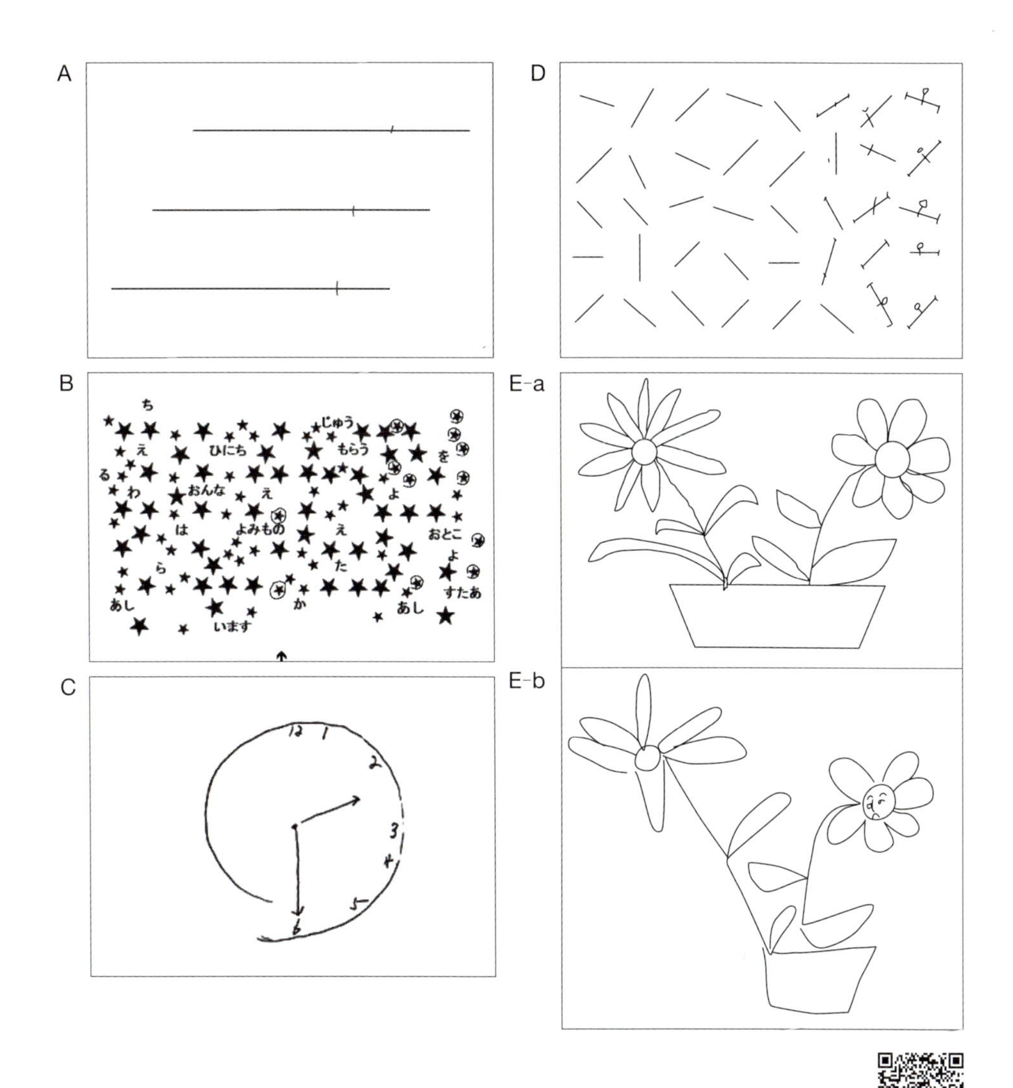

▶図 2　左半側空間無視の検査と所見（動画 34）

A：BIT の線分二等分試験．線の真ん中に点をつける課題．真の中心から大きく右に偏倚している．
B：BIT の星印抹消試験．小さい星印（54 個）を抹消し，3 個以上の見落としで異常と判定する．図は右空間の途中から星印を抹消できていない．所要時間の上限は約 1 分 40 秒とされる．
C：BIT の描画試験（時計）．文字盤左半分の数字が欠落している．「大きな時計の文字盤を描いて数字と針も描いてください」と指示する．
D：線分抹消試験（自験例：65 歳女性，右利き．右中大脳動脈梗塞．発症後 6 か月時点）．縦 8 列の線分のうち，右側 3 列目の上 4 本までしか抹消できなかった．USN 重症例と判断できる．特徴は，一度チェックした線分を，別の形で必要以上にチェックを繰り返した点である（線分の両端にチェックと，中心に○印をつけた）．これは“過書（hyper graphia）”と考えられる．
E：double daisy の模写課題（自験例：59 歳男性，右利き．右被殻出血．発症後 2 年 9 か月時点）．手本（E-a）をもとに，模写した（E-b）．プランターの左側が極端に短く，左側の花の左の葉や花びらが欠けていた．さらに右側の花の左の葉も欠けており，“入れ子現象”がみられた．右側の花の中央に，課題とは無関係な（不必要な）人の顔“へのへのもへじ”が描き足されており“過書”がみられた．
〔A～C：石合純夫：半側空間無視と右半球症状の検査．神経心理学 30：125-134，2014 より〕

標準化された検査として，**BIT**(behavioural inattention test)**行動性無視検査日本版**がある(▶**図 2A〜C**)．BIT は通常検査(6 試験)と行動検査(9 課題)から構成される．

USN を呈する症例は，すべての検査で陽性となるとは限らない．そのため 1 種類の検査だけで判断せず，あらゆる検査を実施して総合的に判断する必要がある．以下に理学療法場面でも簡便に実施できる代表的な検査を紹介する．

(1) **線分二等分試験**：A4 判用紙に描かれた横一直線の線分の中央に印を付ける課題．線分を 200 mm としたとき，真の中央から 10 mm 以上の偏倚を陽性とする[6]．BIT(線分 203 mm)では，正常範囲は真の中心から 12.75 mm 以内とされるが，10 mm 以上の偏倚でも USN ととらえてよいとしている(▶**図 2A**)．メジャーやテープなどによる検査方法もある．

(2) **記号抹消試験**：BIT の星印抹消試験(▶**図 2B**)が有用である．軽症例では，線分抹消試験と同様に見落としが左下の一部にみられる．干渉刺激も多く難度が上がり，選択性注意機能のテストとしても同時に行える．

(3) **線分抹消試験**：原法は Albert (1973)により考案された．A4 判用紙上(原法は 20×26 cm)にランダムな向きに配列された 40 本の線分に印をつけ消去していく課題．1 本でも見落としがあれば陽性とする(▶**図 2D**)．軽症例は左下にのみ一部見落としがある．

(4) **視覚的消去現象**：一側視野のみに刺激が提示されるときは，左右ともに形態も色も知覚されるが，両側視野に 2 つ以上の同時刺激を提示すると一方のみしか知覚されず他方は知覚されない現象である．多くは USN 軽症例にみられるとされるが，USN とは独立した症候を指摘する報告もある．

(5) **図形模写**：double daisy(ダブルデイジー；2 本のヒナギク)(▶**図 2E**)．模写課題や描画試験は，観察のしかたや描き方(手順や筆圧)などから細部まで USN の影響が反映されやすいため，線分抹消試験や線分二等分試験よりも，USN の検出力が高いとされる．

(6) その他の机上検査：描画試験(時計，人など)(▶**図 2C**)，読書(音読)，Kohs 立方体組み合わせテストなどでも検出できる．

(7) 行動観察：日常生活における無視行動評価尺度として，Catherine Bergego scale(CBS)日本語版がある[15]．検者の観察と対象者の自己評価が行える．さらに両得点の差によって(USN における)病態失認も判定できる．

2 身体に対する無視症候群

麻痺肢の自己所属感の喪失を基盤とした症状で，多くは右半球損傷後の左上肢におこる．症状は特徴によって分類されている[6,7]．一般的には急性期の症状とされるが，数か月間持続することもある．

a 半側身体失認

半側身体失認(hemi asomatognosia)は麻痺肢を自分のものと認めない(ただし他人の手であるとは訴えない)症候で，本症候を半側身体失認の基本としている．この検査法は，**表 4** に示す．

行動場面では，半側身体を無視して，あたかも存在しないかのように振る舞ったり，麻痺側上下肢の配置反応の異常(不適切な位置に配置する)がみられる．たとえば，ベッドや車椅子から麻痺側上肢が落ちていても気にしない．

▶表 4　半側身体失認の検査法

1．検者は，対象者の右側からアプローチする．
右上肢を持ち上げて，「これは何ですか？」と聞く 質問に対し，対象者は健常な右上肢を自分のものと正確に認知することが必要である
2．次に，対象者の左側からアプローチする
左上肢を肘から持ち上げて，手と前腕を右側の半側空間に提示する 再び，「これは何ですか？」と聞く（その際，検者の手と前腕が対象者の右半側空間に入らないように注意する） 質問に対し，対象者は左上肢を自分のものと認知できないとき，（言語性）身体失認と判定する
3．左上肢の誤認として，妄想や作話がみられれば，それを記録する．

〔Feinberg, T. E., et al.: Verbal asomatognosia. Neurology 40: 1391-1394, 1990 より〕

▶表 5　病態失認の重症度スコア

0 点	対象者が自発的に，あるいは「具合はいかがですか」のような一般的な質問に対して，片麻痺について言及する
1 点	対象者の左上下肢の筋力（力）に関する質問に対してのみ，自身の障害について訴える
2 点	通常の神経学的検査で運動麻痺があることを示すと，その存在を認める
3 点	運動麻痺を認めることができない

〔Bisiach, E., et al.: Unawareness of disease following lesions of the right hemisphere－Anosognosia for hemiplegia and anosognosia for hemianopsia－. Neuropsychologia 24: 471-482, 1986 より〕

b 身体パラフレニア

身体パラフレニア（somatoparaphrenia）は麻痺側上下肢（特に上肢）を自分のものではなく，他人のものと訴える妄想性の誤認が加わった症状である．麻痺肢について，他人の手が乗っていて重いと述べたり，医療スタッフや家族の手と訴える．

c 麻痺肢の人格化

麻痺側上肢を独立した個体ととらえ，ペットや玩具，他人の人格として扱う症候．麻痺肢に対して，ニックネームをつけたり「この子」と呼んだりする．

d 片麻痺憎悪

片麻痺憎悪（misoplegia）は麻痺肢に対し，激しい憎しみや，嫌悪を示す．麻痺側上肢を毛布で隠したり，目を背向けたりする．

3 病態失認

明らかな病的状態がみられるのにそれを認知できない現象を**病態失認**（anosognosia）という．左片麻痺の麻痺肢の障害を認めない発言が大半だが，疾病自体を否認する場合もある．評価では，最初から片麻痺や病状について触れず，「なぜここにいるのか」「どこか具合の悪いところはあるか」「手足は動くか」「麻痺はないか」といった順序で段階的に質問をしていく．

評価尺度としては，Bisiach らの重症度スコア（▶**表 5**）がある．スコア 2 点以上の明らかな病態失認は，右半球病変で 10% 台前半，左半球病変では数% とされる[6]．広汎な病巣でおこるとされるが，島や前頭葉の関連が指摘される．一般的には急性期にみられ，早期に消失する．

C 検査に必要な基礎知識

右半球損傷例は，机上検査の際，必要以上に書き足してしまう“過書(hyper graphia)”という現象がしばしばみられる(▶図2D，E)．おしゃべりになってしまう“多弁(hyper lalia)”とともに，これらは病的な“右半球性言語性異常症候群”であるが，医療従事者からも単なる“ふざけ”や“性格”としてとらえられることが多いので注意を要する．

USNと同名半盲とは異なる症候であり，鑑別が必要である．同名半盲のみであれば，発症早期にUSNに類似した所見を示すこともあるが，頭部や眼球を左に向けることで早期に代償され，左空間の情報は知覚・認知される．

半側身体失認，身体パラフレニアの機序としては，片麻痺とUSNの合併がほぼ必発するため，これら症候との関連も指摘される．病巣としては，身体失認は側頭・頭頂葉を含む領域とされるが，前頭葉内側も含まれることが指摘されている．また前頭眼窩野の機能障害が加わると，身体失認のみから身体パラフレニアが発症するとされる[7]．

半側身体失認は行動から疑い，質問によって判定されるのに対し，身体パラフレニアは自らの訴えとして聞かれる．そのため，臨床では後者のほうが気づかれやすいが，両者は同等数で存在するとされる．

Ⅴ 失行

A 検査の概要と目的

概要

失行とは，経験や学習によって習得した動作ができなくなる障害で，麻痺などの運動障害や感覚障害，失認や失語などの高次脳機能障害を原因としない．

目的

失行を伴う症例では，種々の動作獲得の学習の際に混乱を生じやすく，理学療法でも対応に苦慮する．失行を検査する目的は，あらかじめ，失行の有無や程度を把握し，その症状に応じた治療プログラムを作成するためである．

B 検査の実際

1 観念運動(性)失行

a 症状

観念運動(性)失行(ideomotor apraxia)は言語指示，模倣指示によって要求された目標運動を達成できない現象で，運動麻痺や感覚障害，運動失調などによらない行為の障害である．① 社会習慣で意味が決まっている信号的な動作(身振り)や，② 日常物品を扱う動作の真似を物品なしに行うこと(パントマイム)ができなくなる状態である．最大の特徴は，指示された内容は理解していても，指示下(意図的)では困難となるが，自然状況下ではスムーズに行える“意図性と自動性に乖離を示す”点にある．たとえば「手でバイバイのジェスチャーを命じても遂行困難だが，別れ際に挨拶すると，バイバイができる(自然と出る)」などである．

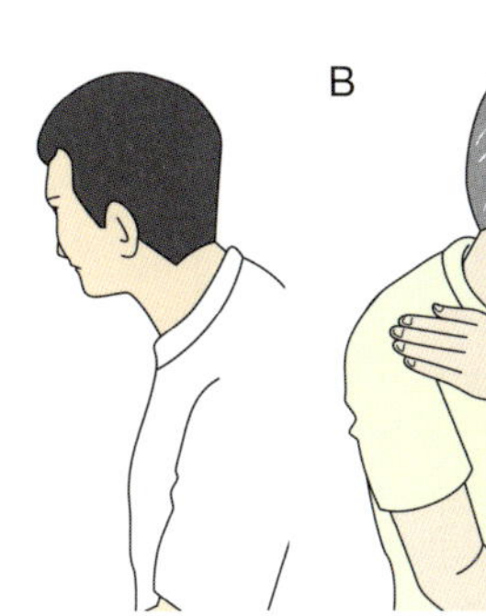

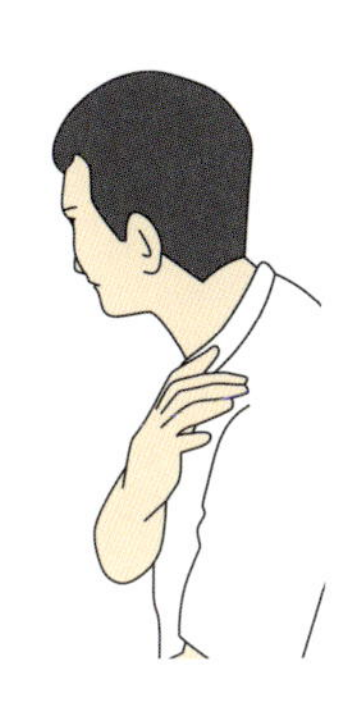

A：言語指示の課題
①検者「左手で右の肩を触ってください」
②対象者→左手を挙手した状態を保つ（**誤反応**）
B：視覚性模倣指示の課題
①検者「では，私のまねをしてください（検者は自身の右手を左肩に触れる）」
②対象者→検者を見ながら，左手を自身の右肩に触れる（**正答**）

▶**図 3　観念運動（性）失行の検査場面（左中大脳動脈梗塞 右片麻痺・失語例）**

b 発現機序

責任病巣は，左半球下頭頂小葉の縁上回とされるが，下前頭回の例も報告されている．正確な運動の学習記憶（エングラム）は左半球の縁上回に貯蔵され，このエングラムから運動野へ連絡される．そのためこれらの連絡経路のどこを損傷されても出現すると考えられる．

c 検査手順

標準的な失行検査バッテリーでは，標準高次動作性検査[8]，WAB 失語症検査[9]の行為の下位検査などがある．全課題は，言語指示と視覚性模倣の両方を左右上肢で実施する．基本的には言語指示から行う（▶図 3）．全身的・粗大運動から指先のものまで複数種類を実施する．指先の運動では比較的難度が高くなる傾向がある．具体的な課題例を以下に示す．

例「手を振って，“さよなら（バイバイ）”をしてください」
「頭を掻いてください」「手で（兵隊さんの）敬礼をしてください」
「指を鳴らしてください」「“げんこつ（じゃんけんのグー）”をつくってください」
「指で鼻をつまんでください」「指でキツネをつくってください」
「じゃんけんの“チョキ”をつくってください」

1 回目の指示で誤・無反応の場合，5 秒後に 2 回目を指示する．それでも無反応の場合，10 秒で打ち切る[8]．

2 観念（性）失行

a 症状

観念（性）失行（ideational apraxia）は単一あるいは複数の日常物品の使用障害である．使用すべき物品の認知も運動遂行能力も保たれ，異常がないのに実際に使用すると誤ってしまう症候である．そのため，特に ADL 場面で多大な支障をきたす．たとえば，「歯磨きの動作の説明や模倣が可能でも，実際に歯ブラシを持たせると，歯磨きではなく，櫛で髪をとかすような行為をしてしまう」「食事では箸やスプーンを適切に使うことができず，手づかみで食べてしまう」などがみられる．

A：物品使用の指示と確認
検査者「ここに，お茶っ葉の入った茶筒，急須，湯飲み茶碗，ポットを用意しました．今からお茶を作って飲んで下さい」

B：急須の蓋を開け，円滑に茶筒の中のお茶っ葉を急須に入れるも，

C：すぐに急須の蓋をした．

D：急須ではなく，湯飲み茶碗にポットのお湯を注ぎ，

E：そのお湯を飲んだ．

▶図 4　観念(性)失行の複数物品の検査場面(左頭頂葉皮質下出血例)

※検査中，随時口頭で説明してもらいながら実施した．本例の誤反応は，誤順序を主とする観念(性)失行と考えられる(各物品の操作自体に異常は認めなかった)

b 発現機序

責任病巣は左半球下頭頂小葉の角回とされる．急性期にはみられやすいが，比較的早期に改善・消失する．

c 検査手順

対象者の ADL の観察や他職種からの情報をもとに，物品の使用状況を確認するとよい．具体的な検査手順は日常物品を使用し，単数および複数の物品で実施する(▶図 4)．用途のジェスチャーや模倣動作も実施する．基本的には左右の各手で実施する．標準的な失行検査バッテリーとして，標準高次動作性検査[8]，WAB 失語症検査[9]の行為の下位検査などがある．

(1)**ジェスチャー**：物品なしで動作を言語命令する．「櫛で髪をとかす真似をしてください」「スプーンで食べる真似をしてください」など．

(2)**模倣**：物品なしで検者の視覚性模倣をする〔(1)で誤・無反応の場合のみ実施〕．

(3)**物品使用**：実際に物品を使用する．動作を言語指示する．
「この櫛で髪をとかしてください」「この歯ブラシで歯を磨いてください」など．

1 回目の指示で誤・無反応の場合，5 秒後に 2 回目を指示する．それでも誤・無反応の場合，10 秒間で打ち切る[8]．

d 検査上の留意点

どの物品に対し，どのような状況で障害を認めるか，ADL に及ぼす影響を把握する．失行症の動作分析に関する誤りの分類として De Renzi ら[10]のカテゴリー分類(① 当惑, ② 拙劣, ③ 省略, ④ 誤配置, ⑤ 誤用, ⑥ 誤順序)がある. 複数物品の操作では障害も出現しやすくなるが, この場合, 観念失行以外の種々の要因も影響するとされ見極めが困難となる.

3 構成失行(構成障害)

書字, 描画, 平面図形や立方体の構成が困難となる. 左右半球どちらの損傷でもみられるが, 障害のタイプが異なるため, 構成失行というよりも構成障害として論じられることが多い. 積み木を組み合わせて形をつくることや Kohs 立方体組み合わせテストなどにも困難を示す.

4 着衣失行

着慣れた服であっても, 服の左右, 前後, 裏表を逆にするなど, 正しく着ることができない現象である. 右半球頭頂葉の障害でおこることが多い. 構成障害, 観念運動(性)失行, 観念(性)失行や半側空間無視, 身体失認などの影響によるものは含めない. 自分からは見えなくなる部位のイメージ操作の障害やメンタルローテーションの障害が要因ともされるが決定的なものはない.

C 検査に必要な基礎知識

対象者自らが観念運動(性)失行や観念(性)失行を訴えることはほとんどない. そのため, 検査しないと気づかれにくい症候である. また, 失語を併発することが多いため, 対象者が検査の意図を十分に理解できずに混乱してしまい, その結果, 失行の症状を重く評価してしまう危険性がある. 聴理解障害が顕著な場合は, 言語指示は行わず, 模倣指示と物品使用の検査を中心にする.

多くの症例は, 右片麻痺を伴うため, 非利き手による拙劣さを失行と判断しないように注意する. 観念運動(性)失行は四肢だけでなく, 口腔や顔面の運動時に出現することがある. その場合「口腔・顔面失行」と呼ばれることがある.

Ⅵ 失語

A 検査の概要と目的

概要

失語(aphasia)は, 一度獲得された言語の能力が, 脳損傷により低下した状態と定義され, 左半球損傷で高頻度にみられる. 言語的側面としてのモダリティ「聴く」「話す」「読む」「書く」が障害される.

目的

失語検査を行う目的は, どのモダリティが障害され, どのモダリティが保たれているのかを知ることであり, 失語症を有する対象者と適切なコミュニケーションをとるためにも必要な知識である.

B 検査の実際

失語の多くは言語聴覚士が評価を行う. 特に**標準失語症検査**(standard language test of aphasia ; SLTA)[11]や **WAB 失語症検査**(western aphasia battery)[9]が活用される. 失語は従来から,

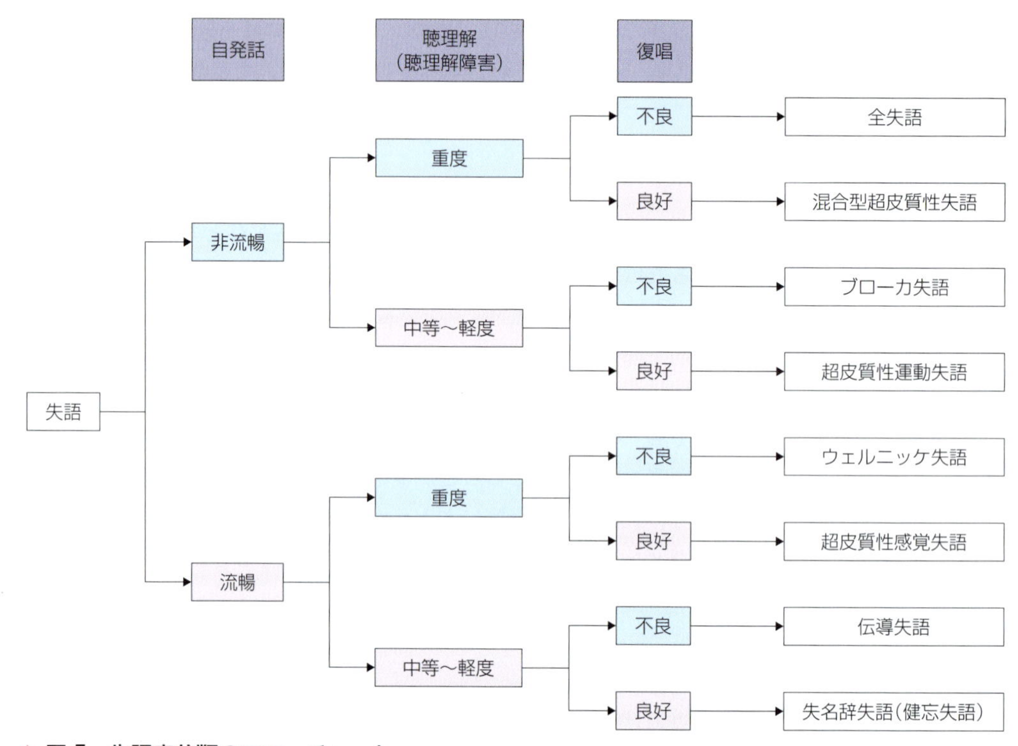

▶図5　失語症分類のフローチャート
(小野内健司：ベッドサイドの神経心理学入門．認知神経科学 20：149-156，2018 より一部改変)

Broca(ブローカ)失語，**伝導失語**，**Wernicke(ウェルニッケ)失語**などの，いわゆる古典的失語症分類がなされている．この分類には，WAB 失語症検査とフローチャート(▶**図5**)を参考にするとよい[16]．スクリーニングには，①「自発話」は流暢か非流暢か，次に②「聴理解の障害」は重度か中等度以下なのか，③「復唱」は良好か不良かをみる．WAB 失語症検査は全項目の実施には長時間を要するため，課題を抜粋して，「自発話」「話し言葉の理解」「復唱」「呼称」の各項目を確認するとよい[16]．

❶ 自発話の評価

まず，失語の中でも重要な「発話の障害」を評価する．対象者には，自由になるべく長く話してもらう．挨拶や自己紹介を兼ねながら「今日の体調はいかがですか？」「不自由なところを詳しく教えてください」などと質問していく．その際，話す速度，韻律，発音，句の長さ，努力，途切れ，言語衝迫，保続，語の選択，錯語の状態を確認するとよい．流暢か非流暢かの見極めは，対象者がスムーズに話せているときに評価する．流暢性の失語でも，喚語障害[※1]や錯語[※2]を自己修正している場面では非流暢に見えるので注意する．

※1　**喚語障害**：単語の想起障害で「言葉が出てこない」症状である．
※2　**錯語**：単語の「言い間違い」である．たとえば「とけい」と言おうとして「おけい」と言ってしまうような音韻の置換の錯語の場合は，音韻性錯語(字性錯語)といい，「時計」のことを言おうとして「眼鏡」と言ってしまうような単語の置換がおこる錯語の場合は，意味性錯語(語性錯誤)という．

2 話し言葉の理解（聴理解）の評価

聞いた言葉の内容をどの程度理解しているかを評価する．「体調は良いですか？」「ご飯は食べましたか？」などの質問に対して，対象者がうなずいただけで意味を理解していると判断するのは早計である．対象者は実は理解しないままわかったふりをしている場合も多いからである．時折，「あなたはドレスを着ていますか？」「あなたは俳優ですか？」など，明らかに否定できる質問も混ぜながら確認するとよい．

次に，「手を上げてください」「左手で右の耳を触ってください」などの口頭指示に対して正しく動作が行えるかを確認する．聴理解が悪い症例は，視覚情報を手がかりに状況を探ろうとする．そのため検者はわざと自身の手を上げながら，あるいは対象者の手を凝視しながら，「口を開けてください」と指示してみるとよい．対象者が口を開けずに，手を上げた場合，正しく言葉を理解できていないと判断する．

重度の聴理解障害で口頭指示や質問にまったく従えない場合は，対象者の名前と，異なる名前の両方で呼び比べてみて，反応の違いをみることで，わずかな聴理解の残存を判断することが可能となる．

3 復唱の評価

検者の言う言葉をオウム返しするように指示する．単語，単文，複雑な文へと徐々に難易度を上げていく．例を示す．

- 単語の例：「いぬ」「まくら」「ゆきだるま」
- 単文の例：「今日はよい天気です」「兄はまだ戻りません」
- 複雑な文の例：「雨が降り続いているので，今日も散歩に行けません」

聴理解障害が重度な対象者では，復唱の意味を理解できずに困惑することがある．その場合，検者が周囲にいる人（家族やスタッフ）に対して，復唱の課題を行って見せると，理解を示し，課題を実施できることがある．

4 物品呼称の評価

複数の物品を提示して名称を答えてもらう．高頻度語から低頻度語へと徐々に提示する物品を変えて課題の難度を上げていく．検者が身につけていたり，普段使用している物品など，提示しやすい例を紹介する．

- 高頻度語（難度低）：眼鏡，時計，机，椅子，はさみ，テレビ，鍵，コップ，ネクタイ，携帯電話など
- 低頻度語：ティッシュペーパー，カレンダー，ホチキス，点滴，聴診器，印鑑，朱肉など

C 検査に必要な基礎知識

麻痺性の「構音障害」は「非流暢性失語」と発話の印象が類似するため，間違われやすく見極めが重要である．失語には，構音障害にはない喚語障害と錯語を伴うことが1つの根拠となる．また，失語のタイプによっては話し言葉の理解や書字が障害されるため，構音障害と区別できる．

失語と認知症は，質問に正しく答えられない点で類似しており，両者は間違われやすい．しか

し，失語は見当識や非言語性の知能は障害されないため，行動の異常は伴わない点で認知症と区別される．

Ⅶ その他の高次脳機能障害

左右半球いずれの損傷でも生じる高次脳機能障害も多く存在する．ここでは理学療法で関連する代表的な症候の例をあげる．

A プッシャー症候群

プッシャー症候群(pusher syndrome)は，プッシャー現象，contraversive pushing などとも呼ばれ，脳卒中後にみられる姿勢調節障害の1つである．座位や立位姿勢の際に，自らの非麻痺側(健側)の上下肢を使って床や座面を押して麻痺側に傾斜し，重篤な場合は転倒してしまう．他者が姿勢傾斜を修正しようとすると，さらに抵抗して上下肢を使って，押し返すという特徴がある．本現象は，発症早期にはよくみられ，重篤な場合は，ADL の自立度に多大な影響を及ぼす．一方で運動療法の継続により比較的予後が良好であることも知られている．

発症頻度は左右半球損傷に差はないとする報告もあるが，右半球損傷のほうが無視症候群を伴うことなどから，回復は遅く，長く残存するケースは多い．

評価には，scale for contraversive pushing(SCP)が広く用いられている(▶**表6**)．

B 病的把握現象

病的把握現象は「手に触れた，あるいは見たものに対し，つかみたくなり，手が勝手につかんでしまう」といった，“できない行為障害”ではなく，“してしまう行為障害”である．そのため，諸動作や物品操作などの検査場面では，比較的容易に円滑に行えることが多く，医療従事者も気づかず見過ごしてしまうことが多い．しかし，動作遂行中，本人の意に反する必要以上の把握行動によって，動作が急に中断されたり，阻害されたりするため，危険な場面もしばしばあり注意を要する[14]．本現象は，把握反射と本能性把握反応の2つに分類される．把握反射は手掌の触覚刺激に対して把握が誘発される常同的な反射で，本能性把握反応は，非常同的で刺激に合わせて手を適切な位置に変えて握る反応を示す．責任病巣は，前頭葉内側面(補足運動野・前補足運動野)で，損傷側と対側の上肢に出現する．

C Gerstmann(ゲルストマン)症候群

Gerstmann 症候群は左頭頂葉の損傷による，手指失認，左右識別障害(左右失認)，失書，失算の4症候を呈した症候をいう．これら4症候に軽度の失語を合併する報告例は多い．

▶表6 scale for contraversive pushing(SCP)

A 姿勢(自然に姿勢を保持した際の左右対称性について)		座位	立位
スコア	1.00＝転倒を伴う麻痺側への重度な傾斜 0.75＝転倒に至らないが，重度な麻痺側への傾斜 0.25＝軽く麻痺側に傾いているが転倒しない 0 ＝傾いていない．正中(あるいは非麻痺側)にある		
		計	/2
B 伸展(非麻痺側上肢/下肢の接地面のへの伸展・押す反応)			
スコア	1.00＝静止しているときからすでに伸展がみられる 0.50＝姿勢を変えたときだけにみられる 0 ＝上肢・下肢による伸展はみられない		
		計	/2
C 抵抗(姿勢を他動的に正中位に修正したときの抵抗)			
スコア	1.00＝抵抗がみられる 0 ＝抵抗はみられない		
		計	/2
		全項目合計	/6

SCPはプッシャー現象の特徴を基本とし，① 麻痺側への姿勢傾斜，② 非麻痺側上肢/下肢で押す反応，③ 姿勢を修正する他者の介助への抵抗といった3つの下位項目より構成されている〔Karnath, H. O., et al.: The origin of contraversive pushing: evidence for a second graviceptive system in humans. Neurology 55: 1298-1304, 2000 より〕.
カットオフ基準は，各下位項目のスコア>0の場合，プッシャー現象ありとするのが妥当とされる〔Baccini, M., et al.: Scale for contraversive pushing: cutoff scores for diagnosing "pusher behavior" and construct validity. Phys Ther 88: 947-955, 2008 より〕.

(1) **手指失認**：検者は対象者と対座し，呼称と指示の異なるパターンの質問をする．①②のいずれかが誤れば，手指失認ありと判断する．一般に母指・小指は正解しやすく，中指・環指が誤答しやすい．
 ① 対象者(検者)の指の呼称：検者は対象者(検者自身)の指を1本ずつ指さして「これは何指ですか？」とたずねる．
 ② 対象者(検者)の指の指示：検者は対象者(検者自身)の手に対して，「あなたの(私の)中指はどれですか？」とたずねて，指さしで答えてもらう．

(2) **左右識別障害**：検者は対象者と対座し，難度を分けて調べる．①から④の順に難しくなる．1つでも誤れば左右識別障害ありと判断する．
 ① 対象者の自己身体の左右識別：「あなたの右手(左手)はどちらですか？」
 ② 対象者の自己身体の左右識別(二重命令)：「左手で右膝を触ってください」「右手で左の耳たぶをつまんでください」
 ③ 対面の他者身体の左右識別：「私の右手(左手)はどちらですか？」
 ④ 対面の他者身体を交差して左右識別：「(検者は両上肢を対象者の前で交差させた状態で)私の右手(左手)はどちらですか？」

(3) **失算**：計算は暗算ではなく筆算で(紙に式を書いて見せて)行うこと．暗算は，注意機能やワーキングメモリ，聴理解なども必要となり，筆算よりも難度が上がるためで，純粋に計算能力を評価したことにはならない．また，数字の読みや書字，記号の理解に障害がないかも確認すること．重度の失算例は，1桁どうしの繰り上がりのない足し算(1+2)でも困難となる．

(4) **失書**：書字行為に必要な運動・感覚能力が保たれているにもかかわらず，それまで書けていた文字，単語，文章が書けなくなった状態をいう．検査は，1文字，単語，文章レベルの書字を調べる．仮名と漢字は分けて調べること．特に漢字は，対象者の教育歴や職業などにも影響されるので，小学校低学年レベルのものを採用する．対象者に関連性のある文字(自身の名前や住所など)は比較的容易に書けることがあるため，検査課題には適さない．

D 検査に必要な基礎知識

これらの神経症候は，単独でも生活場面や理学療法場面で多大な問題をきたすことがある．特徴的な症候をあげたが，見落としや見間違いも多いため注意を要する．

理学療法場面では，「左・右」を用いた言語指示が多くなりがちである．Gerstmann 症候群のような左右識別障害を伴う症例では，「左・右」を多用すると混乱を招き，動作や検査の遂行が困難になる．そのため「良い方の膝を伸ばしてください」「悪い方の手を開いてください」といった，「左・右」を使わない指示の与え方を工夫するとよい．

●引用文献

1) 先崎章：全般性注意障害．武田克彦，他(編)：高次脳機能障害のリハビリテーション ver. 3. pp10-16，医歯薬出版，2018.
2) 高次脳機能障害学会：標準注意検査法・標準意欲評価法．新興医学出版社，2006.
3) 日本脳卒中学会 stroke scale 委員会：脳卒中感情障害(うつ・情動障害)スケール．脳卒中 25：206-214，2003.
4) 加治芳明，他：亜急性期 Post-stroke Depression (PSD) の実態の検討—特にその適正な評価法について．脳卒中 26：441-448，2004.
5) Shimoda, K., et al.: The relationship between poststroke depression and lesion location in long-term follow-up. Biol Psychiatry 45: 187-192, 1999.
6) 石合純夫：半側空間無視と右半球症状の検査．神経心理学 30：125-134，2014.
7) 石合純夫：高次脳機能障害学 第 3 版．pp186-188，医歯薬出版，2022.
8) 日本失語症学会(編)：標準高次動作性検査．医学書院，1985.
9) WAB 失語症検査(日本語版)作製委員会(編)：WAB 失語症検査 日本語版．医学書院，1986.
10) De Renzi, E., et al.: Imitating gestures. A quantitative approach to ideomotor apraxia. Arch Neurol 37: 6-10, 1980.
11) 日本高次脳機能障害学会(編)：標準失語症検査マニュアル 改訂第 2 版，新興医学出版社，2003.
12) 大槻美佳：言語の神経心理学．神経心理学 32：104-119，2016.
13) 高杉潤，他：運動無視の下肢の機能—右被殻出血の 1 例．神経心理学 24：70-75，2008.
14) 高杉潤：病的把握現象．沼田憲治(編)：脳機能基礎知識と神経症候ケーススタディ．pp100-108，メジカルビュー社，2017.
15) 大島浩子，他：半側空間無視(Neglect)を有する脳卒中患者の生活障害評価尺度—the Catherine Bergego Scale (CBS) 日本語版の作成とその検討．日本看護科学雑誌 25：90-95，2005.
16) 小野内健司：ベッドサイドの神経心理学入門．認知神経科学 20：149-156，2018.

復習問題

無視症候群

□ 1 「右の方ばかりを見る」，「移動する時に左側の人や物にぶつかりやすい」という高次脳機能障害は，[①]である．〔54PM020，48AM009，48PM013，47PM008〕

□ 2 行動性無視検査(BIT)は，[②]と[③]から構成される．

□ 3 [④]では，200 mm の線分の真ん中に点をつける課題を行う．左半側空間無視の患者の場合は，中心から大きく[⑤]に偏倚する．中央から[⑥]以上の偏倚を陽性とする．

失行

□ 4 ジェスチャーの模倣ができない高次脳機能障害は，[⑦]である．〔54AM015，54PM020〕

□ 5 衣服と身体部位との対応がわからず，着衣ができない高次脳機能障害は，[⑧]である．〔56PM019〕

失語

□ 6 Wernicke（ウェルニッケ）失語では，[⑨]が障害される．〔56AM036〕

□ 7 Broca（ブローカ）失語では，[⑩]が障害される．〔56AM036〕

□ 8 56 歳の男性．右利き．脳卒中による右片麻痺．発語は流暢だが，内容は意味不明であった．また，「今日の天気は晴れです」という文章の繰り返しを指示すると，反復することができなかった．この症状から考えられる失語は，[⑪]である．〔41AM040〕

Gerstman 症候群・遂行機能障害

□ 9 [⑫]は，手に触れた，あるいは見たものに対して，つかみたくなり，手が勝手につかんでしまう行為を抑制できない障害である．

□ 10 Gerstman 症候群は[⑬]，[⑭]，[⑮]，[⑯]の四徴を呈するもので，責任病巣は左頭頂葉である．〔54AM015〕

---

①左半側空間無視 ②通常検査 ③行動検査 ④線分二等分試験 ⑤右 ⑥10 mm ⑦観念運動(性)失行 ⑧着衣失行 ⑨聴理解 ⑩自発話 ⑪Wernicke 失語 ⑫病的把握現象 ⑬～⑯手指失認，左右識別障害(左右失認)，失書，失算

呼吸

- 呼吸機能障害とその評価の目的，内容が理解する．
- 医療面接と身体所見の評価が理解する．
- 対象者の訴えと身体所見，検査所見の関連性を評価する意義を理解する．

A 呼吸機能検査の概要と目的

呼吸機能障害とは，呼吸器系になんらかの障害をきたした状態であり，**表1**のように分類できる．脳卒中片麻痺などの運動機能障害と異なり，生命を維持する機能，および運動を持続する機能の障害であるといえる．理学療法評価には呼吸機能障害に特異的なものも少なくないが，評価の進め方は同様である．個々の対象者における病態とその特徴，および重症度を正しく理解し，把握するとともに，対象者の障害が何を意味し，身体活動や生活にどのような影響を及ぼしているのか，その障害像を常に念頭において評価する．

以下に，前述した2つの側面から呼吸(機能)のみかたについて述べる．

目的

理学療法における呼吸機能評価の目的は，2つに大別できる．1つめは血圧，脈拍，体温とともに生命徴候(バイタルサイン)を評価することであり，2つめは呼吸機能障害の理解と解釈，つまり対象者の呼吸機能障害の特徴と程度(重症度)，さらには運動機能やADLへの影響を把握することである．

▶表1　呼吸機能障害の分類

項目	分類1	分類2	要因	評価
換気障害	拘束性	駆動系 肺実質	呼吸筋力低下 胸郭運動性低下 肺拡張性低下・肺胞虚脱	呼吸筋力 肺機能検査 胸部画像
	閉塞性	気道系	気道閉塞 気道分泌物貯留	
ガス交換障害	低酸素血症 高二酸化炭素血症	安静時 労作時	換気血流不均等 シャント 拡散障害 肺胞低換気	動脈血ガス パルスオキシメトリー カプノメトリー
呼吸困難*			換気に対する要求の増加 換気刺激への応答能力の減少	修正 Borg スケール MRC 息切れスケール

* 呼吸困難は呼吸器症状と位置づけられるが，ADL や運動を制限する要因でもあり，ここでは呼吸機能障害に含めている．

注意：通常，「呼吸機能検査(または肺機能検査)」とは，専用の測定機器(スパイロメータ)を用いて，肺気量分画，努力性肺活量などに代表される換気能力の評価を行う検査の総称を意味する．しかし以下では，この意味に加えて，「呼吸機能とその障害を評価する理学療法の検査・測定方法」を意味する用語として使用している．

B 呼吸機能検査の実際

1 医療面接

a 対象者の背景を知るための問診

病歴として，現病歴，既往歴，家族歴，個人歴を聴取する．

喫煙歴(喫煙指数＝1 日の本数×喫煙年数)は，喫煙関連疾患との関連性，胸部および上腹部手術における術後呼吸器合併症の危険因子として重要である．

b 対象者の症候を知るための問診

呼吸困難，咳嗽(がいそう)，喀痰の呼吸器系三大症候を中心に，対象者が訴える症状をより深く知るとともに，対象者と家族のニーズ，希望の把握，以降の評価のオリエンテーション(道筋を立てる)とすることが目的である．問診上の対象者の自覚症状は，常に病態生理学的に解釈を試みることが大切であり，会話の内容や話し方から，活気，精神心理状態，性格，緊張状態なども察する．

1）呼吸困難

呼吸困難とは，対象者が自覚する換気運動に伴う不快感もしくは努力感の総称であり，いくつかの感覚が混じり合った「複合感覚」という特徴がある．したがって，単に「呼吸困難＝息苦しさ」ではなく，「胸が締めつけられる(広がらない)感じ，息が吸い足りない感じ」など，個人や状況によって異なる感覚があることに注意する．「息苦しいですか？」とたずねても，対象者によっては「苦しくない」と答える場合もあり，聴取の内容を変えるなどの工夫を要する．

理学療法の対象者は，労作時の呼吸困難を訴えることが多い．その要因や特徴(いつから自覚したか，どのようなときに・どのくらい・どのように生じるか，随伴症状の有無，持続および回復時間など)および活動への影響(日常生活で困ること，制限の有無，QOL など)などに分類して，具体的かつ慎重に聴取し，その情報を整理する．後述する ADL の状況と関連して評価することで，より対象者の生活に即した呼吸困難の理解や把握が可能になる．慢性呼吸障害は修正 medical research council(MRC)息切れスケールで評価することが可能であり，重症度の把握や予後予測にも有用である(➡380 頁)．

また，運動耐容能検査や ADL 評価を行う際にどの程度の呼吸困難を伴うのか，修正 Borg(ボルグ)スケールを用いて，定量的に評価する．

2）咳嗽

咳嗽とは，気道に侵入した異物を喀出する防御反射であり，常に異常症状を意味する．喀痰の有無によって湿性と乾性に分類される．いつ，どのようなきっかけで咳嗽を生じるか，発作性の有無，喀痰を伴うか，ADL を制限するかなどを聴取する．また，咳嗽の多い時間帯，咳嗽に伴う疲労の有無についてもたずねる．特に，痰の多い気管支拡張症は女性に多く，こうした女性にとって咳嗽は，「他人に迷惑をかける」という認識が強く，外出制限の要因となりうる場合もある．

▶表2　身体診察の基本原則

1	目的，概要について説明し，対象者をリラックスさせる
2	全体(全身)の観察から各部分(局所)を評価する
3	まず着衣のままで，必要に応じて脱衣して評価する
4	やさしく声をかけながら行う(説明なく触れることを避ける)
5	検者の手，聴診器など対象者の身体に触れるものは，十分に温めておく
6	同じ位置からだけでなく，対象者の全周囲から観察する
7	丁寧ではあるが，できるだけ短時間に速やかに終える

3）喀痰

喀痰とは，過剰に産生された気道分泌物が気道内に貯留し，咳嗽によって喀出されたものである．正常では，粘液線毛輸送機能によって咽頭まで到達した気道分泌物は，喀出されず無意識のうちに嚥下されている．喀痰の有無，性状，量，色調，1日のうちでどの時間帯に多いのか，喀出困難や疲労を伴うかなど，できるだけ具体的に聴取することが重要である．喀痰の性状は肉眼的に粘液性，膿性，漿液性，血性に大別できる．臨床的には膿性と粘液性が大部分を占める．

1日あたり30 mL以上の喀痰量，湿性咳嗽を伴う喀出困難がある場合には気道クリアランス法(排痰法)の適応となる．

4）その他の症状

疲労，食欲，排尿，便通，睡眠，体重の変化などの具体的な身体症状の把握は，呼吸機能障害を理解するうえでも重要である．看護記録や他職種からの情報も参考にする．慢性呼吸障害患者は低栄養状態にあることが多く，理学療法，特に運動療法実施上の重要な制限因子となる．栄養状態の評価では，食欲，体重〔body mass index(BMI)も併せて〕とその変化，および食事摂取量やカロリーの把握は必須である．状況に応じて，各種栄養スクリーニングなども行い，栄養状態を評価する．

2 身体所見

呼吸器に関連した身体所見とは，対象者を見る(視診)，触れる(触診)，叩く(打診)，聴く(聴診)という検者の五感を駆使した方法によって呼吸状態を評価するものである．身体所見を得る方法を**身体診察**(physical examination)という(▶表2)．

全体像の理解や評価全体のオリエンテーションとなるだけでなく，検査所見の解釈，治療手段の選択，効果判定などにもそのまま結びつく．呼吸機能評価における身体所見からは，主に換気機能に関する有用な情報が得られ，換気障害を主たる治療対象とする理学療法では理にかなった評価方法である．一方で，身体所見ではガス交換の把握については限界があり，これに関してはパルスオキシメータによる酸素飽和度(SpO_2)の連続モニタリングで代用する．

a 視診

視診とは，対象者を観察することであり，全身と胸部および腹部に大別して行う．

全身(全体像)は，可能であれば医療面接を行いながら同時に観察していく．特に表情(意識状態，呼びかけや問いかけに対する反応，目の輝きなど)の観察は重要で，眉間のしわはなんらかの苦痛を反映していることを認識する．頸部は努力呼吸の徴候がよく現れる．**呼吸補助筋**である胸鎖乳突筋や斜角筋群，僧帽筋上部線維の活動性亢進や肥大，吸気に伴う鎖骨上窩や胸骨上切痕

▶表3 呼吸パターンの特徴

時間要素	運動要素
・呼吸数 基準値：12〜16 回/分 ・規則性 一定の間隔で吸気・呼気が開始 ・呼吸サイクル 吸気時間は呼気時間の約 1/2 吸気終了時にポーズ，呼気終了時に休止がある	・胸壁運動と腹壁運動 換気に伴い胸部と腹部が動く ・運動方向と大きさ 胸部は前上方に挙上し，腹部は前方に拡張する 胸部よりも腹部の動きが大きい(横隔膜呼吸) ・協調性 胸部と腹部が同調して動く 腹部の運動が優位(横隔膜呼吸) ・姿勢による変化 臥位では腹式呼吸，座位・立位ではやや胸式呼吸優位 ・安静呼吸では，呼吸運動による音は聞こえない ・努力や痛みも伴わない

の陥凹は代表的な所見である．四肢末梢では爪床の色調(チアノーゼ)，筋萎縮，浮腫，ばち指の有無をチェックする．

胸部および腹部の視診では，胸郭の左右差と呼吸運動に伴う胸・腹部の動きを観察し，対象者の呼吸の特徴，すなわち**呼吸パターン**を把握する．呼吸パターンは時間要素と運動要素の2つの視点で評価する(▶表3)．

1) 観察項目とチェックポイント

呼吸パターンは正面(胸郭運動の左右差)，側方(胸部および腹部の協調性)，後方(座位の場合)から観察し，吸気運動の初動部位(上部胸郭，下部胸郭，腹部，頸部の筋)，各部位の動きの方向性，優位呼吸パターン(➡177 頁)，胸郭の拡張性について観察する．

(1)**胸部の所見**

- 胸郭の変形：両側性か一側性か，胸壁の部分的突出および陥凹の有無と併せて評価する(漏斗胸，鳩胸，樽状胸，側弯，後弯など)．
- 皮膚の状態：正常では，皮膚は適度に湿潤し，皮下脂肪が適量である．
- 筋，栄養状態：正常では，筋量が十分であり，筋に異常筋緊張や萎縮は認めない．
- 過去の手術創

(2)**呼吸パターン**

- 胸郭の動きの左右差
- 胸壁の動きの時間的遅れ
- 呼吸補助筋使用の有無，頸部副呼吸筋(胸鎖乳突筋，斜角筋群など)収縮の有無

(3)**深呼吸**

- 特に深吸気時の円滑さ，胸郭の拡張の程度をみる．

2) 異常所見

(1)**皮膚・筋の状態**

- 肋間の陥凹，筋の萎縮，皮下脂肪の減少，皮膚の乾燥状態・光沢：低栄養状態を示唆

(2)**胸郭の左右非対称**

- 胸郭・脊柱の変形，局所的な胸壁隆起(巨大腫瘍，大量胸水など)または換気低下(疼痛，無気肺など)，胸郭のひきつれ(肺・胸膜の瘢痕，無気肺)，肋間腔の局所または全体的な開大もしくは陥凹(局所的な気道閉塞)

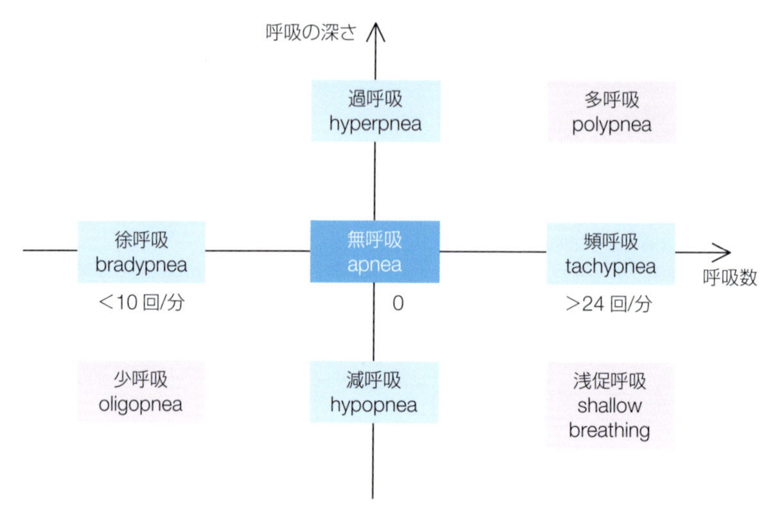

▶**図 1　呼吸リズムの異常**

(3) **異常呼吸パターン**

- 呼吸リズムの異常(▶**図 1**)
- 奇異呼吸(胸壁と腹壁運動の非協調)：吸気時に上部胸郭が陥凹し上腹部が隆起するタイプか，吸気時に上腹部が陥凹し上部胸郭が拡張するタイプか，呼吸補助筋の使用など

(4) **呼吸体位**

- 起座呼吸(心疾患)，前傾起座呼吸〔慢性閉塞性肺疾患(chronic obstructive pulmonary disease：COPD)〕，背臥位不能(心疾患，重症呼吸不全，大量の喀痰)など
- 呼吸不全患者は最も呼吸しやすい(楽な)体位を好む．

(5) **咳嗽と喀痰**

- 咳嗽：湿性または乾性咳嗽，咳嗽力と随意性低下，気道分泌物の除去不能，発作性の咳嗽
- 喀痰：性状，色調

b 触診

触診では，視診により目安をつけた(異常)所見，または不明瞭であった部分について，実際に検者の手で触れて確認する．特に呼吸運動に伴う胸郭の広がりの程度や左右差，呼吸補助筋の筋緊張を評価するとともに，全身(胸郭外)では四肢末端における皮膚の冷・温感，動脈拍動，浮腫も確認する．

1) 観察項目とチェックポイント

(1) 事前に十分に手を温めておき，**図 2** に従い，両手で胸郭運動の動きのタイミングや拡張の程度の左右対称性，吸気と呼気の比率を安静時と深呼吸時で評価する．その際，気道分泌物の貯留に伴う振動の胸壁への伝達(rattling)も確認する．正常では，スムーズに呼吸運動が繰り返され，拡張の程度や時間的なずれ(初動のタイミングのずれ)などの左右差を認めない．また，rattling も触知しない．

(2) 胸部および腹部運動の協調性：一側手掌を胸骨上に，他方を腹部に置き，それぞれの動きの大きさを評価する(▶**図 2C**)．全体を 10 とした場合，腹部が胸部の動きを上回る場合(例：腹

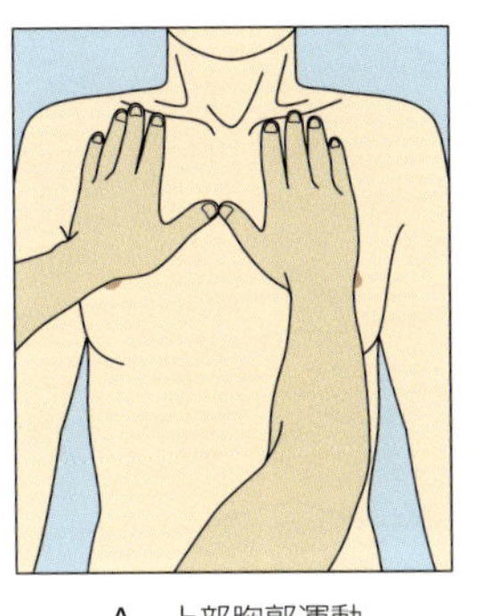

A 上部胸郭運動

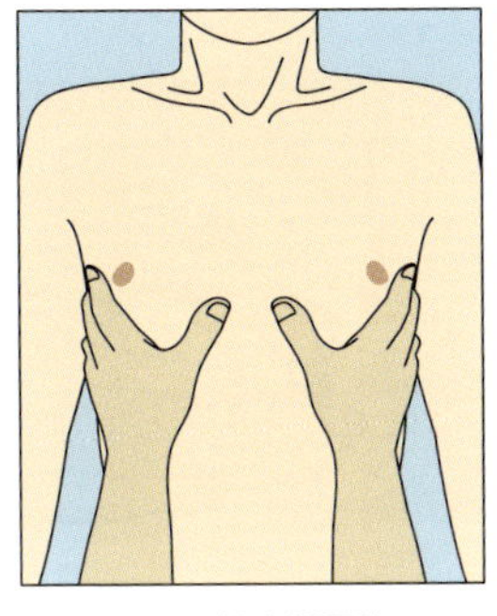

B 下部胸郭運動

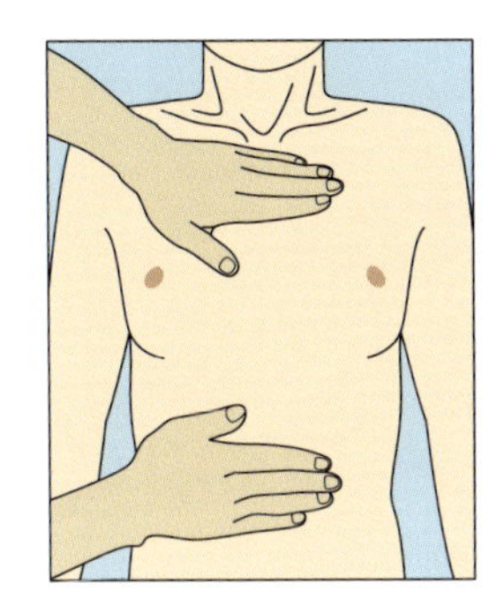

C 胸部と腹部運動の協調性

▶図2 触診による呼吸運動の評価

部運動8，胸部運動2といった検者の主観的割合）は**腹式呼吸パターン**，その逆は**胸式呼吸パターン**と判断する．これらを優位呼吸パターンという．

(3)胸部，腹部，頸部，背部の呼吸補助筋を，その走行にそって指先で軽く圧迫しながら皮膚の状態，筋の緊張状態を，圧痛の有無，呼吸運動に伴う収縮パターンを調べる．

(4)胸骨上切痕の直上で気管を触知し，正中位からの側方偏倚の有無，胸骨上切痕から甲状軟骨下端までの距離を測る．正常では，気管は正中に位置し，胸骨上切痕から甲状軟骨までの距離は3〜4横指である．

2）異常所見

(1)胸郭運動：胸郭の拡張不良，左右差（拡張の大きさ，吸気開始タイミングのずれ）

(2)気管の偏倚：気管短縮（2横指以下：重症COPDによる肺過膨張を示唆）

(3)その他：皮下気腫，rattlingの触知

C 打診

打診とは，胸部および背部を検者の指で軽く叩く方法であり，肺および胸郭の密度を調べる．水と空気の含量を頼りとし，その構造上の密度が異なるのを利用して臓器の境界や肺および病変部位の広がりを知ることが目的である（空気を多く含む臓器・領域は音が響き，少ないあるいは含まない臓器・領域は響かない）．

理学療法における打診の意義は，横隔膜の位置の推定，肺虚脱領域（下側肺障害や比較的広範囲の無気肺）の推測などに限られる．

1）観察項目とチェックポイント

(1)非利き手中指の遠位部を肋間にしっかりと密着・固定する（打診板という）．

(2)**図3**のように打診板の上を，利き手中指近位指節間関節を直角に屈曲して，その指先ですばやく2〜3回叩く．利き手前腕を固定し，手関節のスナップを利かせて指が跳ねるように叩く．各肋間を左右対称に交互に打診する．

(3)打診音の高さ，調子（ピッチ）に加えて，指先に伝わる抵抗感などの感覚を頼りにその密度を推測する．

(4)打診音の評価と解釈

- **清音**：明瞭で，長く低い打診音．正常に空気を多く含んだ肺野で聴取される．

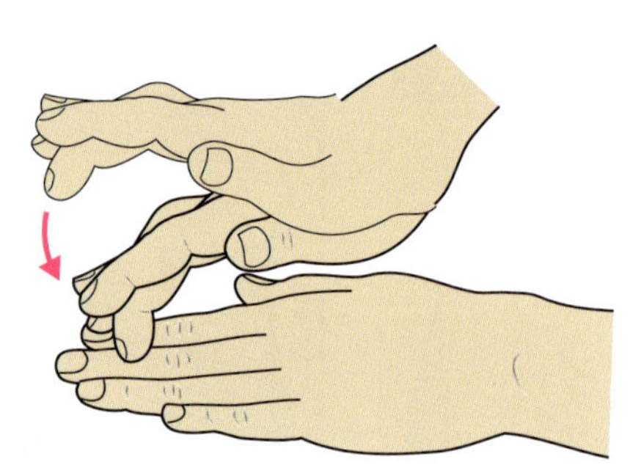

▶図 3　打診の方法

- **濁音**：短い低音で，鈍くこもった打診音．心臓や肝臓の上のほか，肺の含気量低下，体液貯留などで聴取される．
- **鼓音**：高音かつ明瞭で，比較的長く響いた打診音．左上腹部の空気が存在する胃の上のほか，気胸などで聴取される．
- **正常所見**：肺野は清音であり，肺と肝臓の境界は右胸骨中線上，第 6 肋間に存在する．

(5) 最大吸気および最大呼気時にそれぞれ息を止めてもらい，背側で打診音が変化する境界線を決める．2 つの境界線の距離は横隔膜の可動範囲となる．これは男性で 5～6 cm，女性で 3～4 cm である．

2）異常所見

肺野に相当する胸壁上で認める濁音あるいは鼓音は異常所見である．

(1) 濁音：無気肺や胸水，下側肺障害など肺内の含気低下

(2) 鼓音：重度の COPD（高度の気腫化），巨大ブラ，気胸

d 聴診

聴診とは，換気に伴って肺内で発生する音を聴診器を用いて聴取する方法である．気道の開存性を比較することで，**正常呼吸音**と，病的部位から発生する**異常呼吸音**（**副雑音**，**ラ音**ともいう）を評価することが目的である．

理学療法における聴診の意義は，上記の気道開存性の評価に加え，換気状態のスクリーニング，換気不良領域の同定，気道分泌物貯留の有無の確認にある．これらは毎回の理学療法実施の際の呼吸状態の評価，介入の効果判定指標にもなる．聴診の所見は，常に打診および胸部画像の所見と照らし合わせて解釈することが不可欠である．

1）観察項目とチェックポイント

(1) 聴診器を使用する前に，対象者の呼吸を耳で聞く．正常では静かである．

(2) 聴診器を適切に使用する．チェストピースの膜部分を使用し，しっかりと胸壁に密着させる．

(3) 頸部，前胸部，側胸部，背部の順に，左右を比較しながら頭側から尾側に向かってすべての肺野を聴診する．同一部位で 2～3 呼吸は聴診し，吸気呼気の区別，音の性質，左右差，副雑音の有無を確認する．

(4) 呼吸音の評価と解釈

- 呼吸音は正常呼吸音と，健常者では聴取できない副雑音に分類できる（▶**図 4**）．正常呼吸音（▶**表 4**）は気管呼吸音，気管支呼吸音，肺胞呼吸音に分類される．

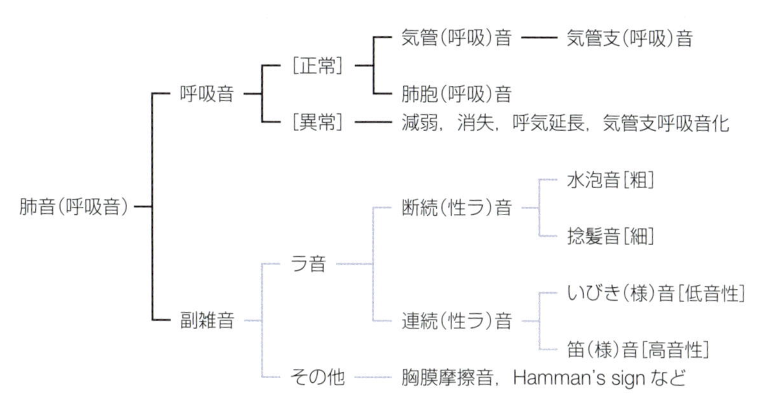

▶図4　肺音の分類

▶表4　正常呼吸音の特徴

種類	聴取部位	音調	呼吸位相	強度	時間的相違
気管呼吸音	頸部	高調 空洞様 管状		大きい (粗い)	吸気<呼気
気管支呼吸音	傍胸骨部 肩甲骨間	中音調		中等度	吸気＝呼気
肺胞呼吸音	肺野末梢	低調		小さい (柔らかい)	吸気>呼気

- **気管呼吸音**：頸部気管直上で聴取される呼吸音．聴取は必須である．
- **気管支呼吸音**：傍胸骨部および背部の肩甲骨間において聴取される呼吸音．
- **肺胞呼吸音**：通常の肺野で聴取される呼吸音．呼気時にはほとんど聴取されない．
- 副雑音は音響学的に断続性および連続性ラ音に分類する．これらは単なる音調のみによって評価すべきではなく，聴取部位，呼吸位相との関係などについても評価する．

2）異常所見

(1)正常呼吸音の異常化

- 気管支呼吸音の伝達：本来，肺胞呼吸音が聴取されるべき部位で，気管支呼吸音が聴取される状態．胸部画像上の consolidation(コンソリデーション，硬化)，広範な無気肺，下側肺障害，巨大空洞などで聴取され，伝達音や気管支呼吸音化と呼ばれることもある．
- 肺胞呼吸音の減弱および消失：気胸，巨大ブラ，大量胸水，重症 COPD(著明な気腫の存在)などで認められる．

(2)副雑音の聴取

- **断続性ラ音**：粗い断続性ラ音(水泡音)と細かい断続性ラ音(捻髪音)に分類する(▶図4)．前者は「ボコボコ」といった粗く，低調性の比較的大きな音で，後者は「プツプツ」といった細かく，高調性の小さな音である．呼気性と吸気性に大別され，前者は痰などの気道分泌物の存在を，後者は気道の開口音を反映している．
- **連続性ラ音**：**低音性連続性ラ音(いびき様音)**と**高音性連続性ラ音(笛様音)**に分類される(▶図4)．前者は，「グーグー」といった 200 Hz 以下の低調な連続音であり，発生部位は比較的中枢の気管支である．粘稠な気道分泌物貯留，腫瘍や異物などによる気管・気管支狭窄でも聴取される．高音性連続性ラ音は，「ヒューヒュー」といった400 Hz 以上の高調な連続音であり，発生部位は比較的末梢の気管支である．気管支喘息がその代表である．

3 臨床検査所見

血液検査や，胸部画像検査など診断や治療経過の把握のために担当医によって評価されるものがほとんどである．理学療法においては，慢性あるいは急性呼吸障害対象者の全身状態や合併症，病態の理解，経過の把握を行ううえで重要である．

a 動脈血ガス検査

動脈血ガス検査とは，動脈から採取した血液中の pH，PaO_2，動脈血二酸化炭素分圧($PaCO_2$)を電極を用いて測定したもので，ガス交換と酸塩基平衡の状態を知ることができる．その解釈のしかたにより総合的な呼吸状態の評価が可能であるが，基礎疾患の種類や重症度，バイタルサインの状態によってその意味するものは大きく異なるため，注意を要する．基準値を**表5**に示した．酸素化能は，非侵襲的に連続測定が可能なパルスオキシメータによる SpO_2 を用いた評価が可能である(▶**図5**)．

b 肺機能検査

肺機能検査は，呼吸障害の早期発見，呼吸障害の型・程度の評価，呼吸困難の原因や機序の解明，治療効果の判定，術前検査を目的として行われる．本検査は一般的に生理機能検査室などで厳密な条件下で行われるが，ベッドサイドや理学療法室で簡便に測定できるポータブル機器もあり，利用価値がある．理学療法では換気障害の型と程度の評価，効果判定などに用いられる．検査方法とその解釈のしかたを**表6**に示した．なかでも努力性肺活量検査によって得られるフローボリューム曲線は気道閉塞の重症度評価に有用な情報が得られる．また，1秒量は気道閉塞に依存し，COPD の病期(重症度)分類がなされる．慢性呼吸障害では運動能や ADL，呼吸困難と肺機能は必ずしも関連しない．しかし COPD では1秒量と自覚症，ADL は比較的よく相関する．

▶**表5　動脈血ガス検査の基準値**

項目	基準値
pH	7.35〜7.45
動脈血二酸化炭素分圧 ($PaCO_2$，Torr)	45 ± 5
動脈血酸素分圧 (PaO_2，Torr)	80〜100 または 100 − 0.3 × 年齢(座位) 100 − 0.4 × 年齢(臥位)
重炭酸イオン (HCO_3^-，mEq/L)	24 ± 2
過剰塩基 (BE, mEq/L)	0 ± 2
動脈血酸素飽和度 (SaO_2，%)	97 以上

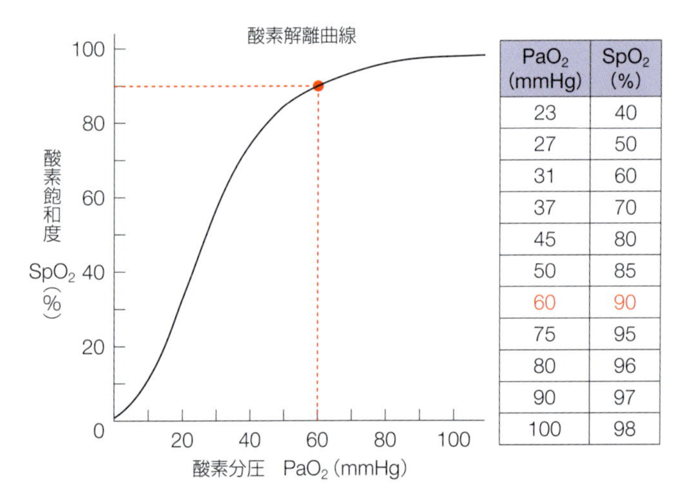

PaO_2 (mmHg)	SpO_2 (%)
23	40
27	50
31	60
37	70
45	80
50	85
60	90
75	95
80	96
90	97
100	98

▶**図5　酸素飽和度(SpO_2)と動脈血酸素分圧(PaO_2)との関係**

C 胸部画像所見

肺や気管支の状態は外から見えないため，外見から評価することは不可能である．しかし単純X線像やCT画像に代表される胸部画像によって，これらを視覚的に評価することが可能であり，理学療法実施においても有用な情報を得ることができる(➡244頁)．

理学療法における胸部画像の評価は，病変(陰影)の種類，部位，広がりを評価し，理解することで病態や治療経過が把握でき，理学療法手段である排痰法や体位管理などの治療を行うにあたっての手段選択に有用な情報源となる．また，各種ラインやチューブの位置の同定も可能であるため，リスク管理に役立てることが可能である．胸部画像所見は常に，聴診や打診所見などと照らし合わせた解釈に努める必要がある．

4 理学療法検査

呼吸機能障害ならびに，運動機能やADLへの影響と関連性を評価する．特に慢性呼吸障害では，医療面接や身体診察で得られた所見との関連性を意識する．

a 呼吸筋機能

口腔内圧計を用いて，最大吸気圧(PImax)，最大呼気圧(PEmax)を測定する．それぞれ吸気筋力，呼気筋力に相当する．おおむね健常者ではPImax 75～100 cmH_2O，PEmax 100～150 cmH_2O程度であり，性別と年齢に依存する．

b 運動機能

1）関節可動域

頸部，肩甲帯，肩関節，体幹など呼吸運動に関連する身体部位の関節可動域を評価する．慢性呼吸障害患者は，呼吸困難による活動量低下に伴って廃用性に全身の柔軟性や四肢筋力が低下していることが多い．スクリーニングを行うとともに，併存症としての運動器疾患の有無もチェックする．胸郭の可動性として胸郭拡張差はテープメジャーを用いて，腋窩，剣状突起，第10肋骨の高さで最大吸気時と最大呼気時の差を測定する．健常高齢者では，男性3～5 cm，女性2～3 cm程度である(動画35)．

2）四肢筋力

急性および慢性呼吸障害患者では，末梢骨格筋に廃用性筋力低下をきたしていることが多い．

▶表6　肺機能検査の種類と解釈

種類	
肺気量分画(残気量測定も含む)，フローボリューム，最大換気量，肺拡散能，クロージングボリュームなど	
測定結果の解釈	
肺気量分画	肺の解剖学的な容量の評価を行う．比肺活量(%VC)が80%より小さくなると，肺活量異常(拘束性換気障害)を疑う
フローボリューム	末梢の気道抵抗と肺の弾性状態を評価する．1秒量と1秒率，努力性肺活量，$\dot{V}_{25}$～$\dot{V}_{75}$，ピークフロー値が得られる．1秒率が70%を下回ると閉塞性の換気障害を疑う．1秒量はCOPDの重症度とよく関連する．フローボリューム曲線の形を判読することも重要 1秒率と比肺活量から呼吸障害の型，程度を評価する．1秒率が70%以下ならば閉塞性換気障害を，比肺活量が80%以下ならば，拘束性換気障害を疑う．両者の合併は混合性換気障害である

しかし，徒手筋力検査を行うと「段階 4」にあることが多く，臨床的に四肢筋の明らかな問題を検出することは困難である．握力や等尺性膝伸展筋力を四肢筋力の代表値として評価することが望ましく，標準値との比較や理学療法介入あるいは臨床経過における推移をみる．

3）運動耐容能

運動耐容能は全身持久運動能力であり，運動負荷テストによって，呼吸および循環系の反応をみることで評価する．低酸素血症，呼吸困難と併せて解釈する必要があり，運動強度を中心とした運動処方，運動中のリスクマネジメント（中止基準も含め），自宅での運動指導や ADL 指導にも利用する．運動負荷テストは心肺運動負荷テストと時間歩行テストに大別することができる．

c 身体活動量

身体活動とは，安静レベル以上のエネルギー消費に至る，骨格筋の活動によってもたらされるすべての身体的な動きを意味する．これを客観的に測定したものが身体活動量である．身体活動量は慢性呼吸器疾患，特に COPD の予後に関連する独立した予後関連因子でもあり，昨今，注目されている評価指標である．

その評価方法は，実際の観察，自己申告（活動日誌，質問票），測定機器による評価（歩数計，運動センサー，加速度計，代謝センサー）などがあるが，最も一般的なのは 1 日あたりの歩数を評価する方法である．

d ADL

慢性呼吸障害患者の ADL 障害は身体障害とその質が根本的に異なり，その制限は呼吸困難そのもの，および運動回避によって生じた廃用性の運動能力低下に起因する．運動の持続性，すなわち酸素搬送系の障害であるため，身体障害と同様の評価の視点では対象者の ADL を正確に把握することは不可能である．

ADL で呼吸困難を生じやすい動作は，その特徴によって大きく 4 つに分類できる（▶ **表 7**）．これらもふまえて，目的とする動作の遂行性と関連させて，呼吸困難の程度，影響といった活動の「質」を評価し，何が問題となっているのか，その原因は何かを考えることが重要である．評価方法としては，問診と観察による評価，「長崎大学 ADL 質問表（NRADL）」に代表される質問票を使用するものがある．

▶ **表 7　呼吸困難を生じる ADL 動作**

上肢挙上を含む動作 → 呼吸にかかわる胸郭の動きを制限する	息を止める動作	反復動作を含む動作 → 力を入れ続け，スピードがでる	体幹前屈を含む動作 → 横隔膜の動きを制限する
・頭を洗う ・上着の着脱 ・頭上の物を取る	・顔を洗う ・うがい ・重たい物を運ぶ ・しゃべる ・排便	・背中を洗う ・手洗い洗濯をする ・掃除機をかける（ほうきではく） ・ガラスを拭く ・モップがけをする	・靴下やズボンを履く ・床上の物を取る ・雑巾がけをする ・足を洗う

C 呼吸機能検査に必要な基礎知識

呼吸器系は換気と拡散による血液と外気とのガス交換(肺胞でのガス交換，すなわち外呼吸)をつかさどる器官系であり，気道領域，ガス交換領域および呼吸運動領域の3つに大別される．**気道領域**は空気の通り道で，解剖学的に鼻腔，咽頭，喉頭，気管，気管支によって構成される．**ガス交換領域**は肺胞が主体であり，肺循環の関与も重要である．**呼吸運動領域**は換気に関与し，呼吸中枢と呼吸筋群および胸郭によって構成される．

これらの構成要素が1つでも制限されると，呼吸機能は容易に障害される．呼吸障害に対する理学療法は気道領域，ガス交換領域，呼吸運動領域に直接的あるいは間接的に働きかけることが可能であるが，最も効果を発揮できる部分は呼吸運動領域，すなわち換気(障害)である．呼吸障害患者の評価と理学療法アプローチを行ううえでは，特に呼吸運動領域についての基礎知識が必須である．呼吸運動を理解するためには胸郭系の構造と運動を知る必要がある．また，呼吸運動の制限，すなわち換気障害が，いかにして対象者の活動を制限するかについての一般的な機序を理解することも重要である．

●参考文献 1) 高橋哲也，他(編)：内部障害理学療法学 第2版．医学書院，2020.
2) 日本呼吸ケア・リハビリテーション学会，他(編)：呼吸リハビリテーションマニュアル―運動療法 第2版．照林社，2012.

復習問題

- □ 1 呼吸数の基準値は[①]回/分である．吸気時間は呼気時間のおよそ[②]である．
- □ 2 健常者の肺野で聴取できるのは，[③]である．
- □ 3 痰などの気道分泌物が貯留している部位で聴取されるのは，[④]である．
- □ 4 気管支喘息で聴取されるのは，[⑤]である．

①12～16 ②1/2 ③肺胞呼吸音 ④粗い断続性ラ音(解説：痰の貯留部では，ボコボコといった粗く低調性の比較的大きな音が認められる) ⑤高音性連続性ラ音(解説：気管支喘息では，ヒューヒューといった400 Hz以上の高調な連続音が認められる)

12 循環

- 心不全に関する理学的検査を実施し，病態を把握する．
- 心肺運動負荷試験を実施し，結果を評価・解釈する．
- 理学療法評価における心エコー図検査の意義を理解する．

A 循環機能検査の概要と目的

循環機能検査にはさまざまなものがあり，理学的検査，心電図検査，心エコー図検査，足関節上腕血圧比，心肺運動負荷試験(cardiopulmonary exercise testing；CPX)などがある．最新の検査機器を使用する検査から理学的検査まであるが，それぞれの検査のみで循環機能のすべてを評価することは困難であり，それらの結果を統合して解釈する必要がある．

循環機能検査の目的は，心ポンプ機能や末梢循環機能，運動耐容能の評価を行い，運動処方，治療効果判定，リスク管理，予後の推定，治療方針の決定を行うことである．

B 循環機能検査の実際

1 心不全患者の理学的検査

a 心不全患者の理学的検査の目的

心ポンプ機能低下による心不全に関する理学的検査は，「うっ血所見」と「低灌流所見」の2つに分類することができる．これらの所見を的確に評価することにより，病態の改善・悪化を推察することが可能になる．検者には，検査技術の精度を高めるトレーニングと，それまでの病歴や経過，複数の所見やほかの検査データと比較検討するトレーニングが必要である．

b 理学的検査の実際

評価順序と代表的なうっ血所見・低灌流所見を**表1**にまとめた．

1）うっ血所見

(1)浮腫

局所性か全身性かを確認する．心機能障害によるものは全身性に出現するが，座位や立位保持時間が長いと下肢を中心に出現する．また，心機能障害では圧迫した際に圧痕が残る**圧痕性浮腫**(pitting edema)となる．蜂窩織炎や閉塞性血栓性静脈炎，外傷などは局所性に出現する．圧痕の深さで段階づけ(▶**図1**)や周径の計測を行う．

▶表1 心不全患者に対する評価順序(部位など)と主な所見

順序	部位など	うっ血所見	低灌流所見
1	問診・全体像	起座呼吸 / 発作性夜間呼吸困難，体重増加，全身の浮腫	疲労感，傾眠，反応の鈍麻，意識障害，チアノーゼ
2	バイタルサイン(動画 36)		低血圧(<SBP 90 mmHg)，脈圧低下(<30 mmHg)，脈圧比低下〔(SBP−DBP) / SBP<0.25〕
3	上肢，橈骨動脈	浮腫	交互脈，毛細血管再充満時間，冷感，チアノーゼ
4	頸部	頸静脈怒張，頸静脈拍動	
5	胸部	第3音，副雑音(水泡音，捻髪音，いびき音，喘鳴)	
6	腹部	肝腫大，腹部圧迫試験(肝頸静脈逆流)	
7	下肢	浮腫	冷感

SBP：収縮期血圧，DBP：拡張期血圧

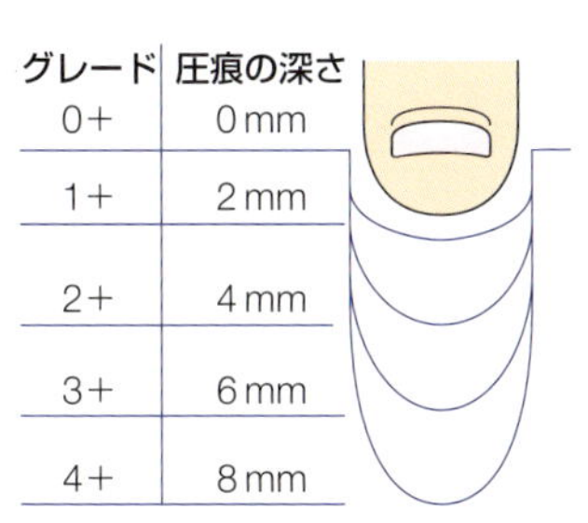

▶図1 浮腫のグレード

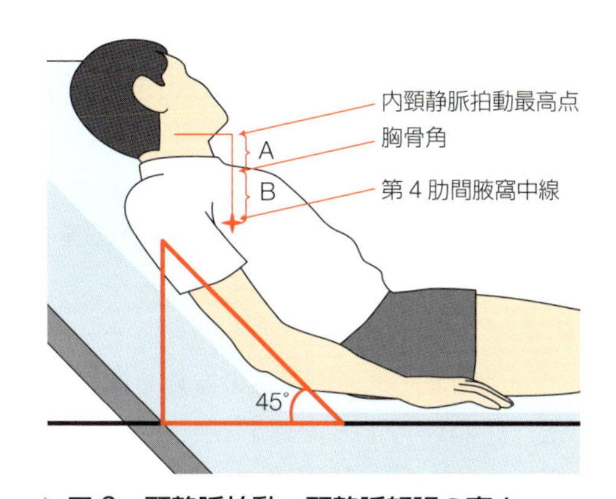

▶図2 頸静脈拍動・頸静脈怒張の高さ
Aの高さは，健常者では胸骨角から4.5 cmまで.
A+Bの高さは，中心静脈圧となり10 cm程度.

(2)**頸静脈拍動・頸静脈怒張(▶図2)**

視診で右側の内頸静脈の拍動，外頸静脈の怒張を評価する．ベッドを45°ギャッチアップし，頸部を左側に軽度回旋させ，内頸静脈の拍動最高点を確認する．この際，正面からでなく接線方向(側面)から観察する．拍動が視認しにくい場合は，接線方向にライトで光をあてて頸静脈の陰影をつくり，それを観察するか，背臥位で頸静脈拍動を確認してから徐々に45°までギャッチアップして評価する．

健常者では最高点は胸骨角上4.5 cmまで[1)]であるが，うっ血が増悪すると上昇し端座位でも視認され，逆に脱水となると背臥位でも確認できなくなる．

(3)**腹頸静脈試験・肝頸静脈逆流**

上記(2)の頸静脈拍動観察と同様の45°ギャッチアップの肢位で，指を広げ，腹部中央を全体的に圧迫する(▶図3)．静脈圧が上昇している場合，頸静脈拍動が1 cm以上上昇する．拍動が確認しにくい場合は，腹部の圧迫を急に解除すると拍動の高さが速やかに低下し，確認しやすくなる．

2）低灌流所見

(1)**交互脈**

橈骨動脈などの拍動を触知して1拍ごとに強弱を繰り返す場合は，低灌流があると評価する．ただし，心房細動などの不整脈がある場合は評価困難となるため，心電図との比較が有用である．

▶図 3　腹頸静脈試験・肝頸静脈逆流

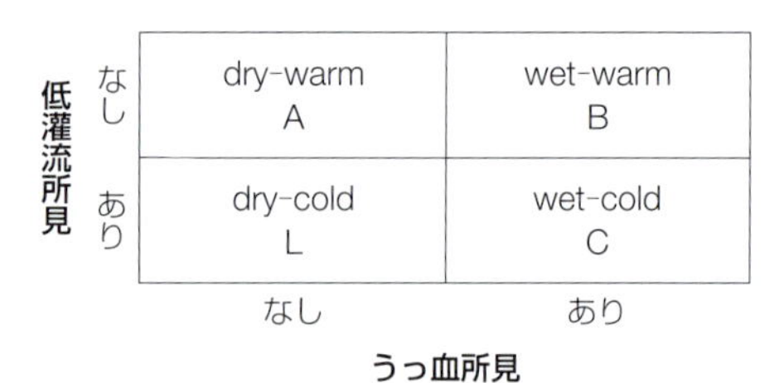

▶図 4　Nohria-Stevenson 分類

(2)**毛細血管再充満時間延長**

手指の爪を 5 秒間圧迫し，圧迫解除後もとの爪床色に回復するまで 3 秒(高齢者は 4 秒)以上かかる場合は，低灌流があると評価する．

(3)**脈圧比**

脈圧比[(収縮期血圧－拡張期血圧)÷収縮期血圧]が 25% 未満の場合は，低灌流が示唆される．

c 記録と結果解釈のポイント

各所見の有無とうっ血所見・低灌流所見の有無で分類した Nohria-Stevenson 分類(▶図 4)を用いて「wet-warm」や「B」などと記録する．また，浮腫グレードや頸静脈拍動の最高点の高さ，脈圧や脈圧比などを経時的に記録することにより，病態の変化をとらえることができる．

2 心肺運動負荷試験(CPX)

a CPX の目的・適用

CPX は，運動耐容能の評価や運動処方，重症度の評価，予後の推察，運動不耐容の制限因子と病態生理学的メカニズムの評価などに用いる．呼気ガス分析装置を使用し，自転車エルゴメータやトレッドミルを用いた漸増運動負荷試験を行う．禁忌事項は**表 2** に記す．

心エコー図検査では，心臓の形状および血流速を計測し，圧の推算も行うが，運動耐容能の評価はできない．これは，運動耐容能が酸素摂取量($\dot{V}O_2$)＝心拍出量(心拍数×1 回心拍出量)×動静脈酸素含有量較差[$Ca\dot{V}O_2$]で表され，心拍出量と末梢骨格筋での酸素消費によって規定されるためである．また，運動中の詳細な全身の変化も評価困難なため，患者の予後判定や重症度評価，運動処方には CPX が必須である．

b CPX の実際

自転車エルゴメータを用いた CPX について概説する．

1）実施までの準備

i）負荷装置・呼気ガス分析器の準備

(1)負荷装置・呼気ガス分析器は，取扱説明書に従い較正し，ウォームアップする．

(2)対象者の基礎データを入力，ウォームアップ負荷量と時間を設定，直線的漸増負荷(ramp 負荷)を健常者では 20 watt，心疾患患者では 10 watt に設定する．

▶表2 運動負荷試験の絶対的禁忌と相対的禁忌

絶対的禁忌
- 発症2日以内の急性心筋梗塞
- 進行中の不安定狭心症
- 血行動態が悪化するコントロール不良の不整脈
- 活動性心内膜炎
- 症候性重症大動脈弁狭窄症
- 非代償性症候性心不全
- 急性肺塞栓，肺梗塞，または深部静脈血栓症
- 運動能力に影響を与える，または運動により悪化する可能性のある心臓以外の急性障害（感染症，腎不全，甲状腺中毒など）
- 急性心筋炎または急性心膜炎
- 急性大動脈解離
- 試験を安全かつ適切に実施することのできない身体障害

相対的禁忌
- 既知の左主幹動脈狭窄
- 症状との関連が確かでない中等度から重症大動脈弁狭窄症
- コントロール不良な頻脈
- 高度または完全房室ブロック
- 重度の安静時圧較差を有する閉塞性肥大型心筋症
- 最近の脳梗塞，または一過性脳虚血発作
- 協力の限られた精神障害
- 安静時の収縮期血圧または拡張期血圧が>200/110 mmHg
- 著明な貧血，重大な電解質異常，甲状腺機能亢進症のような病状が制御されていない状態

〔Fletcher, G. F., et al. : Exercise standards for testing and training : a scientific statement from the American Heart Association. Circulation 128 : 873-934, 2013 より改変〕

ii）対象者の準備

(1)試験開始前2時間は，食事不可，お茶・水以外の摂取不可，喫煙禁止．

(2)試験開始前60分程度は安静とする．

(3)代謝が変化するため急いで来室させたりウォーミングアップをさせない．

(4)来室後，心拍数・血圧を測定した後に，心電図を装着する．

(5)検査の目的や方法(自転車エルゴメータ乗車やマスク装着，プロトコルなど)について説明する．

(6)起こりうる症状の説明とジェスチャーや指さしで意思疎通をとる方法の説明する(検査実施中は会話をすると換気量測定が困難となるため)．

(7)対象者を自転車エルゴメータに乗車させ，サドルの高さをペダルが最下部で膝関節がやや屈曲する程度に設定し，高さを記録する．

(8)血圧計とマスクを装着．マスクのフィッティングを行い，空気の漏れがないか確認する．

2）検査の実際

(1)開始の号令で呼気ガス分析器をスタートし，安静時データを収集する．この際に $\dot{V}O_2$ が4.0〜6.3 mL/分/kg程度で，分時換気量($\dot{V}E$)が8〜10 L/分程度になっているかを確認する．そうでない場合には機器の較正とマスクの装着をやり直す．

(2)安静時のデータ収集終了後，ウォームアップを開始する．

(3)対象者の様子を見過ごさないよう観察し，運動中の顔色や意識レベル，ペダル駆動運動の変化，心電図変化に注意し検査を進める．

(4)目的としたend pointに達した，もしくは中止基準(▶表3)に達したら負荷を終了し，クールダウンを行う．対象者に修正Borgスケールで胸部と下肢の自覚的運動強度を確認する．

(5)クールダウンが終われば呼気ガス分析器を停止し，マスクを外しエルゴメータより降車する．

▶表3　運動負荷試験中止基準

絶対的適応
- 異常Q波を伴わない誘導でのST上昇（>1.0 mm）（aV_R，aV_LとV_1を除く）
- その他の虚血の証拠が伴い，運動負荷増加にもかかわらず10 mmHg以上の収縮期血圧の低下
- 中等度から重度の狭心症
- 中枢神経症状（例：運動失調，めまい，失神に類似した症状）
- 低灌流症状（チアノーゼや蒼白）
- 正常な心拍出量の維持を妨げる持続性心室頻拍や2度または3度の房室ブロックなどのその他の不整脈
- 心電図や収縮期血圧のモニタリング困難
- 対象者の中止要請

相対的適応
- 虚血を疑う対象者で著明なST低下（J点後60～80ミリ秒における水平もしくは下降型に2 mm以上）
- その他の虚血の証拠が伴わない，運動負荷増加にもかかわらず10 mmHg以上の収縮期血圧の低下（常にベースライン値より低い）
- 胸痛増強
- 疲労，息切れ，喘鳴，有痛性強直性筋痙攣（こむら返り）や跛行
- 血行動態の安定を妨げる，または困難とする可能性のある多源性心室性期外収縮，心室性期外収縮3連発，上室性頻拍と徐脈を含む持続性心室頻拍を除く不整脈
- 過度の血圧上昇（収縮期血圧250 mmHg以上，拡張期血圧115 mmHg以上）
- 即座に心室頻拍と鑑別できない脚ブロックの発生

〔Fletcher, G. F., et al.: Exercise standards for testing and training: a scientific statement from the American Heart Association. Circulation 128: 873-934, 2013より改変〕

(6) 試験終了後5～6分間心電図を観察し，異常所見がなければ心電図を外して終了とする．

c 記録

通常，試験データは呼気ガス分析器から解析用コンピュータに自動的に記録される．血圧などが自動で取り込まれない場合は，用手的に1分ごとに記録する．

d CPXから得られる標準的な指標

1）最大酸素摂取量（$\dot{V}O_2$ max）と最高酸素摂取量（peak $\dot{V}O_2$）

$\dot{V}O_2$ maxは，負荷量を増加しても$\dot{V}O_2$がそれ以上増加しない状態（leveling off）である．一方，peak $\dot{V}O_2$は中止基準に達したなどのCPX中の最高の$\dot{V}O_2$であり，$\dot{V}O_2$ maxの代わりに用いられる．通常は，運動負荷終了前の30秒間の平均値を採用する．酸素摂取量はmL/分/kgで表現するか，3.5 mL/分/kgを1 METとした代謝当量（metabolic equivalents；METs）で表現する．

$\dot{V}O_2$ maxとpeak $\dot{V}O_2$は，運動耐容能の指標だけでなく生命予後の指標として用いられ，心不全の重症度の指標（▶表4）や治療効果の判定[2]などにも用いられる．

2）嫌気性代謝閾値（anaerobic threshold；AT）

ATを超過すると嫌気性代謝が加わり，O_2摂取に比べてCO_2の産生が増加し，その結果$\dot{V}E$が増加する．ATの判定基準には，これらを利用した以下の5つの判定基準がある．

①$\dot{V}O_2$に比較して$\dot{V}CO_2$の増加率が高くなる点（V-slope法）（▶図5）
②運動強度に対してガス交換比（R）が上昇し始める点
③$\dot{V}E$が$\dot{V}O_2$に比較して増加する点
④$\dot{V}E/\dot{V}CO_2$が増加せずに$\dot{V}E/\dot{V}O_2$が増加する点

▶表4 Weber-Janicki 分類

	A	B	C	D	E
	無症状〜軽症	軽症〜中等症	中等症〜重症	重症	極めて重症
AT(mL/分/kg)	>14	11〜14	8〜11	5〜8	<4
peak $\dot{V}O_2$(mL/分/kg)	>20	16〜20	10〜16	6〜10	<6

〔Weber KT, et al: Am J Cardiol 55: 22A-31A, 1985 より〕

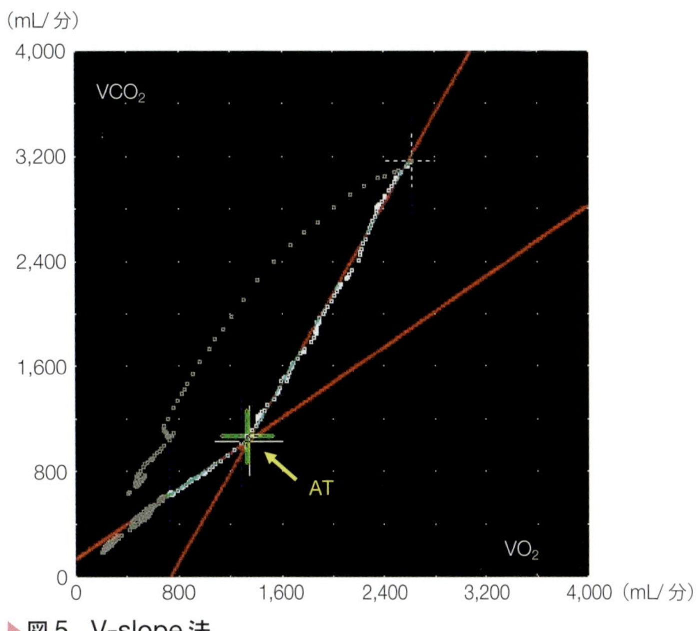

▶図5 V-slope 法

$\dot{V}CO_2$ の $\dot{V}O_2$ に対する上昇点

⑤呼気終末二酸化炭素分圧($P_{ET}CO_2$)が変化せずに呼気終末酸素分圧($P_{ET}O_2$)が増加する点

AT は，身体活動や生命予後の指標であり，peak $\dot{V}O_2$ よりも運動療法により早期に大きく改善し，治療効果の判定に適している[2]．長時間運動可能な運動強度であるため，運動処方の際の強度として用いる．負荷に対する換気指標や心拍数の変化が出現するまでに生体反応の遅れがあるため，運動強度は通常 AT の 1 分前とする．

3）呼吸性代償開始点(respiratory compensation point ; RC point)

RC point は AT から 2〜3 分以内に，嫌気性代謝による乳酸の増加に対する重炭酸塩(HCO_3^-)の緩衝が不十分となり，呼吸での代償が始まることで $\dot{V}E$ の増加率がさらに大きくなるポイントである．3 つの判定基準がある．

①$P_{ET}CO_2$ が減少し始める点

②AT 後に $\dot{V}E$ が運動強度に対しさらに増加し始める点

③$\dot{V}CO_2$ に対し $\dot{V}E$ が上昇し始める点

RC point は，ここを変曲点として $\dot{V}E$ vs $\dot{V}CO_2$ slope の傾斜や $\dot{V}E/\dot{V}CO_2$ が増加するため，これらを評価するために重要なポイントである．

4）τ on

ウォームアップ開始後の $\dot{V}O_2$ の増加曲線が定常状態になるまでの曲線に対し，指数関数回帰を行い，1/e に達するまでの時間が **τ on（時定数）**である．運動開始後に心拍出量が速やかに増加するかを評価する．心機能障害があると延長する．末梢血管拡張により規定され，運動療法により AT や peak $\dot{V}O_2$ に比べ速やかに改善する[3]．

5）τ off

運動終了後の $\dot{V}O_2$ の減衰曲線の時定数である．$\dot{V}O_2$ は指数関数的減少とそれに続く緩やかな減少があり，早期の指数関数的減少を指数回帰して求める．運動終了後の回復期において，健常者では通常 2 分程度で酸素負債は返済され，心機能障害があると減衰時間が延長する．

6）$\dot{V}E$ vs $\dot{V}CO_2$ slope

$\dot{V}E$ と $\dot{V}CO_2$ のグラフで，ramp 負荷を開始し $\dot{V}E$ が増加し始めた時点から RC point までを選択し一次回帰をして求める．心不全でみられる代償的な過換気と関係した指標で，心不全の重症度の指標とされ 34 以上は予後不良である[2]．

7）$\Delta\dot{V}O_2/\Delta WR$

エルゴメータなどによる ramp 負荷で得られる酸素摂取量である．ramp 負荷開始から AT 付近までの $\dot{V}O_2$ を一次回帰して求める．$\dot{V}O_2$ の増加の程度であり，末梢の運動中の骨格筋への酸素輸送の増加の程度を表している．10 watt/分の ramp 負荷の場合，10～11 mL/kg/watt である[3]．心筋虚血や心不全がある場合は低下し，運動中の心拍出量の増加程度が末梢骨格筋での酸素需要に比べ低下していることを意味する．

8）$\dot{V}O_2$/HR

1 回心拍出量がどの程度酸素摂取に関与しているかを表す．peak $\dot{V}O_2$/HR は最大負荷時の心拍出量を表し，10 mL/拍以上が基準値である[2]．

❸ 経胸壁心エコー図検査

a 経胸壁心エコー図検査の目的

経胸壁心エコー図検査の目的は，①心腔や心臓各部位の大きさや形態を評価，②心室壁や弁などの心臓各部位の動きを観察し心機能を評価，③血流速度を測定し圧や血流を推測して血行動態を評価することである．これらにより診断や重症度の評価，予後判定に用いる．

b 標準値と左室駆出率による心不全の分類

日本人の標準値を**表 5** に記す．左室収縮機能は，左室駆出率（left ventricular ejection fraction；LVEF）で評価し，心不全は LVEF により分類する（▶**表 6**）．左室拡張機能は，僧帽弁口血流速波形や三尖弁逆流最大血流速度，左房容積係数から重症度を分類する（▶図 6A, B）．

C 循環機能検査に必要な基礎知識

❶ 心不全患者の理学的検査の基礎知識

心機能障害により 1 回心拍出量の減少がおこると，レニン・アンジオテンシン・アルドステロン系と交感神経の作用による代償機転により体水分貯留（うっ血）と末梢動脈の攣縮や頻拍が惹起

▶表5 心機能評価に用いる心エコー図検査の日本人標準値

	男性	女性
左室拡張期末期径(mm)	48±4	44±3
左室収縮期末期径(mm)	30±4	28±3
左室拡張期末期容積(mL)	93±20	74±17
左室収縮期末期容積(mL)	33±20	25±7
左室駆出率(%)	64±5	66±5
左房径(mm)	32±4	31±3
左房最大容積係数(mL/m^2)	24±7	25±8
E/A	1.5±0.5	1.6±0.6
E 波減衰時間[DcT](ミリ秒)	195±40	185±34
E/e′(中隔)	7.4±2.2	7.9±2.2
E/e′(側壁)	5.5±1.8	6.2±1.8

A:心房収縮期流入速度, E:拡張早期流入速度, e′:僧帽弁輪後退速度
〔Daimon, M., et al.: Normal values of echocardiographic parameters in relation to age in a healthy Japanese population: the JAMP study. Circ J 72: 1859-1866, 2008. より改変〕

▶表6 左室駆出率による心不全の分類

	LVEF
LVEF が低下した心不全 (heart failure with reduced ejection fraction; HFrEF)	40% 未満
LVEF が軽度低下した心不全 (heart failure with mid-range ejection fraction; HFmrEF)	40% 以上 50% 未満
LVEF の保たれた心不全 (heart failure with preserved ejection fraction; HFpEF)	50% 以上

される.代償機転が破綻すると1回心拍出量はさらに低下し,血圧低下や体水分貯留のさらなる増悪に進展するため身体所見に現れる.

2 CPX の基礎知識(▶図7)

CPX の解釈には,運動生理学の理解が特に重要である.通常,CPX の運動負荷は,ウォームアップでの一段階負荷とその後に続く ramp 負荷で構成されている.

一段階負荷であるウォームアップ開始後に,$\dot{V}O_2$ は急激に増加する.このときの増加は動静脈酸素較差が変化しないため,$\dot{V}O_2$ の増加はそのまま心拍出量の増加を意味し,第Ⅰ相と呼ばれる.その後に $\dot{V}O_2$ は指数関数的に増加(第Ⅱ相)し,この増加曲線の時定数が τ on である.健常者では3分以内に定常状態になるが,心機能障害では延長する.定常状態になった部分は第Ⅲ相で,AT より運動強度が高ければ定常状態にならない.

ウォームアップが終了すると,運動強度は直線的に増加する ramp 負荷となり,運動強度の増加とともに $\dot{V}O_2$ も直線的に増加する.$\dot{V}CO_2$ と $\dot{V}E$ は,運動強度が高くなると増加率が増す.これは,運動強度が高くなると嫌気的代謝が亢進して乳酸産生が増加し,乳酸が HCO_3^- で緩衝されてさらに CO_2 を産生するからである.

AT は好気的代謝に嫌気的代謝が加わり,その結果ガス交換の変化が生じる直前の運動強度とされている.$\dot{V}CO_2$ や $\dot{V}E$ は $\dot{V}O_2$ 増加と比較して増加率が増すため,グラフ上 $\dot{V}O_2$ に対して $\dot{V}CO_2$ や $\dot{V}E$ が,また $\dot{V}E/\dot{V}O_2$ も増加し始める.$P_{ET}O_2$ は $\dot{V}E$ の増加に比べ吸気中に含まれる

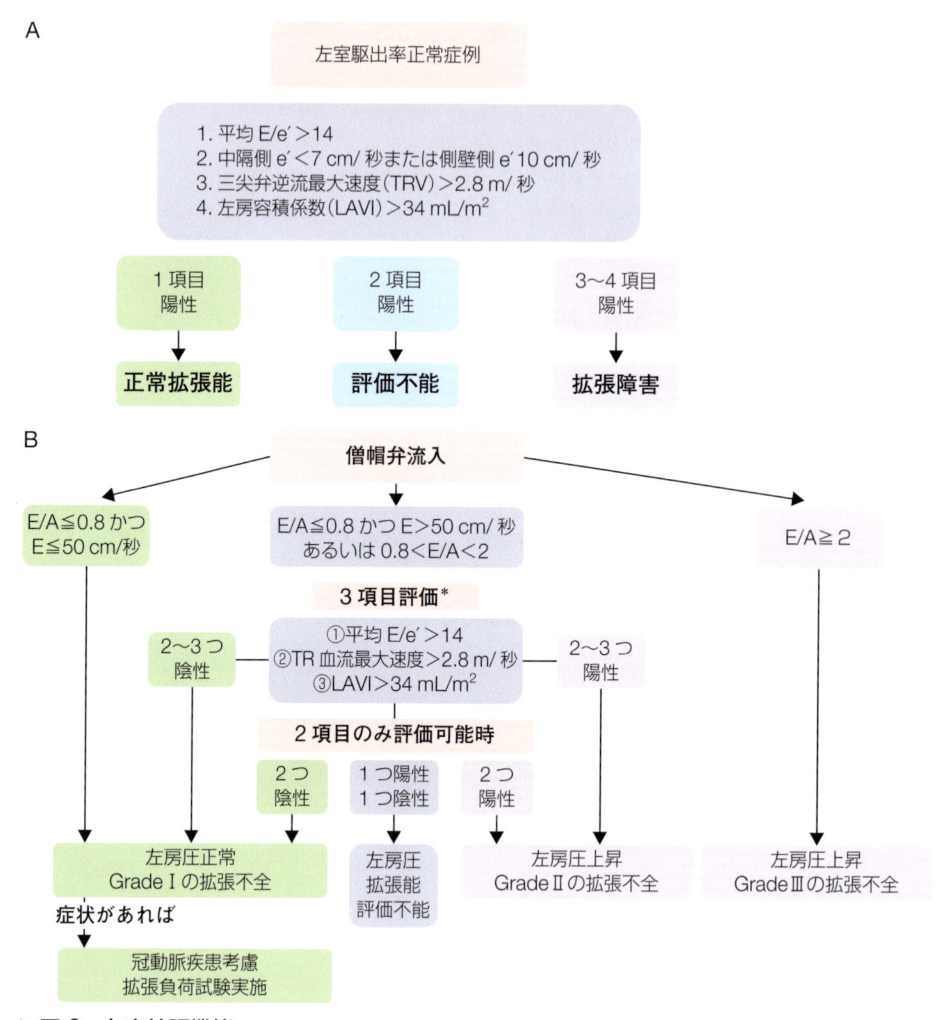

▶**図6　左室拡張機能**

A：左室駆出率正常症例における左室拡張機能障害の分類

B：左室駆出率低下症例と左室駆出率正常の左室拡張不全症症例における左房圧推定と左室拡張機能不全の重症度分類

＊3項目中1つしか評価できない場合の左房圧は，評価不能

〔Nagueh, SF., et al.: Recommendations for the evaluation of left ventricular diastolic function by echocardiography: an update from the American Society of Echocardiography and the European Association of Cardiovascular Imaging. J Am Soc Echocardiogr 29: 277-314, 2016. より改変〕

O_2 が消費されないため増加し始める．

運動強度がさらに増加すると乳酸産生がさらに増加し，HCO_3^- による緩衝が不十分となり呼吸性代償が始まる．ここを RC point と称し，$\dot{V}E$ は $\dot{V}CO_2$ の増加を上回り $\dot{V}E/\dot{V}CO_2$ は増加し $P_{ET}CO_2$ は減少する．さらに運動強度を増加していくと運動強度増加にもかかわらず増加しなくなる．これが leveling off であり，$\dot{V}O_2$ max で R が 1.2 に達する．

運動負荷終了後は，酸素負債を返済する期間である．$\dot{V}O_2$ の減衰曲線の最初の急峻な部分を一次回帰すると τ off が求められる．

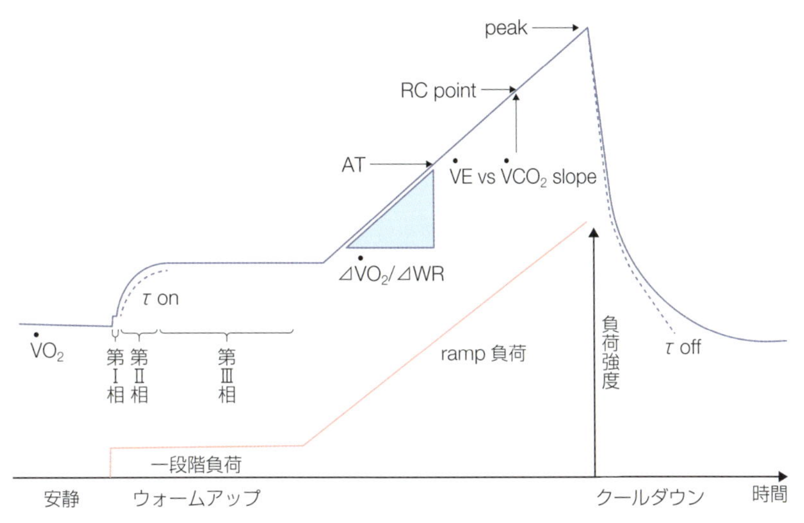

▶ **図 7 ramp 負荷による心肺運動負荷試験(CPX)で得られる主な指標とその時期**

〔伊東春樹：各種呼気ガス分析指標．心肺運動負荷テストと運動療法(谷口興一，伊東春樹編)，p104，2004，南江堂より許諾を得て改変し転載〕

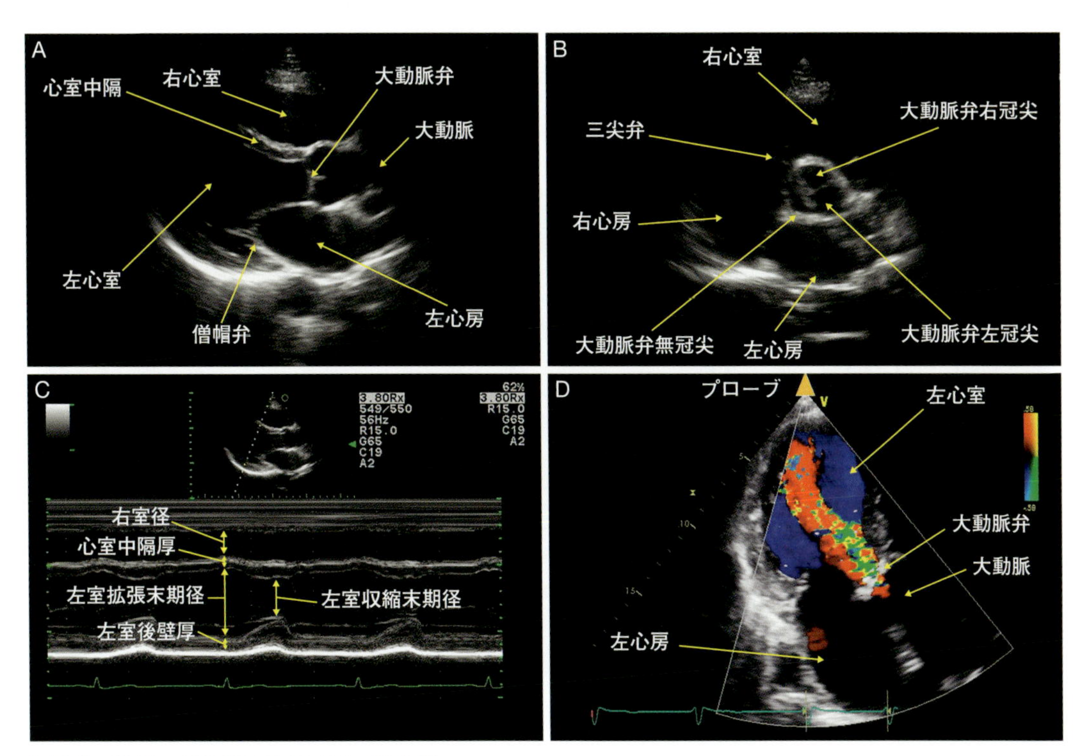

▶ **図 8 各モードにおける心エコー像の例**

A：断層エコー法・傍胸骨左縁長軸像
B：断層エコー法・傍胸骨左縁短軸像大動脈弁レベル
C：M モード・腱索レベル
D：大動脈弁閉鎖不全症患者のカラードプラ法・赤色はプローブに向かう血流(大動脈弁から心室へ逆流する血流)，青色はプローブから遠ざかる血流)

❸ 経胸壁心エコー図検査

経胸壁心エコー図には，形態と動きを動画として表示する断層エコー法，各部位の動きを時間経過で捉えるMモード，ドプラ現象を利用して心臓内の血流方向を表示し速度を計測するドプラ法がある(▶図8).

断層エコー法では，傍胸骨左縁長軸像や傍胸骨左縁短軸像，心尖部像における各基本断面で解剖学的にどの部位が描出されているのかを理解し，動きや内径，駆出率などを評価する．Mモードでは，弁や心筋の動きを時間経過で横軸方向に表示し，心筋壁厚や内径，駆出率などを詳細に評価する．ドプラ法では血流方向で弁の閉鎖不全などの評価，血流速度を測定することで血流量や内圧を推定，心筋運動速度を測定して拡張能等を評価する．

●引用文献
1) Constant, J.(著)，井上博(監訳)：Bedside Cardiology―診断のエキスパートを目指して．pp77-104，総合医学社，2002.
2) 伊東春樹：各種呼気ガス分析指標．谷口興一，他(編)：心肺運動負荷テストと運動療法．pp103-117，南江堂，2004.
3) 伊東春樹：心肺運動負荷試験．日本心臓リハビリテーション学会(編)：指導士資格認定試験準拠 心臓リハビリテーション必携 増補改訂版．pp197-pp212，日本心臓リハビリテーション学会，2022.

●参考文献
1) Wassarman, K. : Principles of Exercise Testing and Interpretation. pp107-126, Lippincott Williams & Wilkins, Philadelphia, 2011.

復習問題

□ 1 頸静脈拍動の観察ではベッドを[①]ギャッチアップし，頸部を[②]側に軽度回旋してもらう．内頸静脈の拍動最高点は，健常者では胸骨角上[③]cmまでである．うっ血が増悪すると拍動最高点の位置は[④]する．

□ 2 運動負荷試験の絶対的禁忌には，発症[⑤]以内の[⑥]，進行中の[⑦]，コントロール不良の[⑧]がある．

□ 3 心肺運動負荷試験(CPX)は，目的とした[⑨]に達するか，[⑩]に達したら負荷を終了し，[⑪]を行う．対象者には，(実施前後に)[⑫]で胸部と下肢の[⑬]を確認する．

①45°　②左　③4.5　④上昇
⑤2日　⑥急性心筋梗塞　⑦不安定狭心症　⑧不整脈(解説：第Ⅲ章12．循環の表2を確認すること)
⑨end point　⑩中止基準　⑪クールダウン　⑫(修正)Borgスケール　⑬自覚的運動強度

13

パフォーマンステスト

- 理学療法分野において頻繁に用いられるパフォーマンステストの目的・適用を理解する.
- 各パフォーマンステストを実際に実施できる.
- 各パフォーマンステストの特性や注意事項を説明できる.

A パフォーマンステストの概要と目的

概要

パフォーマンス(performance；運動・動作)は，運動課題を遂行するときに周囲から観察可能な行動であり，ある課題の試行における所要時間，距離，点数などで表され[1]，個人の機能的状態を把握するための中心的概念になる[2].

個人レベルのパフォーマンスの制限，すなわち**機能的制限**(functional limitation)[3]は「毎日の生活に使用される基本的な身体活動(基本的な身体活動とは起き上がり，立ち上がり，立位，歩行，階段昇降などの基本動作やリーチ動作など)や基本的な精神活動(記憶，覚醒度，見当識などの認知機能，情緒機能など)の遂行の制限」であり[4]，国際生活機能分類(ICF)における機能障害(impairment)や活動制限(activity limitation)の間に位置づけられると考えられている[5].

パフォーマンステストの目的は，障害の客観化，予後予測の判断，アウトカム(outcome；帰結)の判定，治療方針の決定，職種間の情報共有である[3]. これまでに姿勢保持または動作遂行の観点から数々のパフォーマンステストが開発されてきた.

B パフォーマンステストの実際

1 5回反復起立-着座テスト(five-repetition sit-to-stand test)

椅子座位から最大努力にて起立-着座動作を連続5回反復した際の所要時間を測定し，下肢筋力が反映された起立-着座動作のパフォーマンスを評価するテストである(▶図1).

a 実施前の準備

測定器具：ストップウォッチ，椅子

測定環境：椅子は壁などに接して固定するか，検者が押さえて固定する.

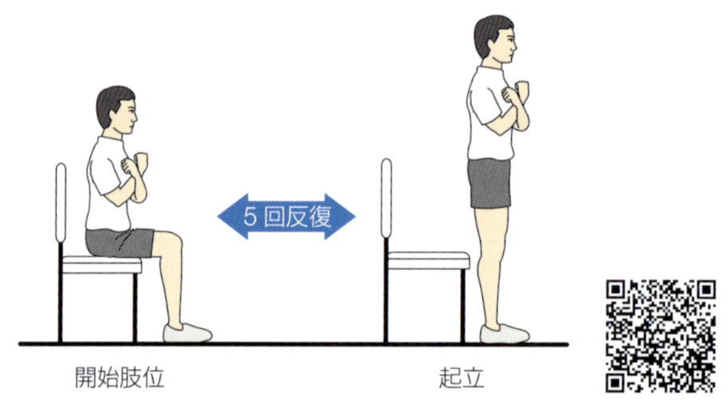

▶図 1　5 回反復起立-着座テスト（動画 37）

b 検査の実際

開始肢位：椅子座位（股関節・膝関節 90°屈曲位，両上肢は胸の前で腕組み）

対象者への教示例：

(1)「手を使わずに立ち上がって再び椅子に座る動作を，できるだけ速く，5 回連続して行います」

(2)「私は 5 回の動作が終わるまでの時間を測ります」

(3)「腕は常に胸の前で組んでいてください」

(4)「立つ動作では背筋を伸ばして膝が完全に伸びるまで立ち，座る動作ではお尻を椅子に付けてください」

(5)「座るときに勢いよく座ってしまうと身体を痛めるので注意してください」

(6)「ご自分の好きなタイミングで始めてください」

(7)（必要に応じて検者が合図をする）「では，どうぞ」「では，はじめ」

c 記録

開始肢位から最大努力にて立ち上がり再び着座する動作を連続 5 回反復する際の所要時間を記録する．単位は秒である．1 回の測定値を記録するが，複数回測定する場合は平均値か最小値を代表値として採用する．

d 結果の解釈のポイント

測定値が大きいほど起立-着座動作のパフォーマンスが低いことを意味し，下肢筋力が低下していると考えられる．平均値は次のとおり．

	60～69 歳	70～79 歳	80 歳以上
男性	12.9 秒	13.5 秒	14.2 秒
女性	13.2 秒	14.7 秒	17.1 秒

〔Thaweewannakij, T., et al.: Reference values of physical performance in Thai elderly people who are functioning well and dwelling in the community. Phys Ther 93: 1312-1320, 2013 より〕

- 転倒のリスクあり：高齢者 12～15 秒以上，Parkinson 病患者 16 秒以上

e 注意点

最大努力で起立-着座動作を反復するため，椅子が動かないように固定し，対象者が転倒しないように常に配慮する．起立後の立位や着座時の座位が十分でない場合は途中で中止して再度教示と測定をやり直す．疼痛の有無や程度を吟味して実施の可否を判断する．

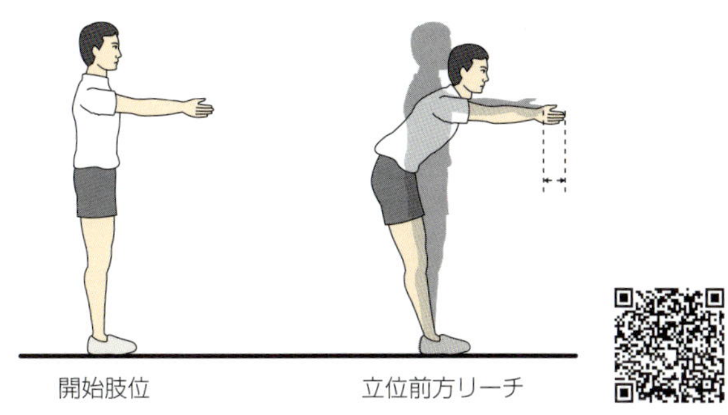

▶図 2　functional reach test(FRT)(動画 38)

❷ functional reach test(FRT)

開脚立位から最大努力で上肢前方リーチ動作を行った際の到達距離を測定し，立位時の姿勢バランスが反映されたこの動作のパフォーマンスを評価するテストである(▶図 2).

a 実施前の準備

測定器具：あらかじめ壁や点滴台などの高さ調節できる棒に物差し(定規)を取り付けておく．この準備ができない場合は，水平な直線距離を計測できる物差しまたはメジャー，矢状面上で印ができるもの(壁を用いる場合は付箋など，ホワイトボードを用いる場合は磁石やマーカーなど)を用意する．

測定環境：立位をとり，前方に 2 m 程度の空間を設ける．

b 検査の実際

開始肢位：開脚立位(一側上肢を肘伸展位にて 90° 前方挙上)

対象者への教示例：

(1)「前方に上げた手をできるだけ遠くへ伸ばしてください」
(2)「私は手が伸びた分の距離を測ります」
(3)「上げた手は壁に取り付けた定規に沿って前方へ伸ばしてください」
(4)「手を伸ばす際に，踵が浮かないように，両足が床から離れないようにしてください」
(5)「ご自分の好きなタイミングで始めてください」
(6)(必要に応じて検者が合図をする)「では，どうぞ」「では，はじめ」

c 記録

開始肢位から足部の位置を変えずに，できるだけ遠方(前方)へリーチした際の最大リーチ到達位までの距離を計測する．単位は cm である．1 回の測定値を記録するが，複数回測定する場合は平均値を代表値として採用する．

測定中，対象者は手指を軽く握り，リーチ動作の開始姿勢と終了姿勢の第 3 中手骨頭の間を読み取るが，手指を伸展位としたほうが実施と計測が容易な場合がある．

d 結果の解釈のポイント

測定値が小さいほど立位前方リーチ動作のパフォーマンスが低いことを意味し，支持基底面内での重心の随意運動を制御する観点での立位バランスが低下していると考えられる．平均値は次のとおりである．

20〜39歳	40〜69歳	70〜89歳
45.77±5.41 cm	38.66±5.26 cm	33.55 ±6.17cm

〔Norris B,. et al.: The effect of context and age on functional reach performance in healthy adults aged 21 to 94 years. J Geriatr Phys Ther 34: 82-87, 2011 より〕

- 転倒リスクあり：脳卒中患者 15 cm 未満，Parkinson 病患者 31.75 cm 未満，虚弱高齢者 18.5 cm 未満

e 注意点

最大努力での立位前方リーチを実施するため，対象者が転倒しないように常に配慮する（立位をとる対象者の後方に椅子を置いておくとよい）．

リーチ動作中の体幹の前傾と回旋が測定結果に影響を及ぼすため，開始肢位は両側肩関節を結ぶ線が矢状面に対して垂直になり，体幹屈曲伸展中間位とする．

姿勢バランスの観点では，支持基底面が変化するといずれの安定性限界における姿勢バランスを反映するのかが異なるため，基本的には足底接地面（支持基底面）を変更せずに実施する．踵を浮かして実施する場合は，以後の測定で毎回同一の条件で実施する．

また，リーチ動作によるパフォーマンステストはFRTのほかにも，立位で前方，後方，左方，右方の4方向のリーチ距離を測定する multi-directional functional reach test，座位で上肢前方リーチ動作のパフォーマンスを評価する modified functional reach test（▶図3）（または sit-and-reach test）などがある．

3 functional balance scale(FBS)

座位保持，起立，移乗，立位保持，立位動作など合計14項目の姿勢保持および動作の課題を行った際の到達水準を得点化し，座位および立位での姿勢バランスが反映された姿勢保持および動作のパフォーマンスを評価するテストである．開発者 Berg の名前から Berg（バーグ）balance scale（BBS）とも呼ばれる．

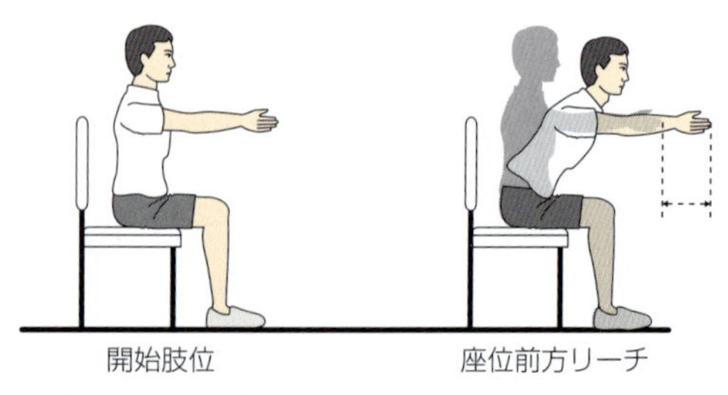

▶図3 modified functional reach test

a 実施前の準備

測定器具：ストップウォッチ，メジャー(または物差し)，ベッド，椅子，高さ約 20 cm の台
測定環境：ベッドサイド，リハビリテーション室，病棟，自宅などさまざまな環境で測定可能

b 検査の実際

座位保持，立ち上がり，立位保持，方向転換，ステップなどで構成される合計 14 項目の姿勢保持または動作課題を実施する．各課題において 0〜4 点の 5 段階で設定された選択肢のなかから最も近いと判断される項目を選ぶ．合計 14 項目の得点の合計を算出する(0〜56 点満点)．各課題における対象者への教示は検査用紙(▶ **表 1**)を参照する．

c 記録

14 項目の各得点および合計点を記録する．単位は点である．1 回の測定値を記録する．

d 結果の解釈のポイント

得点が小さいほど座位および立位の姿勢・動作のパフォーマンスが低いことを意味し，重心の静的姿勢制御や支持基底面内外での重心の随意運動を制御する観点での座位・立位バランスが低下していると考えられる．

- 転倒のリスクあり：高齢者 45 点以下，脳卒中患者 45 点以下
- 最小可検変化量：高齢者 8 点，急性期脳卒中患者 6.9 点，慢性期脳卒中患者 5〜6.7 点，Parkinson 病患者 5 点

e 注意点

起立動作や立位動作に関する課題では，対象者が転倒しないように常に配慮する(立位をとる対象者の後方に椅子を置いておくとよい)．

対象者の姿勢バランス障害を評価する際，合計点の解釈だけでなく，いずれの項目(いずれの姿勢バランス)がどの程度の障害をきたしているのかを吟味することが重要である．

4 balance evaluation systems test(BESTest)

システム理論に基づいて分類された姿勢バランスにかかわる 6 セクション(生体力学的制約 5 項目，安定限界 3 項目，姿勢変化-予測的姿勢制御 5 項目，反応的姿勢制御 5 項目，感覚機能 2 項目，歩行安定性 7 項目)の各課題を行った際の到達水準を得点化し，主に立位時の姿勢保持および動作のパフォーマンスを評価するテストである．

a 実施前の準備

測定器具：ストップウォッチ，メジャー(または物差し)，フォームラバー(10 cm 厚，60×60 cm 程度)，重錘(2.5 kg)，椅子，標識(方向転換用)，傾斜 10° の斜面台(60×60 cm 程度)，障害物歩行用の箱，昇降台または階段(高さ 15 cm)，(必要に応じて)歩行補助具

測定環境：ベッドサイド，リハビリテーション室，病棟，自宅などさまざまな環境で測定可能である．歩行安定性のテストでは，6 m の歩行路を準備する．

表1 functional balance scale(FBS)の検査用紙

① 椅子座位から立ち上がり
4：立ち上がり可能，手を使用せず安定して可能
3：手を使用して1人で立ち上がり可能
2：数回の施行後，手を使用して立ち上がり可能
1：立ち上がり，または安定のために最小の介助が必要
0：立ち上がりに中等度，ないし高度の介助が必要

② 立位保持 ＿＿＿＿秒
4：安全に2分間立位保持可能
3：監視下で2分間立位保持可能
2：30秒間立位保持可能
1：数回の試行にて30秒間立位保持可能
0：介助なしには30秒間立位保持不能

③ 座位保持(両足を床に着け，もたれずに座る)
4：安全に2分間の座位保持が可能
3：監視下で2分間の座位保持が可能
2：30秒間の座位保持可能
1：10秒間の座位保持可能
0：介助なしには10秒間座位保持不能

④ 着座
4：ほとんど手を用いずに安全に座れる
3：手を用いてしゃがみ込みを制御する
2：下腿後面を椅子に押しつけてしゃがみ込みを制御する
1：1人で座れるがしゃがみ込みを制御できない
0：座るのに介助が必要

⑤ 移乗
4：ほとんど手を用いずに安全に移乗が可能
3：手を用いれば安全に移乗が可能
2：言語指示，あるいは監視下で移乗が可能
1：移乗に介助者1名が必要
0：安全確保のために2名の介助者が必要

⑥ 閉眼立位保持 ＿＿＿＿秒
4：安全に10秒間，閉眼立位保持可能
3：監視下で10秒間，閉眼立位保持可能
2：3秒間の閉眼立位保持可能
1：3秒間の閉眼立位保持はできないが安定している
0：転倒を防ぐための介助が必要

⑦ 閉脚立位保持 ＿＿＿＿秒
4：自分で閉脚立位ができ，1分間安全に立位保持可能
3：自分で閉脚立位ができ監視下で1分間立位保持可能
2：自分で閉脚立位ができるが，30秒立位保持不能
1：閉脚立位をとるのに介助が必要だが，15秒間保持可能
0：閉脚立位をとるのに介助が必要で，15秒間保持不能

⑧ 上肢前方到達 右＿＿＿＿cm 左＿＿＿＿cm
4：25 cm以上前方到達可能
3：12.5 cm以上前方到達可能
2：5 cm以上前方到達可能
1：手を伸ばせるが，監視が必要
0：転倒を防ぐための介助が必要

⑨ 床から物を拾う
4：安全かつ簡単に靴を拾うことが可能
3：監視下で靴を拾うことが可能
2：拾えないが靴まで2.5～5 cmくらいの所まで手を伸ばす
1：拾うことができず，監視が必要
0：転倒を防ぐための介助が必要

⑩ 左右の肩越しに後ろを振り向く
4：両側から後ろを振り向け，体重移動が良好である
3：片側のみ振り向けるが，他方は体重移動が少ない
2：側方までしか振り向けないが安定している
1：振り向くときに監視が必要
0：転倒を防ぐための介助が必要

⑪ 360° 回転 右＿＿＿＿秒 左＿＿＿＿秒
4：それぞれの方向に4秒以内で安全に360° 回転が可能
3：一側のみ4秒以内で安全に360° 回転が可能
2：360° 回転が可能だが，両側とも4秒以上かかる
1：近位監視，または言語指示が必要
0：回転中介助が必要

⑫ 段差踏み換え ＿＿＿＿秒
4：支持なしで安全かつ20秒以内に8回踏み替えが可能
3：支持なしで8回踏み換えが可能だが，20秒以上かかる
2：監視下で補助具を使用せず4回の踏み替えが可能
1：最小限の介助で2回以上の踏み替えが可能
0：転倒を防ぐための介助が必要，または，施行困難

⑬ 片足を前に出した立位保持 ＿＿＿＿秒
4：自分で継ぎ足位をとり，30秒間保持可能
3：自分で足を他方の足の前に位置し，30秒間保持可能
2：自分で足をわずかにずらし，30秒保持可能
1：足を出すのに介助を要するが，15秒間保持可能
0：足を出すとき，または立位時にバランスを崩す

⑭ 片脚立ち保持 右＿＿＿＿秒 左＿＿＿＿秒
4：自分で片足を上げ，10秒以上保持可能
3：自分で片足を上げ，5～10秒保持可能
2：自分で片足を上げ，3秒以上保持可能
1：片足を上げ3秒間保持不能であるが，立位を保てる
0：検査施行困難，または転倒を防ぐための介助が必要

得点＿＿＿＿／56点

〔原著：Berg, K., et al.: Measuring balance in the elderly: preliminary development of an instrument. Physiotherapy Canada 41: 304-311, 1989 / 島田裕之：functional balance scale(FBS)：機能的バランス指標．内山靖，他(編)：臨床評価指標入門．p104，協同医書出版社，2003 より改変〕

b 検査の実際

バランスシステムの特性に基づいた6セクション(生体力学的制約，安定限界，姿勢変化-予測的姿勢制御，反応的姿勢制御，感覚機能，歩行安定性)，合計36項目の立位保持，ステップ，歩行などの課題で構成される姿勢保持または動作課題または歩行課題を実施する．各課題の結果について0～3点の4段階で設定された選択肢のなかから選ぶ．Ⅰ～Ⅵの各セクションおよび全セクションの合計点を求め，実際の得点をセクションまたは合計の満点で除した百分率を算出する(各セクションおよび全セクション合計それぞれ0～100%)．たとえば，セクションⅠで実際の測定結果が12点であった場合，「12/15点×100＝80%」が成績となる．各課題は**表2**に示した．

c 記録

Ⅰ～Ⅵの各セクションおよび全セクションの合計の得点率を記録する．単位は%である．1回の測定値を記録する．

d 結果の解釈のポイント

得点が小さいほど立位の姿勢・動作および歩行のパフォーマンスが低いことを意味し，バランスシステムの各観点での立位バランスおよび歩行バランスの低下を検討することができる．

- 機能的能力が高い：亜急性期脳卒中患者49% 以上
- 転倒のリスクあり：Parkinson病患者69% 以下

e 注意点

起立動作や立位動作に関する課題では，対象者が転倒しないように常に配慮する(立位をとる対象者の後方に椅子を置いておくとよい)．対象者の姿勢バランス障害を評価する際，合計点の解釈だけでなく，いずれの項目(いずれの姿勢バランス)がどの程度の障害をきたしているのかを吟味することが重要である．BESTestでは多くの動作課題を実施するため測定時間が40分以上の長時間を要することから，BESTestの短縮版であるMini-BESTest(姿勢変化-予測的姿勢制御，反応的姿勢制御，感覚機能，歩行安定性の4セクションの各課題をそれぞれ)やBrief-BESTest(生体力学的制約，安定限界，姿勢変化-予測的姿勢制御，反応的姿勢制御，感覚機能，歩行安定性の構成に準じて抽出された合計8項目)が開発されている．

5 歩行速度

通常速度または最大速度で10 m直線歩行を行う際の所要時間を測定し，歩行能力および移動能力が反映された歩行のパフォーマンスを評価するテストであり，測定値から**歩行速度**〔通常歩行速度(comfortable gait speed；CGSまたはnormal gait speed；NGS)，**最大歩行速度**(maximum gait speed；MGSまたはfast gait speed；FGS)〕を算出する．

a 実施前の準備

測定器具：ストップウォッチ，標識，(必要に応じて)歩行補助具

測定環境：10 mの直線歩行を計測する場合は，加速路3 m，計測路10 m，減速路3 m，合計16 mの歩行路を設定する．また，5 mの直線歩行を計測する場合は，加速路3 m，計測路5 m，減速路3 m，合計11 mの歩行路を設定する．

▶表2　balance evaluation systems test(BESTest)の検査用紙

対象者は平らな靴か，または靴と靴下を脱いで実施する．各項目で補助具を使用する場合は1つ減点とする．また，何らかの身体介助を要する場合はその項目の成績は「0」となる．

Ⅰ．生体力学的制約　セクションⅠ：＿＿＿/15点

1．支持基底面
裸足で立位保持した際の，支持基底面，および両足の変形と疼痛の有無を確認する．

2．CoMアライメント
立位保持した際の，前後・内外側の体重心アライメントの異常の有無を確認する．

3．足関節の筋力と可動域
立位で3秒間のつま先立ちおよび踵立ちを実施する．両足関節の背屈・底屈障害の有無を確認する．

4．股関節/体幹側屈力
立位で片側ずつ下肢を外転挙上して10秒間保持する．体幹の垂直保持の可否，股関節外転位保持の可否を確認する．

5．床への座りと立ち上がり(時間　秒)
立位から床への着座と立位への立ち上がりを実施する．起立および着座の可否，椅子などの支持物の要否を確認する．

Ⅱ．安定限界　セクションⅡ：＿＿＿/21点

6．座位での垂直性と側屈
座位から閉眼で左右に最大側屈し，また開始姿勢に戻る．側屈の可否，肩が正中線を越えるかどうか，垂直に戻ることができるかどうかを確認する．左右の傾斜と垂直性で合計4項目を各3点満点で評価する．

7．前方ファンクショナルリーチ(到達距離　cm)
立位前方リーチ動作を行い，到達距離を計測する．

8．側方ファンクショナルリーチ(到達距離右　cm，左　cm)
左右の立位側方リーチ動作を行って到達距離を計測し，各3点満点で評価する．

Ⅲ．姿勢変化-予測的姿勢制御　セクションⅢ：＿＿＿/18点

9．座位から立位
座位からできるだけ手を使わずに起立する．起立の可否，上肢支持や介助の要否を確認する．

10．つま先立ち
3秒間つま先立ちを実施し，その可否と全可動域の踵挙上の有無を確認する．

11．片足立ち(左　秒，右　秒)
30秒以上を上限とした左右の片脚立位保持時間を計測し，各3点満点で評価する．

12．交互の段差タッチ(成功ステップ数：　，時間：　秒)
立位でできるだけ速く足を交互に15 cm高の段上へ合計8回ステップする．

13．立位での上肢挙上
立位でできるだけ速く錘(2.5 kg)を両手で肩の高さまで上げ，3秒間保持し，その際の立位安定性を確認する．

Ⅳ．反応的姿勢制御　セクションⅣ：＿＿＿/18点

14．姿勢保持反応-前方
立位で，検者は対象者の足背屈筋が収縮するまで前方から後方へ両肩を軽く押し続け，突然に手を離した際にバランスを保つように教示し，その反応を確認する．

15．姿勢保持反応-後方
立位で，検者は対象者の踵が床から離れるまで後方から前方へ両肩甲骨を軽く押し続け，突然に手を離した際にバランスを保つように教示し，その反応を確認する．

16．代償的な修正ステップ-前方
立位で，検者は対象者が肩関節と股関節をつま先の前方まで傾けるよう両肩を後方へ押し続け，突然に手を離してステップを誘発させ，その反応を確認する．

17．代償的な修正ステップ-後方
立位で，検者は対象者が肩関節と股関節を踵の後方まで傾けるよう両肩甲骨を前方へ押し続け，突然に手を離してステップを誘発させ，その反応を確認する．

18．代償的な修正ステップ-側方
立位で，検者は対象者の骨盤の正中線が足部を越えるよう左右いずれか一側の骨盤を側方へ押し続け，突然に手を離してステップを誘発させ，その反応を確認する．

Ⅴ．感覚機能　セクションⅤ：＿＿＿/15点

19．バランスのための感覚統合(修正版CTSIB)
(開眼-床　秒，閉眼-床　秒，開眼-フォーム　秒，閉眼-フォーム　秒)
開眼・閉眼，固い地面(床)・フォームラバー(10 cm厚，60×60 cm)を組み合わせた各4条件で閉脚立位保持を実施し，安定した30秒保持の可否を確認する．

20．斜面台-閉眼
傾斜台(傾斜10°，60×60 cm以上)の上で足関節背屈位での閉眼開脚立位保持を計測する．

Ⅵ．歩行安定性　セクションⅥ：＿＿＿/21点

杖　：　無　・　有　(補助具名：　　　)
装具：　無　・　有　(装具名：　　　)

21．平地歩行(時間　秒)
6 mの直線歩行路での通常速度歩行の所要時間を計測する．

22．歩行速度の変化
通常速度の歩行2-3ステップ→速い速度の歩行2-3ステップ→遅い速度の歩行2-3ステップの反応を確認する．

23．頭を水平回旋させながらの歩行
通常速度歩行→頭部右回旋した通常速度歩行2-3ステップ→頭部左回旋した通常速度歩行2-3ステップの反応を確認する．

24．歩行時ピボットターン
通常速度歩行を実施し，合図とともにできるだけ速くピボットターンして静止立位をとる際の反応を確認する．

25．障害物またぎ(時間　秒)
歩行開始地点から3 m前方に2つ重ねた靴箱(22.9 cm高)を設置し，歩行開始地点から合計6 mの通常速度歩行を実施した際の所要時間を計測する．

26．timed up and go(時間　秒)
TUGを実施する．

27．二重課題つきtimed up and go(時間　秒)
数字逆唱課題(100から91まで3を引き算する)をしながらTUGを実施する．

■成績サマリー：パーセントスコアの計算

セクションⅠ：	/15×100＝	%	生体力学的制約
セクションⅡ：	/21×100＝	%	安定限界/垂直性
セクションⅢ：	/18×100＝	%	姿勢変化/予測的姿勢制御
セクションⅣ：	/18×100＝	%	反応
セクションⅤ：	/15×100＝	%	感覚
セクションⅥ：	/21×100＝	%	歩行安定性
総計：	/108点×100＝	%	パーセント総計

〔大高恵莉，他：日本語版balance evaluation systems test(BESTest)の妥当性の検討．リハビリテーション医学 51：565-573, 2014をもとに作表〕

b 検査の実際

開始肢位：加速路の端で静止立位

対象者への教示例：

(1)「前方の端まで歩いてください」

(2)「私は端まで歩く際の時間を測ります」

CGS の場合：「日常生活での普段どおりの速さで歩いてください」

MGS の場合：「できるだけ速く歩いてください」

(3)(必要に応じて検者が合図をする)「では，どうぞ」「では，はじめ」

c 記録

計測路の端から端までの歩行の所要時間と計測した速度条件(CGS か MGS か)を記録する．単位は秒である．また，計測した所要時間から速度を算出する(単位：m/秒)．1 回の測定値を記録するが，複数回測定する場合は平均値を代表値として採用する．

d 結果の解釈のポイント

歩行時間の測定値が大きいほど，歩行速度が遅いほど，それぞれ歩行のパフォーマンスが低いことを意味し，下肢機能，歩行速度，歩行能力，移動能力が低下していると考えられる．

- 地域で移動自立：脳卒中 CGS 0.8 m/秒以上，限られた範囲の地域で移動自立：脳卒中 CGS 0.4～0.8 m/秒，自宅屋内移動自立：脳卒中 NGS 0.4 m/秒未満
- 最小可検変化量：慢性期脳卒中 CGS 0.2 m/秒
- MGS 0.1 m/秒，Parkinson 病 CGS 0.09 m/秒，MGS 0.13 m/秒
- パーキンソニズムを有する地域在住高齢者 CGS 0.18 m/秒，MGS 0.25 m/秒，股関節部骨折 CGS 0.08 m/秒，MGS 0.10 m/秒，回復期または維持期の心臓リハビリテーション対象者 MGS 0.16 m/秒，認知症 0.27 m/秒，高齢者 CGS 0.19 m/秒，MGS 0.21 m/秒

e 注意点

対象者が転倒しないように常に配慮する．

対象者が歩行中に途中で止まってしまった場合は途中で中止して再度教示と測定をやり直す．また，CGS を計測する際に，明らかに通常速度ではない努力性の速い歩行をしていると見受けられた場合は，対象者本人に確認し，再度教示と測定をやり直す．

通常速度と最大速度の 2 条件で測定する場合は，通常速度の条件から測定し，次に最大速度の条件で測定する．

6 timed up and go test(TUG)

椅子座位から起立し 3 m の往復歩行を行って再び着座するまでの所要時間を測定し，歩行能力および移動能力が反映された起立-着座および歩行のパフォーマンスを評価するテストである(▶図 4)．もともと，「椅子座位から起立，3 m 直線歩行，180° 方向転換，再度 3 m 歩行，着座」の一連の連続的な課題を遂行する際の姿勢バランス，安定性，転倒の危険の程度を 5 段階のグレードで評価するパフォーマンステストとして get up and go test(GUG)が開発されたが，その後，GUG の判定基準の曖昧さを改善するために TUG が開発された．

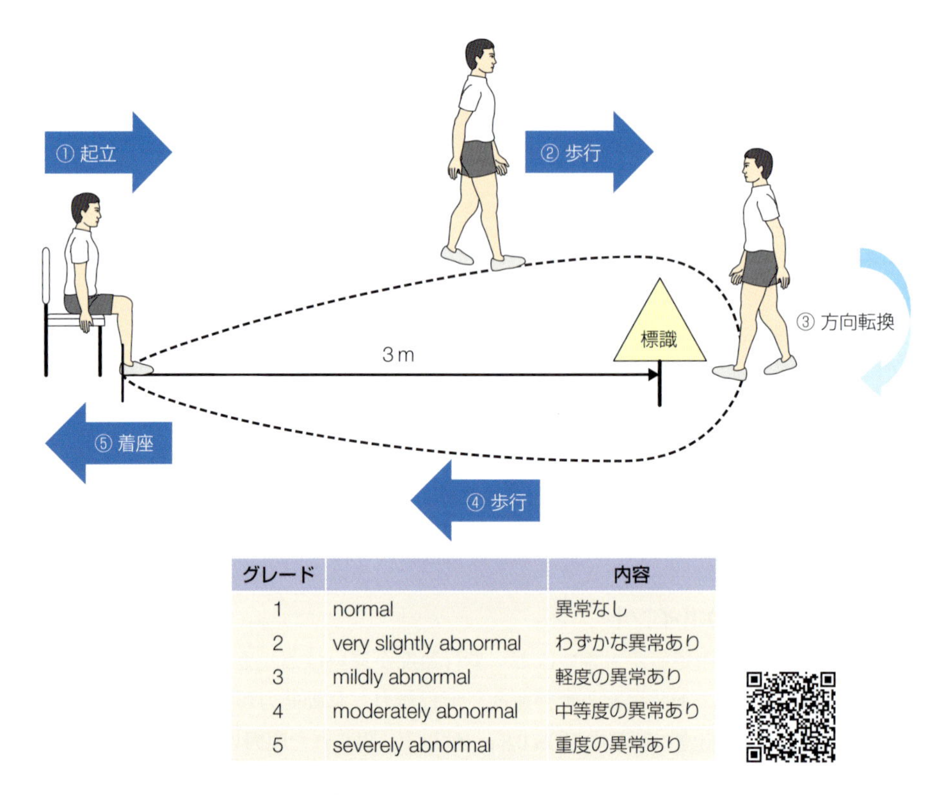

グレード		内容
1	normal	異常なし
2	very slightly abnormal	わずかな異常あり
3	mildly abnormal	軽度の異常あり
4	moderately abnormal	中等度の異常あり
5	severely abnormal	重度の異常あり

▶図 4　Timed Up and Go test(get up and go test)(動画 39)

Timed Up and Go test は，椅子座位から起立し 3 m を往復歩行した後に椅子へ着座するまでの所要時間を計測する．Get Up and Go test は，椅子座位から起立し 3 m を往復歩行した後に椅子へ着座するまでの動作課題を実施したときの転倒の危険の程度を 5 段階のグレードで評価する．グレード 1 は課題実施中に転倒の危険なし．グレード 5 は課題実施中に転倒の危険あり．グレード 2〜4 は不整な環境における転倒の可能性を示唆する次の現象(時間がかかる，上肢・体幹に異常運動がある，尻込み・ふらつき・つまずきがある)が課題遂行中に認められる場合，その程度で判断する．

a 実施前の準備

測定器具：ストップウォッチ，椅子，標識，(必要に応じて)歩行補助具

測定環境：椅子の正面 3 m 前方の歩行路に標識を設置する．

b 検査の実際

開始肢位：椅子座位

対象者への教示例：

(1)「私が合図したら，椅子から立ち上がり，あの標識まで歩いて，標識を回り，椅子まで戻って，また椅子に座ってください」

(2)「私はその際の時間を測ります」

(3)「立ち上がったらすぐに歩き始め，椅子に戻ってきたらすぐに座ってください」

CGS の場合：「日常生活での普段どおりの速さで歩いてください」

MGS の場合：「できるだけ速く歩いてください」

(4)「あの標識は右からでも左からでも，どちら側から回っても結構です」

(5)(必要に応じて検者が合図する)「では，どうぞ」「では，はじめ」

c 記録

椅子座位から身体が動き始めたときから再び椅子に着座するまでの所要時間と計測した速度条件(通常速度か最大速度か)を記録する．単位は秒である．1回の測定値を記録するが，複数回測定する場合は平均値を代表値として採用する．

d 結果の解釈のポイント

測定値が大きいほど歩行のパフォーマンスが低いことを意味し，下肢機能，歩行速度，歩行能力，移動能力が低下していると考えられる．平均値は次のとおり．

	60〜69歳	70〜79歳	80歳以上
男性	9.2秒	10.2秒	11.9秒
女性	9.9秒	11.3秒	13.4秒

〔Thaweewannakij, T., et al.: Reference values of physical performance in Thai elderly people who are functioning well and dwelling in the community. Phys Ther 93: 1312-1320, 2013より〕

- 屋内ADL自立，1人で屋外外出可能：20秒以下，ADLに介助が必要：30秒以上
- 転倒のリスクあり：高齢者13.5秒以上，ただし高齢者の転倒を予測するTUGのカットオフ値は複数報告があり，10〜32.6秒と幅広い．
- 最小可検変化量：慢性期脳卒中患者8.0秒，Parkinson病患者3.5秒，パーキンソニズムを有する地域在住高齢者11秒，糖尿病患者1.0秒，認知症患者5.88秒，健康な高齢者4.0秒

e 注意点

測定中は対象者が転倒しないように常に配慮する．特に，立ち上がり時，歩行開始時，方向転換時，着座時など，姿勢や方向を変換する際に身体動揺をきたしやすい．

対象者が課題遂行中に途中で動作を中断してしまった場合は測定を中止して再度教示と測定をやり直す．また，CGSで計測する際に，明らかに通常速度ではない努力性の速い歩行をしていると見受けられた場合は，対象者に確認し，再度教示と測定をやり直す．

通常速度と最大速度の2条件で測定する場合は，通常速度の条件から測定し，次に最大速度の条件で測定する．

二重課題下での移動能力を評価するための指標として，無作為に選ばれた数値から減算する課題を行いながらTUG課題を行うTUG cognitiveや，水が入ったカップを持ちながらTUG課題を行うTUG manualが報告されている．

7 6分間歩行テスト(6 minutes walking test；6MWT)

一定の歩行区間を6分間連続して歩行した距離を計測し，歩行の持久性や運動耐容能が反映された歩行のパフォーマンスを評価するテストである(▶図5)．6MWTのテストを用いて計測された結果が6分間歩行距離(6 minutes walking distance；6MWD)である．

a 実施前の準備

測定器具：ストップウォッチ，カウンター，メジャー(または物差し)，標識，歩行補助具(必要に応じて)，パルスオキシメータ，血圧計，聴診器など

測定環境：30mの直線距離を周回歩行できるように歩行路を設定する．

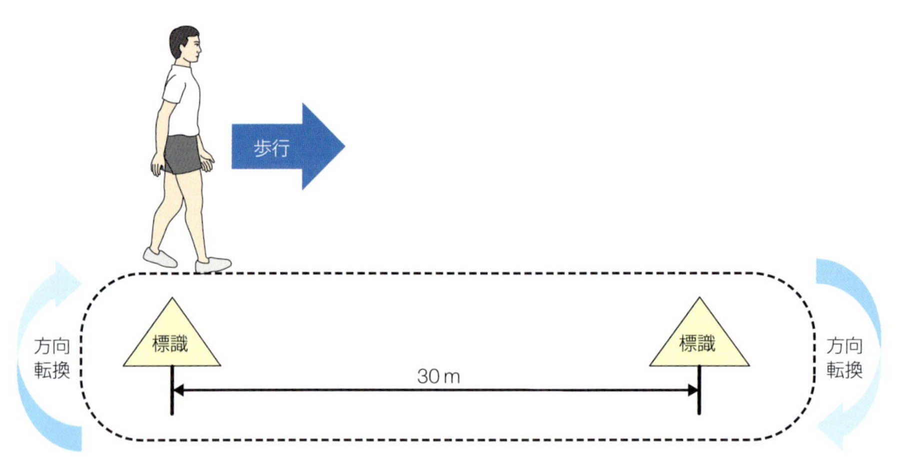

▶図 5　6 分間歩行テスト(6 minutes walking test ; 6MWT)

b 検査の実際

開始肢位：検査開始前 10 分間は安静な椅子座位，検査開始直前は歩行路の端で静止立位

対象者への教示例：

(1)検査前の教示

「6 分間にできるだけ長い距離を歩いてください．途中でペースを落としたり，立ち止まって休んでもかまいませんが，できるだけ早く歩き始めてください．標識(コーンなど)ですばやく方向転換し，往復歩行します．(検者が 1 往復し，歩き方とすばやい回り方を示す)」対象者が歩き始めたら，同時にストップウォッチをスタートする．

(2)検査中の教示

検査開始後，1 分経過するごとに「残り時間はあと○分です」

休息が必要になったとき「もし必要なら壁にもたれかかって休むこともできます．大丈夫と感じたらふたたび歩き続けてください」(対象者が休憩中もストップウォッチは止めない)

残り 15 秒時「もうすぐ止まってくださいと言います．私がそう言ったら，すぐに立ち止まってください」

(3)終了時「止まってください」

c 記録

歩行開始地点から 6 分間歩行後の地点までの歩行距離を記録する．単位は m である．1 回の測定値を記録する．

対象者が課題遂行中に歩行を中断し検査の続行を拒否した場合は測定を中止し，対象者に椅子座位をとるように誘導する．その際，中止するまでに歩行した距離とともに，中断した時間，中断した理由をそれぞれ記録しておく．

d 結果の解釈のポイント

測定値が小さいほど歩行のパフォーマンスが低いことを意味し，歩行持久性，歩行能力，移動能力が低下していると考えられる．平均値は次のとおり．

	60～69歳	70～79歳	80歳以上
男性	389.6 m	367.5 m	306.6 m
女性	366.1 m	322.0 m	256.3 m

〔Thaweewannakij, T., et al.: Reference values of physical performance in Thai elderly people who are functioning well and dwelling in the community. Phys Ther 93: 1312-1320, 2013 より〕

- 最小可検変化量：脳卒中患者 54.1 m，パーキンソニズムを有する地域在住高齢者 82 m，Alzheimer 病患者 33.5 m，股関節部骨折患者 53.51 m，糖尿病患者 27 m，高齢者 65 m

e 注意点

対象者が転倒しないように常に配慮する．検査中，対象者は話をせず，検者の声かけは前述の決まったセリフのみとする．必要に応じて検査の前後にバイタルサインや著変した症状の有無と程度を確認する．検者は，① 歩行距離の測定と記録，② 6 分間の時間計測，③ 対象者への教示，④ 歩行中の対象者の見守りといった複数の役割があるため，複数の検者で協力して実施するとよい．

C パフォーマンステストに必要な基礎知識

パフォーマンスは多様な機能要素によって形成され，かつ高度な特異性を有するため，パフォーマンスのすべての側面を反映する単一の評価指標は存在しない．単一のパフォーマンステストの結果に依存した偏りのある解釈をしないように留意する．パフォーマンステストを選択する際にも，何を評価するのか，その目的と必要性を明確にしておく．

パフォーマンステストには転倒リスクや動作・活動の自立度を判定するための参考値が提唱されているものがある．参考値は有用な目安として活用できるが，実際には理学療法の各対象者によって，参考値に達しても実際には目標とする動作・活動が実現されない場合や，参考値に達さずとも目標とする動作・活動が実現できる場合がある．参考値はあくまで目安であり，実際にはほかの評価結果と併せて包括的に統合と解釈することが重要である．

姿勢バランスを評価するパフォーマンステストでは，より不安定な姿勢・動作の課題を試験的に行うため，検査時には転倒のリスクを十分に考慮する必要がある．対象者の姿勢が不安定になった場合，すぐに介助できる位置で検者が見守って実施し，検査中の転倒を防止する．検査を実施する際には補助となる物的環境(椅子，手すり，壁など)を確認しておく．

一方で，対象者の転倒のリスクを考慮するあまり，対象者が最大限のパフォーマンスを発揮できないうちに検査を終了してしまう場合がある．対象者の安全管理をしつつ，しかし，対象者ができるだけ最大限のパフォーマンスを発揮するように実施する．

パフォーマンステストでは，騒音や話し声などが聞こえるとその音が外乱となり，検査から注意が逸れてパフォーマンスが変化する場合がある．人の通行や往来，騒音などを事前に確認して検査を実施する環境を選択する．また，検査開始直前は一呼吸おいて心身ができるだけ安定した状態に整えておく．

対象者によっては口頭による説明だけでは検査の課題を十分に理解できず，最大限のパフォーマンスを発揮できない場合がある．検者は，検査前に対象者へ検査課題を口頭で述べるだけでなく，必要に応じて検査課題を実演して説明するとよい．

パフォーマンステストによっては，実施する課題の教示内容が異なることで成績が異なる場合があるため，課題の教示方法はあらかじめ同一のものに統一する．

●**引用文献**
1）中村隆一：運動学習．中村隆一，他：基礎運動学 第6版．pp467-500，医歯薬出版，2003.
2）潮見泰藏：検査バッテリー・評価表．内山靖(編)：標準理学療法学 専門分野 理学療法評価学 第2版．pp315-343，医学書院，2004.
3）潮見泰藏：「機能的制限」に関わる評価指標の臨床活用．内山靖，他(編)：臨床評価指標入門．pp94-96，協同医書出版社，2003.
4）臼田滋：脳卒中理学療法の標準化について―障害構造と臨床評価指標．理学療法福岡 26：33-38 2013.
5）Roush, S. E., et al. : Disability reconsidered: the paradox of physical therapy. Phys Ther 91：1715-1727, 2011.

復習問題

□ 1 バランスが良好である場合，片足立ち保持時間の測定値は［ ① ］．〔47PM026〕

□ 2 functional balance scale はバランス評価に用いられ，バランスが良好である場合，得点は［ ② ］．〔49AM046，49PM048，47PM026〕

□ 3 functional balance scale は，座位保持，立ち上がり，立位保持，360°回転，段差踏み換えなどで構成される［ ③ ］項目の姿勢保持または動作課題である．総合点は［ ④ ］点である．

□ 4 椅子から立ち上がり，［ ⑤ ］m 先の目標物で U ターンして再び着席するまでの時間を評価する検査を［ ⑥ ］という．〔47PM026〕

①大きくなる ②大きくなる ③14 ④56 ⑤3 ⑥timed up and go(TUG) test

14 嚥下

学習目標
- 嚥下機能検査の目的，適用を理解する．
- 臨床現場で実施される各検査を整理し，結果の解釈とポイントを理解する．
- 摂食・嚥下の5期モデルを学ぶ．

A 嚥下機能検査の概要と目的

概要

現在，高齢者の肺炎が大きな問題となっている．なかでも65歳以上の高齢者に生じる肺炎では，その約1/3が**誤嚥性肺炎**であるといわれている．

誤嚥とは，食物や唾液などの分泌物が下咽頭を通過するときに，声門を越えてさらに気管より深い部分に侵入することである．すべての誤嚥が肺炎につながることはなく，誤嚥性肺炎の発症は侵襲と抵抗のバランスで決まる．侵襲とは，誤嚥の量や性質であり，抵抗とは呼吸・喀出能力・免疫力などのことであり，侵襲が大きくなるか，または抵抗が小さくなったときに誤嚥性肺炎へとつながる．

一般的に誤嚥物の性質は口腔の状態に左右されるため，日常からの**口腔ケア**は必須であり，歯科衛生士ならびに看護師などと情報共有しながら，衛生管理を徹底する必要がある．口腔が適切に管理され，衛生状態がよければ，肺炎に至る例は少ない．しかし，嚥下機能低下から誤嚥量が増加すると，衛生状態が良好な場合でも誤嚥性肺炎を発症する．抵抗としての呼吸・喀出能力とは，肺機能や咳嗽能力のことであり，誤嚥物が喉頭に侵入しても喀出できる能力があるかどうか見極めることが必要である．また，免疫力としての総リンパ球数なども栄養状態に大きく影響を受けることから，嚥下障害の有無を確認することが必要である．

目的

現在，理学療法において嚥下機能が問題となり，誤嚥性肺炎に対応しなければならない現場に遭遇することは多く見受けられる．対象者の嚥下機能評価から状態像を把握し，どのような問題点があるのか，四肢の機能のみならず嚥下機能にも着目し，評価を行うことは重要と考えられる．嚥下機能検査の目的は，機能的異常ならびに器質的異常の評価，リハビリテーションの効果判定などである．

適用については幅が広く，摂食・嚥下障害が疑われた場合のスクリーニングから，摂食・嚥下練習前，練習中，練習後またその後の経過観察においても随時施行される．理学療法士が実施可能な嚥下機能の簡易的スクリーニングならびに他職種が行う医学的検査を**表1**にまとめた．

▶表1　嚥下機能の簡易的スクリーニング検査と医学的検査

嚥下機能検査名	解説
1 摂食・嚥下質問紙	
a. 聖隷式嚥下質問紙[1]	摂食・嚥下機能が正常であるかどうかを簡単に判定するために，各種症状について質問紙を用いてスクリーニングするものである．大熊らにより 2002 年に脳血管障害慢性期患者を対象に開発された．質問内容が理解できない場合は実施困難である
b. 嚥下障害リスク評価尺度改訂版[2]	嚥下障害のリスク評価のため，食事中の自覚症状から嚥下機能が正常であるかどうかを判定するものである．深田らにより 2006 年に地域で生活する高齢者を対象に開発された．質問内容が理解できない場合は実施困難である
c. EAT-10 (the 10-item eating assessment tool)[3]	海外で開発された摂食・嚥下機能のスクリーニングのための質問紙であり，日本語に翻訳され使用されている．Belafsky らにより 2008 年に開発された．質問内容が理解できない場合は実施困難である
2 反復唾液嚥下テスト(▶図1)(➡212頁) (repetitive saliva swallowing test；RSST)[4]	限られた時間内で随意的な嚥下反射が何回実施できるかを評価する方法である．嚥下障害の有無を判別する．空嚥下を繰り返す課題が理解できないものは実施困難である
3 改訂水飲みテスト(▶図2)(➡212頁) (modified water swallowing test；MWST)[5]	3 mL の冷水を口腔内に入れて嚥下させ，嚥下反射誘発の有無，むせ，呼吸変化を確認し，嚥下機能を評価する方法である
4 フードテスト(▶図3)(➡212頁) (food test；FT)[5]	プリンなど約 3～4 g を口腔内に入れ，MWST と同様に嚥下反射誘発の有無，むせ，呼吸の変化を確認し，嚥下機能を評価する方法である
5 頸部聴診(▶図4)(➡213頁) (cervical auscultation；CA)[6]	嚥下する際の咽頭部で生じる嚥下音ならびに嚥下前後の呼吸音を頸部で聴診し，嚥下音の性状や長さおよび呼吸音の性状や発生するタイミングから嚥下障害を判定する方法である
6 嚥下造影検査(▶図5)(➡213頁) (videofluoroscopic examination of swallowing；VF)[7]	造影剤を使用して嚥下機能を評価する方法である．嚥下の動きをリアルタイムにモニターを見ながら確認できる．しかし，X 線を使用するために被曝を伴う
7 嚥下内視鏡検査(▶図6)(➡213頁) (videoendoscopic examination of swallowing；VE)[8]	鼻咽腔ファイバースコープを使用して嚥下機能を評価する方法である．内視鏡を鼻腔から咽頭まで挿入し，その状態で食物や水分を摂取することで誤嚥や咽頭残留の有無などを観察する．VF とは異なり，X 線による被曝はない

B 嚥下機能検査の実際

1 摂食・嚥下質問紙

a 聖隷式嚥下質問紙[1]

1）実施前の準備

机と椅子を準備する．

2）検査の実際

自己記入または聞き取り形式で行う．質問紙は，肺炎の既往，栄養状態，口腔・咽頭・食道機能，声門防御機構などが反映される構造であり，15 項目の質問がある．

3）記録

「A：重い症状」「B：軽い症状」「C：症状なし」の 3 段階で回答する．

4）結果の解釈のポイント

1 つでも A に該当すれば，「嚥下障害あり」または「疑う」と判断する．「A の回答あり」を「嚥下障害あり」とすると，特異度 90%，感度 92% といずれも高く，摂食・嚥下障害のスクリーニングに有用である．

b 嚥下障害リスク評価尺度改訂版[2]

1）実施前の準備

机と椅子を準備する．

2）検査の実際

自己記入または聞き取り形式で行う．食事中に現れる症状を咽頭期，誤嚥，準備・口腔期，食道期の4つの嚥下障害に分類しており，23項目の質問がある．

3）記録

「ほとんどない：0点」「まれにある：1点」「ときどきある：2点」「いつもある：3点」の4段階で回答する．

4）結果の解釈のポイント

合計点数が6点以上の場合，摂食・嚥下障害リスクありと判定する．

c EAT-10 (the 10-item eating assessment tool)[3]

1）実施前の準備

机と椅子を準備する．

2）検査の実際

自己記入または聞き取り形式で行う．嚥下に関する質問項目が10項目ある．

3）記録

「問題なし：0点」～「ひどく問題：4点」の5段階で回答する．

4）結果の解釈のポイント

合計点数が40点中3点以上の場合，嚥下の効率や安全性について専門医に相談が必要と判断される．

2 反復唾液嚥下テスト (repetitive saliva swallowing test；RSST)[4] (▶図1)

1）実施前の準備

30秒間の時間を計測するため，ストップウォッチを準備する．

2）検査の実際

示指で舌骨，中指で甲状軟骨を触知した状態で空嚥下を指示し，30秒間に何回空嚥下が行えるかを数える．原法では触診のみであるが，聴診での嚥下音の確認を併用すると評価がより正確になる．口腔乾燥がある場合には，口腔内を湿潤させてから実施するとよい．口頭指示による理解が不良な場合は，判定が困難である．

3）記録

喉頭隆起が完全に中指を乗り越えた場合に1回としてカウントする．

4）結果の解釈のポイント

30秒間に3回未満の場合にテスト陽性で問題ありとする．誤嚥を有する症例を同定する感度は98%，特異度は66%と報告されている．たとえば「手を上げて」などの指示に従えなければ判定困難とみなす．

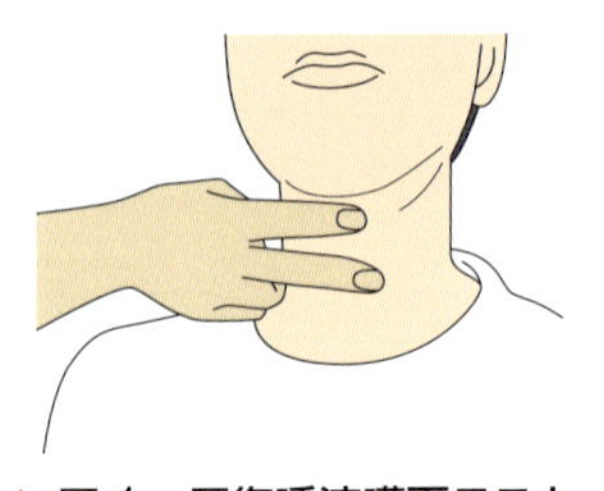

▶図1　反復唾液嚥下テスト（動画 40）

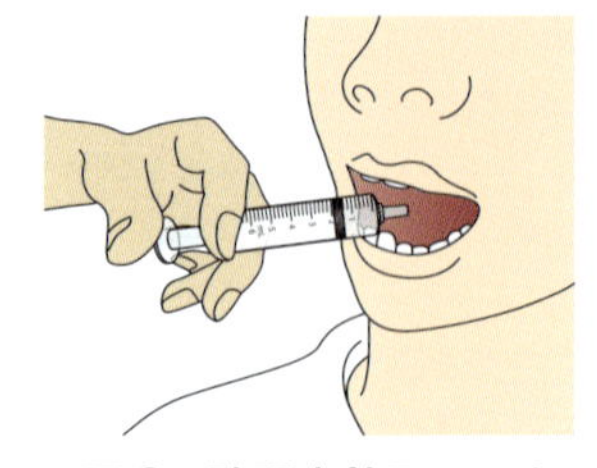

▶図2　改訂水飲みテスト

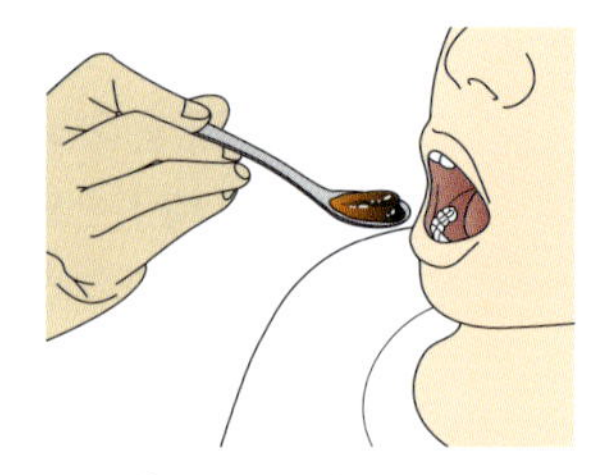

▶図3　フードテスト

3 改訂水飲みテスト(modified water swallowing test；MWST)[5]（▶図2）

1）実施前の準備

シリンジと冷水を準備する．

2）検査の実際

シリンジに3 mLの冷水を入れ，舌背ではなく口腔底に水を注ぎ，嚥下させる．舌背に注ぐと直接，咽頭に流れ込むおそれがある．嚥下の際，RSSTと同様に指を舌骨と甲状軟骨上に置き，嚥下運動を観察する．また，嚥下後に「アー」と発声することで湿性嗄声の有無を確認する．

3）記録

1～5点の5段階で評価する．嚥下がなく，むせなどの反応があれば「1点」，嚥下があり，呼吸切迫があれば「2点」，嚥下があり，むせや湿性嗄声があれば「3点」，嚥下があり，むせがなければ「4点」とする．反復嚥下を30秒間に2回以上可能であれば「5点」とする．

4）結果の解釈のポイント

評点が4点以上であれば最大でさらに2回繰り返して，最も悪い点数を採用する．カットオフ値を3点とすると，誤嚥の有無における判別の感度は70%，特異度は88%と報告されている．

4 フードテスト(food test；FT)[5]（▶図3）

1）実施前の準備

ティースプーン1個，プリンなど(容量3～4 g)を準備する．

2）検査の実際

プリンなど約3～4 gを口腔内の舌背前面に置き，嚥下させる．MWSTと同様に嚥下反射誘発の有無，むせ，呼吸の変化を評価する．本検査も頸部聴診との併用で判定をより正確に行うことができる．

3）記録

1～5点の5段階で評価する．嚥下がなく，むせなどの反応があれば「1点」，嚥下があり，呼吸切迫があれば「2点」，嚥下があり，むせや湿性嗄声，口腔内残留中等度があれば「3点」，嚥下があり，むせがなく，口腔内残留がほぼなければ「4点」，4点のテストに加え，反復嚥下を30秒間に2回以上可能であれば「5点」とする．

4）結果の解釈のポイント

MWSTと異なるのは，嚥下後の口腔内残留が評価に加わっている点である．カットオフ値を4点とすると，誤嚥の有無における判別の感度は72%，特異度は62%と報告されている．

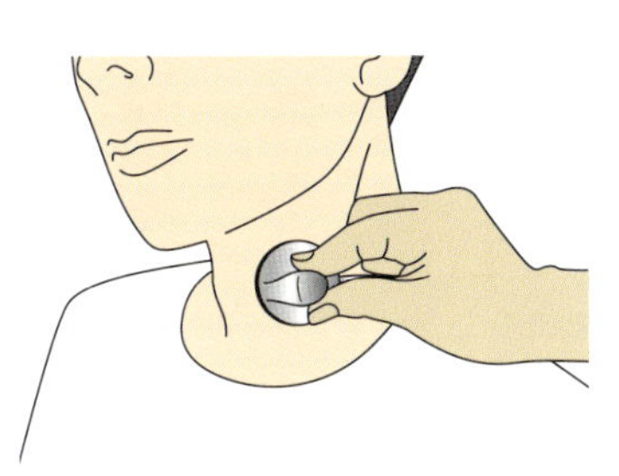

▶図 4 頸部聴診

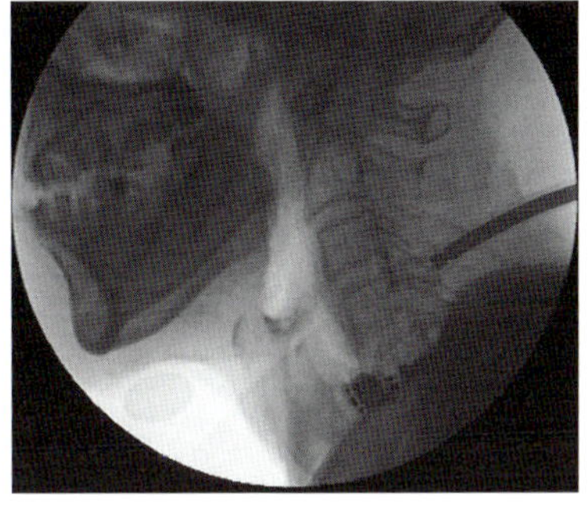

▶図 5 嚥下造影検査

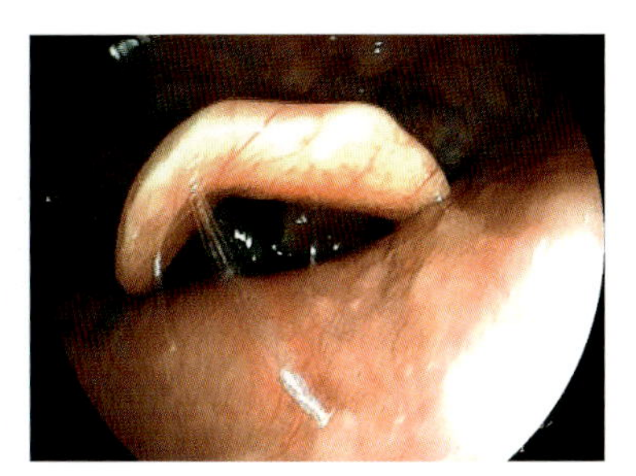

▶図 6 嚥下内視鏡検査

❺ 頸部聴診(cervical auscultation ; CA)[6] (▶図 4)

1) 実施前の準備

聴診器を準備する．

2) 検査の実際

聴診器を頸部の輪状軟骨直下気管外側に接触させ，検査食を飲み込むように指示する．聴診器をあてる位置は，嚥下時の喉頭挙上運動や頸部運動を妨げないように注意する．

3) 記録

嚥下するときの咽頭部で発生する嚥下音および嚥下前後の呼吸音を頸部で聴診して，嚥下音の性状や長さ，さらに呼吸音の性状や発生するタイミングを聴取して，判定する．

4) 結果の解釈とポイント

長い嚥下音や弱い嚥下音，複数回の嚥下音が聴取される場合は，舌による送り込みの障害，咽頭収縮の減弱，喉頭挙上障害，食道入口部の弛緩障害などを疑う．また，嚥下時に泡立ち音(bubbling sound)やむせに伴う喀出音が聴取された場合には誤嚥を疑う．呼吸音では湿性音(wet sound)や嗽音(gargling sound)が聴取された場合は誤嚥や喉頭侵入，咽頭部における液体貯留などを疑う．

Ⓒ 嚥下機能検査に必要な基礎知識

❶ 摂食・嚥下の 5 期とは

摂食・嚥下の 5 期とは先行期，準備期，口腔期，咽頭期，食道期のことを指す(▶図 7)．食物を認知することから始まり，取り込み，咀嚼に至る嚥下の前の段階が先行期，準備期であり，食物や液体が口から咽頭・食道を経て胃へ運ばれる過程が口腔期，咽頭期，食道期である．一般的に口腔期以降を**嚥下**といい，先行期から食道期までを**摂食・嚥下**という．

- **先行期**(anticipatory stage)：認知期とも呼ばれ，視覚・嗅覚・触覚などの感覚器が関与している．目の前の物を「食べ物である」と認知する段階であり，硬さや一口摂取量の目安についての判断も行われる．
- **準備期**(preparatory stage)：口腔内に食物を取り込む段階である．取り込まれた食物が咀嚼

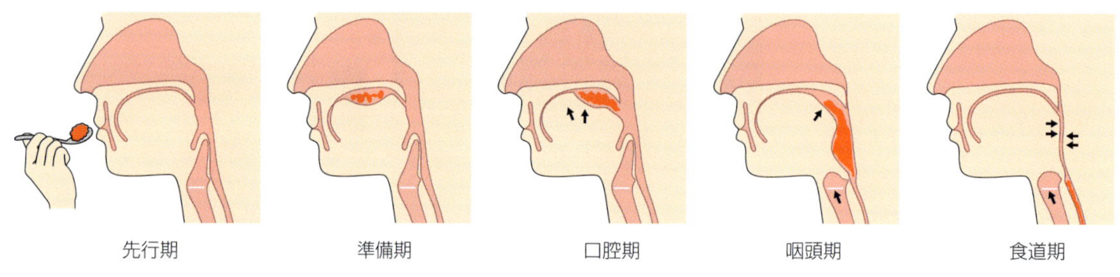

▶図7　摂食・嚥下の5期

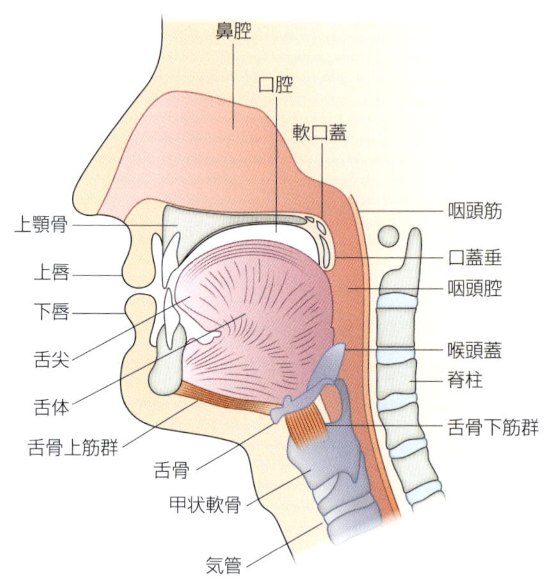

▶図8　摂食・嚥下器官の構造

▶表2　摂食・嚥下に関与する筋

筋群	各筋
口筋群	口輪筋，笑筋，頬筋など
咀嚼筋群	咬筋，側頭筋，内側翼突筋，外側翼突筋
舌筋群	内舌筋(縦舌筋，横舌筋，垂直舌筋)，舌外筋(オトガイ舌筋，舌骨舌筋，小角舌筋，茎突舌筋)
口蓋筋群	口蓋帆張筋，口蓋帆挙筋，口蓋垂筋，口蓋咽頭筋，口蓋舌筋
舌骨筋群	舌骨上筋群(顎二腹筋，顎舌骨筋，茎突舌骨筋，オトガイ舌骨筋)，舌骨下筋群(甲状舌骨筋，肩甲舌骨筋，胸骨舌骨筋，胸骨甲状筋)
咽頭筋群	挙上筋群(茎突咽頭筋，耳管咽頭筋)，収縮筋群(上咽頭収縮筋，中咽頭収縮筋，下咽頭収縮筋，甲状咽頭筋，輪状咽頭筋)
内喉頭筋	輪状甲状筋，外側輪状披裂筋，披裂筋，甲状披裂筋，後輪状披裂筋など

されて，飲み込みやすい形に整えられる．これを食塊形成という．食塊は，顎，舌，歯，頬を使用し，唾液と混ぜることで形成される．

- **口腔期**(oral stage)：舌の動きによって咽頭に食塊を送り込む時期である．この時期の舌は硬口蓋に接触し，頬や口唇は送り込みに必要な口腔内圧を高める働きを行っている．
- **咽頭期**(pharyngeal stage)：咽頭から食道入口部に食塊を送る時期である．延髄にある嚥下中枢の働きにより，嚥下反射が起こり，喉頭誤嚥を生じる可能性がある重要な時期である．
- **食道期**(esophageal stage)：胃へ移送する時期である．運ばれてきた食塊は食道の蠕動運動により，胃へ送り込まれる．食道入口部の筋収縮により，咽頭や気管へと食塊が逆流することが防止されている．

2 摂食・嚥下に関与する筋

嚥下の際には，口輪筋・頬筋などの口腔周囲の顔面筋，下顎を動かす咀嚼筋，舌筋，口蓋筋，舌骨上筋群，舌骨下筋群などに加え，咽頭筋，食道筋が活動する(▶図8)．これらの筋が協調して収縮することにより，摂食・嚥下運動がスムーズに行われる(▶表2)．

●引用文献
1) 大熊るり，他：摂食・嚥下障害スクリーニングのための質問紙の開発．日摂食嚥下リハ会誌 6：3-8, 2002.
2) 深田順子，他：高齢者における嚥下障害リスクに対するスクリーニングシステムに関する研究．日摂食嚥下リハ会誌 10：31-42, 2006.
3) 若林秀隆，他：摂食嚥下障害スクリーニング質問紙票 EAT-10 の日本語版作成と信頼性・妥当性の検証．静脈経腸栄養 29：871-876, 2014.
4) 小口和代，他：機能的嚥下障害スクリーニングテスト「反復唾液嚥下テスト」(the Repetitive Saliva Swallowing Test：RSST)の検討(1)正常値の検討．リハビリテーション医学 37：375-382, 2000.
5) 才藤栄一：「摂食・嚥下障害の治療・対応に関する統合的研究」総括研究報告書．平成 13 年度厚生科学研究費補助金(長寿科学総合研究事業)．pp1-17, 2002.
6) 大宿茂：頸部聴診法．老年歯学 28：331-336, 2014.
7) 日本摂食嚥下リハビリテーション学会医療検討委員会(編)：嚥下造影の検査法(詳細版)日本摂食嚥下リハビリテーション学会医療検討委員会 2014 年度版．日摂食嚥下リハ会誌 18：167-186, 2014.
8) 日本摂食・嚥下リハビリテーション学会医療検討委員会(編)：嚥下内視鏡検査の手順 2021 改訂．日摂食嚥下リハ会誌 25：268-280, 2021.

復習問題

□ 1 嚥下反射の中枢は，[①]にある．
□ 2 咽頭期に喉頭は[②]する．
□ 3 反復唾液嚥下テストは，患者の嚥下時に喉頭隆起が[③]することを触診で観察し，[④]秒間に何回嚥下が行われるか数える．[⑤]回以上できれば正常である．

①延髄 ②挙上 ③挙上 ④30 ⑤3

15 痛み

- 急性痛と慢性疼痛の違いについて理解する.
- 痛みの具体的評価方法を学ぶとともに，生物心理社会モデルに基づく包括的評価の必要性を理解する.
- 痛みの基礎について理解する.

A 痛みの評価の概要と目的

痛みとは，国際疼痛学会(International Association for the Study of Pain；IASP)の定義(2020年)によると「実際の組織損傷もしくは組織損傷が起こりうる状態に付随する，あるいはそれに似た，感覚かつ情動の不快な体験」とされている[1]．つまり，明らかな組織の損傷がなくても患者が「痛い」と訴えれば，そこに痛みは存在することになる．そのため痛みの評価においては患者の訴える痛みが，明らかな組織損傷を伴う急性痛なのか，あるいは組織損傷の関与が明らかでない，いわゆる慢性疼痛なのかを鑑別することが重要となる．

急性痛と慢性疼痛(▶図1)では，痛みの意味はまったく異なる[1]．**急性痛**とは原因が明らかであり，痛みの持続期間が傷害を受けた組織の通常の治癒期間を超えない．一方，**慢性疼痛**は組織の通常の治癒期間を超えて(およそ3か月以上)持続する痛みであり，侵害受容と痛みの対応が失われ，代わって痛み行動や痛みのもつ社会的な意味の占める割合が増している．また，急性痛では原因となる組織損傷の程度からその範囲が想定される痛みを訴えるのに対し，慢性疼痛では原因がはっきりしないか，あるいは発見された原因からでは想定できないような痛みを訴える．

目的

痛みは，「感覚かつ情動の不快な体験」と定義されているように，感覚的，意欲-情動的，評価-認知的側面を含めた多面性を有する．痛みの評価においては，単なる強度や部位の聴取にと

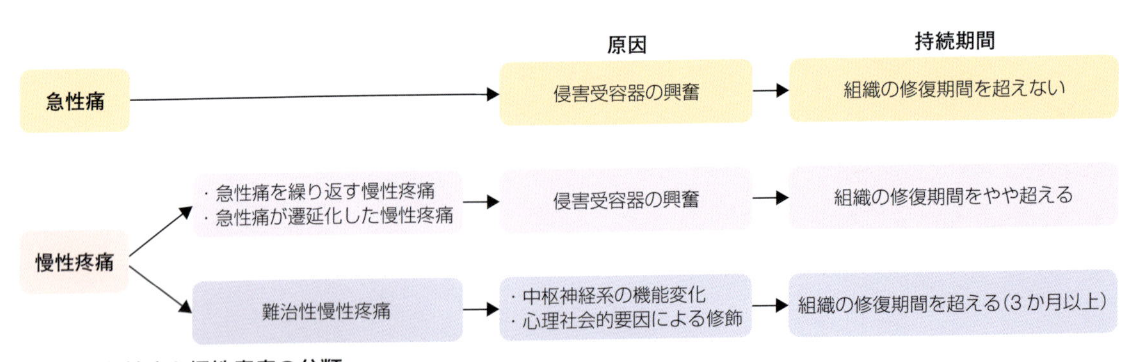

▶図1 急性痛と慢性疼痛の分類

〔熊澤孝朗：5 痛みの学術的アプローチへの提言．菅原努(監修)：慢性疼痛はどこまで解明されたか．昭和堂，2005を参考に作成〕

どまらず，対象者の心理社会的特性を含めた多面的な評価が必須である．痛みの評価の目的は，その評価結果を適切に理学療法プログラムに反映させることである．

B 痛みの評価の実際

痛みの評価のための問診と検査を**表1**に示す．これらの問診や検査の結果から，原因が明らかな(器質的な要因による)痛みなのか，あるいは痛みの原因が明らかでない(非器質的な)痛みなのかを判断していく．どちらの痛みであったとしても心理社会的要因を含めた多面的な評価が必要であり，臨床ではさまざまな質問票を利用しながら評価が行われている(▶**表2**)．また，痛みは身体の危険信号であることから評価をする際には重大病変の可能性，いわゆるレッドフラッグ(red flags)を必ず除外しておかなくてはいけない．

1 問診

痛みを有する患者のうち特に慢性疼痛患者の問診では，心理社会的背景を含めた情報収集が必要である．そのため問診項目は多岐にわたるが(▶**表1**)[1,2]，そのすべてを理学療法士1人で聴取する必要はなく，医師や看護師など他職種と連携をとりながら情報を収集・共有していく．特に「日常生活活動」や「社会参加」については，身体活動性や生活のリズムの乱れ，社会的役割の遂行状況などが把握できることから，リハビリテーションの導入に際して必ず聴取しておくべき情報である．

2 痛みの主観的評価

a 痛みの強度

痛みの強度の評価としては，**視覚的アナログスケール**(visual analogue scale；VAS)(▶**図2**)や**数値評価スケール**(numerical rating scale；NRS)(▶**図3**)，**語句評価スケール**(verbal rating scale；VRS)(▶**図4**)，**face rating scale**(▶**図5**)などが用いられる[3-5]．

VASは100 mmの直線を示し，左端を「まったく痛みなし」，右端を「いままで経験したなか

▶**表1 痛みの評価のための問診と検査**

	項目
問診	痛み(強さ，部位，性質，経過，増強・軽減因子など) 既往歴，現病歴(治療歴，補償や訴訟の有無)，併存疾患 心理状態(不安，抑うつ，痛みに対する破局的思考，自己効力感など) 日常生活活動(1日の過ごし方や支障度，睡眠，食事・体重変化，運動習慣など) 社会参加(職場や学校での状況，家庭内役割，QOLなど) 家族構成・家族歴
理学検査	視診(浮腫，筋萎縮，発汗異常，皮膚色調変化など) 触診(筋緊張，冷感・熱感，圧痛点など) 神経学的検査(感覚異常：感覚鈍麻・過敏，アロディニア，痛覚過敏など/深部腱反射・病的反射/電気生理学的検査：末梢神経伝導速度，筋電図，脳波など) 身体機能検査(筋力，関節可動域，不随意運動，バランス，異常姿勢，移動能力など)
検査	血液検査(血算，CRP，蛋白質分画，電解質，糖代謝，肝機能など) 画像検査(X線，CT，MRI・MRA，超音波，シンチグラフィなど)

〔慢性疼痛診療ガイドライン作成ワーキンググループ(編)：慢性疼痛診療ガイドライン．pp 31-32，真興交易，2021．北原雅樹：痛みの診察．日本疼痛学会 痛みの教育コアカリキュラム編集委員会(編)：痛みの集学的診療：痛みの教育コアカリキュラム．P67，真興交易，2016を参考に作成〕

▶表2　痛みの評価に用いられる代表的な質問票

	評価内容	代表的な質問票
主観的評価	痛みの性質	McGill 疼痛質問票(MPQ) 短縮版 McGill 疼痛質問票(SF-MPQ) SF-MPQ-2 日本語版
機能障害の評価	ADL	疼痛生活機能障害評価尺度(PDAS) Pain Disability Index (PDI) 簡易疼痛質問票(BPI)
疾患特異的機能障害の評価	腰痛疾患	日本整形外科学会腰痛疾患問診票(JOABPEQ) Roland-Morris disability questionnaire (RDQ) Oswestry disability index(ODI)
	頸部痛	Neck disability index(NDI)
	頸髄症	日本整形外科学会頸部脊髄症評価質問票(JOACMEQ)
	関節疾患	日本語版変形性膝関節症機能評価尺度(JKOM) Western Ontario and McMaster Universities osteoarthritis index (WOMAC) 日本整形外科学会股関節疾患評価質問票(JHEQ)
	がん痛	support team assessment schedule 日本語版(STAS-J)
認知，情動的側面の評価	破局化思考	pain catastrophizing scale(PCS)
	不安・抑うつ	hospital anxiety and depression scale (HADS) state trait anxiety inventory (STAI)
	恐怖回避的思考	fear avoidance belief questionnaire (FABQ) tampa scale for kinesiophobia(TSK)
	自己効力感	pain self-efficacy questionnaire(PSEQ)
行動，活動性の評価	行動・活動量	国際標準化身体活動質問票(IPAQ)
	睡眠	Athens 不眠尺度(AIS)
包括的評価	健康感，QOL	日本語版 EQ-5D SF-36®

〔城由起子：疼痛の理学療法評価と臨床推論．理学療法　33：409-415，2016 より改変〕

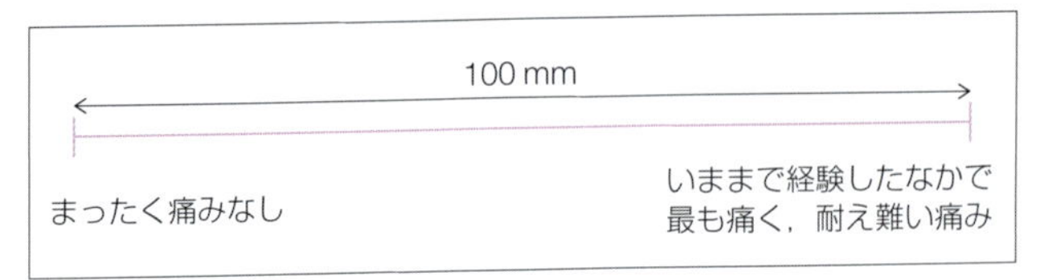

▶図2　視覚的アナログスケール(VAS)

VRS 0　痛みなし

VRS 1　わずかに痛みあり

VRS 2　痛みあり

VRS 3　強い痛みあり

▶図4　語句評価スケール(VRS)

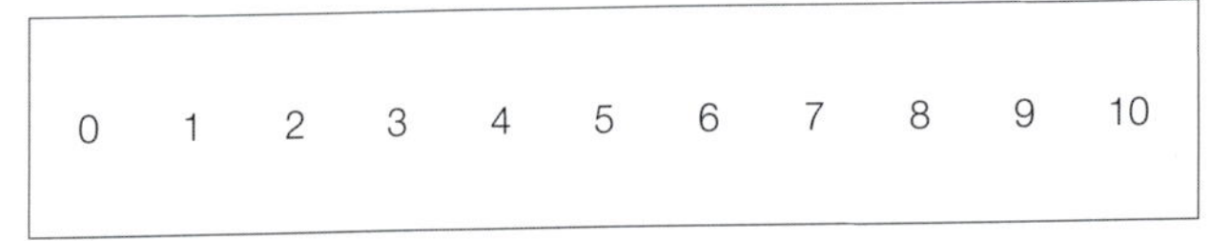

▶図3　数値評価スケール(NRS)

▶図5　face rating scale

で最も痛く，耐え難い痛み」とし，現在の痛みを指し示す方法であり，左端からの距離を mm 単位で表記する．NRS は「痛みなし」を 0,「耐えられない痛み」を 10 とし，痛みの程度を選択する．VRS は 0 を「痛みなし」，1 を「わずかに痛みあり」，2 を「痛みあり」，3 を「強い痛み」のように定義し，現在の痛みを選択する．face rating scale は痛みの強度を示す表情の絵を提示し，現在の痛みを選択してもらう方法であり，VAS や NRS での評価が難しい小児や高齢者に使用されることがある．痛みの強度の評価としては，NRS に汎用性があり，IASP も使用を推奨している．

b 痛みの部位

痛みの部位は pain drawing で評価する．口頭にて痛みの部位を聴取する方法もあるが，人型が示された図の上に疼痛部位を表記してもらうことで，色の塗り方などから痛みの範囲や広がりを明確にできる．また，体系化されていない疼痛部位の示し方は，心理的因子を反映する可能性も報告されている．

c 痛みの性質

同じ強度の痛みであっても，ズキズキする，チクチクする，締めつけられるなど，その性質は異なる．こういった痛みの性質を評価する方法として **McGill（マクギル）疼痛質問票**（McGill pain questionnaire；MPQ）や**短縮版 McGill 疼痛質問票**（short-form MPQ；SF-MPQ），また神経障害性疼痛や複合性局所疼痛症候群などに適応のある**神経障害性疼痛重症度評価ツール**（neuropathic pain symptom inventory；NPSI）などがある．近年では，SF-MPQ に神経障害性疼痛を反映する表現を加えた SF-MPQ-2 日本語版が開発され[5]，広く使用されはじめている．

3 痛み関連機能障害の評価

痛みによって ADL や QOL がどの程度障害されているかを評価することは，治療目標の設定や理学療法プログラムの立案のために非常に重要である．

a 全般的な痛みに対する機能障害の評価

痛み関連機能障害の評価指標には，**疼痛生活機能障害評価尺度**（pain disability assessment scale；PDAS），**pain disability index**（PDI），**簡易疼痛質問票**（brief pain inventory；BPI）などがある．PDAS は慢性疼痛患者の身体運動，移動能力の障害程度を評価する指標で，腰を使う活動，ADL，社会生活活動の 3 因子で構成されており，「この活動を行うのにまったく困難（苦痛）はない：0」～「この活動は苦痛が強くて私には行えない：3」の 4 段階で回答する．PDI は家庭生活，レクリエーション，社会活動，仕事，性生活，セルフケア，生命維持活動の 7 項目で構成され，ADL と QOL の障害度を評価する．BPI は，もともとがん性疼痛の評価のために作成された質問票であるが，ほかの疾患にも使用されており，痛みの程度や痛みにより障害される気分や行動について 10 段階で評価する．いずれの評価票も点数が高いほど痛みによる機能障害が重度であることを示す．

b 疾患特異的機能障害の評価

疾患特異的機能障害の評価指標として，腰痛に対しては**日本整形外科学会腰痛疾患問診票**（JOA back pain evaluation questionnaire；JOABPEQ），**Roland-Morris**（ローランド-モリス）**disability questionnaire**（RDQ），**Oswestry disability index**（ODI）がある．JOABPEQ は疼痛関連障害，腰痛機能障害，歩行機能障害に加え，心理的障害，社会生活障害に関する質問項目があり，これらのどの部分が大きく障害されているかを把握することができる．RDQ は国際的に最も使用されている腰痛に対する質問票であり，信頼性，妥当性も高い．その他さまざまな疾患に対する質問票が使用されている（▶ **表 2**）[4]．

C 理学検査

前述の評価指標に加え，痛みによって身体機能がどの程度障害されているか，あるいは痛みの原因となっている身体機能障害の有無について視診，触診，神経学的検査や身体機能検査などさまざまな理学検査を行い明らかにしていく(▶**表 1**)[1]．各検査の詳細は他章に譲る．

4 痛みの認知・情動的側面の評価

a カタストロファイジング(破局化思考)

カタストロファイジングとは，痛みに対する悲観的・否定的感情のことであり，痛みに起因する障害を過大評価し，そうした考え方から離れられない状態を示す．またカタストロファイジングには，痛みのことをあれこれ繰り返し考えてしまう「反芻(はんすう)」，痛みに対して自分は何もできないと思ってしまう「無力感」，痛みを必要以上に大きな存在ととらえてしまう「拡大視」の 3 要素が含まれる．臨床では，これら 3 要素の評価が可能な pain catastrophizing scale(PCS)が広く用いられている．カタストロファイジングは，痛みの強度や機能障害の程度，およびその予後と関係することが報告されており，急性期から適切に評価して対処する必要がある．

b 不安・抑うつ

痛みに伴う不安や抑うつの評価には hospital anxiety and depression scale(HADS)，state trait anxiety inventory(STAI)が用いられる．HADS は患者の不安や抑うつ状態について，それぞれ 0〜7 点を negative, 8〜10 点を possible, 11〜21 点を definite と判断する．STAI には状態不安の評価指標である STAI-Ⅰと特性不安の評価指標である STAI-Ⅱがある．HADS，STAI ともに疼痛患者に特化した評価指標ではない．

c 恐怖回避思考

痛みに対する不安や恐怖により，動くことや社会参加などを避けようとする**回避的思考・行動**は，活動性を低下させ，痛みや機能障害の難治化・慢性化につながる．恐怖回避思考の評価指標として fear avoidance belief questionnaire(FABQ)や tampa scale for kinesiophobia (TSK)が広く使用されている．

亜急性期の恐怖回避思考は，治療効果や仕事復帰に負の影響をもたらす可能性がある[6]．そのため，恐怖回避思考・行動に対して早期から介入することで，回復の遅延や慢性化の予防に努めなくてはならない．特に亜急性期の恐怖回避思考の程度については，注意する必要がある．

d セルフエフィカシー(自己効力感)

セルフエフィカシーとは，なんらかの課題に直面して行動する際に，こうすればうまくいくはずであるとの期待(結果期待)に対して，自分なら実行できるという期待(効力期待)や自信の程度[2]のことである．変形性膝関節症患者や慢性疼痛患者では，セルフエフィカシーが痛みの強度や機能障害の程度，またその予後に影響するとされている[7]．評価には pain self-efficacy questionnaire(PSEQ)や chronic pain self-efficacy scale，pain coping questionnaire などがあり，わが国では PSEQ がよく用いられている．

5 行動・活動性の評価

疼痛患者のうち特に慢性疼痛患者には，身体活動のペース配分が苦手(ペーシング不良)な患者が多く，過剰な安静による身体活動量の極端な低下をきたしている場合や逆に身体機能にそぐわない過活動が痛みの原因になっている場合がある．そのため，患者の身体活動性について評価・指導をすることは理学療法士の重要な役割である．

a 身体活動性[3)]

平均的な1週間の運動時間を自記式で調査する質問票として国際標準化身体活動質問票(international physical activity questionnaire；IPAQ)があり，IPAQを用いることで日常の活動量を簡便に把握することが可能である．活動量のモニタリングには，携帯電話やスマートフォンに内蔵された歩数計が利用しやすい．また，その日の行動と痛みの関係を把握する方法として，痛み-行動日誌が用いられる．痛み-行動日誌は，患者のセルフマネジメントと医療者の患者に対するフィードバックにも利用できる．記録をする際には，ネガティブな内容に終始するのではなく，これまで痛みにマスキングされて認識できていなかったポジティブなイベントを記録するように促していく．

b 睡眠

“動く”ことに対して“休む”こと，つまり睡眠の状態も運動器疼痛，頭痛，腹痛などさまざまな痛みに影響することが知られており，睡眠問題は痛みの治療ターゲットにもなりうる[8)]．

睡眠の評価にはアクチグラフや脳波が用いられているが，汎用性が非常に低い．理学療法の臨床で睡眠を評価するには，不眠症の自己式評価票であるAthens(アテネ)不眠尺度(Athens insomnia scale；AIS)が利用しやすく，患者の負担も少ない．AISは過去1か月間の睡眠の状態を評価する指標で，合計点が4～5点は不眠症の疑いが少しある，6点以上だと不眠症の可能性が高いと判断する．

6 包括的評価

身体的・心理社会的変化は，痛みの意義または痛み患者を取り巻く環境を変化させ，痛みを慢性化，難治化させることが推測される．したがって，急性痛，慢性疼痛にかかわらず社会的要因に関する情報を収集し，包括的評価の情報として提供するべきである．包括的評価のための尺度については別項(➡305頁)を参照されたい．

C 痛みの検査・測定評価に必要な基礎知識

1 痛みの伝導路[3)]

痛みを脳へ伝える経路には「外側系」と「内側系」の2種類がある．

外側系とは，脊髄後角Ⅰ，Ⅴ層のニューロンが外側脊髄視床路となり，視床を経て大脳皮質の体性感覚野(S1，2)へ至る経路のことである．この経路は，主にAδ線維からの一次痛とC線維の伝達経路で，痛みの強度や部位の識別にかかわる情報を伝達する．

▶表3　発生要素による分類

侵害受容性	末梢の侵害受容器を刺激して生じる痛み．外傷直後や急性炎症など
神経障害性	脳，脊髄，末梢神経において，神経に変性，断裂，損傷，虚血が生じたことにより生じる痛み．帯状疱疹後神経痛がその代表例
痛覚変調性	痛みを引き起こすような明らかな組織損傷やその可能性，また体性感覚系の疾患や傷害がないにもかかわらず生じる痛み

▶表4　症状による分類

アロディニア	通常では痛みを起こさないような日常的な非侵害性の刺激に対して痛みを感じる状態
痛覚過敏	痛みを引き起こす侵害性の刺激によって，その刺激強度以上に強く痛みを感じる状態
自発痛	刺激をまったく受けていないにもかかわらず自覚する痛み
灼熱痛	「灼けつくような痛み」と表現されるもので，「触られると痛い」「ビーンと痛みが走る」「しびれるような」と表現されることもある

▶図6　痛みの3側面
〔松原貴子：痛みの基礎．松原貴子，他（編著）：ペインリハビリテーション．p9，三輪書店，2011より改変〕

一方，**内側系**とは，脊髄後角Ⅵ～Ⅷ層のニューロンが延髄や脳幹でシナプスを形成しながら視床を経て，大脳の島皮質から前帯状回，前頭前野，扁桃体，海馬に至る経路のことである．この経路はC線維の伝達経路で，身体にとっての痛みの意味や情動，認知の情報を伝達する．また，視床下部にも影響を及ぼし，痛みに伴う血圧上昇や冷汗，顔面蒼白といった自律神経症状を引き起こす．

2 痛みの分類

a 痛みの発生要素による分類

痛みの発生要素を**侵害受容性**，**神経障害性**，**痛覚変調性**の3つに大別して説明する場合があるが(▶**表3**)，実際には混在している場合がほとんどである．そのため，患者の訴える痛みは，これらの要素がどのように影響し合いながら表出されているのかを評価していく．

b 痛みの症状による分類[3)]

同じ「痛み」として表現される感覚であってもその症状はさまざまである．**表4**は特に難治性疼痛でみられる痛みの症状を示している．

3 痛みの3側面

痛みは「感覚的側面」「意欲-情動的側面」「評価-認知的側面」の3つの側面に分けられる(▶**図6**)[3)]．感覚的側面とは，痛みの強度や部位，持続性など身体的な痛み感覚のことである．意欲-情動的側面とは痛みにより引き起こされる怒り，恐怖，悲しみなどの情動的変化のことである．評価-認知的側面とは，過去に経験した痛みの記憶や注意，予測などをもとにその痛みを分析・認識することである．慢性疼痛では感覚的側面よりも，意欲-情動的側面や評価-認知的側面が色濃く表出される．

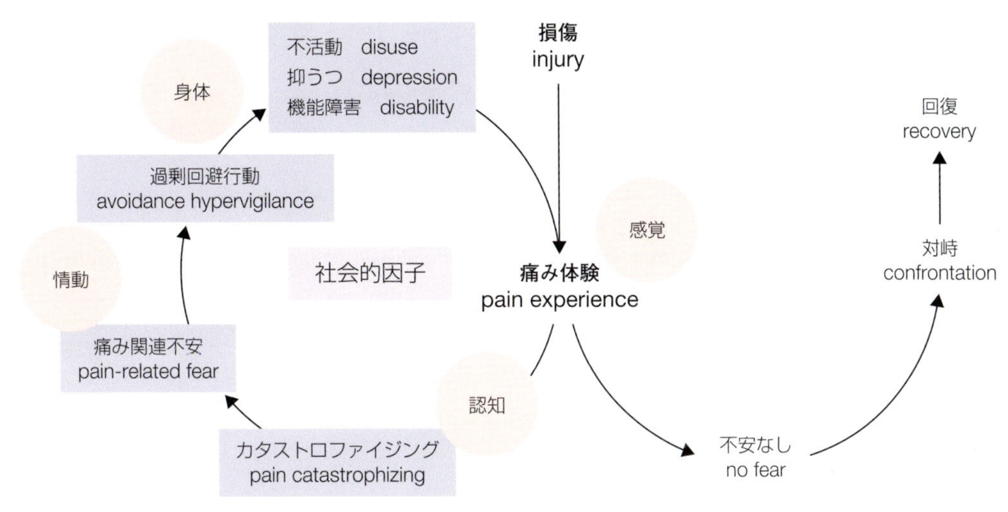

▶図 7　fear-avoidance model
〔Wertli, M. M., et al.: Catastrophizing-a prognostic factor for outcome in patients with low back pain: a systematic review. Spine J 14: 2639-2657, 2014 より〕

4 痛みの生物心理社会モデル

慢性疼痛患者の評価において，痛みには原因があり，その原因がなくなれば痛みもよくなるという原因論(原因＝痛み)では限界がある．近年では，すべての病気は生物学的，心理学的，社会学的な要素から成り立つという生物心理社会モデルを基盤としており，痛みの原因もさまざまな角度から分析されるようになってきている[2]．急性痛は組織の損傷や炎症，血流変化など生物学的要因が強い痛みである一方，慢性疼痛は痛み行動や痛みのもつ社会的な意味の占める割合が増している．このように痛み行動と社会的意味の結びつきが強まると，痛みは学習・記憶され，慢性化することになる[9]．

5 fear-avoidance model

痛みの慢性化を説明するためによく用いられる痛みの悪循環モデルとして，Vlaeyen の提示した「fear-avoidance model(恐怖回避モデル)」(▶図 7)[10]がある．そのなかで，悪循環に陥るか否かを決定する因子はカタストロファイジングのような疼痛認知ならびに恐怖，不安，抑うつのようなネガティブな情動であるとされている．痛みのとらえ方が歪めば，不安や恐怖およびそれに伴う行動回避，活動性の低下，機能障害の悪化，抑うつという悪循環に陥り，痛みが難治化・慢性化していく．このような悪循環を断ち切るために，痛みに対する適切な対処(coping)を促すことが重要である[2]．

●引用文献
1）慢性疼痛診療ガイドライン作成ワーキンググループ(編)：慢性疼痛診療ガイドライン．pp 22，24，31，32，真興交易，2021．
2）日本疼痛学会　痛みの教育コアカリキュラム編集委員会(編)：痛みの集学的診療：痛みの教育コアカリキュラム．pp55，57，67，182，真興交易，2016．

3）松原貴子，他：ペインリハビリテーション．pp9，11-12，30-33，40-43，250-252，277-278，三輪書店，2011.
4）城由起子：疼痛の理学療法評価と臨床推論．理学療法 33：409-415，2016.
5）西上智彦，他：痛みに対する評価とリハビリテーション方略―臨床でのスタンダードを目指して．保健医療学雑誌 5：45-51，2014.
6）Wertli, M. M., et al.: Catastrophizing-a prognostic factor for outcome in patients with low back pain: a systematic review. Spine J 14: 2639-2657, 2014.
7）Asghari, A., et al.: Pain self-efifcacy beliefs and pain behavior: a prospective study. Pain 94: 85-100, 2001.
8）Bonvanie, I. J., et al.: Sleep problems and pain: a longitudinal cohort study in emerging adults. Pain 157: 957-963, 2016.
9）松原貴子，他：ペインリハビリテーションの概念．麻酔 64：709-717，2015.
10）Vlaeyen, J. W., et al.: Fear-avoidance and its consequences in chronic musculoskeletal pain: a state of the art. Pain 85: 17-32, 2000.

復習問題

□ 1　痛みの 3 側面には，感覚的側面，［　①　］的側面，評価-認知的側面がある．
□ 2　慢性疼痛では，［　②　］的側面や評価-認知的側面がより表出される．
□ 3　痛み行動と［　③　］の結びつきが強まると，痛みは学習，記憶されて慢性化する．
□ 4　痛みの悪循環モデルとして［　④　］がある．この悪循環を断ち切る適切な対処を促すことが重要である．

①意欲-情動　②意欲-情動　③社会的意味　④恐怖回避モデル（fear-avoidance model）

16 運動発達

学習目標
- 正常な運動発達について理解する.
- 運動発達の評価手順を理解する.
- 運動発達が遅れている場合の検査結果の解釈の注意点について理解する.

A 運動発達検査の概要と目的

概要

発達の枠組みを機能的側面から分類すると，運動機能，生理機能，認知機能，心理機能，社会機能の5つに分けることができる．これらの機能の分化・統合の過程が発達であり，発達の理解にはそれぞれの機能とその相互作用を評価することが重要である．一般に運動機能の発達は中枢神経系の成熟と骨格筋の発達により獲得されると考えられているが，実際にはほかの機能的枠組みとの相互作用や学習/経験による変化も含めた理解が必要である．

目的

運動発達の検査は運動機能の側面から児の発達レベルや活動レベルを確認するものであり，健常児の発達との比較から障害の有無の鑑別，重症度や症状の分類，予後予測，介入の効果判定，保護者への説明などに使用する目的で実施される．

B 運動発達検査の実際

実際に運動発達検査に入る前に家族からの情報収集を行うことは検査を進めるうえで重要となる．各種の発達検査法については，個別にマニュアルが出版されているものや技術講習会の受講を前提としているものが多い．したがって，発達検査の正確な実施には，事前にマニュアルを入手しておくことや技術講習会を受講しておくことが必要となる場合がある．

また各種検査法は，正常な運動発達を基準点としてとらえることが多いため，正常発達の範囲を知っておく必要がある．運動発達のレベルを確認するために各種検査法を用いるほか，健常児の暦年齢に対応する運動発達段階(マイルストーン)を求めたり，定頸，座位，立位保持時間，歩行可能歩数などを定量的に記録することが考えられる．運動発達の遅れをきたす明らかな原因がある場合には，その原因に沿った疾患特異的な検査も有用である．本項では，原始反射，姿勢反射・反応，疾患によらない運動発達の各種検査法，運動発達に関連する障害の分類法の実際について解説する．

❶ 原始反射（動画 41）

a 検査の概要

反射は，ある刺激に対して一定の反応を示すものであり，このうち**原始反射**(primitive reflex)は，胎生 5～6 か月ころから発達し，多くは生後 6 か月までに消失する(▶図 1)．この現象は，上位脳が下位脳を抑制するという「脳の階層理論」が基盤だと考えられている．基本的には検者が誘発刺激をおこし，児の反応を観察する形式をとる．

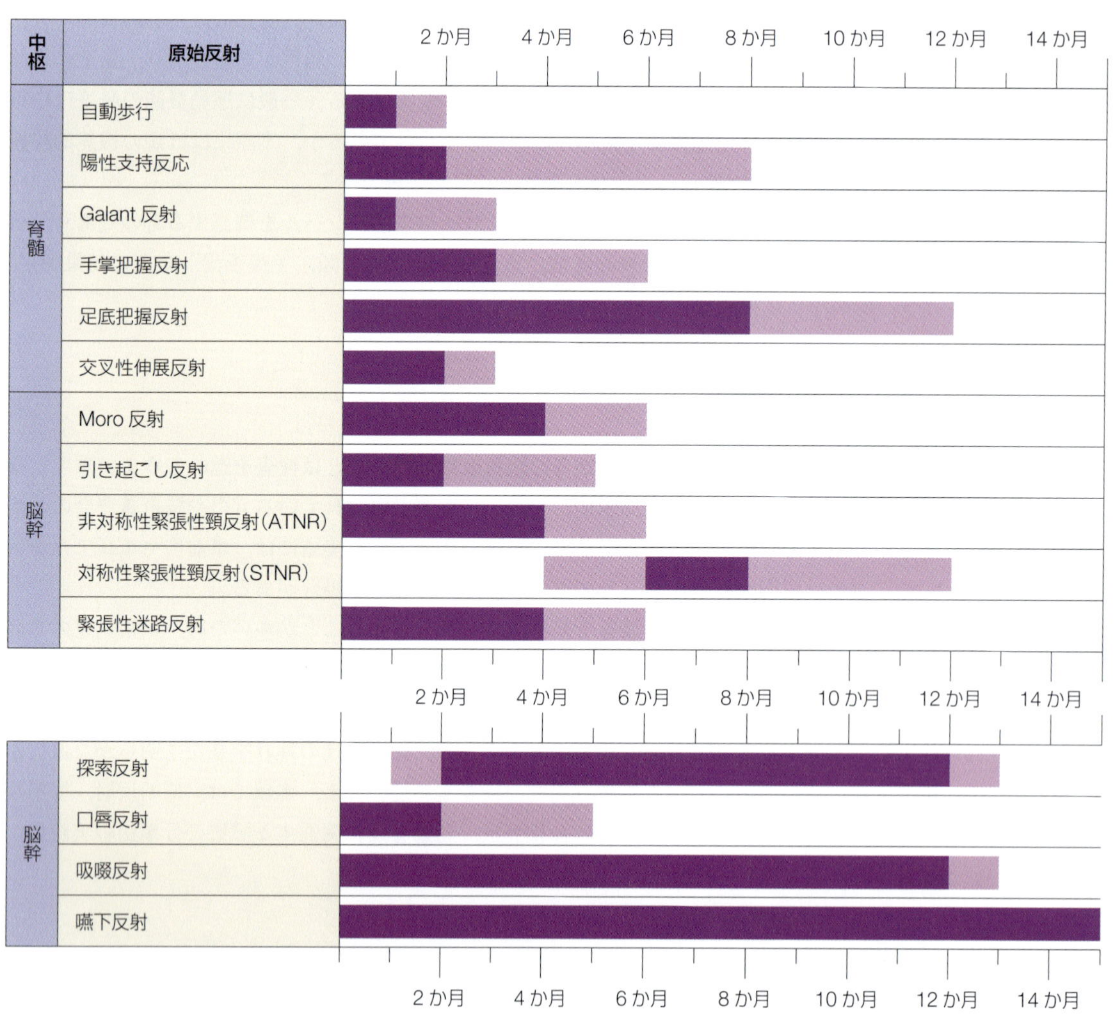

▶図 1　原始反射の消失の目安

b 実施前の準備

特別な機器は必要ないが，打腱器を使用する場合には事前に準備をしておく．また，結果の記録用紙のほかに，動画での記録も残せるように準備しておくことを推奨する．これは，単なる陽性・陰性による判定を行うだけでなく，動きの質や経時変化を観察することが重要なためである．乳児期における検査となるため，途中で泣き出すことや自発的に動くことなどによって筋トーヌスが変化し，反射がうまく誘発できないことがある．母親の協力を得る，落ち着いている時間帯に検査を行うなどして，力が抜ける瞬間を選ぶ必要がある．また，Moro（モロー）反射など児に不快となりうる反射の確認は最後にするなど，事前に実施する順をおおまかに検討しておくことが検査をスムーズに進めるために有用である．

c 検査の実際

1）自動歩行

検者は腋下から体幹を支え，体幹をやや前傾させた状態で足底を床につける．下肢を交互に屈曲し，歩行様の運動をすると陽性である．主に新生児期にみられ，2 か月までに消失する．

2）陽性支持反応（▶図 2）

検者は児の体幹を支え，足底を床に接地させ，体重が下肢にかかるようにする（▶図 2-A）．下肢をつっぱらせるように硬く伸展させ，足趾を伸展させ，起立したような姿勢をとると陽性である（▶図 2-B）．2 か月までが著明，それ以降は目立たなくなる．全身の伸展運動を獲得する 5〜6 か月の時期に，陽性支持反射様の動きがみられることもあり，8 か月ころまで残存するとする説もある．

3）Galant（ガラント）反射

児を腹臥位にし，検者の指先か打腱器の先で肩甲下角から腸骨稜までの皮膚を脊柱に沿ってこする．刺激された側へ体幹部を側屈すると陽性である．腹臥位での頭部挙上など背筋群の活動が出現する 2〜3 か月で消失する．消失すべき時期にも残存する場合には，背筋群の発達の遅れが疑われ，定頸や座位の獲得の遅れにつながるとする指摘がある．また，左右差が強い場合には，成長につれて側弯が出現するリスクがあるとする指摘がある．

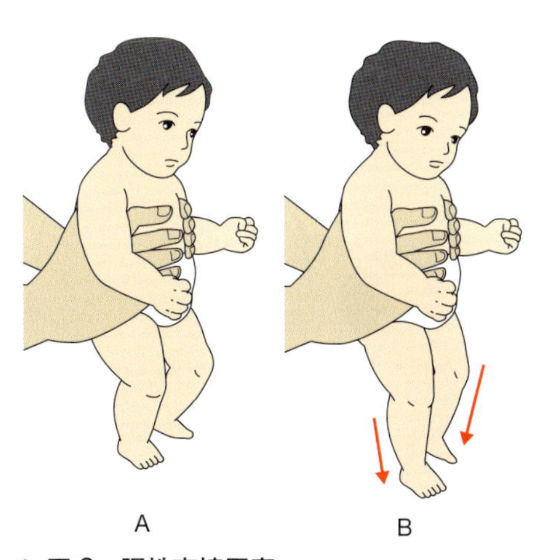

▶図 2　陽性支持反応

4）把握反射(手掌，足底)

i）手掌

児を背臥位にした状態で行うが，非対称性緊張性頸反射の影響を受ける可能性があるため必ず頭部は正中位で行う．上肢を軽度屈曲位にし，尺側から検者の指で手掌を圧迫する．このとき，手背には触れないようにする．全指が屈曲し，検者の指を握りしめると陽性である．随意的な握りの出現や腹臥位で手掌体重支持が可能となる3か月ころから消失し始め，遅くとも5～6か月で消失する．末梢神経障害では障害側のみ消失する．

ii）足底

児を背臥位，頭部正中位にした状態で行う．下肢を軽度屈曲位にし，検者の指で足趾のつけ根のラインを圧迫する．足趾がゆっくりと屈曲すると陽性である．手掌把握反射よりも比較的長く残存し，立位が可能となる9～10か月ころに消失する．末梢神経障害では障害側のみ消失する．

5）交叉性伸展反射

児を背臥位にし，一側の膝関節伸展位で足底を刺激する．対側下肢が一度屈曲し，刺激を与えた側の検者の手を払いのけるように交叉・伸展すると陽性である．2か月まで出現し，3か月以降は消失する．

6）Moro(モロー)反射(▶図3)

児を背臥位にし，検者の上肢に頭をのせて30°程度挙上する．児が落ち着いてから，頭部を支えた検者の上肢を数cm下に動かす(▶図3-A)．陽性の場合，反応の第1層として上肢が外転・伸展し，手指が開排する(▶図3-B)．その後，第2層として体幹の前方で上肢がゆっくり内転・屈曲し，抱え込むような姿勢をとる(▶図3-C)．5～6か月ころに消失する．

7）引き起こし反射

児を背臥位からゆっくりと座位へと引き起こす．頭部の屈曲，上下肢の屈曲が誘発され，起き上がろうとすると陽性である．2～5か月に消失する．

8）非対称性緊張性頸反射(asymmetrical tonic neck reflex；ATNR)(▶図4)

乳児を背臥位にし，検者の一側上肢で児の胸部をおさえ，対側上肢で頭部を回転させる(▶図4-A)．顔が向いている側の上下肢が伸展，対側の上下肢が屈曲すると陽性である(▶図4-B)．4～6か月で消失する．通常，伸展・屈曲の程度は軽度であるため，出現時期が適切でも完全に伸展・屈曲したり，手を握りしめたりする場合は異常と判断する．

9）対称性緊張性頸反射(symmetrical tonic neck reflex；STNR)

背臥位と腹臥位での操作がある．背臥位では頭部を前屈させる．下肢の伸展，股関節の内旋が

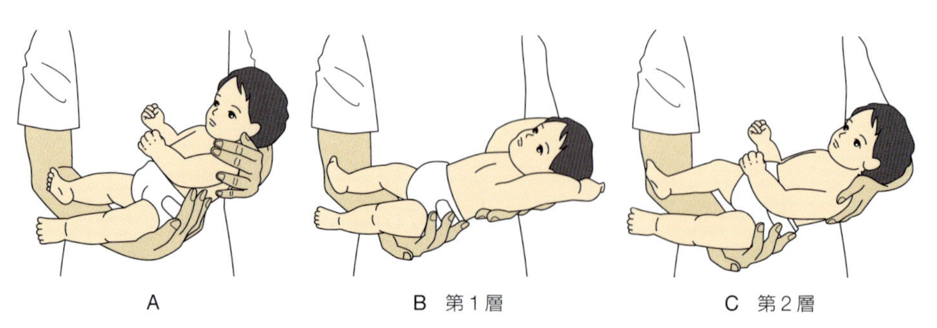

▶図3　モロー反射

おこると陽性である．腹臥位では抱いた児の頭部を前屈または後屈させる．前屈時は上肢が屈曲，下肢が伸展し，後屈時は上肢が伸展する反応が陽性である．4～6 か月ころに出現し始め，8～12 か月ころに消失する．

10）緊張性迷路反射(tonic labyrinthine reflex ; TLR)

背臥位と腹臥位での操作がある．背臥位では児の頭部を軽度後屈させる．四肢が伸展すると陽性である．腹臥位では児の頭部を軽度前屈させる．四肢が屈曲すると陽性である．5～6 か月ころに，迷路性立ち直り反射の出現とともに消失する．

11）乳児摂食反射(探索反射，口唇反射，吸啜反射，嚥下反射)

探索反射は，口唇周囲への摂食刺激に反応して，刺激方向へ頭部を回旋させる反射である．口唇反射では，口唇への刺激により口が開き，口唇は刺激のほうに引き寄せられてゆがむ．吸啜反射では，口腔内に乳首や指を挿入すると反射的に反復する吸啜運動が出現する．嚥下反射では，食物が咽頭後壁，舌背部，喉頭に接触することが刺激となり嚥下を行う．一連の反応は，新生児期・乳児期には連鎖的におこる．口唇反射は 3～5 か月で消失する．探索反射および吸啜反射は離乳の時期と関連すると考えられ，12 か月ころまで残存することがある．嚥下反射は成人以降も存在する．空腹時など，児の状態により変化が大きい．

d 記録

各反応の出現の有無を記録する．また，検査時点での児の月齢・修正月齢を併記する．経時的な変化を記録する場合，動画などによる記録を活用し，反射の有無のみではなく，左右差，出現のしかたの強弱，全体の印象の変化にも目を向けるべきである．

e 結果の解釈のポイント

原始反射に対する反応により，寝返り，座位，立位などの準備がなされるため，存在するべき時期に誘発されない，左右差が大きい，消失すべき時期に存在する場合には運動発達の遅れ，脳障害，脊髄障害，末梢神経障害などが示唆される．一度存在した原始反射は後天的な脳の損傷によって再びみられるようになることもある．前述の検査の実際に付記した補足も併せ，統合と解釈に役立てることになる．

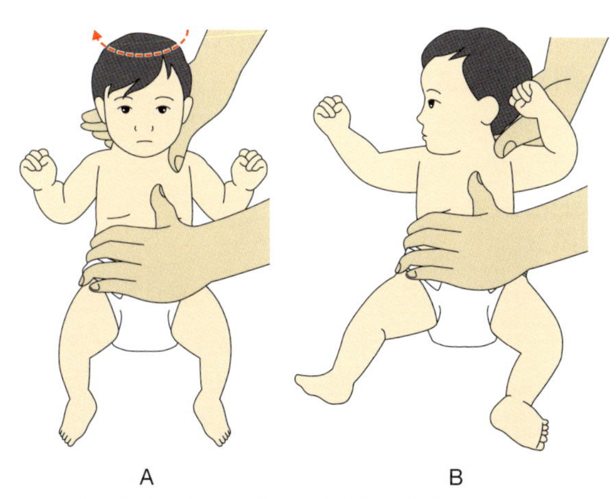

▶図 4 非対称性緊張性頸反射(ANTR)

原始反射の反射中枢は脊髄，脳幹にあり，一般的には，大脳皮質や中脳など高次神経機構の発達に伴って消失すると考えられている．一度存在した原始反射の消失は，基本的には高次の脳に抑制された結果であると解釈でき，反射的な運動が反応や随意運動に置き換わったことを意味するため「統合」と表現されることもある．一方で，原始反射の誘発は，筋力や筋トーヌスによる影響を受け，単に高次神経機構の発達の表出ではないとする指摘もあり，一部の原始反射は文献により消失時期が異なる見解となっている．また，運動の発達には個人差があることも念頭におく必要がある．したがって，1つの原始反射の異常のみではなく，複数の所見や運動発達段階との比較などと統合して解釈を進めることが必要である．

2 姿勢反射・反応

a 検査の概要

姿勢反射・反応は高度なバランスの獲得や随意運動に必要であり，運動発達の背景にあるものとして考えられている．本項で紹介する立ち直り反応は，主として中脳レベルに反射中枢があるものであり，大脳皮質レベルに反射中枢が存在する平衡反応(バランス反応)の前段階となる．一部を除いて生涯継続するものと考えられている．

b 実施前の準備

基本的な準備は原始反射の準備と同様である．

c 検査の実際

1) 視覚性立ち直り反応

児が開眼した状態で，各種姿勢において全身を傾斜させる．頭部・体幹が重力に抗して垂直に戻ろうとする反応がおこる．背臥位・腹臥位では3か月ころから，座位・立位では5～6か月ころに出現し，生涯継続する．この反応の誘発刺激は視覚刺激である．

2) 迷路性立ち直り反応

児に閉眼あるいは目隠しさせて，各種姿勢において全身を傾斜させる．頭部・体幹が重力に抗して垂直に戻ろうとする反応がおこる．背臥位・腹臥位では3か月ころから，座位・立位では6～7か月ころに出現し，生涯継続する．この反応の誘発刺激は前庭刺激であり，迷路(耳石)の働きにより空間における身体の定位を認識する機能の評価となる．

3) 頭に働く身体の立ち直り反応

臥位において，児の骨盤・体幹を操作して体の向きを変化させると，頭部の位置を身体の位置に合わせて立ち直らせる反応がおこる．4～6か月ころから出現し，5歳ころに消失する．この反応の誘発刺激は体の一部が支持面に接触することにより発生する固有感覚受容器，触覚受容器からの刺激である．

4) 頸性立ち直り反応(身体に働く頸の立ち直り反応)

児を背臥位にし，頭部を他動的に一側へ回旋させる．身体全体(肩・体幹・骨盤)が頭部と同じ方向に回旋する反応がおこる．出生時から出現し，5歳ころに消失する．

5) 身体に対する身体の立ち直り反応(身体の立ち直り反応)

背臥位の児の骨盤もしくは肩を他動的に一側へ回旋させる．肩もしくは骨盤および頭部が回旋側へ回旋する反応がおこる．出生時から出現し，5歳ころ消失する．体幹部のねじれを戻し，身体の対称性を保つように立ち直る反応である．

6）保護伸展反応（パラシュート反応）

前下方パラシュート反応は児を立位懸垂位または腹臥位懸垂位から急激に頭部を床に向ける．**側方・後方パラシュート反応**は座位姿勢で，側方・後方へ倒す．いずれの方向でも上肢を伸展し，身体を支えようとする反応がおこる．座位の発達とともに，6～7か月から出現し始め，生涯継続する．前方，側方，後方の順番で出現し，前方は6～7か月，側方は7～8か月，後方は10か月ころまでには出現する．

7）Landau（ランドウ）反射

児を腹臥位にして腹部を検者の手掌で支えて水平にする．自動的または他動的に頭部を挙上する．脊柱・股関節が伸展し，体幹をまっすぐにする反応がおこる．6か月ころから出現し，1～2歳半で消失する．**飛行機肢位**（エアプレーン）と呼ばれる姿勢である．

d 記録

原始反射の記録と同様である．

e 結果の解釈のポイント

立ち直り反応は姿勢が変化した際に，頭部や体幹部をもとの位置に戻したり頭部と体幹部が揺れないように正常な位置に保持しようとするもので，大脳皮質の成熟により平衡反応の一部になると考えられている．このうち頭部に作用する立ち直り反応には，視覚性，迷路性，体性（頭に働く身体の立ち直り反応）の3種類があり，このうち2つが出現すれば正常な姿勢をとれるとされている．平衡反応は反射中枢のある大脳皮質だけではなく，大脳基底核や小脳などとの総合的な作用によって出現する．

姿勢反射・反応が出現しないことが運動発達の遅れにつながるという解釈がある．しかし，麻痺や筋トーヌスの影響により，動作を出現させられないこともあり，姿勢反射・反応が出現しないことの原因が必ずしも脳の未成熟によるものであるとは限らないことに注意が必要である．麻痺や筋トーヌスの改善により姿勢反射・反応が誘発できるようになる場合には，これが理学療法介入の手がかりとなることがある．

原始反射，姿勢反射・反応および自発運動の評価を含んだ評価表にMilani-Comparetti（ミラニー・コンパレッティ）の発達表がある．これは，機能的な運動能力と潜在する反射構造の間には相関関係があるとの考えから運動発達と反射・反応を照らし合わせた評価をするものであり，反射・反応と自発運動の関係性の観点から結果を解釈することに役立つ（▶図5）．

3 新生児期発達検査法

a Dubowitz（デュボヴィッツ）新生児神経学的評価法

1）概要

筋トーヌス（tone）10項目，筋トーヌスのパターン（tone patterns）5項目，反射（reflexes）6項目，運動（movements）3項目，異常所見（abnormal signs）3項目，行動（behavior）7項目の6カテゴリー計34項目について評価を行い，児の神経学的特徴を明らかとする評価法である．修正37～42週（修正齢については➡240頁）の児に適応される．

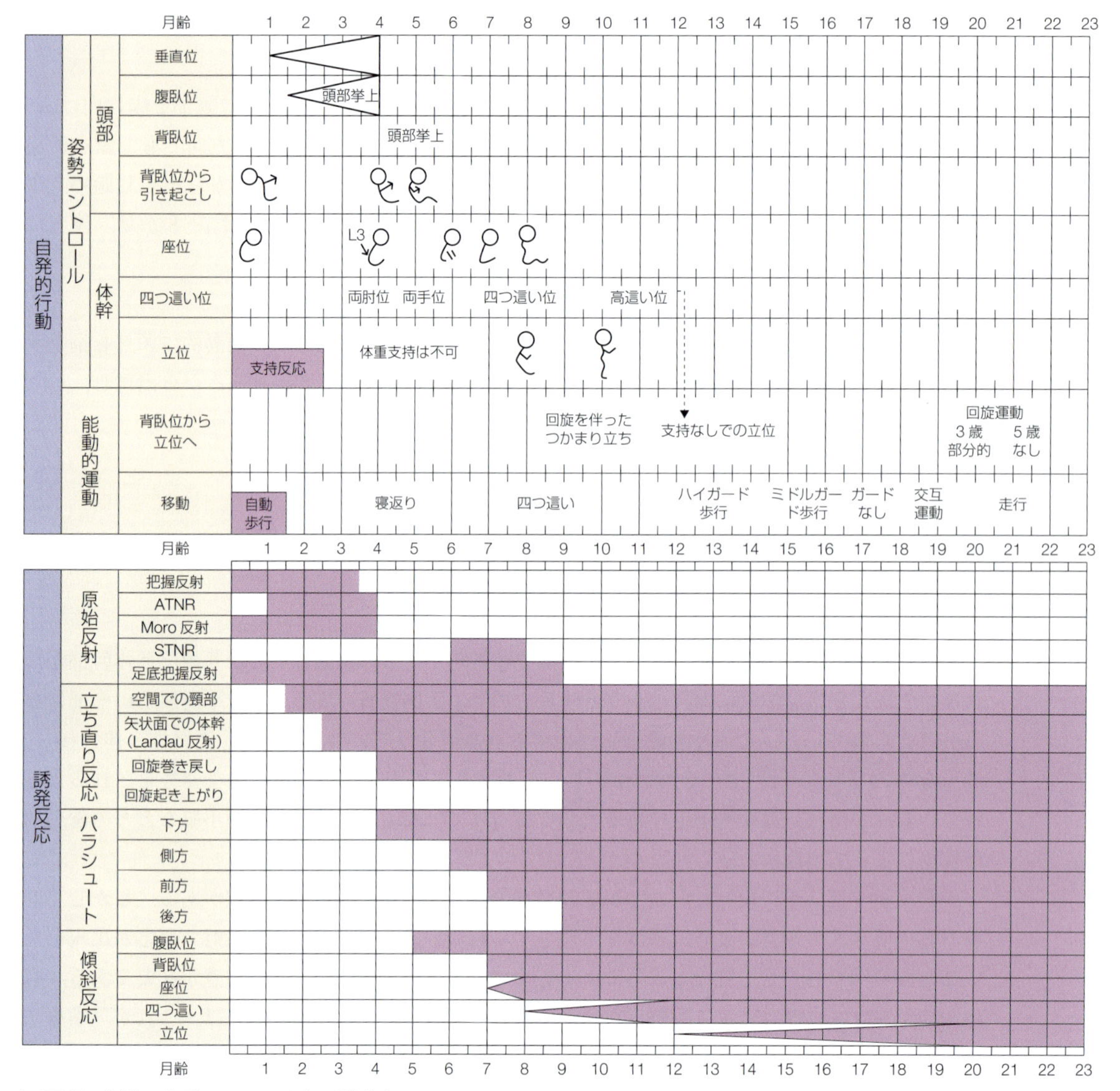

▶ 図 5　Milani-Comparetti の発達表

〔Milani-Comparetti, A., et al.: Routine developmental examination in normal and retarded children. Dev Med Child Neurol 9: 631-638, 1967 より改変〕

2）検査の実施

出版されているマニュアル[1)]に従い，各項目 5 段階で採点し，評価を行う．所要時間は 15～20 分程度である．

3）結果の解釈のポイント

修正週数別の採点表をもとに，スコアリングを行う．34 点満点で，正期産児の 95％ が 30.5～34.0 点に分布する．神経学的異常を認めない早産児においては，予定日付近の点数が 26.4 点であったとする報告がある．

b Prechtl(プレヒテル)の自発運動観察法(GMs)

1) 概要

新生児の外的な刺激に無関係な自発的全身運動(general movements;GMs)の観察から，動きの質的変化に着目し発達障害の早期診断や神経学的予後を予測する指標として確立された診断法．理論上修正60週までの児が対象となる．

2) 検査の実際

出版されているマニュアル[2)]に従い評価を進める．動作を撮影でき，外的刺激の少ない環境を設定する．児を裸に近い状態で背臥位に寝かせ，5～10分の動画記録を行う．動画記録から検者の視知覚による判断で評価を行う．児が覚醒して機嫌よく動いている状態を選ぶ必要がある．

3) 結果の解釈のポイント

正常なGMsは複雑(complex)・多様性がある(variable)・流暢(fluent)・優雅(elegant)とされる．受精後36～48週で観察されるwrithing movementsが満期後6～9週で小さくて優雅なfidgety movementsへと置き換わっていく．その後，fidgety movementsは出産予定日後20週ころには随意的な運動に移行し観察されなくなる．これらの要素が欠如し，writhing movementsが単調で多様性がみられない・ぎくしゃくしている・硬直しているようにみえる・振れ幅が大きく四肢の運動が突然出現するなどのGMsが観察される場合に異常と判定する．1回のGMsの観察だけで予後を予測することは難しく，継続的に異常なGMsを認める場合には，神経学的後遺症が示唆される．

4 乳幼児期の評価

a 遠城寺式乳幼児分析的発達検査(▶図6)

1) 概要

運動(移動運動，手の運動)，社会性(基本的習慣，対人関係)，言語(発語，言語理解)の3分野6領域から評価を行う．わが国では標準化された検査として認識されており，スクリーニング的な発達評価法として使用されることが多い．現在は九州大学小児科改訂版が用いられる．0か月～4歳8か月程度の生活年齢に対応している．

2) 検査の実際

事前にマニュアル[3)]を入手しておく．動作の観察または保護者への聞き取りで検査を行う．発達の遅れがみられる場合には，生活年齢に該当すると思われる段階から実施する．その段階の課題が獲得できていれば上位の課題へ進み，獲得していない項目が3つ続いたら検査を終了する．記録は各課題の欄に○×で記載する．15分ほどで検査可能である．

3) 結果の解釈のポイント

各項目の獲得状況により発達年齢が表され，発達グラフに表すと全体的発達状況が一見してわかるようになる．折れ線グラフに凹凸あるいは傾斜がみられる場合は，発達の不均衡を示唆する．

b DENVER II－発達判定法(旧：日本版デンバー式発達スクリーニング検査)

1) 概要

1967年に米国で開発されたデンバー式発達スクリーニング検査(Denver developmental screening test;DDST)が1992年にDDST IIに改訂され，これをもとに，日本小児保健協会がわが国の文化的・社会的背景も含めて2003年に標準化したものがDENVER II－発達判定法[4)]である．

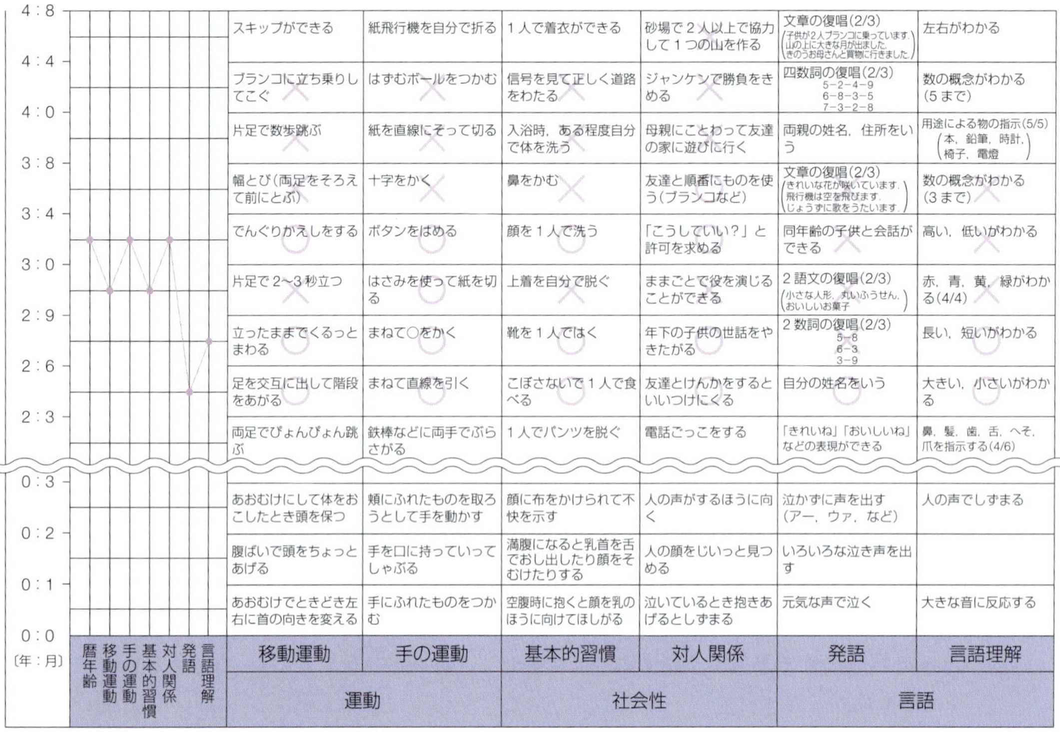

4：8　4：4　4：0　3：8　3：4　3：0　2：9　2：6　2：3　0：3　0：2　0：1　0：0〔年：月〕

暦年齢　移動運動　手の運動　基本的習慣　対人関係　発語　言語理解

運動		社会性		言語	
移動運動	手の運動	基本的習慣	対人関係	発語	言語理解
スキップができる	紙飛行機を自分で折る	1人で着衣ができる	砂場で2人以上で協力して1つの山を作る	文章の復唱(2/3)（子供が2人ブランコに乗っています．山の上に大きな月が出ました．きのうお母さんと買物に行きました．）	左右がわかる
ブランコに立ち乗りしてこぐ	はずむボールをつかむ	信号を見て正しく道路をわたる	ジャンケンで勝負をきめる	四数詞の復唱(2/3) 5−2−4−9 6−8−3−5 7−3−2−8	数の概念がわかる(5まで)
片足で数歩跳ぶ	紙を直線にそって切る	入浴時，ある程度自分で体を洗う	母親にことわって友達の家に遊びに行く	両親の姓名，住所をいう	用途による物の指示(5/5)（本，鉛筆，時計，椅子，電燈）
幅とび(両足をそろえて前にとぶ)	十字をかく	鼻をかむ	友達と順番にものを使う(ブランコなど)	文章の復唱(2/3)（きれいな花が咲いています．飛行機は空を飛びます．じょうずに歌をうたいます．）	数の概念がわかる(3まで)
でんぐりかえしをする	ボタンをはめる	顔を1人で洗う	「こうしていい？」と許可を求める	同年齢の子供と会話ができる	高い，低いがわかる
片足で2〜3秒立つ	はさみを使って紙を切る	上着を自分で脱ぐ	ままごとで役を演じることができる	2語文の復唱(2/3)（小さな人形，丸いふうせん，おいしいお菓子）	赤，青，黄，緑がわかる(4/4)
立ったままでくるっとまわる	まねて○をかく	靴を1人ではく	年下の子供の世話をやきたがる	2数詞の復唱(2/3) 5−8 6−3 3−9	長い，短いがわかる
足を交互に出して階段をあがる	まねて直線を引く	こぼさないで1人で食べる	友達とけんかをするといいつけにくる	自分の姓名をいう	大きい，小さいがわかる
両足でぴょんぴょん跳ぶ	鉄棒などに両手でぶらさがる	1人でパンツを脱ぐ	電話ごっこをする	「きれいね」「おいしいね」などの表現ができる	鼻，髪，歯，舌，へそ，爪を指示する(4/6)
あおむけにして体をおこしたとき頭を保つ	頬にふれたものを取ろうとして手を動かす	顔に布をかけられて不快を示す	人の声がするほうに向く	泣かずに声を出す（アー，ウァ，など）	人の声でしずまる
腹ばいで頭をちょっとあげる	手を口に持っていってしゃぶる	満腹になると乳首を舌でおし出したり顔をそむけたりする	人の顔をじいっと見つめる	いろいろな泣き声を出す	
あおむけでときどき左右に首の向きを変える	手にふれたものをつかむ	空腹時に抱くと顔を乳のほうに向けてほしがる	泣いているとき抱きあげるとしずまる	元気な声で泣く	大きな音に反応する

▶ **図6　遠城寺式乳幼児分析的発達検査**

〔遠城寺宗徳，他：遠城寺式・乳幼児分析的発達検査法．慶應義塾大学出版会，1992 より〕

対象となる児が同年齢児と同様の発達段階にあるかどうかを判定し，発達に問題のある児を早期に発見・対応を検討するためのスクリーニング法として用いられる．児の行動を個人-社会，微細運動-適応，言語，粗大運動の4領域104項目に分類し，各観察項目の評価を行う．

2）検査の実際

本検査法の使用は，日本小児保健協会主催の判定技術講習会を受講したうえで，マニュアルを参照しながら評価を行う．記録票に年月齢線を引き，各領域で年月齢に近い3つの項目と年月齢線上の項目を実施する．

3）結果の解釈のポイント

正常発達する子供の25，50，75，90％が可能になる時期を示す年月齢尺度が帯として示されているところに特徴がある(▶図7)．75〜90％の正常発達児が達成する項目を達成できない場合には，その項目を「要注意」と判定する．また，年月齢線の左側の項目が実施できない場合には「遅れ」と判定する．総合判定は4領域の「要注意」「遅れ」「拒否」の項目数から行う．

C 日本版Miller(ミラー)幼児発達スクリーニング検査

1）概要

知能，運動，感覚系の問題を有する軽度発達障害児の早期発見を目的とした検査法である．米国で開発され，わが国においては655人のデータサンプルから，日本の文化的背景も含めて新項目の追加，旧項目の削除などの変更が加えられ標準化されている．26項目から構成され，対象

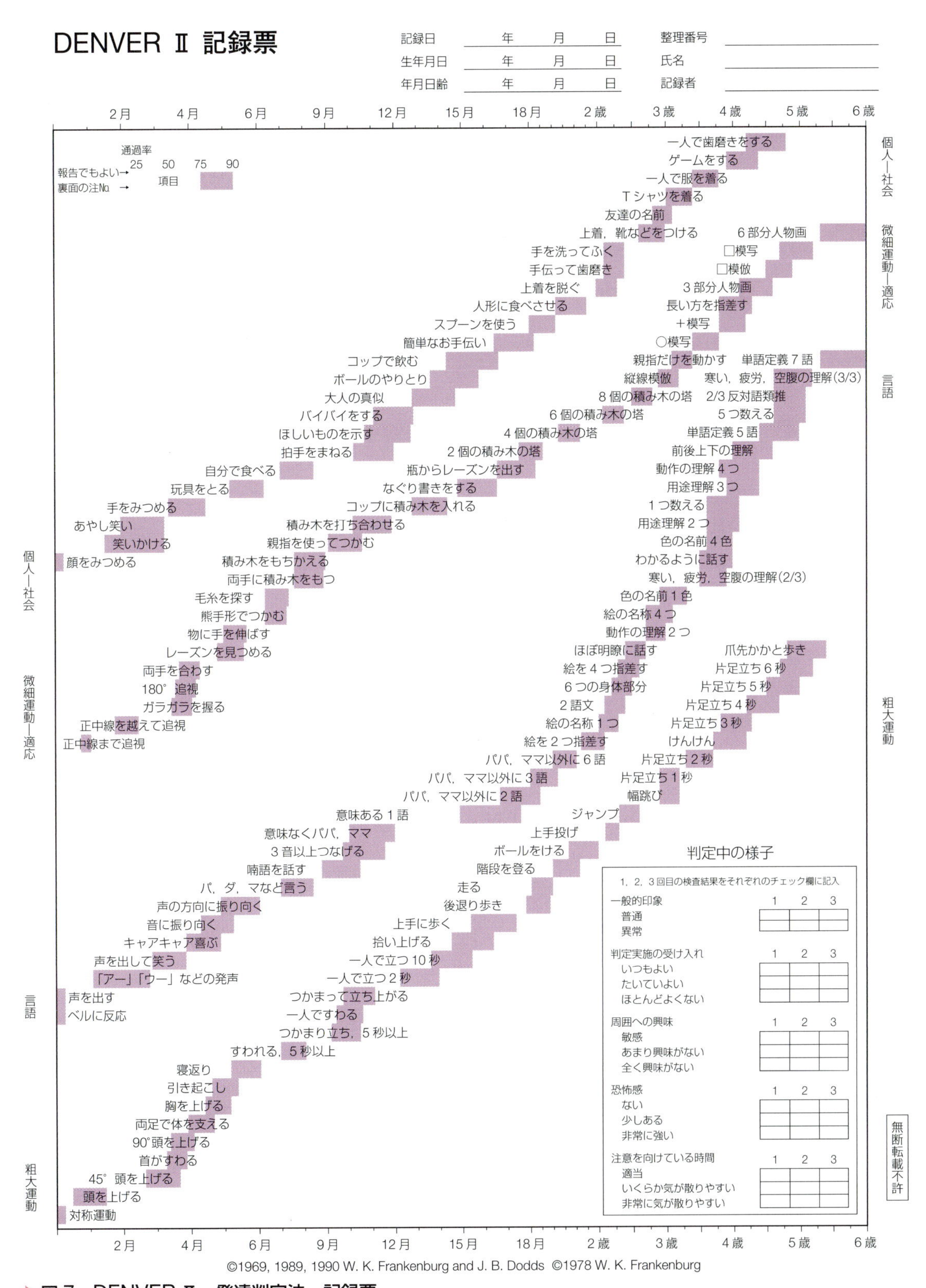

▶図7 DENVER Ⅱ—発達判定法 記録票

〔日本小児保健協会(W. K. Frankenburg 原著)：DENVER Ⅱ—デンバー発達判定法．DENVER Ⅱ記録表，日本小児医事出版社，2016 より〕

年齢により課題が異なる構成となっている．全項目が実施できなければ評価できないため，軽度の言語の遅れや不器用など明らかな障害はないが漠然と発達に不安のある対象に実施するのが最も適しているとされる．

2）検査の実際

マニュアル[5]に従い評価する．年齢別に異なる採点用紙を用いて，反応を記載していく．

3）結果の解釈のポイント

総合得点と各領域の得点をパーセンタイル値でグラフ化し，9つのパターンに分類する．

d 新版K式発達検査2020

1）概要

前述までのスクリーニング検査法と異なり，包括的な検査方法として位置づけられる．K式発達検査が標準化され，その後改訂が進められ，現在では新版K式発達検査2020が用いられる．さまざまなタイプの健常児・障害児の精神運動発達の様相を多面的に観察・記録できることが特徴である．

2）検査の実際

検査用具についても標準化されており，事前に準備しておく必要がある．マニュアル[6]に従い検査を進める．検査に要する時間は30〜60分で，そのまとめにさらに30分程度を要する．

3）結果の解釈のポイント

姿勢・運動(P-M)，認知・適応(C-A)，言語・社会(L-S)の3領域について評価し，それぞれの領域について発達年齢(developmental age；DA)と発達指数(developmental quotient；DQ)を求めることができる．年齢ごとに定められた検査項目は，すべて標準化集団の50％が通過できる難易度で設定されている．

5 ADLの評価

a pediatric evaluation for disability inventory(PEDI)

1）概要

「機能的スキル」197項目，「介助者の援助」20項目，「介助者の調整」20項目の3パートからなる評価法である．生後6か月〜7歳6か月までの発達段階における変化を把握することができるといわれている．

2）検査の実際

機能的スキルは項目ごとに，可能を1点，不可能を0点で採点する．介助者の援助は全介助0点〜自立5点までの6段階評価で採点する．介助者の調整は，調整なし(N)，飲み口つきコップなどの一般的調整(C)，リハビリテーション器具による調整(R)，サスペンションなどによる広範囲な調整(E)の4段階評価で採点する．セルフケア，移動，社会的機能の3領域における領域ごとの合計点をそれぞれのパートで計算する．

3）結果の解釈のポイント

機能的スキル，介助者の援助のパートはスコアが高いほどADL自立度が高く，介助者の介助負担が少ないことを示す．機能的スキルの達成状況・達成パターンを把握することで，ADLの到達レベルを把握することが可能であると考えられている．

b Wee-FIM (functional independence measure for children)

1）概要

成人対象の ADL 評価法である functional independence measure（FIM）を生後 6 か月〜7 歳程度までの児を対象に改変したものである．評価項目や点数は FIM と同様の 6 領域 18 項目，126 点満点で評価し，点数が高いほど自立度が高いことを示す．移動，コミュニケーション，社会認知の 3 領域において小児用の修正が加えられている．

2）検査の実際

15 分程度で実施可能．

3）結果の解釈のポイント

正常発達であれば，6 歳ころに満点に到達する．したがって，発達段階が 6 歳程度までであれば，発達の変化をとらえることが可能であると考えられる．順序尺度スコアであるが，運動項目と認知項目を分けて分析することで間隔尺度と同様に扱うことができる．

6 運動発達に関連する障害の分類法

a 脳性麻痺（➡ 348 頁）

b 筋ジストロフィー（➡ 345 頁）

c 重症心身障害の分類（大島分類，横地分類）

1）概要

重症心身障害の定義づけには議論があるが，従来から福祉施設で広く使用されてきたものとして**大島分類**がある．また近年では，その分類の項目数を増やし，具体性をもたせることにより障害の枠組みを明確にした**横地分類**が使用されることが増えている．

2）検査の実際

大島分類では，知能指数（intelligence quotient；IQ）を 5 段階，身体機能を走れる，歩ける，歩行障害，座れる，寝たきりの 5 段階にそれぞれ分け，区分 1〜25 に分類する方法である（▶ 図 8A）．横地分類は，記載マニュアル[7]を Web 上で入手できる．「移動機能」を 6 段階，「知的発達」を 5 段階，「特記事項」を 5 種類で示しており，A1〜E6 に区分する．特記事項がある場合には，A1-C などのように記録する（▶ 図 8B）．

3）結果の解釈のポイント

重症心身障害は運動障害と知的障害が重複して重度な状態であり，社会福祉的見地から必要性が生じた行政用語である．したがって，本分類は児の状態の共通理解に利用することが多く，介入方法を具体化する目的では使用されていない．大島分類では重症心身障害児は区分 1〜4 に相当するとされる．

C 運動発達検査に必要な基礎知識

運動発達検査を実施し結果を解釈するうえで，運動機能以外の側面も含めた発達の理解が必要である．詳細な内容は成書に譲り，本項では，運動機能検査の実施と理解に必要な基本的な事項について整理する．

知能指数					
80					
	21	22	23	24	25
70					
	20	13	14	15	16
50					
	19	12	7	8	9
35					
	18	11	6	3	4
20					
	17	10	5	2	1
0					
	走れる	歩ける	歩行障害	座れる	寝たきり

A　大島分類

						知的発達
	E6	E5	E4	E3	E2	E1	簡単な計算可
	D6	D5	D4	D3	D2	D1	簡単な文字・数字の理解可
	C6	C5	C4	C3	C2	C1	簡単な色・数の理解可
	B6	B5	B4	B3	B2	B1	簡単な言語理解可
	A6	A5	A4	A3	A2	A1	言語理解不可
移動機能	戸外歩行可	室内歩行可	室内移動可	座位保持可	寝返り可	寝返り不可	

〈特記事項〉C：有意な眼瞼運動なし，B：盲，D：難聴，U：両上肢機能全廃，TLS：完全閉じ込め状態

B　横地分類

▶図8　重症心身障害児の分類法

A：大島分類．色つきの部分は重症心身障害児に相当する．
B：横地分類．
〔横地分類記載マニュアル(http://www.seirei.or.jp/mikatahara/oozora/policy/physical-mental-disorders/upload/20190318-142603-9428.pdf)をもとに作成〕

❶ 発達の原則

発達の過程では，共通にみられる一般的な特徴や傾向が存在し，これを**発達の原則**と呼ぶ．

a 発達の順序性

発達は予測可能な一定の順序でおこると考えられている．粗大運動機能では，定頸 → 寝返り → ずり這い → 座位 → 四つ這い → 立ち上がり → 立位 → 歩行といった一定の順序をたどって能力を獲得していく．微細運動，言語，社会性など，どの側面においても順序性がある．この原則を前提として，遠城寺式乳幼児分析的発達検査やDENVER Ⅱ－発達判定法などの体系的な発達検査法が確立されてきた背景があることを理解しておく．

b 発達の方向性

発達には一定の方向があり，代表的には「頭部から尾部へ」「中枢から末梢へ」と発達していくことが知られている．また，「全身性の運動から分節的な運動へ」「従重力姿勢から抗重力姿勢へ」と発達していくことを知っておくと，児の次のステップを考える材料となる．

c 発達の個人差

遺伝的・環境的な影響を受ける発達には個人差が存在する．正常発達はあくまでも全体の平均値からの理解であることを念頭におく必要がある．発達検査を行う際には，個人差の範囲内なのか，個人差の範囲を逸脱しているのかを判断する．そのためには各種検査法の点数のみに着目するのではなく，発達が遅れている場合には，獲得すべき課題のレディネス(準備性)が整っているか否かを検討することも必要である．

▶表1 各肢位における月齢別発達の目安

	背臥位	腹臥位	座位	立位
新生児	生理的屈曲位	生理的屈曲位 頭部は一側に回旋	頭部挙上できない	自動歩行
1か月	四肢は左右対称な肢位 両側性の対称的な蹴り	骨盤前傾と股関節屈曲が減少 四肢が体幹から離れる		自動歩行
2か月	肘・膝の伸展位が増加 ATNR 様の肢位をとる	頭部を間欠的に挙上 頭部 45° 挙上	引き起こしで瞬間的に頭部が上がる	自動歩行と陽性支持反応が消失
3か月	正中位指向の始まり 追視・注視がみられる	頭部を 45～90° 挙上 on elbow で体重支持	頭部が正中位で持ち上がる	介助下立位で体重支持
4か月	対称性の姿勢で殿部を挙上する	対称性の活動が増える	頸椎は伸展するが円背傾向 体幹介助下で頭部正中位に	両前腕介助で立位保持可（下肢は過伸展傾向）
5か月	足趾を触ったり，口に入れて遊ぶ	両手で体重支持 エアプレーン肢位をとる	頭部から胸椎まで伸展できる 重心のわずかな移動で倒れる	両下肢で全体重支持
6か月	両足部に両手を伸ばして遊ぶ 偶発的に寝返る	片手で体重支持 四つ這い位になる ピボットターンが可能となる	両手を前方で支持する 短時間の座位保持ができる	両手介助で静止立位を保つ
7か月	頭部を床から挙上する 背臥位から素早く寝返る	腹這い移動	上肢の支持なしで座位を保つ 座位から四つ這いになる	
8か月	背臥位を好まず，よく寝返る 寝返りに体軸内回旋を伴う	四つ這い移動 一側上肢と両下肢の三点支持で姿勢保持ができる	座位で体軸内回旋ができる	
9か月		階段を四つ這いで上がる 四つ這いから容易に座位になる	後方を見ることが可能となる 多様な姿勢で座位をとれる	家具につかまって立ち上がる
10か月		高這い姿勢をとる 高這い移動をする	姿勢変換が自由自在になる	
11か月			一側の坐骨での体重支持が可能となる	両手で支えないでしゃがむ
12か月			しゃがみ座りで遊ぶ 座位から膝立ちに姿勢変換できる	四つ這い位から立ち上がる 支えなしで立位保持
13か月				ワイドベースで数歩歩く 上肢はハイガード姿勢

d 相互関連性の原則

運動機能，生理機能，認知機能，心理機能，社会機能は相互に関連し合って発達していくと考えられている．たとえば移動の機能は探索活動の前提となり，認知機能や社会機能の発達に重要な影響を与えると考えられている．

2 中枢神経系の成熟

生後の脳の発達はニューロンの産生ではなく，シナプス形成，樹状突起の枝分かれ，軸索の髄鞘化によるものであるといわれている．生後間もなく大脳皮質のあらゆる場所でシナプス形成がおこり，過剰形成と呼ばれる状態となる．その後，シナプスの刈り込みが行われることにより成熟していく．この時期に運動量が少ないなど，適切な刺激が入らない場合に，シナプスの過剰形成と刈り込みの過程に差が生じる可能性が指摘されている．

また，運動発達理論の代表的なものに，神経成熟理論がある．運動の発達を神経系の成熟としてとらえる考え方であり，神経系の構造的な発達変化と行動の発達を関連づけたものである．中枢神経系の成熟(髄鞘化の進行)は発達の方向性の原則に従い，脊髄のような下位レベルから中脳，大脳の上位レベルへと進む．上位の中枢レベルの成熟に伴い，下位の中枢レベルの反射的な運動が統合(抑制・制御)され，随意運動に至る．このように，中枢神経系の発達と反射/反応および運動の発達は相互に関連している．一般的に生後2か月ころには橋レベル，4〜6か月ころには中脳レベル，平衡反応が出現し始める1歳前後には大脳皮質レベルの神経系が成熟していくと考えられている．原始反射や姿勢反射の理解には重要な概念である．

3 基本的な各肢位における月齢別運動発達

各肢位における月齢別発達の目安を**表1**に示した．発達検査法を実施するうえで基盤となる知識であり，発達の定性的な評価として行う動作観察でも重要な知識である．

4 修正月齢

暦月齢は実際の誕生日をもとにした月齢であるのに対し，**修正月齢**とは，出産予定日を基準とした月齢である．たとえば出産予定日より2か月早く生まれた児の場合には，生後2か月で修正月齢0か月，生後4か月で修正月齢2か月とする．早産児は在胎週数が短く，身長や体重が小さく出生することが多いため，身長や体重の発育が良好か判断する際に修正月齢を基準とすることがある．運動発達についても，早産児では修正月齢で発達をとらえる視点が必要である．暦月齢では発達が遅れていても，修正月齢でとらえた場合には適切な発達である場合があり，個人差の範囲内なのかどうかの判断に役立てられる．

●引用文献
1) 奈良勲(監訳)：早産児と満期産時のためのデュボヴィッツ新生児神経学的評価法 原著第2版．医歯薬出版，2015.
2) Einspieler, C., et al.: Prechtl's method on the qualitative assessment of general movements in preterm, term and young infants. Mac Keith press, 2008.
3) 遠城寺宗德：遠城寺式乳幼児分析的発達検査法．慶應義塾大学出版会，2009.
4) 日本小児保健協会(編)：DENVER Ⅱデンバー発達判定法．日本小児医事出版社，2009.
5) 日本感覚統合障害研究会 MAP 標準化委員会(編・訳)：日本版ミラー幼児発達スクリーニング検査マニュアル．HBJ，1989.
6) 新版K式発達研究会(編)：新版K式発達検査 2020 解説書(理論と解釈)．京都国際社会福祉センター，2020.
7) 横地分類記載マニュアル．
http://www.seirei.or.jp/mikatahara/oozora_center/upimg/2014071717361924757.pdf

●参考文献
1) 上杉雅之：イラストでわかる人間発達学．医歯薬出版，2015.
2) 森岡周：発達を学ぶ 人間発達学レクチャー．協同医書出版社，2015.

復習問題

原始反射，姿勢反射・反応

- □ 1 Galant（ガラント）反射の消失時期は[①]か月である．〔49PM009〕
- □ 2 交叉性伸展反射の消失時期は[②]か月以降である．〔49PM009〕
- □ 3 Moro（モロー）反射の消失時期は[③]か月である．〔49PM009〕
- □ 4 非対称性緊張性頸反射の消失時期は[④]か月である．〔49PM009〕
- □ 5 後方への保護伸展反応の出現時期は[⑤]か月ころである．〔42AM024〕

遠城寺式乳幼児分析的発達検査

- □ 6 「まねて直線を引く」時期は[⑥]である．〔51AM035，43AM075〕
- □ 7 「自分の姓名を言う」時期は[⑦]である．〔50AM029，48AM039，43AM075〕
- □ 8 「シャツのボタンをかける」時期は[⑧]である．〔48AM039，47PM046〕

DENVER Ⅱ

- □ 9 「1 人で立つ(2 秒)」が通過率 75% 以上となるのは[⑨]か月である．〔47AM047〕
- □ 10 「上手に歩く」が通過率 90% 以上となるのは[⑩]か月である．〔45PM037〕
- □ 11 「階段を登る」が通過率 90% 以上となるのは[⑪]か月である．〔45PM037〕

①2～3 ②3 ③5～6 ④4～6 ⑤10 ⑥2 歳 3 か月～2 歳 6 か月 ⑦2 歳 3 か月～2 歳 6 か月 ⑧3 歳 0 か月～3 歳 4 か月 ⑨13 ⑩17 ⑪23～24

画像検査とその評価法

1

単純 X 線像(胸部)

学習目標

- 気管支および血管構造を理解し，画像上でそれらの位置を確認できる.
- 代表的な異常所見(肺野の透過性低下・肺容量減少・シルエットサイン)を把握できる.
- 得られた所見と各種病態との関係を理解する.

A 胸部単純 X 線像を読影する意義

胸部単純 X 線は，画像検査のなかでも最もなじみが深く，胸部に疾患を有しない例においても撮影されることが多い．医師は胸部単純 X 線の結果を診断に活用するが，理学療法士は胸部に疾患を有する対象者の病態把握や，胸部に疾患を有しない例も含めて対象者の機能的な変化を把握・理解するためにも活用できる.

呼吸器疾患を中心とした胸部単純 X 線像を読影する際にまず重要なことは，胸部の解剖を理解することである．特に，気管支，左心系および右心系の血管構造(▶図 1)，そして肺小葉構造(▶図 2)の理解が欠かせない．呼吸器疾患の所見を見つけ出すだけならば，これらの構造を理解しておくことは必須とはいえないかもしれない．しかし，胸部単純 X 線像を“読影”するためには，各所見を見つけたうえで，その部位でどのような病態が生じているかを推察し，臨床所見と照らし合わせて理学療法評価につなげる必要がある．たとえば，肺動脈は肺門部からたどることで肺野まで容易に走行を確認できるが，気管支の走行は容易には確認できない．しかし，気管支が肺動脈と並走し，かつその太さはほぼ同じことを理解していると，肺動脈の走行とともに気管支の走行を推察することができる(▶図 1).

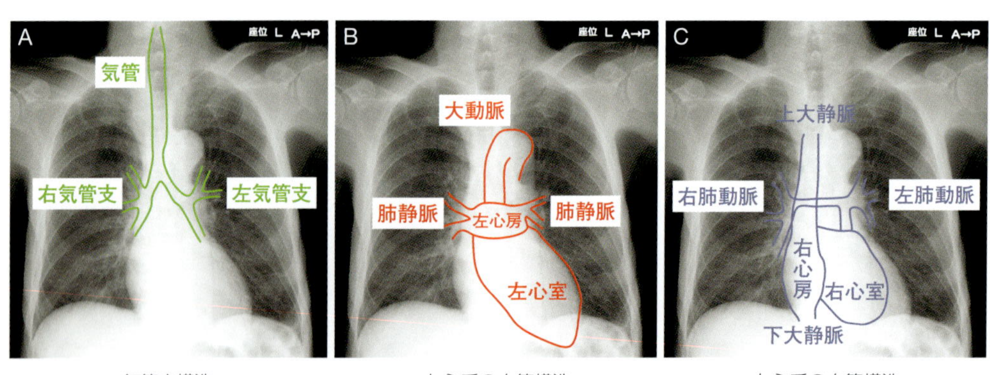

▶図 1　胸部単純 X 線像における気管支構造(A)と心血管系の構造(B，C)

B 胸部単純 X 線像の異常所見

胸部単純 X 線像の異常所見は，① **肺野の透過性低下，異常所見**，② **肺容積変化**，③ **シルエットサイン**の 3 つに大きく分けられる．

1 肺野の透過性低下，異常所見

a 透過性低下(浸潤影，すりガラス様陰影)

肺野の**透過性低下**は**浸潤影**と**すりガラス様陰影**の 2 つに大別される．これらの違いも肺胞構造を理解したうえで確認できると，その病態が理解しやすい．正常な肺胞・気管支(呼吸細気管支)は空気で満たされており，通常の X 線像の解像度では判別が不可能な大きさのため，透過性が保たれている．しかし，その部分になんらかの物質(主には滲出液を中心とした水分)が存在する

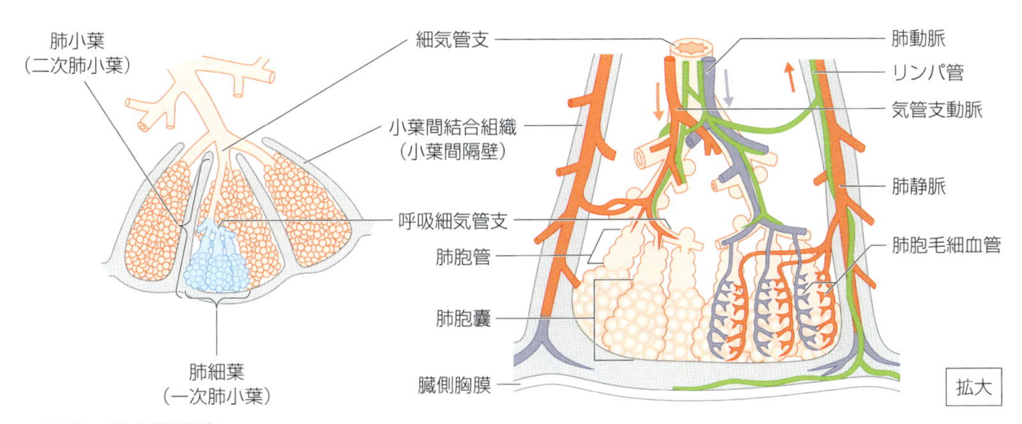

▶図 2 肺小葉構造
〔医療情報科学研究所(編)：病気がみえる vol. 4 呼吸器 第 3 版．p10，メディックメディア，2018 より〕

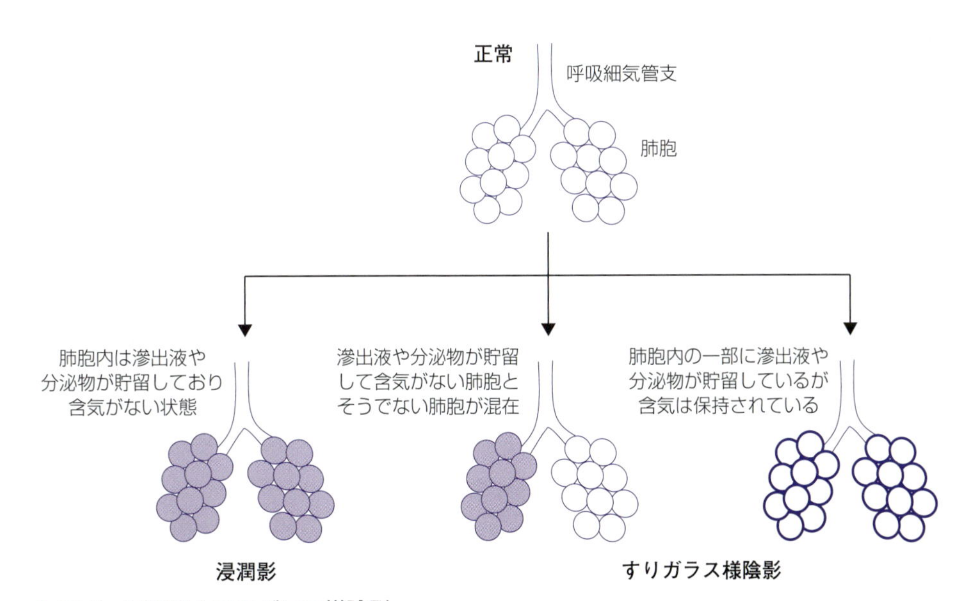

▶図 3 浸潤影とすりガラス様陰影

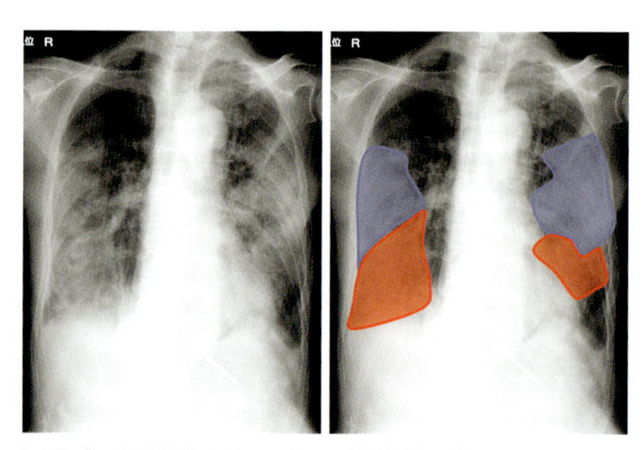

▶図 4　浸潤影とすりガラス様陰影の違い
青：浸潤影，赤：すりガラス様陰影．

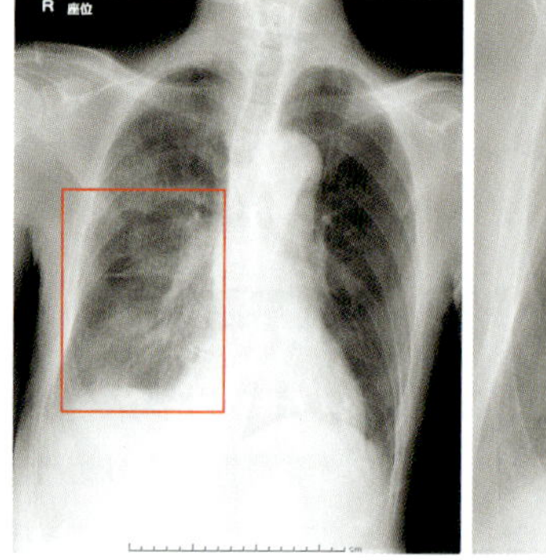

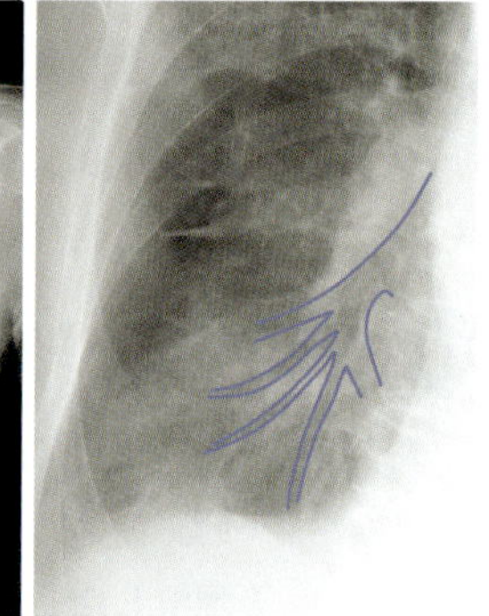

▶図 5　気管支透亮像を含むコンソリデーション
左図赤枠の拡大図が右図である．青線は気管支透亮像を示す．

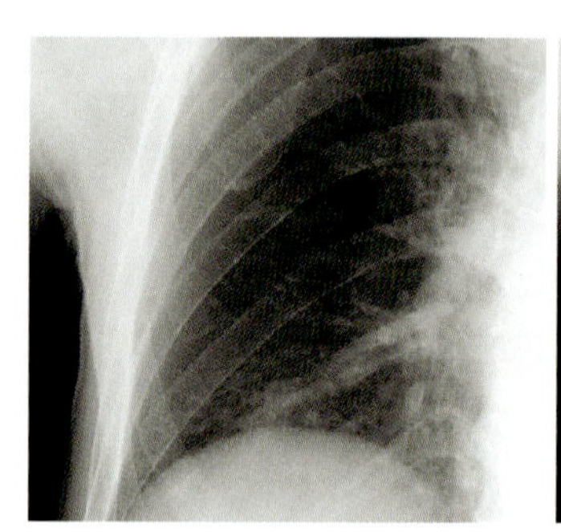

▶図 6　線状影
青線は線状影を示す．

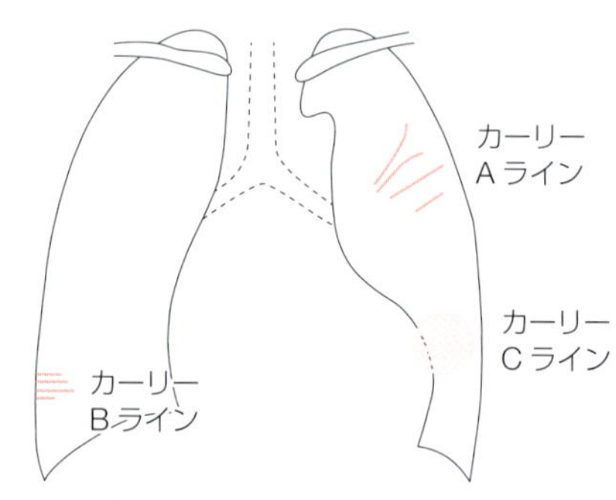

▶図 7　カーリーラインの模式図

と，透過性低下として観察できる．その水分の存在場所と程度で**図 3** に示すような浸潤影とすりガラス様陰影の違いが生じる．実例として，全肺野で浸潤影とすりガラス様陰影を呈した例を**図 4** に示す．浸潤影とすりガラス様陰影を見分けるポイントは，肺血管陰影の存在である．すりガラス様陰影では，透過性低下部位のなかに肺血管陰影が確認できるため，両者の判別に用いられるが，これらの違いはあくまで程度の問題であるので，単純 X 線像では判別しづらいこともある．また，**図 5** に示すように透過性低下部位のなかに気管支透亮像が確認できる例がある．これは，透過性低下部位のなかの気管支が含気を保っていることを示している．

b 異常所見(線状影，網状影，結節影)

幅 2〜3 mm までの線状の陰影を指し，幅が広くなると索状影と呼ばれる．**図 2** で示した小葉間隔壁が肥厚した場合に多くみられ，肺水腫や間質性肺炎でみられやすい．**図 6** には**線状影**の代表であるカーリーラインを呈した例を示す．カーリーラインは部位や走行から A，B，C の 3 種類に分類されている(▶**図 7**)．**網状影**はその名のとおり網目状の陰影であり，間質性肺炎のなかでも特発性肺線維症患者で認められやすい．**図 8** は右中肺野で網状影を呈した例(肺炎・肺水腫合併例)を示している．この場合，横断面で撮影した胸部単純 CT で確認すると，より網状影が確認しやすいことがわかる(**図 8B，C**)．**結節影**は円形または楕円形の塊状の陰影の総称であ

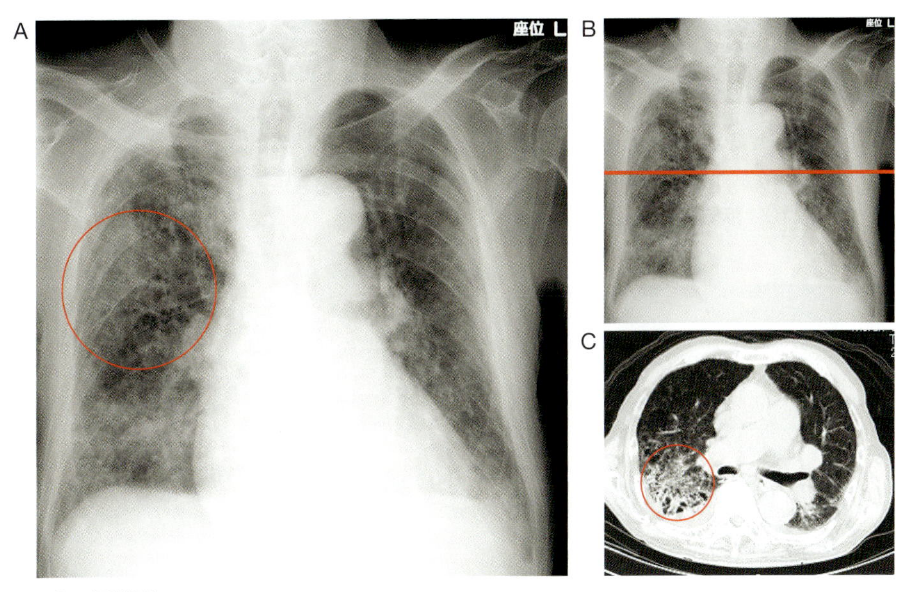

▶図 8　網状影

B の横断面(赤線)における CT 画像が C である．赤丸で囲まれたところに網状影が認められる．

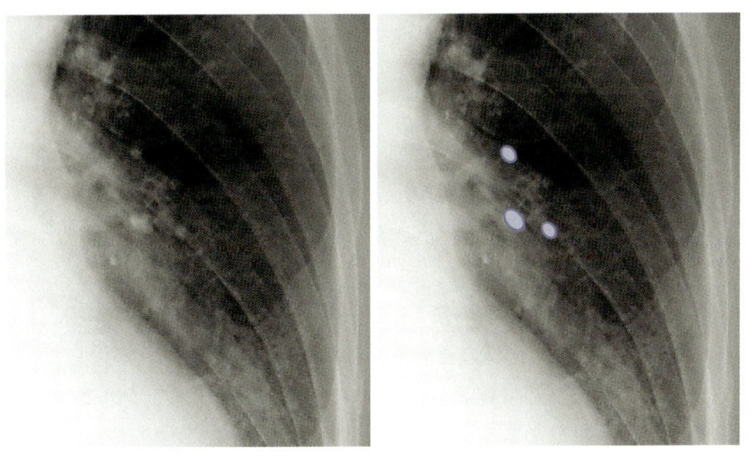

▶図 9　結節影

青丸は結節影を示す．

る．結節影はさまざまな疾患で認められ，主として腫瘍性疾患や非結核性抗酸菌症などで認められる所見である(▶図 9)．

2 肺容積変化

a 無気肺

無気肺は種々の要因によって肺の含気量が低下し，結果的に肺容積が減少した状態を指す．主な肺葉単位の無気肺の所見を**図 10** に示す．無気肺の場合，無気肺の部位の透過性低下に加えて，含気が保たれている部位が過膨張した所見(透過性亢進)や正常構造部位の変位(特に気管支や肺動脈)，後述するシルエットサインなどが各部位に応じて生じる．

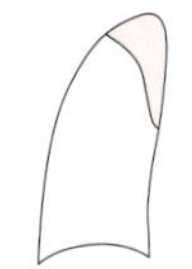
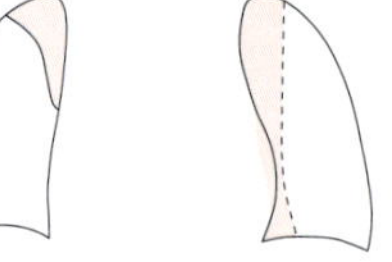
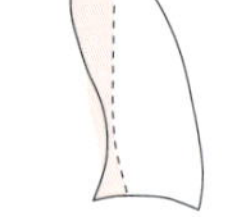
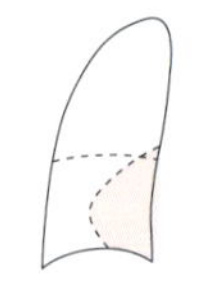
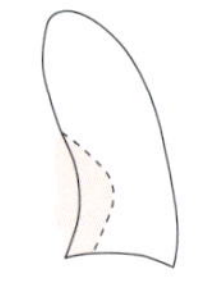
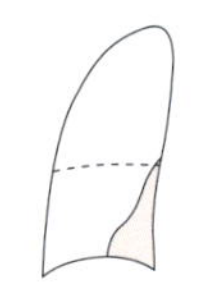

▶図 10　無気肺の模式図

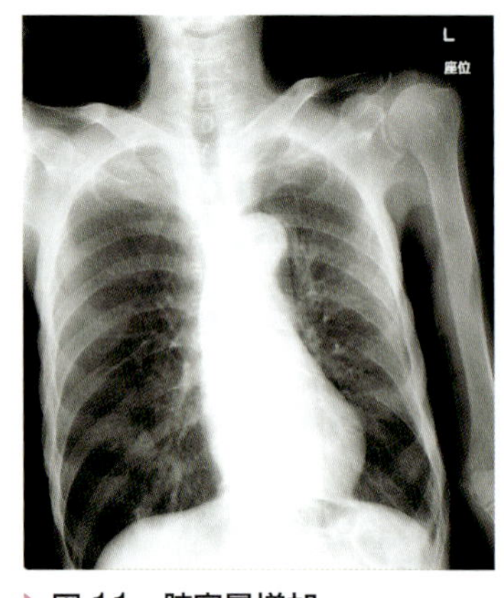

▶図 11　肺容量増加

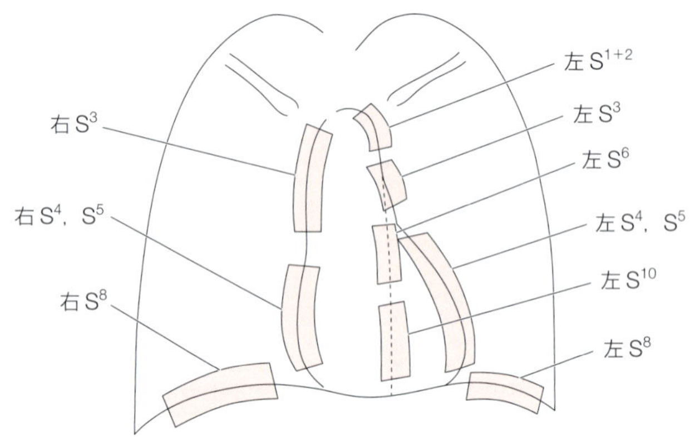

▶図 12　シルエットサインと病変部位

b 肺容量変化

肺容量の変化は肺野の容積が増加し，透過性が亢進した状態を指す．主には COPD でみられ，容積が増加した肺によって心臓が圧迫され，滴状心を呈する(▶図 11)．

3 シルエットサイン

通常，心臓や大血管，横隔膜といった構造物は胸部単純 X 線像では輪郭がはっきり確認できる．しかし，これらの構造に透過性低下部位などの病変部位が接している場合，この輪郭が消失する．このように，通常確認できる輪郭が消失した状態を**シルエットサイン陽性**という．シルエットサイン陽性時の病変存在部位の関係を図 12 に示す．特に，心臓の背側に位置する左 S^{10} を中心とした下葉は透過性低下が生じやすく，下行大動脈や横隔膜の輪郭が消失することでその病変の存在が確認される(▶図 13)．

4 胸壁・胸膜の異常

胸壁・胸膜の異常の代表として，**胸水**があげられる．胸水の増加は肋骨と横隔膜で形成される肋骨横隔膜角が鈍化することで判明しやすい．図 14 には，継時的に胸水が貯留した例の画像を示す．この例では右の肋骨横隔膜角の鈍化進行が確認できる．

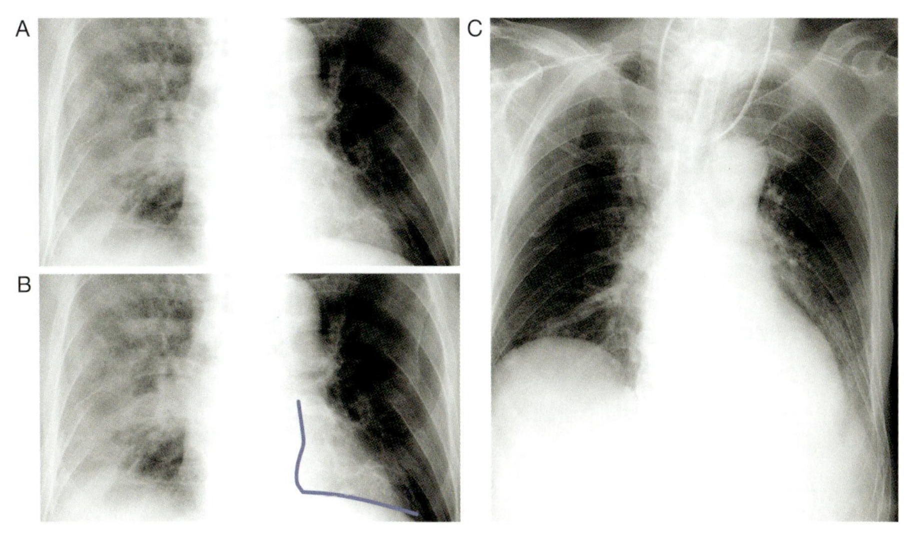

図 13　シルエットサイン

A：下行大動脈および横隔膜のシルエットサインが陰性.
B：青線は下行大動脈および横隔膜のシルエットを示す（A に青線を追加した）.
C：下行大動脈および左横隔膜のシルエットサインが陽性.

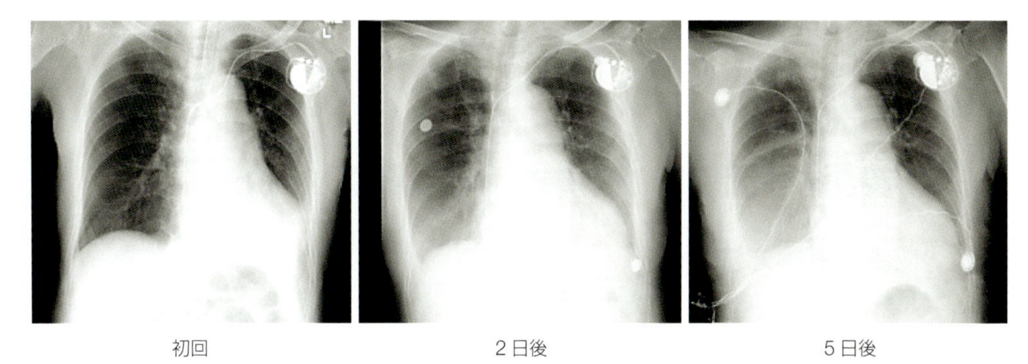

図 14　胸水

経時的に胸水が増加している.

2 単純 X 線像(四肢)

学習目標
- 理学療法評価における単純 X 線像の意義を理解する.
- 外傷性疾患における単純 X 線像の見方を理解する.
- 変形性関節症における単純 X 線像の見方を理解する.

A 理学療法評価における単純 X 線像の意義

医師は単純 X 線像をはじめとするさまざまな情報を用いて医学的診断を行う. 理学療法士が X 線像から医学的診断を行うことはないが, X 線像から病態を把握し, リスクを理解したうえで理学療法プログラムを立案する必要がある. また単純 X 線像から骨折, 脱臼, 変形といった骨構造異常を把握することにとどまらず, 骨構造異常がもたらす筋, 靱帯, 神経などの軟部組織への影響を推測し, 機能障害と関連づけて考えることが重要である.

B 理学療法評価における単純 X 線像のみかた

1 骨陰影の読影方法

骨組織では, 骨芽細胞による骨形成と破骨細胞による骨吸収が恒常的に行われる. 骨腫瘍, 骨折の治癒過程, 骨粗鬆症などによって骨形成と骨吸収に不均衡が生じると, 単純 X 線にも骨硬化像, 骨吸収像, 仮骨形成像が認められる(▶図 1).

a 骨硬化像

骨硬化像は X 線における透過性が減少した状態である. 原発性骨腫瘍, 骨壊死, 変形性関節症では単発性の骨硬化像を示す. 図 1A は変形性膝関節症例の骨硬化像である. 機械的ストレスに対応して軟骨下骨に骨硬化が生じ, 白く映っているのがわかる.

b 骨吸収像

骨吸収像は X 線における透過性が亢進した状態である. 骨粗鬆症などの代謝性骨疾患, 血流障害では骨吸収像を示す. 図 1B は変形性股関節症例の骨吸収像である. 血流障害により骨吸収が進行し骨囊胞が形成され, 黒く映っているのがわかる.

c 仮骨形成像

骨折後には時間経過とともに**仮骨**が形成される. 図 1C は尺骨骨折後の仮骨形成像である. 仮

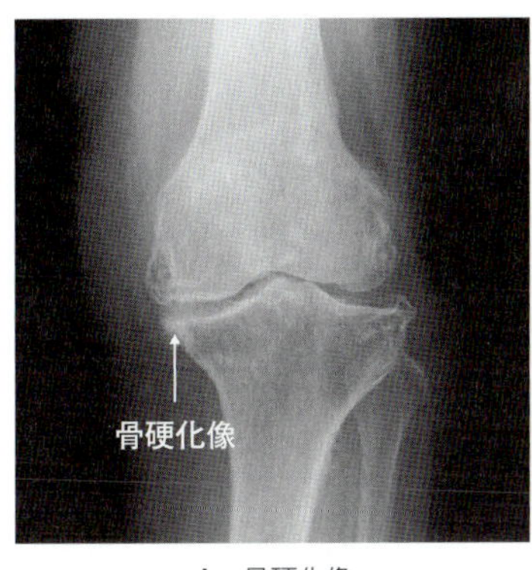

A. 骨硬化像

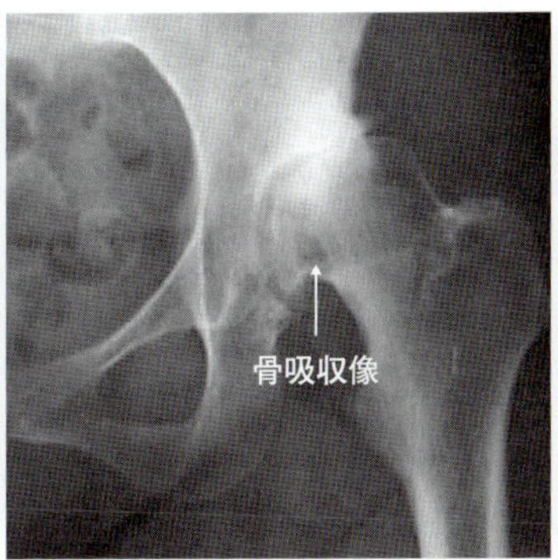

B. 骨吸収像

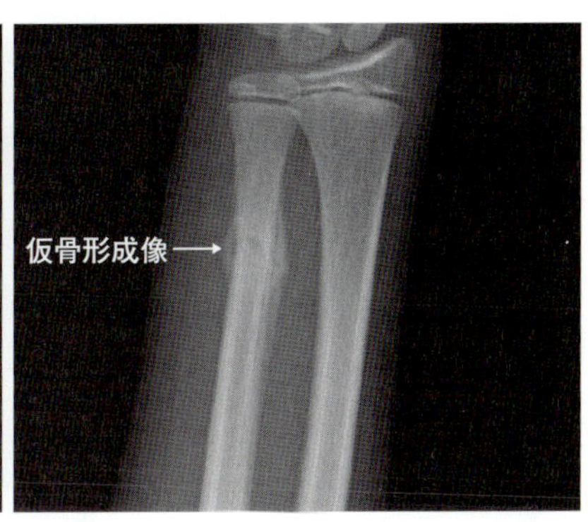

C. 仮骨形成像

▶図 1 骨陰影の読影方法

骨形成像は骨折線周囲に透過性が減少した領域として描出されるが，仮骨増生が進むと硬性仮骨となり，骨折部を取り巻き腫瘤様に映る．

❷ 外傷性疾患における単純 X 線像のみかた

外傷性疾患では，骨折線や骨片転位の方向から，骨折を引き起こした外力の方向を推定することが重要である．受傷時に加わった外力の方向を推定できれば，軟部組織の損傷を推測できる．

図 2A は，**上腕骨顆上骨折**の単純 X 線像である．骨折線および骨片転位の方向から上腕後面から直達外力が加わったことが推測される．また単純な横骨折や斜骨折ではないことを考慮すると，上腕骨長軸方向へも介達外力が加わった可能性が考えられる．直達外力による上腕三頭筋の挫傷や骨片転位にともなう上腕筋や上腕二頭筋の損傷も危惧される．さらに骨片転位が大きいことから正中神経，橈骨神経，尺骨神経の障害の可能性も考慮すべきである．

図 2B は，**脛骨骨幹部骨折**の単純 X 線像である．骨折の形状が螺旋骨折であることから，受傷時には強い捻転力が加わったことが推測される．そのため隣接関節である足関節や膝関節周囲の軟部組織(靱帯や半月板など)の損傷の可能性も考慮する必要がある．また，外傷性疾患で筋の起始・停止部に骨折が及ぶ場合には，筋の伸張や収縮によって転位を助長する可能性があるため注意を要する．

本項では，わが国における高齢者の代表的な骨折である大腿骨近位部骨折(大腿骨転子部骨折)，上腕骨近位端骨折の X 線像の見方を解説する．

a 大腿骨転子部骨折(▶図 3)

大腿骨転子部骨折では小転子や大転子の骨折を合併しやすい(▶図 3A)．大転子には中殿筋，小殿筋，深層外旋六筋が，小転子には腸腰筋が付着しているため，転子部骨折例ではこれらの筋の機能低下が起こりやすい．小転子が整復されることは少ないので，小転子骨片が転位している場合，術後早期の腸腰筋の伸張や収縮を伴う運動は避ける必要がある．また，術後に小転子の骨片転位が進行する場合もある(▶図 3B)．

術後の画像では，内側骨皮質の解剖学的整復の状況を評価し，術後経過における lag screw のスライディング量を確認する．スライディング量は「lag screw 先端からネイル中央まで(L2)/見かけ上の lag screw 長(L1)×lag screw 実長」の変化量とする(▶図 3B)[1]．スライディング量

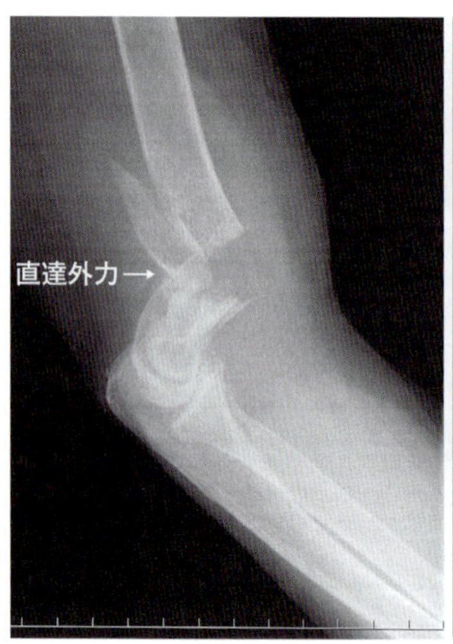

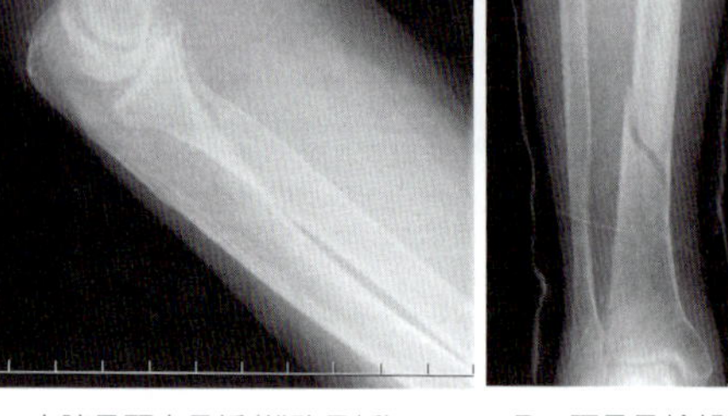

A　上腕骨顆上骨折(粉砕骨折)　　B　脛骨骨幹部骨折(螺旋骨折)

▶図 2　単純 X 線像から軟部組織の損傷を読み解く

図中の 1 目盛りは 1.0 cm を示す

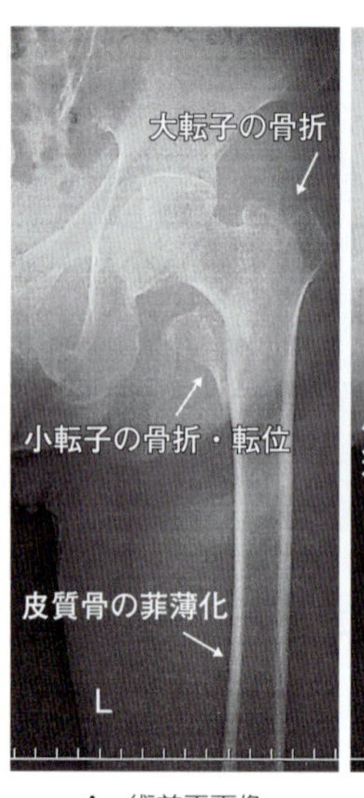

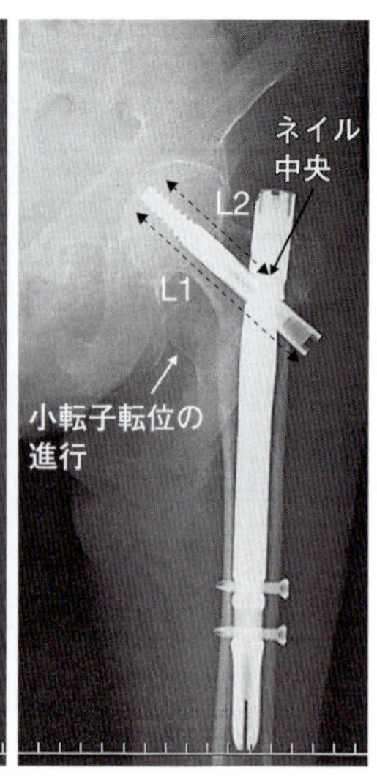

A　術前正面像　　B　術後正面像

▶図 3　大腿骨転子部骨折の単純 X 線像

図中の 1 目盛りは 1.0 cm を示す

が 10 mm を超える場合には，荷重を中止するなどの方策を取ることが多い．スライディングが過度になると大腿筋膜張筋の摩擦性刺激による疼痛が出現しやすい．本症例の場合には，皮質骨の菲薄化から，受傷前より活動量が低下していたことが推測される．加えてコントラストの低い X 線像から，骨粗鬆症を合併している可能性が考えられる(▶図 3A)．

b 上腕骨近位部骨折(▶図 4)

上腕骨近位部骨折は骨折部位によって解剖頸骨折，大結節骨折，小結節骨折，外科頸骨折に分類される．**図 4** は上腕骨近位部骨折(Neer 分類Ⅳ，3-part)の単純 X 線像である．術前の X 線像では外科頸および大結節部に骨折および転位を認める(▶図 4A)．上腕骨大結節には棘上筋，棘下筋，小円筋が付着しており，大結節骨折例では棘上筋，棘下筋，小円筋の機能が障害されることが多く，上肢の挙上制限が生じやすい．また，術後早期には大結節骨片の転位を回避するため，大結節に付着する筋群の筋収縮を避ける必要がある．

骨折に伴い腱板機能が障害されると，上腕骨頭の上方偏位が生じやすく，肩峰骨頭間距離(肩峰下端と上腕骨頭上端との最短距離，**図 4B**)の狭小化が起こりやすい．肩峰・骨頭間距離の基準値は 6〜15 mm である[2]．肩峰・骨頭間距離が狭くなると，上肢挙上時に肩峰下インピンジメントが生じやすくなる．また，骨折に脱臼を合併した場合や転位の大きい外科頸骨折例では，腋窩神経麻痺を合併しやすい点にも注意が必要である．

3 変形性関節症における単純 X 線像のみかた

変形性関節症における単純 X 線像では，関節軟骨の退行性変化とそれに続発する軟骨および骨の増殖性変化が特徴的である．X 線像では関節裂隙の狭小化，骨棘形成，軟骨下骨の硬化像を確認することが基本となる．本項では変形性膝関節症，変形性股関節症の X 線像の見方を解説する．

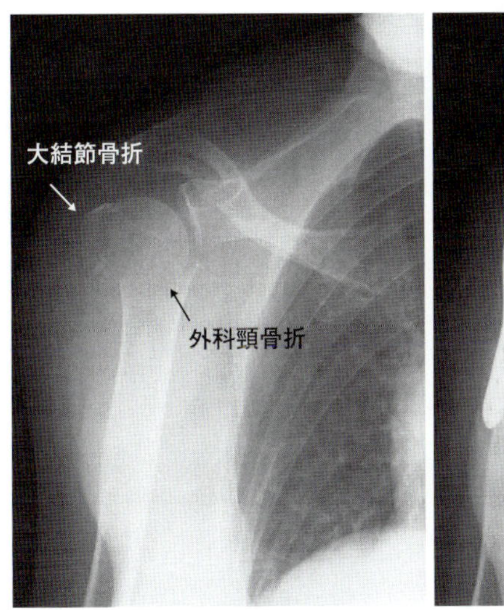

A 術前正面像

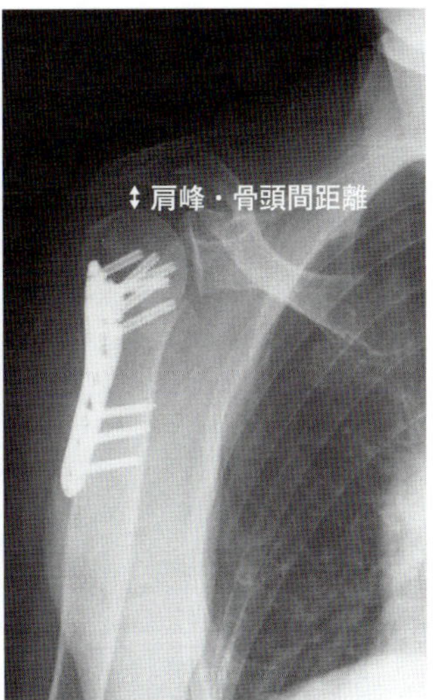

B 術後正面像

▶図 4　上腕骨近位部骨折の単純 X 線像

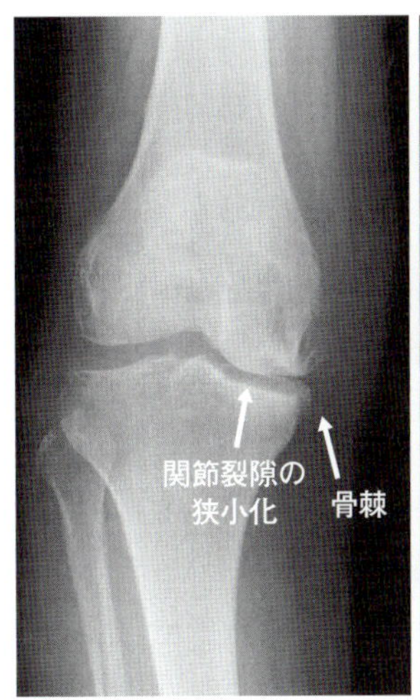

A 正面像

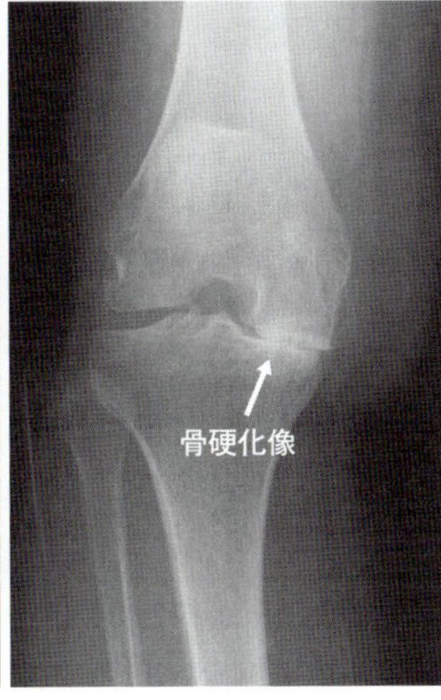

B Rosenberg 像

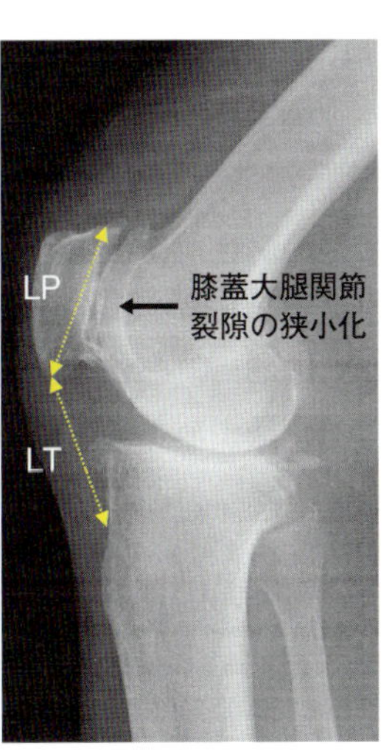

C 側面像

▶図 5　変形性膝関節症の単純 X 線像

a 変形性膝関節症(▶図 5)

変形性膝関節症に特徴的な X 線所見として，関節裂隙の狭小化，骨棘形成，軟骨下骨の硬化像が挙げられる(▶図 5A, B)．関節裂隙の狭小化は立位荷重位での撮影で顕著となる．また，立位膝関節屈曲 45° で後方から撮影する Rosenberg 像(▶図 5B)では，関節の接触面積および半月板による荷重分担が最小となるため，関節裂隙の狭小化を早期から検出できる．側面像(▶図 5C)は，膝蓋大腿関節における関節症の進行と膝蓋骨高位を評価するうえで有用である．

膝蓋骨高位の評価には Insall-Salvati 法[3]を用いる．Insall-Salvati 法では膝蓋腱長(LT)を膝蓋骨最大縦径(LP)で除した値(LT/LP)を使用し，1.2 以上を膝蓋骨高位，0.8 未満を膝蓋骨低位とする．膝蓋下脂肪体をはじめとする膝蓋骨下方組織の柔軟性低下は膝蓋骨低位を引き起こしやす

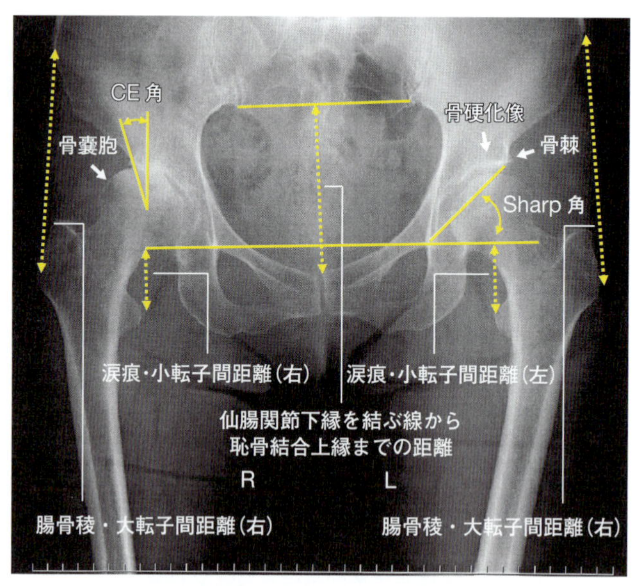

▶図 6 変形性股関節症の単純 X 線像(両股関節正面像)

く，大腿四頭筋をはじめとする膝蓋骨上方組織の柔軟性低下は膝蓋骨高位を引き起こしやすい．膝蓋骨高位・低位は膝蓋大腿関節の接触圧を増加させ，膝蓋大腿関節由来の疼痛の原因となる．

b 変形性股関節症(▶図 6)

わが国では，寛骨臼形成不全に起因する二次性股関節症の占める割合が圧倒的に大きい．寛骨臼形成不全の診断基準としては，**CE**(Center-Edge)**角**や **Sharp 角**などを用いる．CE 角が 20° 未満または Sharp 角が 45° 以上を寛骨臼形成不全とする[4]．二次性股関節症例では大腿骨頭の前方被覆を代償するため骨盤前傾位を呈していることが多い．骨盤前後傾角度の目安としては，仙腸関節下縁を結ぶ線から恥骨結合上縁までの距離を用い，110 mm 以上であれば前傾位，55 mm 以下であれば後傾位と判断する[5]．二次性股関節症例では大腿骨頭が外側上方へ偏位し，腸骨稜・大転子間距離が短くなるため，股関節外転筋群のモーメントアーム長が短縮し，股関節外転筋力低下が生じやすい．また**変形性股関節症**例に特徴的な所見として，関節裂隙の狭小化に加えて軟骨下骨の骨硬化像や骨嚢胞，骨棘形成が見られる．さらに涙痕・小転子間距離の左右差[6](▶**図 6**)から股関節レベルでの脚長差を測定することも可能である．

●引用文献
1) 平中崇文，他：ガンマネイルにおける 125°，130° ネイルの選択に関する検討．骨折 24：106-109，2002.
2) Gruber, G., et al: Measurement of the acromiohumeral interval on standardized anteroposterior radiographs: a prospective study of observer variability. J Shoulder Elbow Surg 19: 10-13, 2010.
3) Insall, J., et al: Patella position in the normal knee joint. Radiology 101: 101-104, 1968.
4) 日本整形外科学会，他(監)：変形性股関節症診療ガイドライン 2016 改訂第 2 版．pp24-113，南江堂，2016.
5) Kitajima, M., et al: A simple method to determine the pelvic inclination angle based on anteroposterior radiographs. J Orthop Sci 11: 342-346, 2006.
6) Herisson, O., et al: Validity and reliability of intraoperative radiographs to assess leg length during total hip arthroplasty: correlation and reproducibility of anatomic distances. J Arthroplasty 31: 2784-2788, 2016.

●**参考文献** 1）井樋栄二，他（編）：標準整形外科学 第 14 版．医学書院，2020.
2）山村恵，他（監）：こんなときどうする⁉ 整形外科術後リハビリテーションのすすめかた．医学書院，2021.
3）青木隆明（監）：運動療法に役立つ 単純 X 線像の読み方．メジカルビュー社，2011.
4）塩野寛大（監）：リハで読むべき運動器画像．メジカルビュー社，2017.

復習問題

□ 83 歳の女性．転倒して右股関節痛を訴えた．X 線像（下図）を示す．(55PM016)

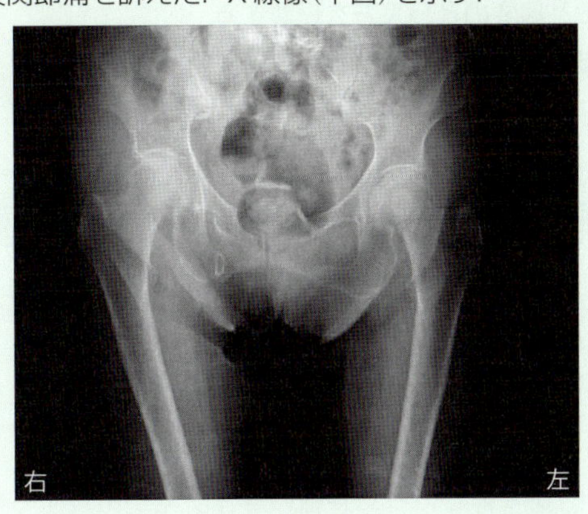

この画像から読み取れることは，骨盤輪や閉鎖孔が左右不均等であること，右の[　①　]の連続性が破綻していることである．この症例は[　②　]が疑われる．
[　③　]であれば，大腿骨が大きく上方へ偏位するが，この画像では大腿骨頭は寛骨臼内に存在している．

①恥骨　②恥骨骨折　③股関節脱臼

3 脳画像

- 脳画像情報を理学療法評価に取り入れる意義を理解する.
- 各種脳画像の特徴と病変のとらえ方を理解する.
- 理学療法評価において注目すべき所見を理解する.

A 脳画像情報を理学療法評価に取り入れる意義

医師が診断を目的として脳画像をみるのと，理学療法士が脳画像をみる意義は異なる．そもそも，通常ならば理学療法処方がなされるとき，診断は確定している．理学療法士が脳画像をみる意義は，損傷した領域，損傷を免れた領域の情報を活用して，症例に適した治療内容を考慮することにある．

実際に運動麻痺や感覚障害といった各種の身体所見が出現するのは，四肢や体幹であることが多いが，脳卒中などの疾患では，現象が観察される四肢や体幹そのものに原因があるのではなく，疾病や外傷などによって損傷した中枢神経系に原因がある．損傷した領域ならびに損傷を免れている領域を詳細に把握することによって，評価で把握した現象や障害が生じた脳内の背景が理解できる．特に急性期には身体所見と画像所見が大きく乖離することがあり，その場合，画像所見に基づいた再評価が必要であることを示していることになる．また，脳画像を詳細に把握することによって後遺する可能性が高い症状や，逆に回復が期待できる機能を把握でき，目標設定や治療の方針をより具体的に計画できる．これらが理学療法評価に脳画像情報を取り入れる意義である．

脳画像を活用するためには豊富な脳解剖学の知識が必須となる．また，現実的には医師が診断を目的として撮像した画像を理学療法士が評価と治療に役立てることになるため，各種脳画像の基礎知識を把握して，病変がどのようにとらえられるのか理解しておくことが望ましい．

B 頭部 CT と各種 MRI の特徴と病変のとらえ方

1 CT

CT(computed tomography)の明暗は X 線の吸収係数(CT 値)を反映して構成されている．吸収係数が高いものを**高吸収域**と呼び，それらは白色系としてとらえられる．吸収係数が低いものは**低吸収域**と呼び，それらは黒色系としてとらえられる．CT は撮像時間が MRI と比べ短く，発症直後の超急性期から出血性病変を高吸収域として検出することができる．そのため，脳卒中が疑われ救急搬送された場合，まず CT を確認して，出血性疾患の有無を確認し，出血性疾患が検出できない場合に MRI へ移行することが多い[1]．

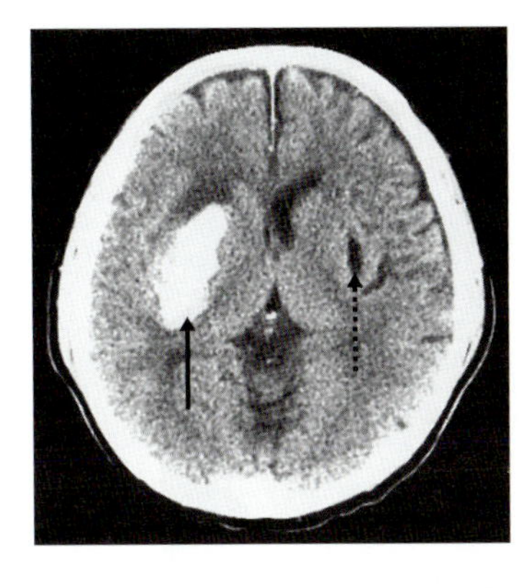

▶図 1　CT

右被殻出血例の CT で，血腫は実線の矢印で示した部分に明確な高吸収域として確認できる．その前方には低吸収域が確認でき，この領域は血腫周辺浮腫を示している．視床や側脳室前角などが圧排されて，本来正中にあるべき構造物がわずかに正中線を逸脱して対側にシフト（midline shift）しているのが観察される．対側の被殻（点線の矢印で示した部分）にも低吸収域が確認できるが，この病変は陳旧性の被殻出血病変で，すでに血腫がマクロファージの貪食により空洞化しており，その領域に脳脊髄液が満たされた状態である．皮質は白質よりいくぶん CT 値が高く，逆に白質は被殻や尾状核，視床などの神経核となる領域よりいくぶん低い．骨は明瞭な高吸収域となる．

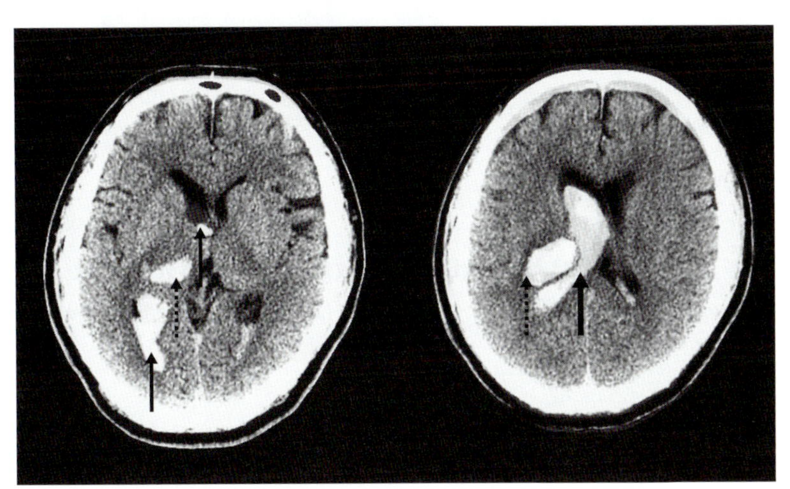

▶図 2　脳室内穿破した視床出血例の CT

本来であれば脳脊髄液が存在する側脳室後角や側脳室体部は低吸収域（黒色）として確認されるが，血腫（点線の矢印で示した部分）が脳室内穿破した場合には高吸収域（実線の矢印で示した部分）として確認される．

2 CT でとらえられる病変

a 脳出血

図 1 に急性期の脳出血例の CT を示した．**脳出血**とは脳実質内を栄養する穿通動脈（穿通枝）からの出血を指す．よって，出血は脳実質に確認される．脳室内へ穿破（脳室内穿破）した場合には脳脊髄液（脳脊髄液は低信号で黒くみえる）が存在する領域（脳室内）に血腫が及ぶ（▶図 2）．血腫は次第に縮小し始め，吸収された血腫は高吸収域から等吸収域へと変化する．発症翌日には血腫の周辺に浮腫（血腫周辺浮腫）が生じ，低吸収域として観察される．2 週間弱で浮腫はピークに至る．数週で浮腫は消失し，慢性期には，低吸収域となるため出血性疾患か虚血性疾患かが区別しづらい．

b くも膜下出血

図 3 にくも膜下出血例の CT を示した．くも膜下出血例では主幹動脈に生じる動脈瘤の破裂などに伴い，脳実質外のくも膜下腔で出血がおこり，くも膜下腔に満ちる脳脊髄液中に血液が混ざ

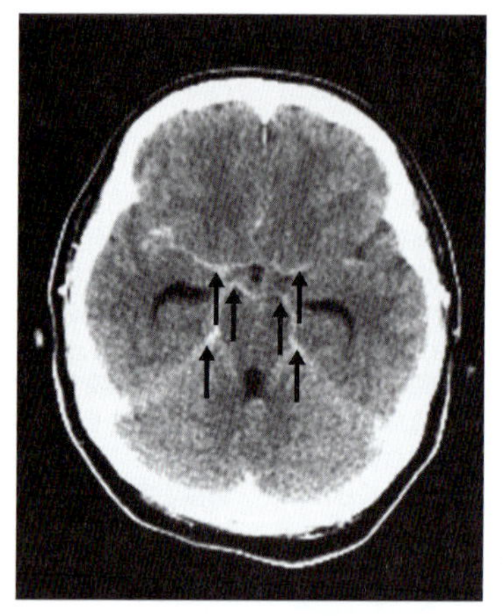

▶図3　くも膜下出血例のCT
脳槽は脳脊髄液に満たされ本来は低吸収域として確認される領域である．図ではくも膜下出血に伴い脳槽が高吸収域（矢印で示した部分）となっている．

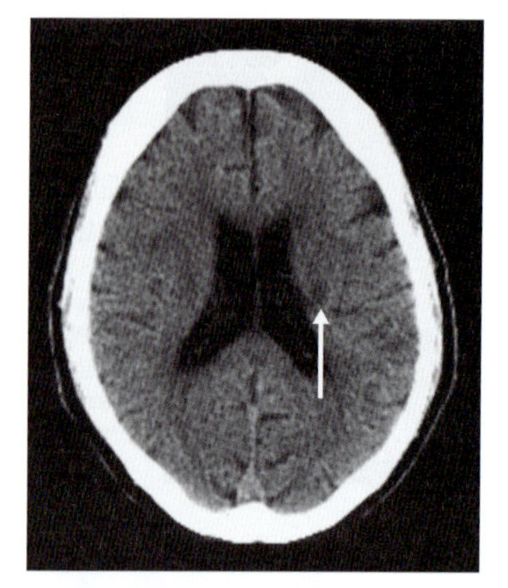

▶図4　脳梗塞例のCT
左の側脳室体部近傍に低吸収域（矢印で示した部分）が確認される．

り，血腫周辺の脳表や脳溝，脳槽に浸潤して，それらが高吸収域として確認される．ただし，一次損傷として脳実質内への出血を伴う症例もあり，その場合には脳実質内にも血腫が高吸収域として確認されることがある．

c 脳梗塞

発症直後の超急性期には梗塞巣ははっきりと検出できない（early CT サインはみられることがある）が，発症から6時間ほど経過した後から低吸収域として確認される（▶図4）．発症2週間前後にはfogging effectと呼ばれる現象が生じて，梗塞巣が一時的に不明瞭となりあたかも病変が消えたかのようにみえることがある．その期間が過ぎると再び梗塞巣は明瞭な低吸収域として確認される．

3 MRI

MRI（magnetic resonance imaging）は，CTよりも精細かつ多方向からの頭蓋内病変の検出が可能な検査方法である．磁気を使い生体の水素原子の動きを画像化しており，放射線被曝がない．MRIの濃淡は，組織から出る電磁波の強度，すなわち信号強度を表している．信号強度が大きいほど白色系として，逆に信号強度が弱ければ黒色系としてとらえられる．CTと同様に注目する領域の信号強度と対側などの周囲の正常組織の信号強度とを比較して，正常組織より白ければ高信号，逆により黒ければ低信号，同程度なら等信号と表現する．MRIはさまざまな撮像条件が設定可能で，それぞれ特徴が異なる．以下に代表的な撮像条件を紹介する．

a T1強調画像（T1 weighted image；T1WI）

脳脊髄液が低信号（黒色）となり，脳実質が等信号（灰色系）となる．脳実質のなかでも白質はやや高信号，灰白質はやや低信号となる．解剖学的構造が同定しやすく脳表の変化をとらえやすい．そのため萎縮などの形態的変化に鋭敏で神経変性疾患の診断に有用である．一方で，急性期

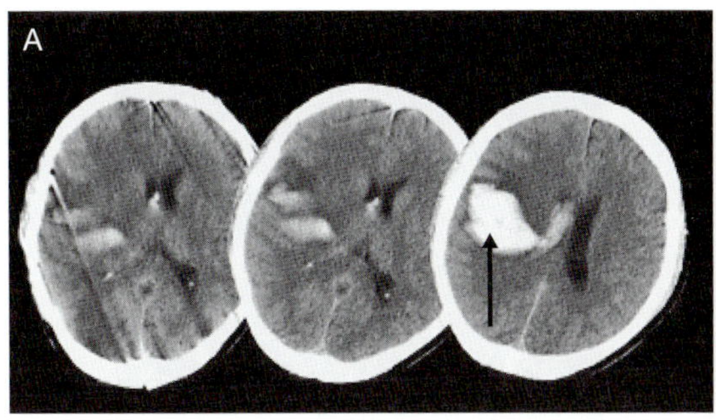

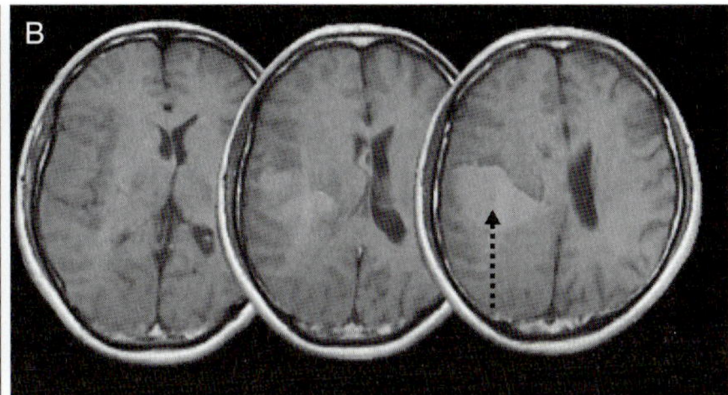

▶図 5　超急性期脳出血例の CT(A)と T1 強調画像(T1WI)(B)

A：CT では出血性病変が明瞭な高吸収域で確認される(矢印で示した部分).
B：同時期に撮像した T1WI では血腫が等信号(点線の矢印で示した部分)となる.

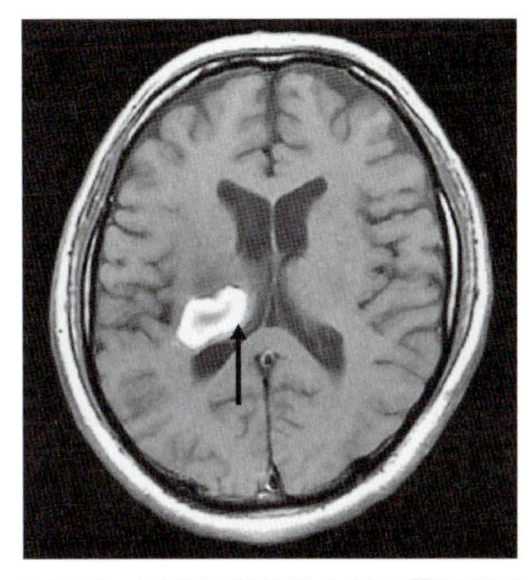

▶図 6　亜急性期脳出血例の T1 強調画像(T1WI)

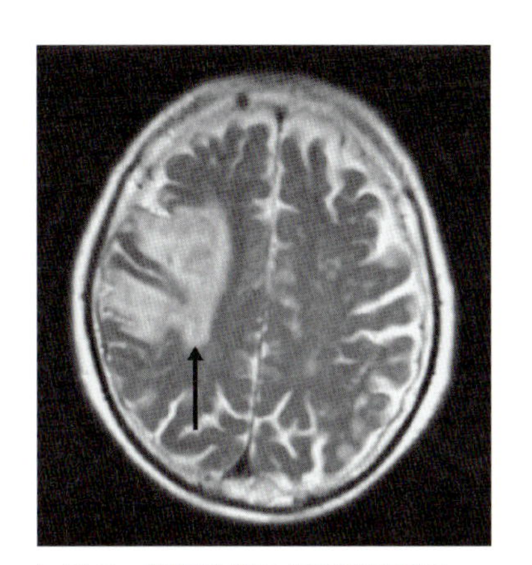

▶図 7　脳梗塞例の T2 強調画像(T2WI)

の脳梗塞や炎症性・脱髄性病変は判別しにくく，病変の描出には向かない．脳出血は超急性期は等信号(▶図 5B)となるが，亜急性期には血腫のメトヘモグロビンを反映し高信号[2]で描出される(▶図 6)．脳梗塞は慢性期に低信号を呈する．

b T2 強調画像(T2 weighted image ; T2WI)

T1WI とは逆に脳実質が低〜等信号(黒色ないし灰色系)となり，脳脊髄液が高信号(白色系)となる(▶図 7)．脳実質のなかでも白質はやや低信号，灰白質はやや高信号となる．脳実質内の病変の検出に適し，脳梗塞は急性期から高信号病変で明瞭に描出される．ただし超急性期の脳梗塞は描出できない．慢性期でも(程度の差はあるが)基本的には高信号のまま観察される．脳脊髄液が病変と同じ高信号となるために脳表面上の病巣や脳表に接するように存在する病巣についてはその境界がわかりづらくなる(▶図 8)．

脳出血は，発症数時間以内の超急性期には等〜やや高信号となり，急性期(数時間〜数日)には低信号域となる．亜急性期の早期(数日)には低〜等信号となり亜急性期の後期(数日〜数週間)には血腫辺縁部から中心に向かって徐々に高信号となる(▶図 9)．これは亜急性期の血腫周囲にみられる浮腫が高信号域として血腫の周りに描出されるためである．慢性期には，低信号となるが，壊死した組織が吸収され空洞化した部分に脳脊髄液が溜まればその部分は高信号域となる[1]．

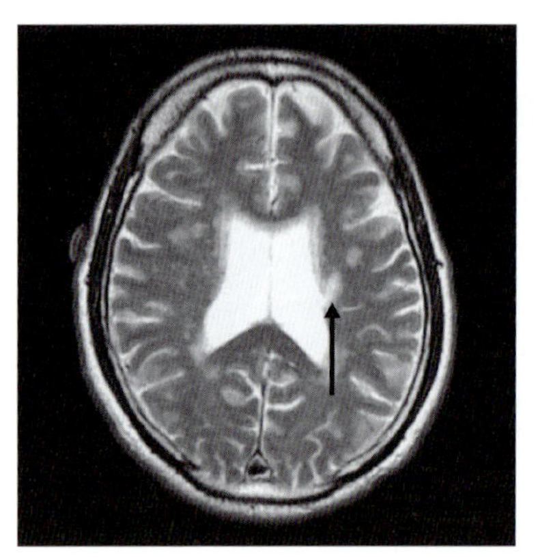

▶図 8　側脳室体部に近接する脳梗塞例の T2 強調画像(T2WI)

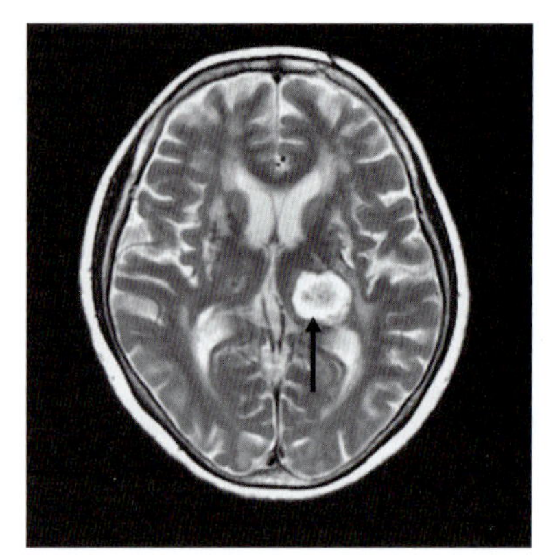

▶図 9　亜急性期後期(発症から 14 日後)の脳出血例の T2 強調画像(T2WI)

c FLAIR(fluid attenuated inversion recovery，水抑制画像)

FLAIR(T2 FLAIR)では脳脊髄液が低信号(黒色)となる(▶図 10)．それ以外は基本的に T2WI と同じで，脳実質が低～等信号(黒色ないし灰色系)となり，脳実質のなかでも白質はやや低信号，灰白質はやや高信号となる．FLAIR は解剖学的な構造を T1WI と同程度の精度で示し，かつ病変を T2WI と同程度の明瞭度で示せる．そのうえ，T2WI では困難であった脳表面の病変の検出にも非常に優れている．図 10 では側脳室体部に接するような血腫が高信号で，脳室内は低信号で描出されるためその境界が明瞭である．脳梗塞は，発症後 3～4 時間より明瞭な高信号域として描出される．慢性期となり，壊死した組織が吸収され空洞化した部分に脳脊髄液が溜まると，脳脊髄液が低信号域となることから，その領域も低信号域となる．

d 拡散強調画像(diffusion weighted image；DWI)

脳虚血の初期には細胞性浮腫を生じ，DWI(▶図 11A)ではこれをとらえる[2)]ことが可能で，T2WI(▶図 11B)や FLAIR ではとらえられない発症 3 時間以内の超急性期の脳梗塞を検出できる．多発性の脳梗塞の場合，従来の T2WI では陳旧性の病巣が混在した場合に，新たに出現した梗塞病変を正確に同定することは難しかったが，DWI では急性期病変が高信号となり陳旧性病変は低信号となるために容易に鑑別することが可能となった．脳出血では，急性期に血腫は等信号となるが，辺縁は圧排を受け，虚血となり周辺浮腫が生じる．それが高信号となるため，高信号と低信号が混在する．

4 臨床での水平断(軸位断)の表示法

CT や MRI は**軸位断**(axial slice)像を目にすることが多いが，これらの像の多くは眼窩外側縁と外耳孔を結ぶ線(OM 線)に平行な断層撮影がなされている．図 12 にその様子を示し，各断面と対応する実際の軸位断像を示した．なお，画像の右側が左(L)で，左側が右(R)である．臨床では共通して，足の底から覗くようにみるため，向かって右側が左，向かって左側が右の脳を撮像していることになる．

スライスは低いほうから高いほうへと並ぶため，一般的に，その配列は左上が下端部で，右下

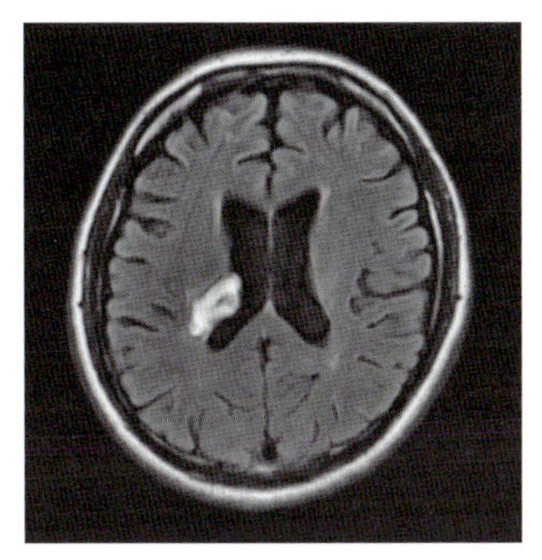

▶図10 脳出血例のFLAIR (T2 FLAIR)

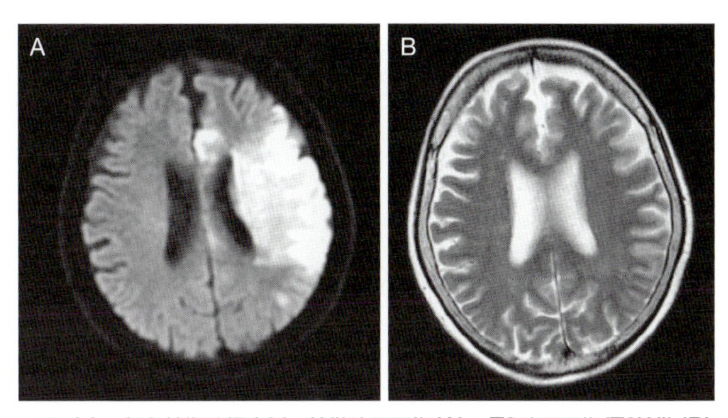

▶図11 超急性期脳梗塞例の拡散強調画像(A)とT2強調画像(T2WI)(B)

A：拡散強調像では梗塞巣が明瞭な高信号域として確認される.
B：同時期に撮像したT2WI.

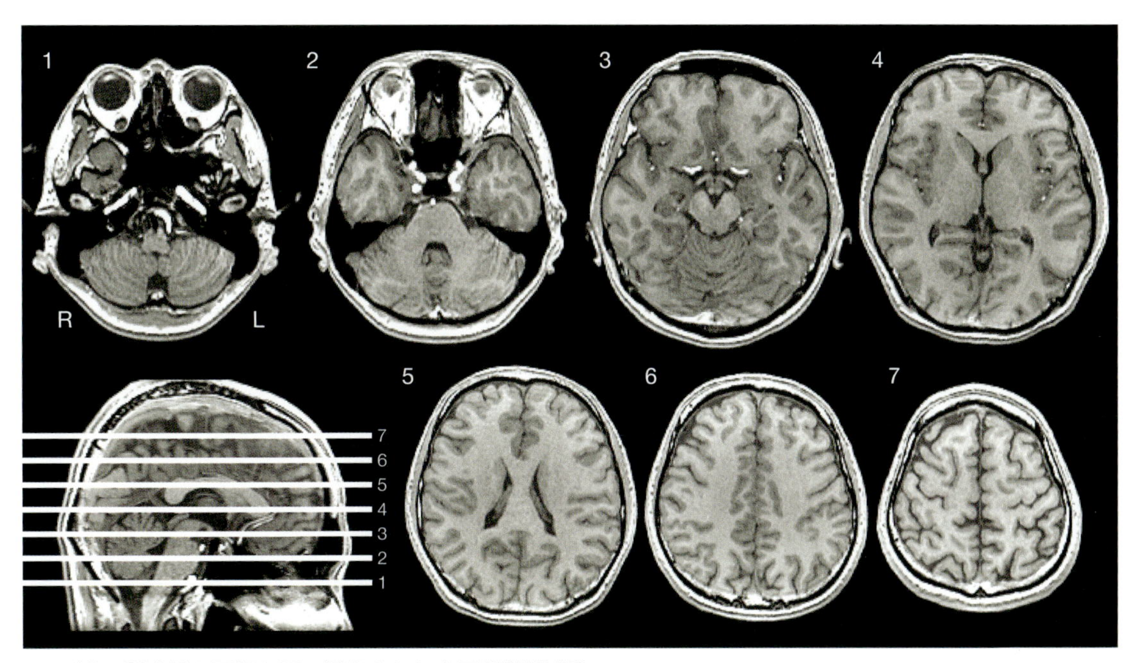

▶図12 OM線と平行な面で撮像された水平断(軸位断)

が上端部になる．すなわち，延髄などの下部のスライスが左上から並び始め，頭頂部が右下に配列される(▶図12).

5 画像を構成する最小単位と部分容積効果

CTやMRIは断面像で表示されるが，いうまでもなく実際に脳そのものをスライスしているわけではない．CTでは，放射線を照射し，その吸収係数を画像化しており，画像化にあたり特定の領域の吸収係数を求めている[1,3]．その領域とはvoxelと呼ばれる細かい立方体の断片で，その断片に含まれる組織のCT値をもとに画像を構成して1枚の断面(スライス)を構成してい

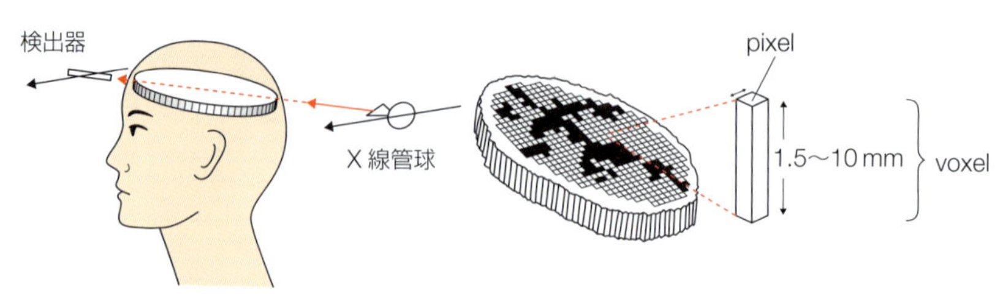

▶図 13　CT や MRI を構成する最小単位(voxel)

る．すなわち，voxel に含まれる構造物の CT 値の平均を画像化して白，黒，灰色の各段階でその構造物を表現していることになる．**図 13** に脳画像を構成するイメージを示した．撮像時間は早期診断確定のためには短いほどよいため，臨床では撮像時間の短縮を目的とし，ある程度の厚み(すなわち解像度の粗さ)をもって撮像され，施設によっては slice gap と呼ばれる撮像しない空間を設定することもある．画像を構成する voxel が大きい場合，複数の構造物が 1 つの voxel に含まれることになる．その場合は CT 値の異なる複数の組織の平均値が当該 voxel の CT 値となる．そのため，標的とした組織の CT 値と異なる数値になる場合があり，このことを partial volume effect という[1, 3]．

これは MRI でも同様である．そのため，画像上で確認される病変が実際の血腫などの病変より大きく描出されることもあるため注意が必要である．視床出血例などの脳出血例では画像上，明らかに内包後脚や放線冠の損傷があり，重度の片麻痺や重度の感覚障害を呈すると予測される症例であっても，実際には，ごく軽度の麻痺や軽度の感覚障害にとどまることがある[4]．

C 理学療法評価において注目すべき所見

冒頭でも述べたように，理学療法士が画像をみる意義は，理学療法評価と治療に役立てることである．具体的には対象者に会って評価する以前の情報として，あらかじめ画像所見から出現する症候を予測し，必要な評価項目を選定するみかたがある．もう 1 つのみかたとしては，実際に対象者に会って評価した結果から損傷領域を予測して，実際の症状と画像所見との乖離がないかを確認するというものがある[1]．一般的には前者と後者の両方を含めるが，後者のみかたは特に重要である．もし，後者のみかたで乖離を見つけた場合，問題点の真の背景が浮き彫りになり，次に行うべき評価計画がはっきりし，治療プログラムはより具体的なものとなる．例をあげれば，初回評価では運動麻痺としか判断できなかった症例の脳画像を確認したところ，帯状回や運動前野に限局した損傷を確認し，運動開始困難が原因で運動麻痺のように観察されたことが理解でき，次の具体的な評価や治療の具体的指針が立案できたという事例がある．

このような理学療法評価と治療に役立てるためのみかたをするには，基本的な脳の解剖が理解できていることが肝要である．そうでなければ，画像情報を得てもそれを活用できない．本項ですべての脳の解剖を解説することは紙幅上難しいため，成書に譲る．ここでは理学療法士が臨床で参考にする機会がきわめて多い，運動麻痺と感覚障害のみかたについて言及する．運動麻痺，感覚障害ともに一次領野に関連する症状であり，連合野に関連する高次脳機能障害と比べ，症状と病巣との対応関係が密接であり[5]，これらの情報を理学療法評価に活用できると非常に有益である．

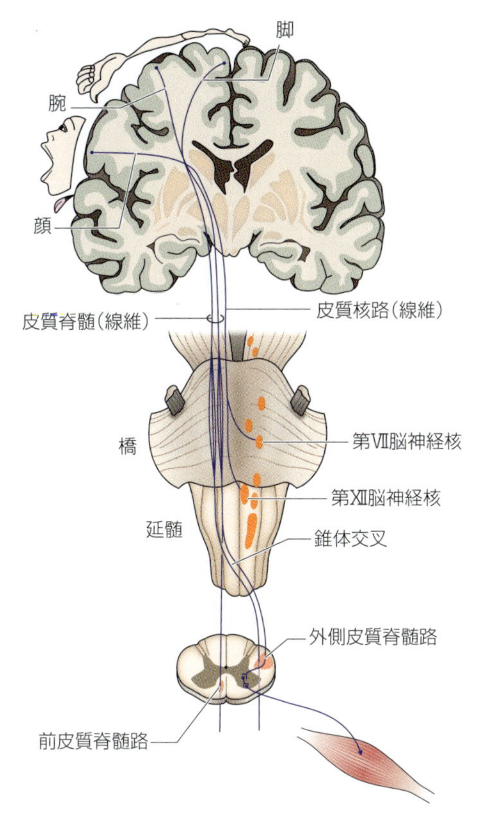

▶図 14　一次運動野の機能局在(運動野のホムンクルス)と運動経路の走行

1 運動麻痺

a 皮質脊髄路・皮質延髄路の解剖

運動の経路には随意的な運動をつかさどる経路や非随意的(自動的)運動をつかさどる経路などさまざまな経路が存在する．随意運動の経路は**錐体路**(皮質脊髄路・皮質延髄路)と呼ばれ，それ以外は**錐体外路**と呼ばれる．随意運動の最終指令は，中心溝の前方に位置する中心前回にある一次運動野からおこり，皮質脊髄路および皮質延髄路を経由して，その信号が伝達される．この一次運動野には明確な機能局在が存在し，大脳縦裂に近い内側領域に下肢，それより外側に上肢，さらに外側に顔面の領域が位置する(▶図 14)[6]．皮質脊髄路であれば，その経路は放線冠，内包後脚，中脳大脳脚，延髄錐体を通過し，錐体交叉後に対側の脊髄前角に至り，やがては上下肢や体幹に伝わる．なお，放線冠とは内包を通過して皮質へ至るまでの求心性および遠心性を含めた投射線維のことを指す．皮質延髄路も同様に走行し，脳幹の脳神経核に至り，そこから顔面・頸部の器官に向けて各種脳神経が走行する[6]．

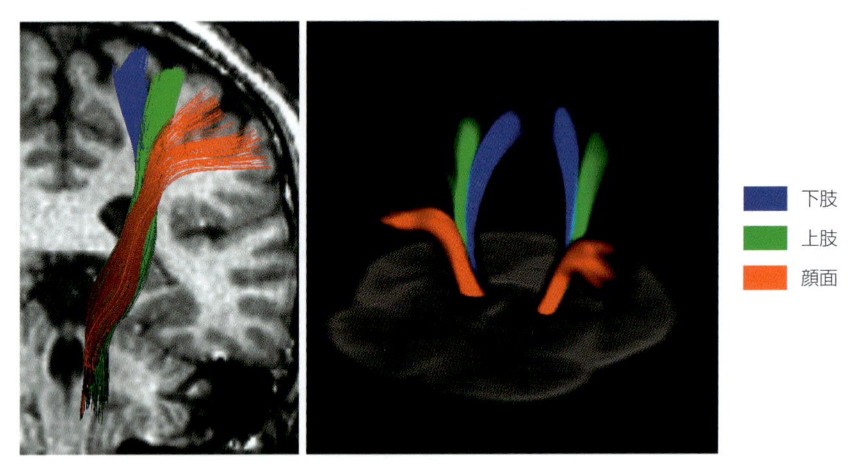

▶図 15　皮質脊髄路と皮質延髄路の走行

青で示した経路が下肢の随意運動を支配する神経経路．同様に緑が上肢で，赤が顔面を支配する随意運動の経路である．
〔青木茂樹，他：神経疾患と拡散 tractography―その応用と限界．Brain and Nerve 59：467-476，2007 より〕

b 損傷領域と症状の関係性

脳画像は延髄より上部の画像であるため，おのずと脳幹から，さらにその上部の損傷に着目することになる．運動麻痺が生じるのは一次運動野から脳幹までの皮質脊髄路・皮質延髄路の経路上に損傷があった場合である．脳出血では被殻や視床で出血することが多く，その 2 つで実に約 70% を占める．その他，小脳出血，脳幹出血，皮質下出血などが続くが，頻度は前者と比べて多くない．病巣となる頻度が高い視床や被殻は皮質脊髄路・皮質延髄路のきわめて近傍に位置するため，出血性病変がこの経路に及んだ場合には，運動麻痺が生じる．**図 15** は皮質脊髄路と皮質延髄路の三次元的走行を示している．赤い線維束に病変が及ぶと中枢性の顔面麻痺を呈し，緑の線維束に及ぶと上肢の麻痺が生じる．同様に青い線維束に及べば下肢の麻痺が生じる．これらのすべての線維束が損傷した場合には顔面を含め片麻痺となる．

無論，皮質レベルでの損傷によってもそれぞれの損傷領域の機能局在に従って運動麻痺が出現する．皮質領域の損傷では，比較的広い範囲にわたって運動野のホムンクルスとして知られる**機能局在**(▶**図 14**)があり，病巣が内側の一次運動野に限局すれば下肢の単麻痺に，それより外方で上肢の領域に限局すれば上肢の単麻痺となる．**図 16** の A には下肢麻痺のない上肢単麻痺を呈した症例の脳画像を示した．病巣は放線冠に限局した小梗塞で，上肢の皮質脊髄路の走行に一致した．一方，B には上肢麻痺のない下肢単麻痺を呈した症例の脳画像を示した．病巣は前頭葉の内側面に限局した淡い高信号域で，梗塞巣の一部は下肢の皮質脊髄路の走行に一致した．症例 A，B とも亜急性期に運動麻痺は回復した．

2 感覚障害

a 感覚経路の解剖

感覚には意識されるものと意識されないものがあるが，ここでは意識されるものを扱う．嗅覚以外の意識される感覚はすべて視床に中継され，シナプス結合の後，大脳に投射される．触覚，位置覚，振動覚，意識される固有感覚を伝える後索-内側毛帯路と，主として温度覚と痛覚を伝

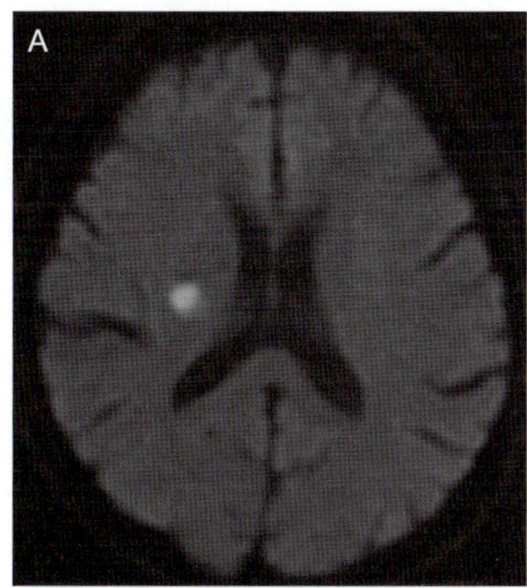

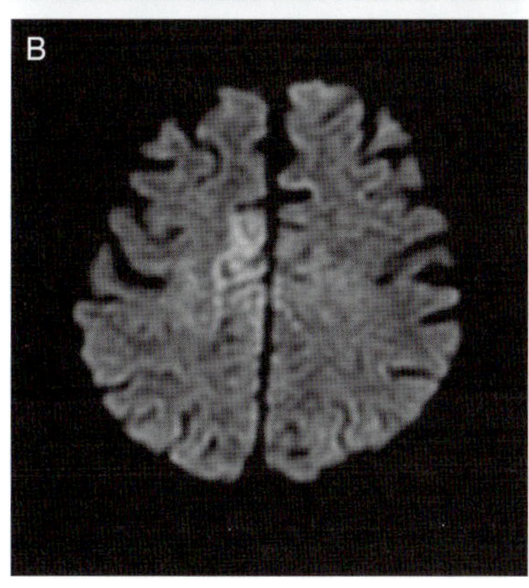

▶図 16　単麻痺を呈した症例の脳画像

A　上肢単麻痺を呈した症例の脳画像（急性期 DWI，放線冠梗塞例）
B　下肢単麻痺を呈した症例の脳画像（急性期 DWI，前頭葉内側面梗塞例）

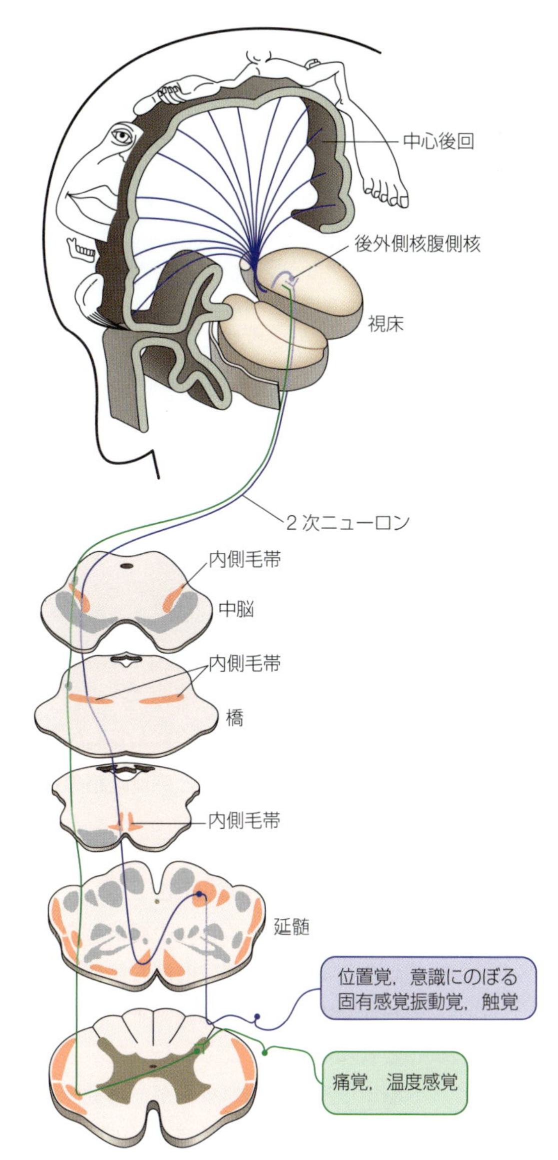

▶図 17　一次体性感覚野の機能局在（感覚野のホムンクルス）と感覚経路の走行

える脊髄視床路からの入力が，視床の後外側腹側核および後内側腹側核へあり，この核から一次体性感覚野へ投射される．一次体性感覚野の機能局在も運動野と同様に，感覚野のホムンクルスとして知られ，内側に下肢，その外側に上肢，さらに外側に顔面の領域が位置する（▶図 17）[7]．視床より下位の走行については，延髄では後索-内側毛帯が内側で皮質脊髄路のすぐ後方を，一方で脊髄視床路は外側を通過し，橋では背側部（橋被蓋部），中脳では中脳被蓋部を通過する（▶図 17）．

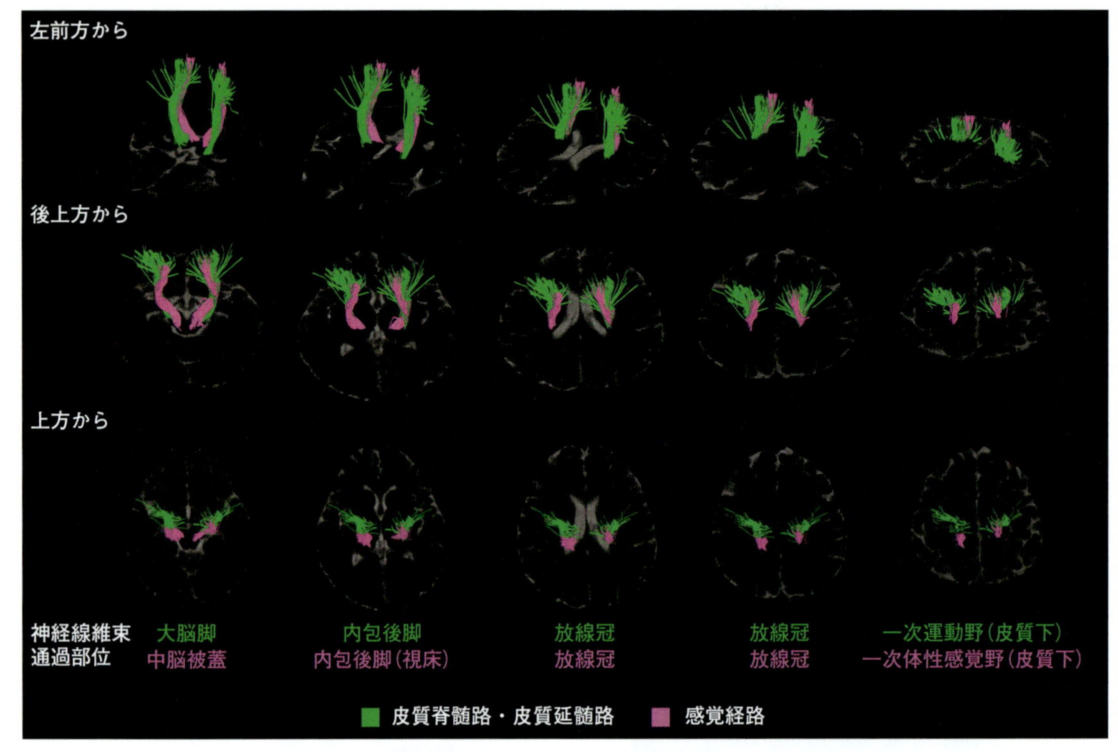

▶図 18　皮質脊髄路・皮質延髄路と感覚経路の走行

b 損傷領域と症状の関係性

視床出血などにより，中継核となる後外側腹側核が直接損傷した場合，対側の上下肢に感覚障害が生じる．同様に後内側腹側核が損傷すれば対側の顔面に感覚障害が生じる．また，後外側腹側核から中心後回に位置する一次体性感覚野までの投射路に損傷が及んでも，感覚障害が生じることになる．

脳卒中片麻痺例の多くが，感覚障害を伴う片麻痺を呈する．これには解剖学的に 2 つの経路がきわめて近接していることが関連する．図 18 に感覚経路(桃色)と皮質脊髄路・皮質延髄路(緑色)の走行の様子を示した．中脳のスライスでは感覚経路は中脳被蓋を，皮質脊髄路・皮質延髄路は大脳脚を通過する．その後，ともに内包後脚を通過し，放線冠を経てそれぞれ一次運動野，一次体性感覚野に至るが，きわめて近接しており，その構造的特性から皮質脊髄路・皮質延髄路のみを損傷，あるいは感覚経路のみを損傷することは稀であり，多くの症例が感覚障害を伴う片麻痺を呈することになる．

図 19 に，視床の後外側部の出血巣が内包後脚および放線冠に進展し，重度の片麻痺と重度の感覚障害を呈した症例の脳画像を示した．一方，図 20 の症例は視床に梗塞巣が限局しており，明らかな運動麻痺を呈さず，重度の感覚障害を呈した．

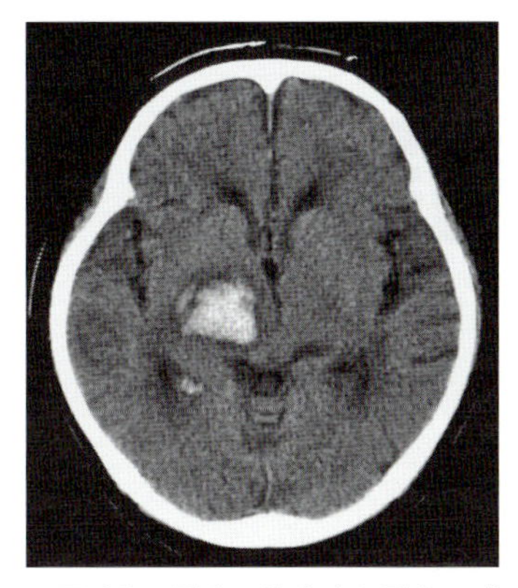

▶図 19 重度の片麻痺と重度の感覚障害を呈した症例の脳画像(急性期 CT)

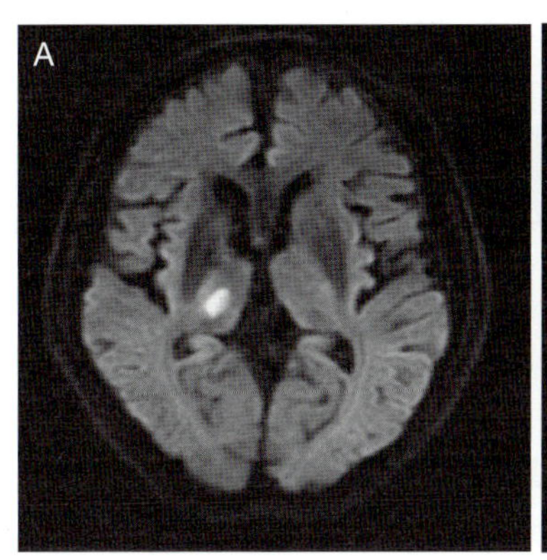

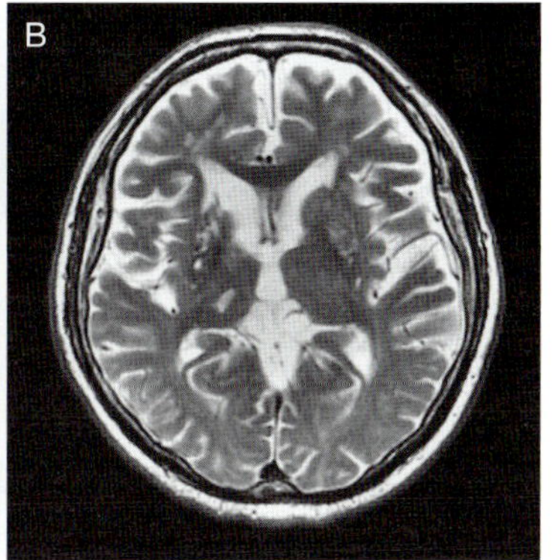

▶図 20 感覚障害を呈した症例の脳画像

A：超急性期 DWI，B：急性期 T2WI.

●引用文献

1) 阿部浩明：脳画像の活用とリハビリテーションへの結び方．吉尾雅春(総監)：極める！ 脳卒中リハビリテーション必須スキル．pp80-108，gene，2016.
2) 井田正博，他：脳血管障害．青木茂樹，他(編)：これでわかる拡散 MRI 第 3 版．pp208-211，秀潤社，2013.
3) 落合慈之：補助診断法．山浦晶，他(編)：標準脳神経外科学 第 9 版．pp112-167，医学書院，2004.
4) 吉田英樹，他：視床出血での体性感覚誘発磁界を用いた早期運動麻痺回復予測．理学療法学 31：1-8，2004.
5) 山鳥重：神経心理学入門．pp14-15，医学書院，1985.
6) 河田光博(訳)：機能系．坂井建雄，他(監訳)：プロメテウス解剖学アトラス 頭頸部/神経解剖 第 3 版，pp444-499，医学書院，2019.
7) 青木茂樹，他：神経疾患と拡散 tractography—その応用と限界．Brain and Nerve 59：467-476，2007.

復習問題

□ 1 CT では血腫は[①]として確認できる.

□ 2 脳梗塞の場合，CT では発症[②]前後に梗塞巣が一時的に不明瞭となる fogging effect と呼ばれる現象が生じる.

□ 3 [③]とは，本来正中にあるべき構造物が正中線を逸脱して対側にシフトしている状態のことをいう.

□ 4 T1 強調画像では脳脊髄液が[④]となり，脳実質が[⑤]となる.

①高吸収域 ②2 週間 ③midline shift ④低信号(黒色) ⑤等信号(灰色系)

4 超音波画像(運動器)

学習目標
- 各関節の代表的な超音波画像の特徴について理解する.
- 各関節の解剖と超音波画像とを対比して理解する.
- 理学療法評価における超音波画像の意義について考える.

近年, 超音波画像診断装置の画像解像度の進歩は目覚ましく, 運動器リハビリテーションを行ううえで, 対象となる組織のほとんどを「観る」ことが可能となってきた. 実際に,「腫れている組織を観る」「硬さを観る」「圧痛のある組織を観る」など, さまざまな所見に超音波観察を応用することで, 病態に合わせた運動療法技術や治療対象を明確にした運動療法技術を選択することができるだけでなく, これからの運動器障害における治療成績と科学とを一歩進める重要なツールと考えている. 本項では四肢に関する正常像と異常像とを比較し, 超音波画像をどう読むのかについて解説する.

A 肩関節の超音波画像

1 棘上筋腱断裂

棘上筋腱が付着する大結節上面を基準として長軸走査を行うと, **図1B** のような画像が得られる. 正常像では, 骨頭軟骨からせり上がるように隆起した上面に棘上筋腱が付着している. 棘上筋腱の表面には肩峰下滑液包に付着する**脂肪**(peribursal fat)が上方凸のラインとして観察される. **図1C** に示した棘上筋腱断裂画像では, 大結節に骨不整像を認めるとともに, 本来上方凸であるはずの peribursal fat の平坦化を認める. このような画像変化は腱板断裂の重要な所見である. 一方で,「腱板断裂＝疼痛」「腱板断裂＝外転障害」とは限らないため, その他の所見をふまえた臨床評価のなかで画像を解釈すべきである.

2 烏口上腕靱帯の癒着

烏口上腕靱帯は棘上筋腱と肩甲下筋腱との間隙(**腱板疎部**)を埋める疎性結合組織であり, その深部には上腕二頭筋長頭腱(long head of biceps tendon；LHB)が走行している. 烏口上腕靱帯の癒着は著明な外旋制限だけでなく多方向性に可動域を制限する. LHB をランドマークとして腱板疎部の短軸走査を行うと, **図2B** のような画像が得られる. 正常像では, LHB の断面を中心として前方に肩甲下筋腱, 後方に棘上筋腱が観察され, 各腱板の上面には peribursal fat が広く覆っている. 烏口上腕靱帯は LHB の上方かつ peribursal fat の下方にあり, 腱板疎部全体を埋めるように広がっている. **図2C** に示した烏口上腕靱帯の癒着像では, LHB, peribursal fat,

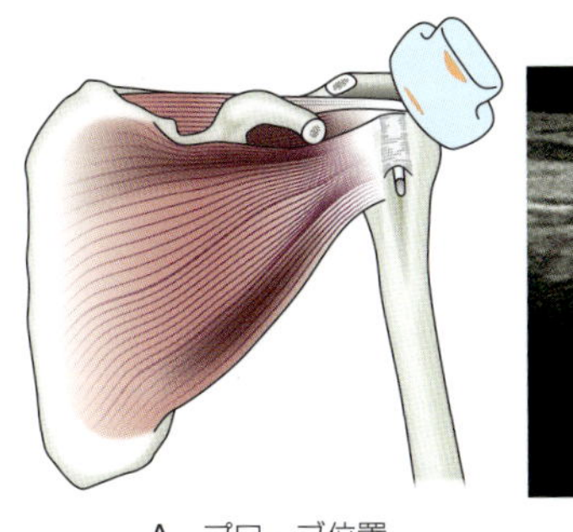

A　プローブ位置
棘上筋の長軸走査

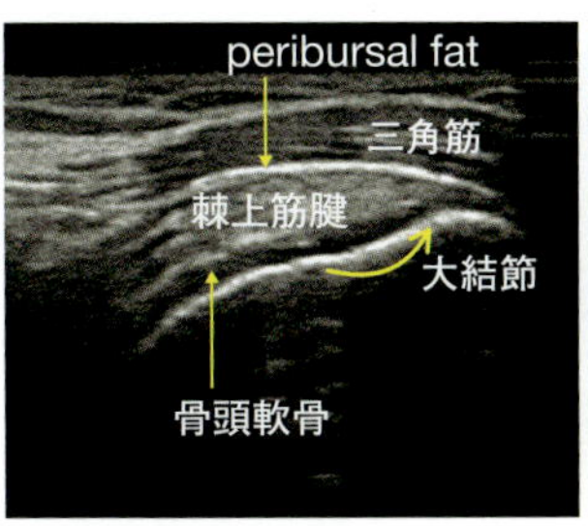

B　棘上筋腱の正常像

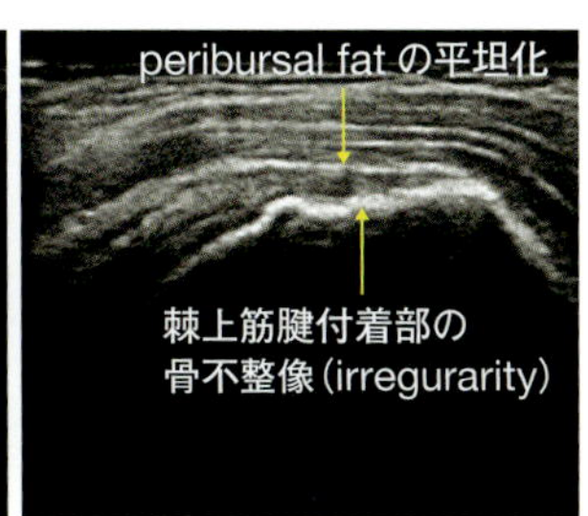

C　棘上筋腱断裂像

▶図 1　**棘上筋腱断裂像**

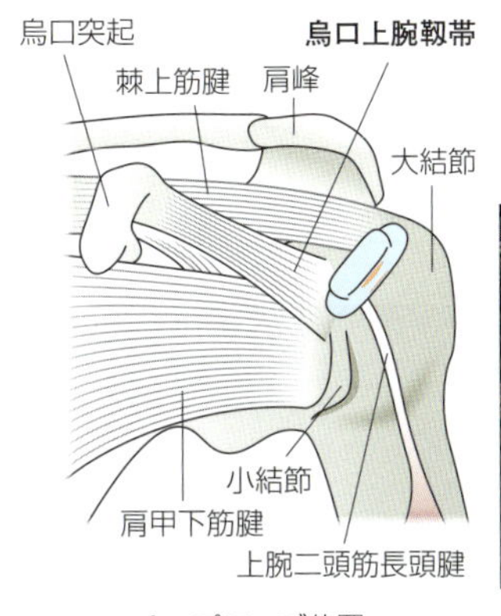

A　プローブ位置
烏口上腕靱帯の短軸走査

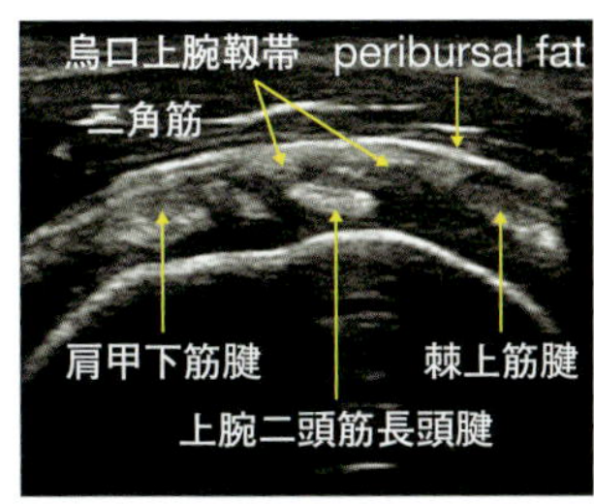

B　烏口上腕靱帯の正常像

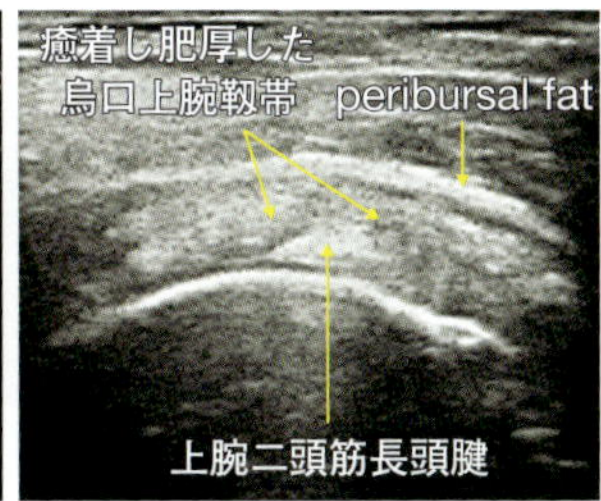

C　烏口上腕靱帯の癒着像

▶図 2　**烏口上腕靱帯の癒着像**

棘上筋腱，肩甲下筋腱それぞれの境界が不明瞭で，全体としてコントラストに欠けた霧中様の画像である．また，LHB と peribursal fat との間隙が広がっており，烏口上腕靱帯の肥厚が予想される．

B 肘関節の超音波画像

1 肘関節後方インピンジメント

肘関節終末伸展時の後方部痛の原因として，肘関節後方インピンジメントがある．骨性の因子を除けば，その病態は**後方脂肪組織の挟み込み**がほとんどである．肘頭窩を基準として軽度屈曲位で長軸走査を行うと，**図 3B** の上段のような画像が得られる．正常像では，上腕三頭筋の深部の関節包内に脂肪組織が観察できる．このまま肘関節を伸展すると，脂肪組織は肘頭窩を避けるように背側近位へと移動する(▶**図 3B** 下段)．**図 3C** に示した肘関節後方インピンジメント画像では，脂肪組織が肘頭にインピンジメントされる様子をリアルタイムに，しかも動画で観察することができる．インピンジメントと同時に疼痛の誘発が確認できれば，運動療法の対象を明確に同定することができる．

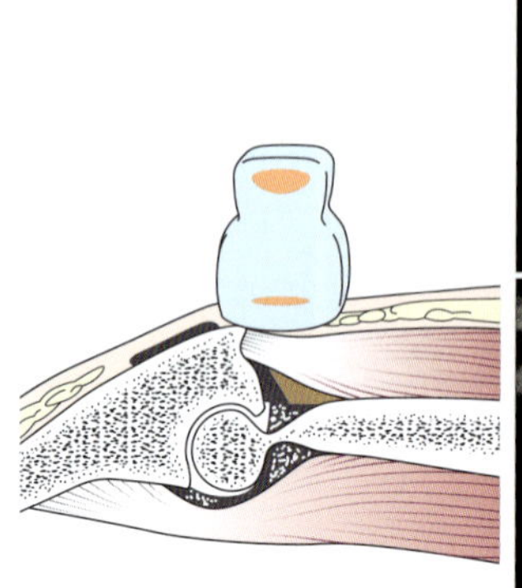

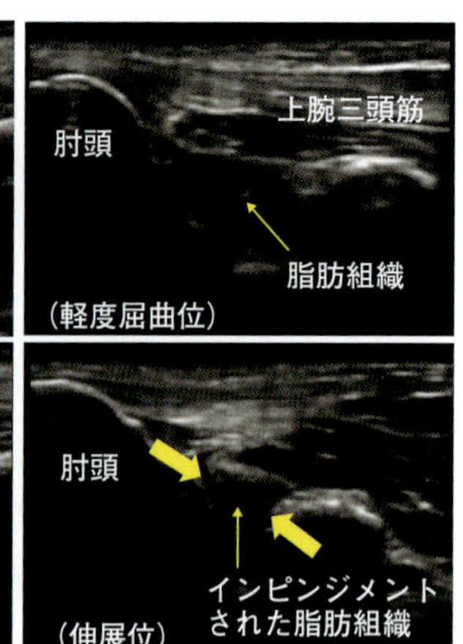

A　プローブ位置
肘関節後方の長軸走査

B　肘関節後方脂肪組織の正常像

C　肘関節後方脂肪組織のインピンジメント画像

▶図 3　肘関節後方インピンジメント像

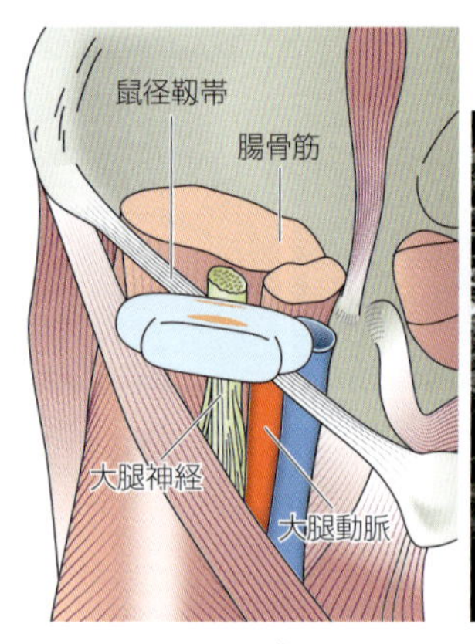

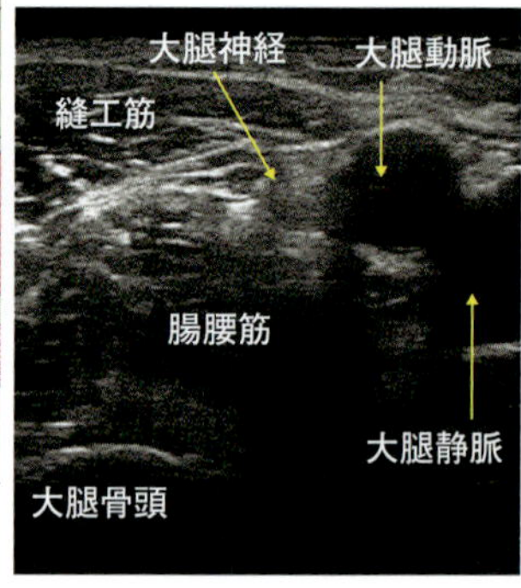

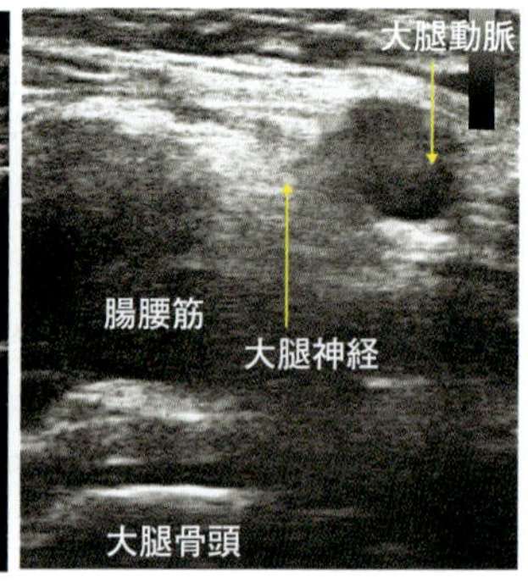

A　プローブ位置
大腿骨頭レベルの短軸走査

B　大腿神経周辺の正常像

C　大腿神経の癒着像

▶図 4　大腿骨頭のレベルで観る大腿神経の癒着像

C 股関節の超音波画像

1 大腿骨頭レベルでみる大腿神経の癒着

鼠径靱帯の下を通過する**大腿神経**は，腸腰筋と鼠径靱帯との間で絞扼されやすい位置関係にあり，鼠径部から大腿にわたる疼痛を訴える症例では注意が必要である．大腿骨頭を基準として短軸走査を行うと，図 4B のような画像が得られる．正常像では，大腿骨頭の前方に腸腰筋が観察され，その外側に縫工筋，内側に大腿動脈・静脈が位置する．大腿神経は大腿動脈に沿うように外側を走行しており，その周囲は脂肪組織に取り囲まれている．図 4C に示した大腿神経の癒着像では，大腿神経周囲の高エコーが著明に広がっており，大腿動脈ならびに腸腰筋との境界もきわめて不明瞭である．大腿神経周囲の脂肪組織を含めた広範な癒着の存在が疑われる．エコーガイド下に大腿神経の圧痛を確認したり，圧迫動態を観察することで癒着の範囲や程度を把握する．

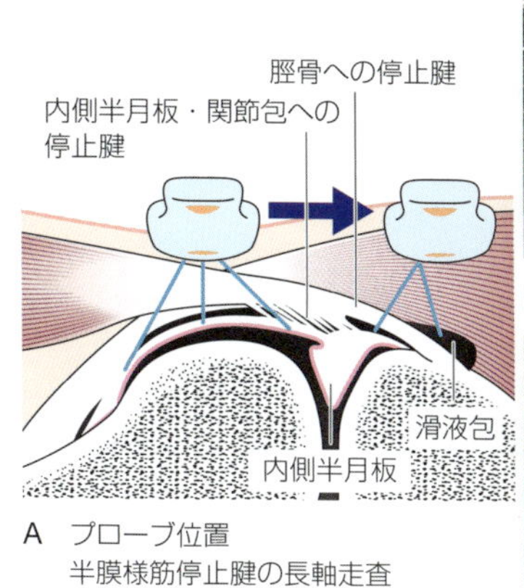

A プローブ位置
半膜様筋停止腱の長軸走査

B 半膜様筋腱の正常像

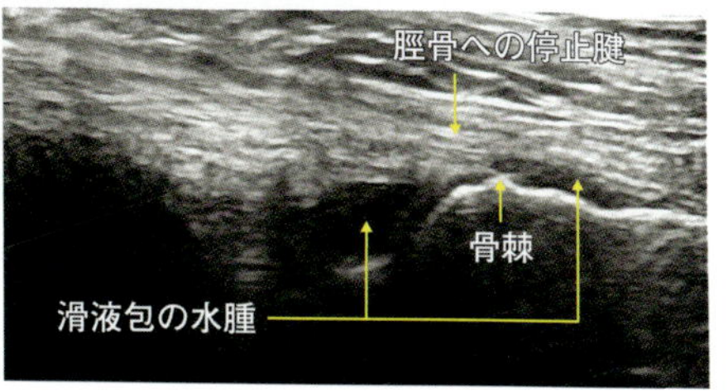

C 半膜様筋停止腱部にある滑液包の水腫像

▶ **図 5 半膜様筋停止腱に存在する滑液包の水腫像**

D 膝関節の超音波画像

1 半膜様筋の停止腱

膝関節の内側後方部に疼痛を訴える症例では，半膜様筋の停止腱に強い圧痛を認める症例が多い．このような場合には，半膜様筋停止腱の長軸画像の観察が有益な情報となる．半膜様筋停止腱に沿って長軸走査を行うと，**図 5B** のような画像が得られる．正常像では，大腿骨内側顆後方から脛骨へと延びる半膜様筋腱が明瞭に観察できる．関節裂隙レベルでは内側半月板の後節が確認でき，半膜様筋腱の深部線維が付着する様子がわかる．**図 5C** は半膜様筋腱停止部にある滑液包に水腫が発生した症例である．脛骨後面に骨棘を認めており，骨棘と滑液包との間に反復した摩擦(friction)刺激が作用した結果と考えられる．膝関節伸展制限がある症例のなかには，このような水腫を認める例のほかに，停止腱部のコントラストが不明瞭となる癒着像もよく観察される．

E 足関節の超音波画像

1 足関節の後方でみる長母趾屈筋

足関節の背屈可動域が制限された症例を診療する際には，**長母趾屈筋**に対する評価は不可欠である．長母趾屈筋は距骨後方にある長母趾屈筋腱溝を通過するため，背屈に伴う距骨の後方移動を直接制限する．足関節の後方でアキレス腱に沿った長軸走査を行うと，**図 6B** のような画像が得られる．正常像では，線維配列が明瞭なアキレス腱の深部に，Kager's fat pad，長母趾屈筋の3層構造が観察でき，長母趾屈筋の深部に脛骨が確認できる．ここで，母趾の屈伸運動を行うと，脛骨の後面を長母趾屈筋が滑らかに移動する様子が観察できる．**図 6C** には長母趾屈筋が，脛骨ならびに関節包と癒着した画像を示している．この画像は母趾を屈曲した瞬間を示してい

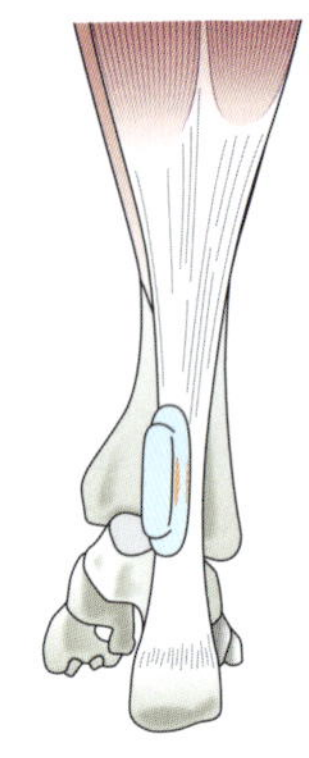

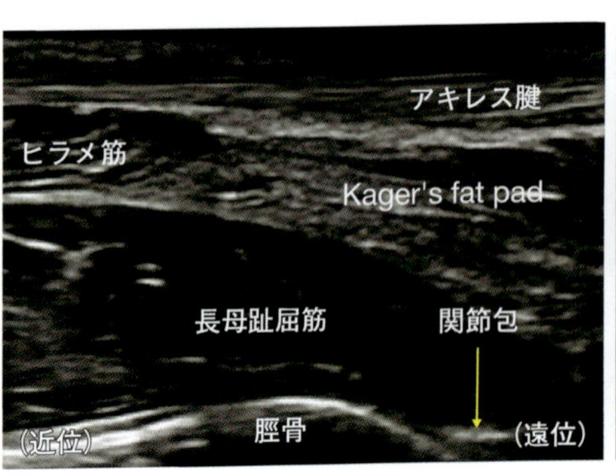

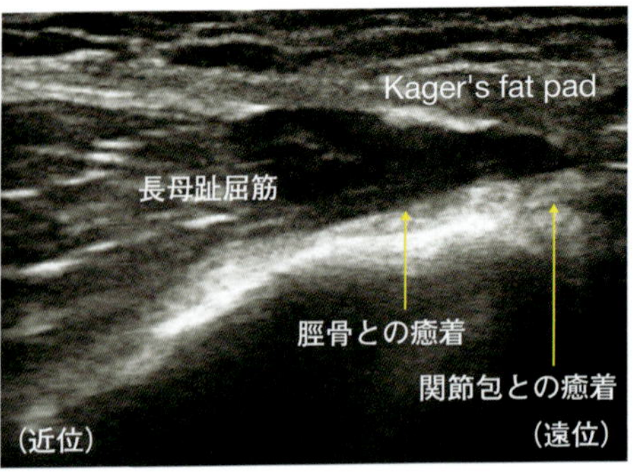

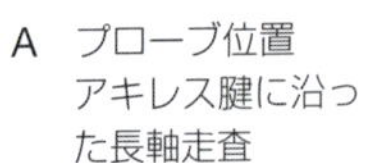

A プローブ位置
アキレス腱に沿った長軸走査

B アキレス腱深部の正常像

C 脛骨ならびに関節包と癒着した長母趾屈筋の画像

図6 長母趾屈筋の癒着像

る．母趾の屈曲とともに長母趾屈筋は近位方向へと移動するが，この際に長母趾屈筋と脛骨ならびに関節包との間に広がった癒着(瘢痕組織)が筋の滑走を妨げている．運動療法では同部の癒着改善が第一に選択されるべき症例である．

●参考文献

1）林典雄：運動器理学療法における超音波検査の有用性．MB Med Reha 216：1-7，2017.

2）林典雄：運動療法のための運動器超音波機能解剖 拘縮治療との接点．pp14-20，文光堂，2015.

3）林典雄：骨盤周囲の痛み．白石吉彦，他(監)：THE 整形内科．pp252，266，南山堂，2016.

4）林典雄，他：超音波エコーを用いた関節機能の評価と理学療法への応用．PT ジャーナル 49：1127-1134，2015.

5 心電図

- 理学療法評価における心電図評価の意義を理解する．
- 致死性不整脈や虚血性の心電図変化が出現した際の対応を理解する．
- 運動に伴う心電図変化の特徴を理解する．

A 理学療法評価における心電図評価の意義

理学療法評価における心電図評価の意義は，①病態・予後の把握，②理学療法実施の可否，③理学療法中の負荷強度設定および中止・中断の判断に用いられる．また，安静時には認めなかった不整脈や心電図変化が運動負荷によって検出され，予後改善のための内科的または外科的治療に結びつくこともある．しかし，すべての対象者に心電図モニタリングの適用があるわけではないため，モニタリングを行う場合は，その目的を明確にして行う．参考までに，米国心臓協会(American heart association；AHA)が示した運動中のモニタリングに関する推奨基準[1]を**表 1**に示した．この表において，クラスが A から D になるにつれて致死性不整脈や心筋虚血が出現するリスクが高くなることを認識したうえで理学療法を行う．

B 心電図評価で重要なこと

理学療法実施中に心電図を評価する場合，特に以下の点について理解し，対応できるようにする．

(1) 致死性不整脈が認識でき，**一次救命処置**(basic life support；BLS)が行える：定期的に心肺蘇生の講習会を受講し，対処できるようにしておく．リハビリテーション室で発生した場合の連絡体制なども含めて，シミュレーションを定期的に実施する．高齢患者や終末期の患者では，心肺蘇生法(cardiopulmonary resuscitation；CPR)を行わない指示(do not attempt resuscitation；DNAR)が出されている場合があるため，理学療法開始時に指示を確認する．

(2) 心電図の異常(**不整脈**，**ST 変化**)をみたら，患者の症状，バイタルサインを評価し，心電図波形を記録して医師に報告する(▶ **表 2**)：心電図異常のなかにも内科的・外科的な治療が必要なものと経過観察でよいものがある．治療が必要になる不整脈は，めまい，息切れ，意識消失などの不整脈による脳血流低下の症状〔Adams-Stokes(アダムス-ストークス)症候群〕や，血圧低下など血行動態の悪化徴候を伴うものが多い．また，ST 変化については，モニター心電図での評価では不十分なため，胸痛，冷感，息切れなど心筋虚血の症状をよく評価し，医師への報告と，可能であれば 12 誘導心電図を計測する．高齢者，糖尿病患者などでは心筋虚血の典型的な症状がなく，冷感や息切れなど心不全徴候が心筋虚血の徴候として出現することもあるため，注意が必要である．

▶表 1　運動療法のリスク分類

クラス A(外見上は健康な人)	
対象者	このクラスには，以下が含まれる A-1：小児，青年，男性<45 歳，症状のない，または心臓病がない，または主要冠動脈危険因子がない閉経前の女性 A-2：男性≧45 歳，閉経後の女性で心臓病の症状や存在がない．もしくは 2 つ未満の主要冠動脈危険因子がある A-3：男性≧45 歳，閉経後の女性で心臓病の症状や存在がない．もしくは 2 つ以上の主要冠動脈危険因子がある ＊ クラス A-2，特にクラス A-3 に分類される人は，激しい運動をする前に健康診断を受け，場合によっては医学的に管理された運動負荷試験を受けることが推奨される．
活動のガイドライン	基本指針以外は制限なし
監視の必要性	不要
心電図と血圧モニタリング	不要
クラス B(激しい運動による合併症のリスクは低い安定した心血管疾患があるが，外見上は健康な人に比べてわずかに大きいリスクがある)	
対象者	このクラスには，以下の診断のいずれかに該当する個人が含まれる 1. 冠動脈疾患(心筋梗塞，冠動脈バイパスグラフト，経皮的冠動脈インターベンション，狭心症，運動負荷検査異常，および冠動脈造影異常)；病状が安定しており，以下の臨床的特徴を有する患者を含む． 2. 弁膜症性心疾患(重度の狭窄症または逆流症を除く)で，以下のような臨床的特徴を有するもの 3. 先天性心疾患；先天性心疾患患者のリスク層別化は，第 27 回ベセスダ会議勧告に従う 4. 心筋症：LVEF が 30% 以下；以下に示すような臨床的特徴を有する安定した心不全患者を含む．肥大型心筋症または最近の心筋炎は除く 5. クラス C に概説されている高リスク基準のいずれにも該当しない運動負荷検査異常
臨床的特徴	(以下のすべてを含む必要がある) 1. NYHA 心機能分類 Ⅰ または Ⅱ 2. 運動能力>6 MET 3. 心不全がない 4. 安静時または 6 MET 以下の運動負荷試験で心筋虚血または狭心症を認めない 5. 運動時に収縮期血圧の適切な上昇を認める 6. 安静時または運動時の持続性心室頻拍または非持続性心室頻拍を認めない 7. 活動の強度を自己監視する十分な能力
活動のガイドライン	主治医の承認と資格を持った人による運動処方で，活動は個別化されるべきである
監視の必要性	医学的な監視は運動処方初期のセッションで効果的である． 運動処方初期以外のセッションでは，適切なトレーニングを受けた医療従事者以外の者による監督が必要． 医療従事者は，高度心臓救命処置(ACLS)のトレーニングを受け，認定されている必要がある． 医療従事者以外の者は，基本的なライフサポート(心肺蘇生法を含む)のトレーニングを受け，認定を受けていなければならない．
心電図と血圧モニタリング	運動処方初期のトレーニング中に有用
クラス C＊(運動中の心疾患のリスクが中等度から高度，活動の自己管理ができない，推奨される活動レベルを理解できない)	
対象者	このクラスには，以下の診断のいずれかに該当する個人が含まれる 1. 以下の臨床的特徴を有する冠動脈疾患 2. 以下のような臨床的特徴を有する重度の狭窄または逆流を除く弁膜症性心疾患 3. 先天性心疾患；第 27 回ベセスダ会議の勧告に従って，先天性心疾患患者のリスク層別化を行うべき 4. 心筋症：LVEF が 30% 以下．以下に示すような臨床的特徴を有するが，肥大型心筋症または最近の心筋炎ではない心不全を有する安定した患者を含む 5. コントロールが不十分な複雑な心室性不整脈

(つづく)

▶表 1 運動療法のリスク分類(つづき)

臨床的特徴	(以下のいずれか) 1. NYHA 心機能分類ⅢまたはⅣ 2. 運動負荷検査の結果 3. 運動耐容能＜6 MET 4. ＜6 MET の運動強度で狭心症または虚血性 ST 低下 5. 運動中の収縮期血圧が安静時より低下 6. 運動時の非持続性 VT 7. 以前に心停止のエピソードがある(すなわち，急性心筋梗塞の最中や心臓手術中に心停止は起こらなかったが). 8. 生命を脅かす可能性があると医師が考えている医学的な問題がある
活動のガイドライン	主治医の承認と資格を持った人による運動処方で，活動は個別化されるべきである
監視の必要性	安全性が確立されるまで，すべてのセッションで，医学的な監視を行う.
心電図と血圧モニタリング	安全性が確立されるまで，運動セッション中は継続的に行う
クラス D(活動制限のある不安定な疾患)**	
対象者	この分類には，次のいずれかに該当する個人が含まれる 1. 不安定な冠動脈疾患 2. 重症で症状のある弁膜症性心疾患 3. 先天性心疾患；先天性心疾患患者におけるエクササイズコンディショニングを禁止するリスクの基準は，第 27 回ベセスダ会議の勧告に従うべきである. 4. 代償されていない心不全 5. コントロールされていない不整脈 6. 運動によって悪化する可能性のあるその他の病状
活動のガイドライン	コンディショニングを目的とした活動は推奨されない. 注意は，患者の治療とクラス C 以上に回復させることに向けられるべきである. 日常生活動作は，患者の主治医による個別の評価に基づいて処方されなければならない.

*監督下での一連の運動セッションを正常に終了したクラス C の患者は，所定の強度での運動の安全性が，適切な医療従事者によって十分に確認されていることと，患者が自己監視能力を実証することを条件に，クラス B に再分類することができる.
**コンディショニングを目的とした運動は薦められない.
(Fletcher GF, et al. 2013[1]より作表)
〔日本循環器学会，日本心臓リハビリテーション学会，他：心血管疾患におけるリハビリテーションに関するガイドライン(2021 年改訂版)〕

C 運動に伴う正常な心電図変化

表 3 には運動中の生理的な心電図変化を示した[1]. RR 間隔，PR 間隔，QT 間隔の短縮は主に交感神経活動の亢進や副交感神経活動の減弱によるものと考えられる[1].

D 運動に伴う ST 変化の意義

運動時の ST 下降は虚血の判定に汎用される．対象者によって，ST 下降による心筋虚血や冠動脈疾患検出の精度は変化する．症状のない健常な若年成人であれば検出精度は低く，胸痛や虚血性心疾患の既往を有する患者，動脈硬化の危険因子を多数保有する患者では検出精度は向上する．しかし，モニター心電図は通常 1 誘導のみの心電図が表示されるため，心筋虚血の検出に限界がある．胸部症状や他覚所見(息切れや冷汗，血圧など)を必ず併せて評価する．**表 4** に ST 変化の解釈に注意を要する患者の特徴を示した．

心筋虚血と判断されるのは一般的に水平型または下行型であり，J 点から 60～80 秒の時点での基線から 1 mm 以上の下降を陽性と判断する．運動中に安静時から上記のような変化を認めた場合は運動を中止し，胸部圧迫感や息切れなどの症状とバイタルサイン，心電図の記録とともにただちに医師に報告する．1 mm 以上低下をしているが，傾斜が上行型のものについては偽陽性

▶表2 心電図異常の種類，意義と理学療法士による対処の例

心電図異常の種類	意義と対処
ST変化	
ST上昇	12誘導心電図を記録する．安静時または以前に認めなかったST上昇が新たに出現している場合は，急性冠症候群(acute coronary syndrome；ACS，急性心筋梗塞・不安定狭心症)の可能性があり，医師をすぐに呼び，症状，バイタルサインを評価する．致死性不整脈が出現する可能性があるため，心電図モニタリングとともに，意識，バイタルサインの評価を続け患者のそばを離れない．新規出現の左脚ブロックもACSの疑いあり
ST下降 (水平型，下行傾斜型，症状があれば上行傾斜型も含む：➡383頁) ≧1.0 mm	12誘導心電図を記録する．安静時または以前に認めなかった変化が新たに出現している場合は，症状，バイタルサインを評価し医師に報告する．狭心症の既往がある患者で，硝酸薬を持参している場合は，血圧の安定を確認して舌下投与し，その後も，2〜3分ごとに12誘導心電図を記録してSTの回復を待つ
不整脈	
頻脈性不整脈	
心室細動(ventricular fibrillation；VF)	即BLS開始．転倒による外傷にも注意する
心室頻拍(ventricular tachycardia；VT) VT	QRS幅の広い頻拍．臥位にして，意識，脈の確認．心停止であればBLS．意識，脈があればモニタリングを継続し，医師に報告．意識消失による転倒にも注意．心室頻拍ではないwide QRS頻拍もあるが鑑別には専門的知識を要するため，まずは心室頻拍として対処する．意識があり血行動態が安定していてもそばを離れず，こまめに意識，バイタルサインを確認する．医師が到着するまでに除細動器を他者に依頼して用意しておくとともに，12誘導心電図を記録し続けておくことが望ましい
心室性期外収縮 (premature ventricular contraction；PVC) 多形性 2連発 R on T	Lown分類2度以上の心室性不整脈が中止基準の目安となる．運動負荷によって不整脈が明らかに増加・出現する場合は，いったん中止して経過観察をするとともに，対応を医師に確認する．自覚症状，バイタルサインも併せて評価する
発作性上室性頻拍(paroxysmal supraventricular tachycardia；PSVT)	突然のQRS幅の狭い頻拍が特徴．場合によってはQRS幅の広い頻拍を呈し，心室頻拍と見分けがつきにくいこともある．血行動態，症状を把握し，医師へ報告する
心房細動(atrial fibrillation；AF)	新たに発生した場合は中止して医師に報告する．慢性心房細動を有する患者では，心拍数が安定していれば運動療法の実施には影響がないが，血栓症や抗凝固薬による易出血性に注意
心房粗動(atrial flutter；AFL)	新たに発生した場合は中止して医師に報告．運動により房室伝導が亢進し頻拍となることがある

(つづく)

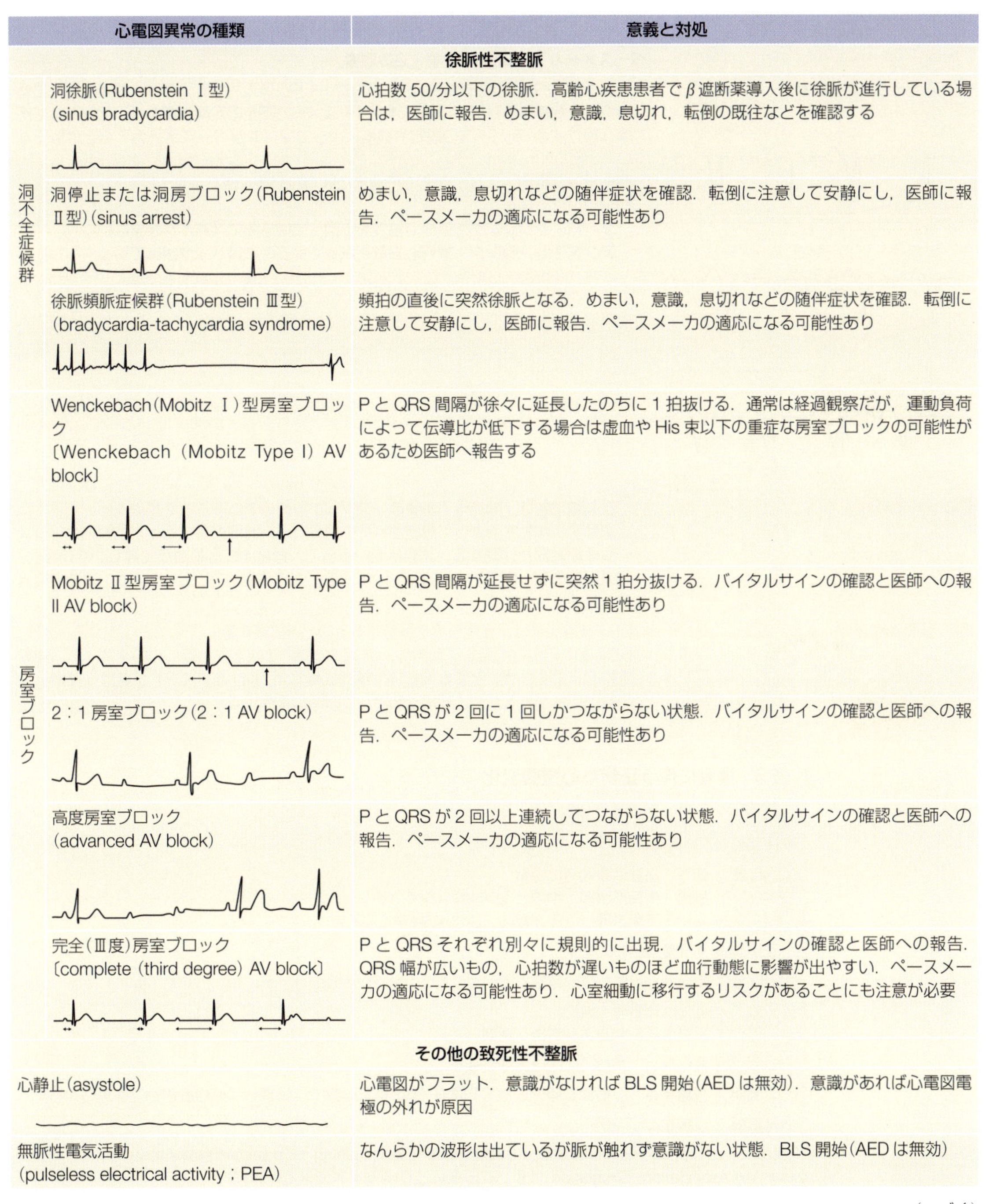

心電図異常の種類		意義と対処
徐脈性不整脈		
洞不全症候群	洞徐脈(Rubenstein Ⅰ型) (sinus bradycardia)	心拍数 50/分以下の徐脈．高齢心疾患患者でβ遮断薬導入後に徐脈が進行している場合は，医師に報告．めまい，意識，息切れ，転倒の既往などを確認する
	洞停止または洞房ブロック(Rubenstein Ⅱ型)(sinus arrest)	めまい，意識，息切れなどの随伴症状を確認．転倒に注意して安静にし，医師に報告．ペースメーカの適応になる可能性あり
	徐脈頻脈症候群(Rubenstein Ⅲ型) (bradycardia-tachycardia syndrome)	頻拍の直後に突然徐脈となる．めまい，意識，息切れなどの随伴症状を確認．転倒に注意して安静にし，医師に報告．ペースメーカの適応になる可能性あり
房室ブロック	Wenckebach(Mobitz Ⅰ)型房室ブロック 〔Wenckebach (Mobitz Type I) AV block〕	P と QRS 間隔が徐々に延長したのちに 1 拍抜ける．通常は経過観察だが，運動負荷によって伝導比が低下する場合は虚血や His 束以下の重症な房室ブロックの可能性があるため医師へ報告する
	Mobitz Ⅱ型房室ブロック(Mobitz Type II AV block)	P と QRS 間隔が延長せずに突然 1 拍分抜ける．バイタルサインの確認と医師への報告．ペースメーカの適応になる可能性あり
	2：1 房室ブロック(2：1 AV block)	P と QRS が 2 回に 1 回しかつながらない状態．バイタルサインの確認と医師への報告．ペースメーカの適応になる可能性あり
	高度房室ブロック (advanced AV block)	P と QRS が 2 回以上連続してつながらない状態．バイタルサインの確認と医師への報告．ペースメーカの適応になる可能性あり
	完全(Ⅲ度)房室ブロック 〔complete (third degree) AV block〕	P と QRS それぞれ別々に規則的に出現．バイタルサインの確認と医師への報告．QRS 幅が広いもの，心拍数が遅いものほど血行動態に影響が出やすい．ペースメーカの適応になる可能性あり．心室細動に移行するリスクがあることにも注意が必要
その他の致死性不整脈		
心静止(asystole)		心電図がフラット．意識がなければ BLS 開始(AED は無効)．意識があれば心電図電極の外れが原因
無脈性電気活動 (pulseless electrical activity；PEA)		なんらかの波形は出ているが脈が触れず意識がない状態．BLS 開始(AED は無効)

(つづく)

▶表2　心電図異常の種類，意義と理学療法士による対処の例（つづき）

心電図異常の種類	意義と対処
ペースメーカ・ICD・CRT 植え込み患者	
ペースメーカ装着後患者 ページング不全 心室ページング オーバーセンシング 心室ページング アンダーセンシングのため 抑制されずページングが出ている 心室ページング	可能ならばペースメーカモード，どこにリードが挿入されているか，設定された最低心拍数を把握する．以下の場合は，ペースメーカ不全の可能性があり，記録をして医師へ報告する（デバイスの設定や機能によってすべてがペースメーカ不全とは限らない）． ページング不全：スパイク後に P 波または QRS 波が出ない センシング不全 　オーバーセンシング：最低心拍数を下回っているのにスパイクが出ない 　アンダーセンシング：最低心拍数を保っているのにスパイクが出ている
ICD 装着後患者	ICD 装着患者は，致死性不整脈のリスクがある患者であることを認識する． 除細動器が作動するように設定された心拍数で一定時間経過すると，抗頻拍ページングや除細動器が作動する．比較的若い患者で，運動中に心拍数が上昇しやすい場合，洞頻脈でも誤って ICD が作動する（ICD の不適切作動）ことがあるため，運動中の過度な頻拍に注意する
CRT 装着後患者	CRT 装着患者は，重症心不全患者であることを認識する． CRT は両心室を同期して刺激し，ポンプの機能を向上させるためのデバイス．運動中に QRS 波形が変化する場合は，期外収縮などのほかに，CRT が有効に機能していない場合があるため，波形を記録して医師に報告する

▶表3　運動に伴う正常な心電図変化

P 波	運動中に P 波は増高する．幅はほとんど変化しない
PR 間隔	PR 間隔は短縮し，下行傾斜する
QRS 波	幅　：高強度運動時に短縮 振幅：側胸部誘導：中隔性 Q 波増高（深くなる） 　　　下壁誘導　：R 波減高，S 波増高（深くなる）
J 点	高強度運動時に低下
ST 部分	虚血性心疾患がない健常者であっても，10～20% で上行型 ST 下降が出現する
T 波	低強度運動時：減高 高強度運動時および直後：増高
U 波	変化なし．頻拍時には見えなくなる
QT 間隔	短縮する．心拍数で補正した QT 間隔（QTc）は低強度では延長し，高強度運動では短縮する
RR 間隔	短縮する

〔Fletcher, G. F., et al. : Exercise standards for testing and training : a scientific statement from the American Heart Association. Circulation 128 : 873-934, 2013 を参考に著者が作表〕

も多く心筋虚血の判定は困難とされている．ただし，上行型 ST 下降であっても 2 mm 以上の低下に胸部症状を伴う場合は，心筋虚血を反映している可能性があり，念のため心電図やバイタルサインを記録して医師に報告する．

ST 下降の程度が大きい，ST 下降を認める誘導の数が多い，運動後に ST がもとの水準に回復するまでの時間が長い，ST 下降が出現する運動負荷強度が低いことは，より重症な冠動脈疾患

▶表4 ST 変化による心筋虚血解釈に注意が必要な患者

ST 下降	
左脚ブロック，ペーシング	ST 変化の解釈は困難で，心筋梗塞の変化も判別できないことがある
右脚ブロック	$V_{1\text{-}3}$ 以外の ST 変化は評価可能
WPW 症候群	すべての誘導で，ST 変化の解釈は困難
中年女性	偽陽性率が高い
ジギタリス内服中	ST 変化の解釈は困難
左室肥大	虚血検出の感度は変わらないが，偽陽性が増える
ST 上昇	
陳旧性心筋梗塞	心筋梗塞後の Q 波のある誘導では，梗塞周囲の虚血や奇異性運動または無収縮などの左室壁運動異常を反映している可能性がある
心膜炎	冠動脈支配領域と一致しない広範な誘導で安静時から ST 上昇が認められる．心臓外科術後や心筋梗塞後の心膜炎〔Dressler（ドレスラー）症候群〕などでみられる

(多枝病変や近位部病変)の存在を示唆する．また，**ST 変化**だけでなく，運動耐容能や胸痛の有無，運動中の血圧や心拍数上昇不良，運動後の心拍数の回復(低下)遅延の有無などの因子を加味することで冠動脈狭窄の診断精度や予後予測能は向上する[2]．これらを加味した予後予測スコアとして Duke(デューク)トレッドミルスコアがあり，以下のように計算され，－11 以下が高リスク，＋5 以上が低リスクと分類される[3]．

Duke トレッドミルスコア[3]＝Bruce(ブルース)プロトコールの運動時間(分)
－5×最大 ST 下降(mm)－4×胸痛指標

(胸痛指標：なし 0 点，あり 1 点，胸痛による運動中止 2 点)

運動中の ST 上昇については，心筋梗塞の既往を有する患者とそうでない患者で解釈が異なる場合がある．心筋梗塞の既往を有する患者の Q 波のある誘導での ST 上昇は，梗塞周囲の可逆的な虚血や奇異性運動または無収縮などの左室壁運動異常を反映している可能性がある．一方で，心筋梗塞の既往がない患者で ST 上昇を認める場合，急性冠症候群など冠動脈の閉塞に伴う貫壁性の心筋虚血が生じている可能性がある．冠動脈支配領域と一致しない広範な誘導で安静時から ST 上昇が認められる場合は，心膜炎による ST 上昇などが考えられる．

E 運動に伴う不整脈の意義

運動に伴う**不整脈**発生のメカニズムとして，交感神経活動の亢進や心筋酸素需要の増加に伴う心筋虚血があげられる．特に，運動負荷試験や高強度の有酸素運動直後の不整脈には注意を要する．運動直後は，筋ポンプ作用による静脈還流の急激な減少により 1 回拍出量が低下する．一方で，運動中は骨格筋への血流再配分や運動による体温上昇の影響で末梢血管抵抗は低下した状態となる．その結果，運動直後には過度な血圧低下や 1 回拍出量の低下により心筋虚血が生じやすくなる．心筋虚血や交感神経活動の亢進は心室筋の撃発活動(トリガードアクティビティ)や異所性自動能の亢進につながり，期外収縮などの不整脈を惹起する．

一方で，安静時に認められた不整脈が運動によって減少することもよく経験する．これは，運動によって洞結節の発火頻度が上昇して心拍数が上昇することにより，不整脈の起源となる心筋細胞の自動能が抑制されるオーバードライブサプレッション効果によるものと考えられている．

●引用文献 1) Fletcher, G. F., et al. : Exercise standards for testing and training : a scientific statement from the American Heart Association. Circulation 128 : 873-934, 2013.

2) Fihn, S. D., et al. : 2012 ACCF/AHA/ACP/AATS/PCNA/SCAI/STS Guideline for the Diagnosis and Management of Patients With Stable Ischemic Heart Disease : Executive Summary : A Report of the American College of Cardiology Foundation/American Heart Association Task Force on Practice Guidelines, and the American College of Physicians, American Association for Thoracic Surgery, Preventive Cardiovascular Nurses Association, Society for Cardiovascular Angiography and Interventions, and Society of Thoracic Surgeons. J Am Coll Cardiol 60 : 2564-2603, 2012.

3) Shaw, L. J., et al. : Use of a prognostic treadmill score in identifying diagnostic coronary disease subgroups. Circulation 98 : 1622-1630, 1998.

復習問題

心電図

□ 1 QRS 幅が 3 mm のとき [①] 秒に相当する．〔54PM018〕

□ 2 この心電図の心拍数は [②] 回/分である．

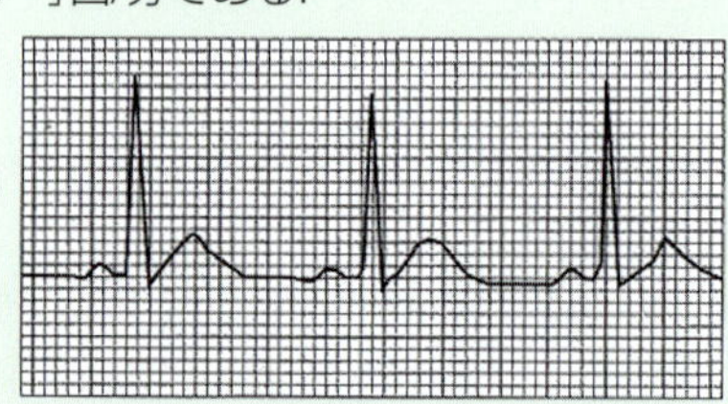

□ 3 以下の心電図が示す病態を答えなさい．

1. [③]

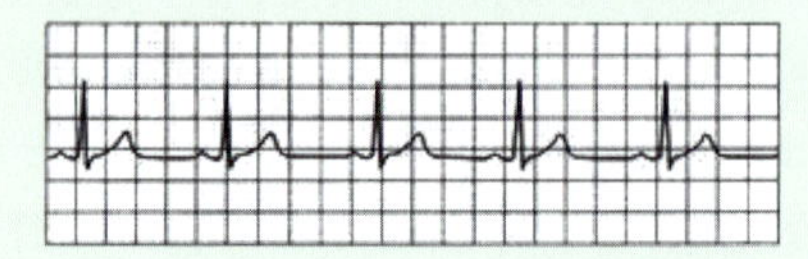

2. [④]

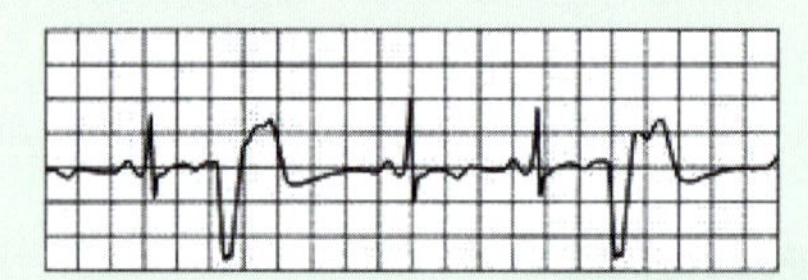

3. [⑤]

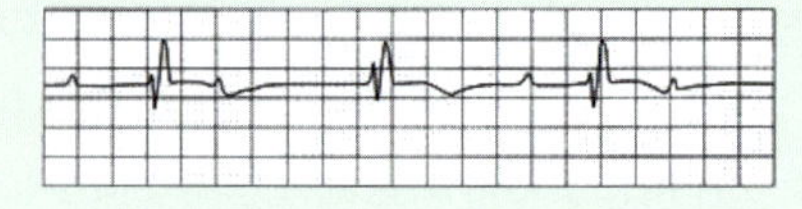

4. [⑥]

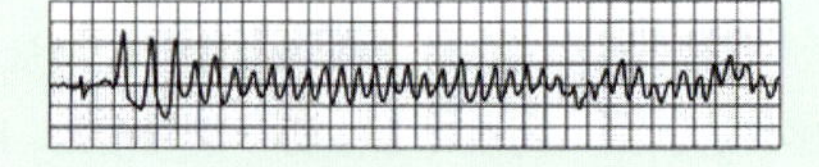

①0.12　②75　(解説)標準心電図の記録紙のスピードは 25 mm/sec である．図で 3 回現れている R 波間の間隔は 0.8 秒である．R 波が 1 分間に 75 回現れることになるので，心拍数は 75 回/分である．　③正常洞調律　(解説)正常な心電図である．　④心室性期外収縮(R on T)　(解説)QRS が異常で幅が広く，早期に出現しているため心室性期外収縮である．　⑤心室細動　(解説)QRS は幅広く，不規則な波形を示し，また P 波は認められないことから，心室細動である．　⑥心房細動　(解説)P 波が欠如し，基線に不規則な速く細かい波形(f 波)がみられるため，心房細動である．

活動・参加・QOL

1

日常生活活動(ADL)

学習目標
- 日常生活活動(ADL)の概念とその分類について理解する．
- ADL 評価の目的とその意義を理解する．
- 主な ADL 評価尺度について，その特徴を理解する．

A ADL の概念と評価の目的

1 ADL の概念

日常生活活動(activities of daily living；ADL)は毎日の生活のなかで営まれる基本的な活動のことである．1976 年に日本リハビリテーション医学会は「ADL とは，ひとりの人間が独立して生活するために行う基本的なしかも各人とも共通に毎日繰り返される一連の身体的動作群」と定義し，「この動作群は食事，排泄などの目的を持った各作業に分類され，各作業はさらにその目的を実施するための細目動作に分類される」としている[1]．すなわち，生命の維持や清潔の保持のために行う身の回りの生活動作と起居移動動作とみることができる．

ADL は**国際生活機能分類**(ICF)では**活動**(activity)あるいは**活動制限**(activity limitation)に含まれる．また，地域社会での自立や役割の遂行という視点に立つならば，**参加**(participation)，**参加制約**(participation restriction)にも含まれると解釈できる．そもそも ICF において，活動と参加は生活のすべての領域を網羅する単一のリストで示されている．

2 ADL の分類とその範囲

ADL は基本的 ADL(basic ADL；BADL)と手段的 ADL(instrumental ADL；IADL)に分けることができる(▶図 1)．**基本的 ADL** と**手段的 ADL** を併せて拡大 ADL という．基本的 ADL は食事，更衣，排泄などの身のまわりの動作と起居動作，移乗動作，歩行などの移動動作で構成される．コミュニケーションを含める場合もある．

手段的 ADL は地域社会のなかで生活者として自立するために必要な活動群である．基本的 ADL よりも複雑で高位であり，社会参加や生活の質(quality of life；QOL)を高めていくために必要な活動である．家事，育児，金銭管理などの屋内動作と交通機関の利用，買物，庭仕事などの屋外動作で構成される．なお，**生活関連活動**(activities parallel to daily living；APDL)は基本的 ADL よりも広い生活圏での活動を示すが，手段的 ADL とほぼ同義とみなされている．

3 ADL 評価の目的

ADL 評価は，対象者が生活動作をどの程度自分で行えるのか，またどの程度介助が必要なの

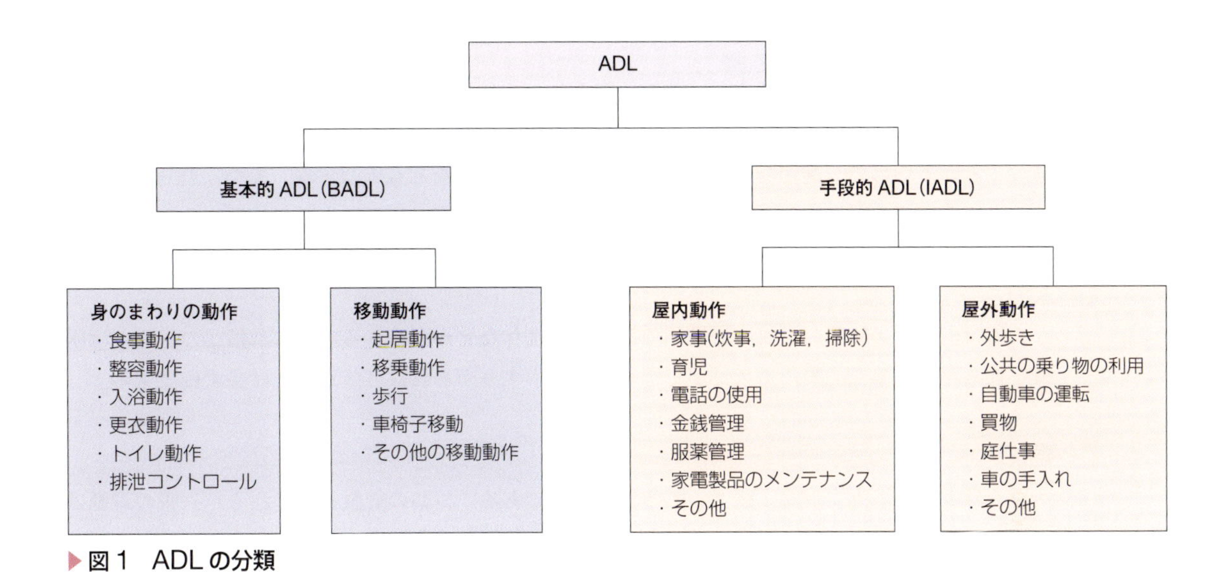

▶図 1　ADL の分類

かを把握するために行われる．理学療法を行う多くの対象者にとって当面の目標は日常生活の自立であり，この目標を達成するために理学療法プログラムが立案され実施される．したがって対象者の ADL 遂行状況は常に把握しておく必要がある．ADL 評価には以下のような目的がある．

① ADL 遂行の阻害因子を明らかにし，どの程度改善が可能かを予測し，治療プログラムの作成資料とする．
② ADL 遂行能力の変化を経時的にとらえ，治療効果の判定や改善の可能性を判断する資料とする．
③ 医師，看護師，リハビリテーションスタッフなどと情報を共有し，カンファレンスでの資料とする．
④ 退院先の検討，家庭・職場復帰の可能性の判断材料とする．
⑤ 身体障害者手帳の交付，障害年金の給付，介護保険要介護認定の資料とする．
⑥ リハビリテーション医学の臨床研究の資料とする．

B ADL 評価の実際

1 ADL 項目

ADL の評価は対象者が実際に行っている動作を観察し，自力でできる範囲，介助が必要な部分，介助の程度を明らかにしていく．ここでは身のまわりの動作観察の着眼点について説明する．

a 食事

食事は，食物を手または道具を使い口まで持っていき，咀嚼し飲み込むまでの動作である．箸，スプーン，フォークなどを使って食物をはさみ，すくい，口までこぼさず運べるか，食器を保持することができるか，食事中の姿勢，所要時間なども評価する．

b 整容

整容には手洗い，洗顔，歯磨き，整髪，髭剃り，化粧，爪切りなどが含まれる．上肢機能を使うことが多いが，動作を安定して行うためには座位や立位姿勢の保持能力が要求される．道具を使うことが多いので，適切な道具の選択，使用方法，手順なども確認する．また，道具を工夫することで介助量を軽減することもできるので，自助具の適応も視野に入れて観察する．

c 入浴

入浴は浴室への移動，更衣，浴槽への出入り，洗体などが含まれる．特に浴槽への出入りは困難を伴う場合が多く，またぐことができる高さ，手すりがあれば可能かなどは必ず確認する．

d 更衣

更衣は上衣，下衣，下着，靴下，靴の着脱などである．装具の着脱も含まれる．衣服の着脱は座位で行う場合でも立位で行う場合でも安定した姿勢保持能力が求められる．また同時に四肢の関節可動域を大きく使って動作を行うため，これらの点にも配慮して観察する．

e 排泄

排泄に関しては排泄動作とともにトイレまでの移動動作も含めて評価する．実際の生活場面で観察することが望ましいが，下着の上げ下ろしなど観察が困難な場合も多くあり，模擬的に評価せざるをえない．トイレ出入口の段差，出入口と便器の位置関係，便器の種類などの環境面や，尿意や便意の有無なども確認する．

2 動作能力と実行状況

ADL の遂行状況はさまざまな要因で変化する．動作能力としての出来高，いわゆる「**できる ADL**」とは理学療法室など特定の環境あるいは理学療法士の具体的な指示があった場合に遂行可能な ADL をいい，実際の生活場面で行っているとは限らない実用性の低いと思われる動作である．一方，実行状況としての ADL，いわゆる「**している ADL**」は実際の生活場面で円滑に行っている動作をいう．「できる ADL」と「している ADL」には差が生じる場合がある．その要因としてあげられるのが，物的な環境，体力，疲労，習熟・習慣化，意欲の低下，周囲の過保護など[2]である．カンファレンスなどで差の生じる要因を十分検討すること[3]が，理学療法介入の糸口となる．

3 基本的 ADL の評価尺度

対象者の動作や活動がその環境にどの程度適応しているかを数値化することは難しい．しかし，理学療法の当面の目標が ADL の自立とするなら，介入の効果をなんらかの基準を設けて計測し，検証していくことが必要である．ADL 評価尺度は動作，活動の実行状況をその自立度により重みづけした評価基準で採点し，集計するものである．

以下に，代表的な ADL 評価尺度を紹介する．

a Barthel(バーセル) index(BI)

米国の医師 Mahoney と理学療法士 Barthel によって 1965 年に発表された基本的 ADL の評価

▶表 1 Barthel index(BI)

項目	点数	判定	基準
1 食事	10	自立	トレイやテーブルから自力で食物をとって食べることができる．自助具などの装着可，標準的時間内に食べ終える
	5	部分介助	部分介助(たとえば，おかずを切って細かくしてもらう)
2 車椅子からベッド間の移乗	15	自立	車椅子をベッドに近づける，ブレーキをかける，フットレストの持ち上げ，ベッドへ安全に移る，臥位になるなどのすべての動作が可能
	10	最小限の介助	軽度の部分介助または監視を要する
	5	介助	自力で起き上がり端座位はとれるが，移乗にかなりの介助が必要
3 整容	5	自立	手洗い，洗面，整髪，歯磨き，ひげ剃り，化粧ができる
4 トイレ動作	10	自立	トイレへの出入り，便器への移動，衣服の操作，トイレットペーパーの使用，手すりは使用してもよい，差込便器を使う場合はその洗浄管理ができる
	5	部分介助	バランスが悪いため介助が必要，衣服，後始末に介助を要する
5 入浴	5	自立	浴槽に入る，シャワーを使う，スポンジで身体を洗う，これらのすべてがどのような方法でもよいので 1 人でできる
6 移動	15	自立	介助や監視なしに 45 m 以上歩行できる．補装具，歩行器(車輪付きの歩行器は除く)は使用してもよい．装具使用の場合は継ぎ手のロック操作が可能なこと
	10	部分介助	わずかな介助や監視があれば 45 m 以上歩行できる
	5	車椅子使用	歩行できないが車椅子駆動が自分でできる．角を曲がる，方向転換テーブル，ベッド，トイレなどへ車椅子で移動できる．45 m 以上の操作可能．歩行可能な場合は採点しない
7 階段昇降	10	自立	介助や監視なしに安全に階段昇降ができる．手すり，杖，松葉杖の使用可，杖を持っての昇降も可
	5	部分介助	介助または監視を要する
8 更衣	10	自立	衣服，靴，装具の着脱(実用性があればよい)ができる
	5	部分介助	介助を要するが半分以上は自分で行え，妥当な時間内に終了する
9 排便コントロール	10	自立	排便コントロールが可能で失敗がない．排泄練習を終えた脊髄損傷患者の場合，坐薬や浣腸を使用してもよい
	5	部分介助	坐薬や浣腸の使用に介助を要する．ときおり失敗する
10 排尿コントロール	10	自立	排尿コントロールが可能で失敗がない．脊髄損傷患者の場合，集尿バッグなどの装着と清掃管理ができる
	5	部分介助	ときおり失敗がある．トイレに行くことや尿器の準備が間に合わない．集尿バッグの操作に介助が必要

上記以外は 0 点で採点する．
〔Mahoney, F. I., et al.: Functional Evaluation; Barthel Index. Md State Med J 14: 61-65, 1965 より〕

尺度である(▶表 1)．改訂版 Barthel Index も後に出されている．いわゆる「できる ADL」を評価する．食事，車椅子からベッド間の移乗，整容，トイレ動作，入浴，移動，階段昇降，更衣，排便コントロール，排尿コントロールの 10 項目を自立，部分介助，全介助などで自立度を評価する．段階づけの基準が項目ごとに具体的に示されており，簡単に使用でき広く活用されている．しかし段階づけが粗いので軽微な ADL の変化をとらえにくい欠点がある．

自立度に応じて点数が与えられ，合計で 100 点になる．目安として合計得点 60 点以上では基本的 ADL の自立度が高く，60 点以下では起居移動動作を中心に介助を要し，40 点以下ではかなりの介助を要し，20 点以下ではほぼ全介助を示すとされている．

b 機能的自立度評価法(functional independence measure；FIM)

米国リハビリテーション医学アカデミーと米国リハビリテーション医学会において，統一デー

▶表2　機能的自立度評価法(FIM)

レベル		
レベル	7　完全自立(時間，安全性含めて) 6　修正自立(補助具使用)	介助者なし
	部分介助 5　監視 4　最小介助(患者自身で 75% 以上) 3　中等度介助(50% 以上) 完全介助 2　最大介助(25% 以上) 1　全介助(25% 未満)	介助者あり

		入院時	退院時	フォローアップ時
セルフケア				
A．食事	箸 スプーンなど			
B．整容				
C．清拭				
D．更衣(上半身)				
E．更衣(下半身)				
F．トイレ動作				
排泄コントロール				
G．排尿コントロール				
H．排便コントロール				
移乗				
I．ベッド，椅子，車椅子				
J．トイレ				
K．浴槽，シャワー	浴槽 シャワー			
移動				
L．歩行，車椅子	歩行 車椅子			
M．階段				
コミュニケーション				
N．理解	聴覚 視覚			
O．表出	音声 非音声			
社会的認知				
P．社会的交流				
Q．問題解決				
R．記憶				
合　計				

注意：空欄は残さないこと．リスクのために検査不能の場合はレベル 1 とする．

〔千野直一(監訳)：FIM；医学的リハビリテーションのための統一的データセット利用の手引き 第3版．p37，医学書センター，1991 より〕

タシステムの中核をなす ADL 評価法として 1983 年 Granger らにより開発された[4]．いわゆる「している ADL」を評価する(▶表2)．評価項目は運動項目と認知項目の 2 領域で構成され，運動項目はセルフケア(6 項目)，排泄コントロール(2 項目)，移乗(3 項目)，移動(2 項目)の 13 項目，認知項目はコミュニケーション(2 項目)，社会的認知(3 項目)の 5 項目，合計 18 項目である．評価段階は 7 段階で，自立は「7．完全自立」と，時間がかかる，補助具が必要，安全性への配慮が必要な場合の「6．修正自立」に分けられる．介助はその必要度に応じて「5．監視」，75% 以上自分で行う「4．最小介助」，50% 以上は自分で行う「3．中等度介助」，25% 以上は自分で行う「2．最大介助」，25% 未満しか自分で行わない「1．全介助」に分けられる．

▶表 3　Katz Index

ADL における自立度インデックスは，入浴，更衣，トイレ，移乗，排尿・排便自制，食事における患者の機能的自立または介助の評価にもとづくものである．機能的自立または介助の定義は，以下のインデックスに示される．

A－食事，排尿・排便自制，移乗，トイレ，更衣および入浴において自立．
B－上記の 1 つを除いてすべて自立．
C－入浴および 1 つを除いてすべて自立．
D－入浴，更衣および 1 つを除いてすべて自立．
E－入浴，更衣，トイレおよび 1 つを除いてすべて自立．
F－入浴，更衣，トイレ，移乗および 1 つを除いてすべて自立．
G－6 つの機能すべて介助．
その他－2 つ以上の機能が介助．ただし C，D，E，または F に分類できないもの．

“自立”とは下記の特記事項以外の監視，指導，介助のないことを意味する．これは実際に行われた状態であり，能力を指すものではない．動作の遂行を拒否する対象者は，自分ではできると思っていても遂行されないとみなされる．

入浴(スポンジで洗う，シャワーを使う，または浴槽に入る)
自立：背中や障害のある手足が 1 か所だけ洗うための手助けが要るかまたは完全に 1 人で入浴可能な場合．
介助：1 か所以外にも洗えないところがある；浴槽の出入りが 1 人でできない．

更衣
自立：タンスや引出しから衣類を出し，服や外套，装具を身に着ける；ファスナーを締める；靴ひもを結ぶことは除外．
介助：全部または一部更衣動作ができない．

トイレ
自立：トイレに行く；便器に近づき，離れる；衣類を操作する；後始末する；(夜間だけはベッドで便器を使うこと可．自助具の使用はかまわない)．
介助：いつでもベッドで便器使用またはトイレの使用に介助が必要．

移乗
自立：自力でベッドに入り，ベッドから離れる；椅子に腰かけ，椅子から離れる(自助具の使用はかまわない)．
介助：ベッドや椅子への移動が 1 つまたはそれ以上できない．

排尿・排便コントロール
自立：排尿・排便操作が完全に自分でできる．
介助：完全または不完全な失禁状態；浣腸，カテーテル，便器，尿器使用について部分的介助または管理・監視が必要．

食事
自立：食物を皿からとり，口に入れる；(あらかじめ食物を切ったり，ほぐしたり，パンにバターをぬったりすることは評価に入らない．)
介助：上記の行為に介助が必要；一部または全部の摂食行為ができない．

〔Katz, S., et al.: Studies of illness in the aged. The Index of ADL: A standardized measure of biological and psychosocial function. JAMA 185: 914-919, 1963 より〕

c Katz(カッツ) Index

1963 年，Katz ら[5]により開発されたもので，入浴，更衣，トイレ，移乗，排尿・排便コントロール，食事の 6 項目について評価を行う(▶表 3)．自立か依存かの 2 段階で評価し，段階づけは A～G で行われ，6 項目すべてで自立している場合を A と判定し，以下，自立項目が減るにしたがい B～G へと段階づけが下がっていく．Katz Index の特徴は ADL 項目の難度を高い順に入浴，更衣，トイレ，移乗とし，やさしい項目を排泄，食事としている点である．

d PULSES Profile

1957 年 Moskowitz と McCann らにより開発された．PULSES は以下の 6 項目の頭文字を示している(▶表 4)．P：physical condition(身体状況)，U：upper limb functions(上肢機能)，L：lower limb function(主として下肢機能による移動)，S：sensory components(コミュニケーション，視覚)，E：excretory functions(排尿・排便機能)，S：support factors(支援要素)．この 6 項目をそれぞれ 4 段階で評価する．最高点は 6 点，最低点は 24 点で，介護度が上がるほど点数が高くなる．

4 手段的 ADL の評価尺度

手段的 ADL の遂行は与えられた社会環境に適応していく能力であり，地域で独立して生活を

▶表 4　PULSES Profile

P－physical condition(身体状況)：内臓疾患(心臓血管，胃腸，泌尿器，内分泌)と神経疾患による障害を含む
1. 医療や看護の診療や指導を 3 か月以上必要としないような医療の問題が十分安定している
2. 医療や看護の診療や指導が 3 か月以内に必要であるが，毎週ではない
3. 少なくとも毎週定期的な医療や看護の注意が必要であるような医療の問題が十分安定しているとはいえない
4. 少なくとも毎日集中的な医療や看護の管理(介助のみのケアである場合も含む)をするような医療を必要としている

U－upper limb functions(上肢機能)：主として上肢機能によるセルフケア動作(飲 / 食，衣類上 / 下，装具 / 義肢，整容，排尿・便の始末)
1. 上肢の機能障害がなく，セルフケアが自立している
2. 上肢にいくらか機能障害があるが，セルフケアが自立している
3. 上肢に機能障害があるかまたはない場合でもセルフケアは介助や指導に依存している
4. 上肢にはっきりした機能障害があり，セルフケアは完全な依存である

L－lower limb functions：主として下肢機能による移動〔移乗(椅子 / トイレ / 浴槽またはシャワー)，歩行，階段，車椅子〕
1. 下肢の機能障害がなく，移動が自立している
2. 下肢にいくらかの障害はあるが，移動が自立している；歩行補助具の使用，装具または義肢，その他明らかな建築上あるいは環境的な障壁も問題にならず車椅子動作が自立している
3. 下肢に機能障害があるかまたはない場合でも移動は介助や指導に依存しているか，または車椅子動作の部分的自立や，明らかな建築上および環境的な障壁が問題になる
4. 下肢にはっきりした機能障害があり，移動は完全な依存である

S－sensory components：コミュニケーション(話す，聞く)と視覚
1. コミュニケーションと視覚に機能障害がなく自立している
2. 軽度の構音障害，軽度の失語，眼鏡や補聴器使用，基準的眼のケアなど，のいくらかの機能障害があるがコミュニケーションと視覚が自立している
3. コミュニケーションと視覚は説明や指導の援助に依存している
4. コミュニケーションと視覚は完全な依存である

E－excretory functions (bladder and bowel)：排尿・排便機能
1. 膀胱・直腸括約筋の完全な意識的コントロールがなされている
2. 膀胱・直腸括約筋が社会活動において緊急な対応ができる，またはカテーテル，器具，補助具など，介助なしにケアができる
3. 括約筋のケアに介助が必要またはしばしば失敗する
4. しばしば失禁状態で濡れて汚れている

S－support factors(支援要素)：知的・情緒的適応を考慮，家族単位の援助，経済力
1. 平常的役割を果たし，習慣的課題を遂行できる
2. 平常的役割と習慣的課題遂行にいくぶんかの加減が必要
3. 援助，指導，励ましやきめ細かな配慮による公的または私的な世話による介助に依存
4. 長期的施設ケア(慢性病院やナーシング・ホームなど)による依存，特別な評価，治療または集中的リハビリテーションのための時限的入院を除く

〔Moskowitz, E., et al.: Classification of disability in the chronically ill and aging. J Chronic Dis 5: 342-346, 1957 より〕

営むうえで不可欠な能力である．文化や習慣の影響を受けやすい．たとえば家事では伝統的に性別役割分業がなされ，世帯単位の家業として世帯内で分担している場合，できるけれども実際は行わないことがある．このように能力と実際の遂行状況が一致しないことも多い．

a Lawton(ロートン)らの手段的 ADL(IADL スケール)

手段的 ADL において一般的に用いられる評価指標で，電話の使用，買物，食事の準備，家事，洗濯，移送の形式，服薬管理，財産取り扱い能力の 8 項目の下に各 3～5 項目配置し，できれば 1 点，できなければ 0 点とし，性差を考慮し男性では 0～5 点，女性では 0～8 点で点数化される(▶表 5)．

b 老研式活動能力指標

古谷野らが 1986 年に発表した指標で，在宅で生活する高齢者が社会生活を送るうえで必要な活動能力に関する設問で構成されている(▶表 6)(➡292 頁)．手段的自立(5 項目)，知的能動性(4 項目)，社会的役割(4 項目)の 13 項目からなる．手段的自立の 5 項目が手段的 ADL である．各項目に対する「はい」の回答数を得点とする．

▶表 5　Lawton らの手段的 ADL

項目	採点	男性	女性
A 電話を使用する能力			
1. 自分から電話をかける(電話帳番号を調べるなど)		1	1
2. よく知っている 2，3 の番号には電話をかける		1	1
3. 電話に出るが自分からかけることはない		1	1
4. まったく電話を使用しない		0	0
B 買物			
1. すべての買物は自分で行う		1	1
2. 小額の買物は自分で行える		0	0
3. 買物に行くときはいつも付き添いが必要		0	0
4. まったく買物はできない		0	0
C 食事の準備			
1. 適切な食事を自分で計画し準備し給仕する			1
2. 材料があれば適切に調理する			0
3. 準備された食事を温めて配膳する，あるいは食事を準備するが適切な食事内容を維持しない			0
4. 食事の準備と配膳をしてもらう必要がある			0
D 家事			
1. 家事を 1 人でこなす，あるいはときに手助けを要する(例：重労働など)			1
2. 皿洗いやベッドの支度などの日常的仕事はできる			1
3. 簡単な日常的仕事はできるが，妥当な清潔さの基準を保てない			1
4. すべての家事に手助けを必要とする			1
5. すべての家事にかかわらない			0
E 洗濯			
1. 自分の洗濯は完全に行う			1
2. 靴下のゆすぎなど簡単な洗濯は自分で行う			1
3. すべて他人にしてもらわなければならない			0
F 移送の形式			
1. 自分で公的機関を利用して旅行したり自家用車を運転する		1	1
2. タクシーは利用するが，その他の公的交通機関は利用しない		1	1
3. 付き添いがいたり皆と一緒なら公的交通機関を利用する		1	1
4. 付き添いか皆と一緒のとき，タクシーか自家用車を利用する		0	0
5. まったく旅行しない		0	0
G 自分の服薬管理			
1. 適時適正量の薬を飲むことに責任がもてる		1	1
2. あらかじめ薬が分けて準備されていれば飲むことができる		0	0
3. 自分の薬を管理できない		0	0
H 財産取り扱い能力			
1. 自分で家計管理を行うことができる(予算，小切手書き，掛金支払い，銀行へ行く)		1	1
2. 日々の小銭は管理するが，預金や大金などでは手助けを必要とする		1	1
3. 金銭の取り扱いができない		0	0

採点法は各項目ごとに該当する右端の数値を合計する(男性 0～5 点，女性 0～8 点)．
〔Lawton, M. P., et al.: Assessment of older people: self-maintaining and instrumental activities of daily living. Gerontologist 9: 179-186, 1969 より〕

C frenchay activities index(FAI)と FAI 自己評価表

Holbrook らによって 1983 年に考案された手段的 ADL の評価指標である．日常生活における応用的な動作や社会生活における活動から 15 項目が評価の対象となっている．各項目を 0～3 点で評価し，合計点 0(非活動的)～45(活動的)点の範囲である．白土らは 1993 年スモン患者の生活関連動作を評価するため FAI を翻訳し，FAI 自己評価表を作成している(▶表 7)(➡293 頁)．

▶表 6　老研式活動能力指標

教示文			
毎日の生活についてうかがいます． 以下の質問のそれぞれについて，「はい」，「いいえ」のいずれかに○をつけて，お答えください． 質問が多くなっていますが，ごめんどうでも全部の質問にお答えください．			
項目	配点		評価
	1	0	
1　バスや電車を使って 1 人で外出ができますか	はい	いいえ	手段的自立
2　日用品の買物ができますか	はい	いいえ	
3　自分で食事の用意ができますか	はい	いいえ	
4　請求書の支払いができますか	はい	いいえ	
5　銀行預金，郵便貯金の出し入れが自分でできますか	はい	いいえ	
6　年金などの書類が書けますか	はい	いいえ	知的能動性
7　新聞などを読んでいますか	はい	いいえ	
8　本や雑誌を読んでいますか	はい	いいえ	
9　健康についての記事や番組に関心がありますか	はい	いいえ	
10　友だちの家を訪ねることがありますか	はい	いいえ	社会的役割
11　家族や友だちの相談にのることがありますか	はい	いいえ	
12　病人を見舞うことができますか	はい	いいえ	
13　若い人に自分から話しかけることがありますか	はい	いいえ	

手段的自立（5 点満点），知的能動性（4 点満点），社会的役割（4 点満点）でそれぞれの ADL を評価する．総計を高次 ADL スコアとする．カットオフ値はない．
〔古谷野亘，他：地域老人における活動能力の測定－老研式活動能力指標の開発．日本公衛誌 34：109-114，1987 より〕

⑤ 拡大 ADL の評価尺度

基本的 ADL に手段的 ADL を加えた評価尺度が拡大 ADL であり，細川らの拡大 ADL 尺度を挙げることができる（▶表 8）．これは Barthel Index の排便・排尿コントロールを除く 8 項目と老研式活動能力指標の 4 項目（公共交通機関の利用，買物，食事の用意，預貯金の出し入れ）を併せた 12 項目で構成され，自立であると 1 点，それ以外は 0 点で評価する．

C ADL 評価に必要な知識，注意点

① 量的評価と質的評価との組み合わせ

評価は治療計画に活かしてこそ意味がある．ADL 評価は動作観察・分析などの質的評価により障害像を明らかにし，治療計画の資料にするとともに，Barthel Index や FIM などの評価尺度を用いて量的評価（点数化）を行い，経時的な変化を確認し，理学療法の効果を検証していく．

② 内的要因と外的要因

ADL の自立度は対象者の内的要因と外的要因に左右される．内的要因は疼痛，関節可動域，筋力，巧緻性，姿勢保持能力，意欲など身体機能のことである．外的要因は段差の有無，その高さ，出入口の広さ，扉の形態，手すりの有無など，対象者が実際に生活している物的な環境のことである．したがって ADL 評価の際にはできない動作や正常から逸脱した動作の原因を内的要

▶表 7 FAI 自己評価表

FAI（Frenchay Activities Index）自己評価表

※普段の生活の様子に関する 15 の質問に対して，最も近い回答を選びその番号（0,1,2,3）を〔 〕内に記入してください．

合計得点〔　　　〕

◎最近の 3 か月間の状態（問 1〜問 10）

0：していない　1：週 1 回未満であるがしている　2：週 1〜2 回程度している　3：ほとんど毎日している

1. 〔　〕食事の用意：実際に献立，準備，調理をすること
2. 〔　〕食事の片づけ：食器類を運び，洗い，拭き，しまう

0：していない　1：月 1 回未満であるがしている　2：月 1〜3 回程度している　3：週 1 回以上している

3. 〔　〕洗濯：手洗い，コインランドリーなど洗濯方法は問わないが，洗い乾かすこと
4. 〔　〕掃除や整頓：モップや掃除器を使った清掃，衣類や身の回りの整理・整頓など
5. 〔　〕力仕事：布団の上げ下ろし，雑巾で床を吹く，家具の移動や荷物の運搬など
6. 〔　〕買い物：品物の数や金額を問わないが，自分で選んだり購入したりすること
7. 〔　〕外出：映画，観劇，食事，酒飲み，会合などで出かけること
8. 〔　〕屋外歩行：散歩，買い物，外出などのために，少なくとも 15 分以上歩くこと
9. 〔　〕趣味：園芸，編物，スポーツなどを行う．テレビで見るだけでは趣味に含めない．自分で何かをすることが必要である
10. 〔　〕交通手段の利用：自転車，車，バス，電車，飛行機などを利用する

0：していない　1：週 1 回未満であるがしている　2：月 1〜3 回程度している　3：少なくとも毎週している

11. 〔　〕旅行：車，バス，電車，飛行機などに乗って楽しみのために旅行をすること．出張など仕事のための旅行は含まない

0：していない　1：ときどき，草抜き，芝刈り，水まき，庭掃除などをしている　2：定期的にしている
3：定期的にしている．必要があれば，掘り起こし，植え替えなどもしている

12. 〔　〕庭仕事：

0：していない　1：電球その他の部品の取り換え，ネジ止めなどとしている
2：ペンキ塗り，室内の模様替え，車の点検・洗車などとしている　3：家の修理や車の整備をしている

13. 〔　〕家や車の手入れ：

0：していない　1：半年に 1 回程度読んでいる　2：月 1 回程度読んでいる　3：月 2 回以上読んでいる

14. 〔　〕読書：通常の本を対象とし，新聞，週刊誌，パンフレット類はこれに含まない

0：していない　1：週に 10 時間未満働いている　2：週に 10〜30 時間働いている
3：週に 30 時間以上働いている

15. 〔　〕勤労：常勤，非常勤，パートを問わないが，収入を得るもの．ボランティア活動は仕事に含めない

〔Holbrook. M. et al.: An Activities Index For Use with Stroke Patients. Age and Ageing 12: 116-170, 1983 より〕

▶表 8 拡大 ADL

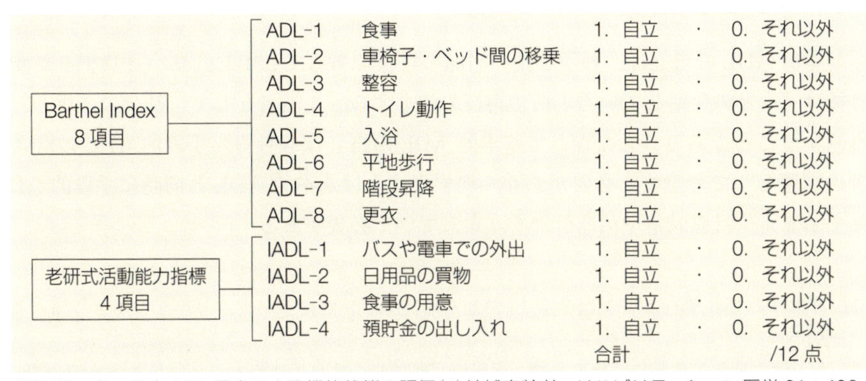

Barthel Index 8 項目	ADL-1	食事	1. 自立 · 0. それ以外
	ADL-2	車椅子・ベッド間の移乗	1. 自立 · 0. それ以外
	ADL-3	整容	1. 自立 · 0. それ以外
	ADL-4	トイレ動作	1. 自立 · 0. それ以外
	ADL-5	入浴	1. 自立 · 0. それ以外
	ADL-6	平地歩行	1. 自立 · 0. それ以外
	ADL-7	階段昇降	1. 自立 · 0. それ以外
	ADL-8	更衣	1. 自立 · 0. それ以外
老研式活動能力指標 4 項目	IADL-1	バスや電車での外出	1. 自立 · 0. それ以外
	IADL-2	日用品の買物	1. 自立 · 0. それ以外
	IADL-3	食事の用意	1. 自立 · 0. それ以外
	IADL-4	預貯金の出し入れ	1. 自立 · 0. それ以外
			合計 /12 点

〔細川徹，他：拡大 ADL 尺度による機能状態の評価（1）地域高齢者．リハビリテーション医学 31：406, 1994 / 細川徹：ADL 尺度の再検討—IADL との統合．リハビリテーション医学 31：326-333, 1994 より〕

因に求め，外的要因をどう変えれば動作ができるようになるかを考えることで，理学療法介入の糸口がみえてくる．

3 介助量，誘導の方向を具体的に知る

ADLを評価することで，対象者の自立度や介助量を知ることができる．座位から立ち上がるときのように下肢の筋力を補助するような場合は，その介助量を確認する必要がある．麻痺のため身体の動かし方がわからない場合は，徒手でどの方向に誘導すれば運動や動作が可能になるかを確認する必要がある．また直接身体に触れないまでも，見守りや声かけでADLが遂行できる場合は，近距離での見守りが必要か否か，どのタイミングで声かけをする必要があるかを確認する．これらのADL評価は理学療法介入に直結する．

4 評価尺度と評価段階

評価尺度には名義尺度，順序尺度，間隔尺度などがある．名義尺度は数値をグループに分類するため割り振ったもの，順序尺度は数値が序列や順序を示すが等間隔ではない尺度，間隔尺度は順序を示し，かつ各数値が等間隔の尺度である．ADL評価は順序尺度であるので，得点の順序性はあるものの，等間隔ではない．またBarthel Indexのように評価段階が少ない場合は，ADLの変化をとらえる感度に乏しいが，評価が容易で検者間の一致率は高い，逆にFIMのように評価段階が多い場合は，ADLの変化には敏感であるが，信頼性に欠ける傾向にある．

5 天井効果と床効果

天井効果とは軽度障害者を評価した場合，最初から得点が高く出ること，床効果は逆に重度障害者を評価した場合，最初から得点が低く出ることをいう．ともに，変化が拾いにくいことが問題としてあげられる．筋萎縮性側索硬化症や進行性筋ジストロフィーなどの神経筋疾患では床効果がおこりやすい[6]．そのため，それぞれの疾患に特化したADL評価法の選択も視野に入れる．また，Barthel IndexやFIMでのADL評価は在宅障害者や高齢者では天井効果を示すが，満点が必ずしも自立した生活が可能とは限らない場合もあり，手段的ADLや拡大ADLを併せて評価する必要性がある．

6 基本的ADLと手段的ADLの関係

基本的ADLの自立は，理学療法の当面の目標である．しかし，リハビリテーションの最終の目標は，もとの生活していた場所で再び生活をする，生活者として，社会の一員としての生活を再開することである．したがって基本的ADLの自立はもちろん手段的ADLの自立もその対象者の課題として考慮する必要があり，理学療法士は基本的ADLと同時に手段的ADLの評価結果をふまえ，目標設定や治療計画を立案していく必要がある．

●引用文献
1) 日本リハビリテーション医学会：〈お知らせ〉ADL評価について．リハビリテーション医学13：315, 1976.
2) 上田敏：日常生活動作訓練の基礎．上田敏，他(編)：リハビリテーション基礎医学 第2版．pp381-392, 医学書院，1995.
3) リハビリテーション(総合)実施計画書の書き方検討委員会：リハビリテーション(総合)実施計画書を上手に使いこなす法(含：記入例)，平成14年度厚生労働省老人保健事業推進費等補助金(老人保健健康増進

等事業分)による．pp2-23，2003.
4）千野直一(編著)：脳卒中患者の機能評価 SIAS と FIM の実際．pp3-13，シュプリンガー・フェアラーク東京，1997.
5）Mahoney, F., et al. : Functional Evaluation: The BARTHEL INDEX. Md State Med J 14 : 61-65, 1969.
6）小林武：検査測定／評価⑥ ADL．PT ジャーナル 41：1011-1019，2007.

復習問題

Barthel Index(BI)

□ 1 整容が自立している場合は，［ ① ］点である．〔53AM007，48PM026，43AM027，42AM011〕

□ 2 監視なしで 45 m 以上歩くことが可能な場合は，［ ② ］点である．〔48PM026，44AM092，41AM050〕

□ 3 65 歳の男性．頸髄不全損傷．現在の ADL は次のとおりである．
整容は自立．食事は普通食を柄つきスプーンで自立．着替え，トイレ動作は部分介助．入浴は全介助．臥位から自力で起き上がり端座位をとれるが，車椅子への移乗は全介助．移動は車椅子で自立．排便・排尿は時々失禁がある．
この男性の Barthel Index は［ ③ ］点である．〔43AM027〕

機能的自立度評価法(FIM)

□ 4 FIM が評価するのは［ ④ ］である．〔42AM049，41AM050〕

□ 5 各項目は［ ⑤ ］段階で評価する．〔42AM049〕

その他

□ 6 PULSES プロフィールの最初の S は［ ⑥ ］で，視覚，聴覚，言語機能を評価する．

□ 7 老研式活動能力指標は，［ ⑦ ］(5 項目)・［ ⑧ ］(4 項目)・［ ⑨ ］(4 項目)の計 13 項目を「はい/いいえ」の 2 段階で評価する．

①5 ②15 ③45 ④実行状況 ⑤(1～7 点の)7 ⑥Sensory components
⑦手段的自立 ⑧⑨知的能動性，社会的役割

参加

学習目標
- 参加状況評価の必要性とその目的を説明できる．
- 参加状況の主な評価尺度とその特徴を説明できる．
- 参加状況の評価を行う際の留意点を説明できる．

A 生活機能としての参加状況評価の意義と目的

国際生活機能分類(ICF)において生活機能は，人が生きていくために必要な３つのレベルすなわち，**心身機能・構造**(body function and structure)，**活動**(activity)，**参加**(participation)のすべてを含む包括用語とされている．この３つのレベルは生物(生命)，個人(生活)，社会(人生)に相応し，人が日常生活を営むために必要な能力や働きと解釈することができる．

対象者が家庭や職場に復帰していく，高齢者が要介護状態にならないように，また要介護状態の軽減や悪化を防止していくには，運動機能の改善だけでなく，生活の活動性を高め，役割や生きがいを再獲得していくことが重要となる．すなわち心身機能・構造，活動，参加のそれぞれの要素に過不足なく働きかけることが求められる．

しかし，理学療法においては機能障害を軽減することや，活動制限を改善することに意識が奪われがちで，参加制約に対するアプローチにはあまり意識を向けない傾向にあった．急性期や回復期の理学療法では，当面の目標をセルフケアの自立とすることが多いこともその一因と思われるが，リハビリテーションの理念からすると参加制約にも十分意識したアプローチが望まれる．

急性期や回復期の理学療法では，対象者の入院前の在宅での生活状況や家庭での役割を聴取することはあっても，参加状況の入念な評価までには至らないことが多い．しかし，生活期の理学療法は対象者が実際に生活を営んでいる場で行われるので，参加制約にアプローチできる可能性がある．また，家庭や地域に帰っていく対象者がスムーズに地域での生活を開始できるよう，参加状況の評価を適切に行い，得られた情報をカンファレンスやケア会議で共有し，在宅生活支援に活かしていくことが求められる．

B 参加状況評価の実際

国際障害分類(international classification impairments, disabilities and handicaps；ICIDH)では，社会的不利(handicaps)を①orientation(オリエンテーション)，②physical independence(身体の自立)，③mobility(移動)，④occupation(作業)，⑤social integration(社会的統合)，⑥economic self-sufficiency(経済的自立)の６つの領域で捉えている．

ICF では，社会的不利は参加という広義の概念に吸収された．ICF の構成概念としての活動と参加は，それぞれ別に定義されているが，領域に関しては単一のリストで示されている．すなわちICFにおける活動と参加は，ICFでは①学習と知識の応用，②一般的な課題と要求，③コミュニケーション，④運動・移動，⑤セルフケア，⑥家庭生活，⑦対人関係，⑧主要な生活領域，⑨コミュニティライフ・社会生活・市民生活の9項目に対する生活や社会活動へのかかわりとされている．

ICIDHの社会的不利はその概念が抽象的であったため，評価尺度の開発が思うように進まなかった．しかし1990年代に入り，海外でCHART(craig handicap assessment and reporting technique)やCIQ(community integration questionnaire)などが開発され，社会的不利の評価が可能となってきた．ICFでは社会的不利は参加に置き換えられたが，近年の研究でもCHARTやR-CHART(revised-CHART)は，ICFにおける参加の評価尺度として十分有効であると報告されている[1,2]．

ここではR-CHARTと厚生労働省大臣官房統計情報部が暫定案として公表したICFを活用した活動と参加の評価基準のうち，参加の評価基準案を紹介する．

❶ CHART

CHARTは1992年Craig病院のWhiteneckらにより脊髄損傷患者を対象として開発された社会的不利を測定する尺度である．この評価表はICIDHの社会的不利のうちorientationを除く5つの領域に対応する評価尺度として開発された．その後1996年にはorientationに対応する項目として認知的自立が加えられ6つの領域で構成されたR-CHARTが発表されている．

R-CHARTの各領域は最低点0点，最高点100点，総合得点0～600点で評価される．評価表のなかに採点方法も詳しく書き込まれている．実際の生活場面を答えてもらうよう作られており，社会生活を送るうえでどこに障壁があるかが理解しやすい．R-CHARTを日本語に訳したものを**表1**に示した[3]．

❷ ICFを活用した「参加」の評価点基準(案)

ICFは人間の生活機能と障害の分類であり，各分類項目はローマ字と数字で表現される．たとえば，「活動と参加：⑥家庭生活」の「調理」はd630，「他者への援助」はd660とコード化されている．さらにコード化された項目に関する障害の程度，状態，状況を評価し，評価点として数値が与えられる．したがってICFのコードは評価点が割り振られて初めて有効なものとなる．

「参加」の評価は実行状況の評価基準として「活発な参加」0点，「部分的な参加」1点，「部分的制約」2点，「全面的制約」3点，「参加していない」4点の5段階で評価される(▶**表2**)(➡301頁)[4]．点数が高いほど参加の制約が大きい．この評価基準は今後，より適切な評価基準を作成するための暫定案として示されたものである．また，評価点をつけることにより，本人・家族や専門職種を含めた関係者間で，対象者の状況を共通認識できるとしている．

▶表 1　CHART 日本語版および採点方法

あなたが必要とする援助についてお聞きします
障害をもつと，援助が必要となることがあります．ここでは，身体の不自由のためにケアをしてもらっていることと，物忘れやどうしたらよいかわからなくなるためにほかの人に助けてもらうことを分けてお聞きしたいと思います．

身体的自立
最初に，食事，身だしなみ．入浴，着替え，人工呼吸器などの機器の操作，移動にかかわる援助についてお聞きします．
1：あなたは毎日食事，入浴，トイレ，着替え，移動などの動作をする際にほかの人に何時間くらい助けてもらっていますか．
　　ヘルパーやボランティアによる援助　(PI-a)時間
　　家族による援助　(PI-b)時間
　　助けは必要ない
2：あなたは上に書いた毎日のケアを除いて，日用品の買物，炊事，洗濯，掃除などを，月に何時間くらい助けてもらっていますか．
　　月　(PI-c)　時間
　　助けは必要ない
3：あなたは，おうちで月に何時間くらい，カニューレやカテーテルの交換，褥瘡(床ずれ)の処理などのような，看護師や医者による処置を受けていますか．
　　月　(PI-d)　時間
　　処置を受けていない
4：あなたのところに来ている付き添い人や介護人には，誰が指示を出していますか．最もよくあてはまるものに 1 つだけ○印をつけてください．
　　1. 自分　2. 自分以外の人　3. 付き添いや介護をしてもらっていない　答：(PI-e)

「身体的自立」
(PI-x)＝(PI-a)＋(PI-b)＋(PI-c)/30＋(PI-d)/30
(PI-e)＝2　ならば　(PI-y)＝(PI-x)×4
(PI-e)＝1 もしくは 3　ならば　(PI-y)＝(PI-x)×3
「身体的自立」得点＝100－(PI-y)

認知的自立
次に物忘れやどうしたらよいか決められずほかの人に助けてもらうことについてお聞きします．
5：あなたは物忘れやどうしたらよいかわからなくなるために，家に 1 人でいることが難しくほかの人に助けてもらうことがありますか．最もよくあてはまるものに 1 つだけ○印をつけてください．
　1. いつもはほかの人の世話にならずに 1 人で過ごしています．
　2. 普段は 1 日中．1 人でいますが，ときどき私に声をかけてくれる人がいます．
　3. ときには 1 日中，1 人で過ごすことがあります．
　4. ときには 1～2 時間 1 人で過ごすことがあります．
　5. 私の世話をしてくれる人はいつも近くにいてときどき様子を見に来てくれます．
　6. いつでも私の世話をしてくれる人と一緒にいます．　答：(CI-a)
6：あなたは外出のときに，物忘れやどうしたらよいか分からなくなることのために，ほかの人の助けがどのくらい必要になりますか．最もよくあてはまるものに 1 つだけ○印をつけてください．
　1. 私はどこへ行くにも人の助けは必要ありません．
　2. 慣れたところであれば，私は 1 人で外出できます．
　3. 世話をしてくれる人と一緒でないと外出できません．
　4. 誰かと一緒でも，私は外出させてもらえません．　答：(CI-b)
7：あなたはほかの人とお話をしていて，通じにくいと感じることはありますか．最もよくあてはまるものに 1 つだけ○印をつけてください．
　1. いつも感じます．
　2. ときどき感じます．
　3. ほとんど感じません．　答：(CI-c)
8：あなたは，しなくてはならない大事なことを思い出せないことがありますか．最もよくあてはまるものに 1 つだけ○印をつけてください．
　1. よくあります．
　2. ときどきあります．
　3. ありません．　答：(CI-d)
9：あなたはご自分でお金の使い方を決めていますか．最もよくあてはまるものに 1 つだけ○印をつけてください．
　1. すべてのお金の使い方を決めています(もしくは夫婦で決めています)．
　2. 重大なお金の使い方以外は自分で決めています．
　3. その都度，必要なお金だけもらっています．
　4. 自分でお金をもつことはありません．　答：(CI-e)

（つづく）

「認知的自立」

選択肢の番号を得点として計算する．

「認知的自立」得点＝〔6－(CI-a)〕×8＋〔4－(CI-b)〕×8＋〔(CI-c)－1〕×6＋〔(CI-d)－1〕×6＋〔4－(CI-e)〕×4

移動

あなたの日ごろの過ごし方についてお聞きします．

あなたは毎日どれくらい床(とこ)(布団やベッド)から出て動いているかをお聞きします．

10：あなたは，ふだん１日に何時間くらい床(とこ)から出て起きていますか．

(M-a)　時間

11：あなたは，ふだん１週間に何日くらい外出しますか．

(M-b)　日

12：ここ１年間で，あなたは何日くらい外泊しましたか(ただし入院は除きます)．

1．なし　2．1～2日　3．3～4日　4．5日以上　答：(M-c)

13：あなたは，お家の出入りにどなたかの助けが必要ですか．

1．必要です　2．必要ありません　答：(M-d)

14：あなたは，ご家庭で１人で寝室，台所，風呂場などに行くことができますか．

1．できます　2．できません　答：(M-e)

あなたの外出についてお聞きします．

15：あなたは，１人で乗り物を利用できますか(自家用車なども含む)．

1．できます　2．できません　答：(M-f)

16：あなたは，その乗り物で，好きなところに行けますか．

1．行けます　2．行けません　答：(M-g)

17：あなたは，その乗り物をいつでも使うことができますか．

1．できます　2．できません　答：(M-h)

18：あなたは，その乗り物をあらかじめ手配しなくても使えますか．

1．使えます　2．使えません　答：(M-i)

「移動」

(M-x)＝(M-a)×2＋(M-b)×5＋〔(M-d)－1〕×5＋〔2－(M-e)〕×5＋〔2－(M-f)〕×5＋〔2－(M-g)〕×5＋〔2－(M-h)〕×5＋〔2－(M-i)〕×5

(M-c)＝1　ならば　(M-y)＝0

(M-c)＞1　ならば　(M-y)＝(M-c)×5

「移動」得点＝(M-x)＋(M-y)

作業

あなたの日々の過ごし方についてお聞きします．

19：あなたは，働いてお金をもらっていますか．

1．はい　→　1週間に何時間くらいですか(　(O-a)　)時間　2．いいえ

20：あなたは，大学，専門学校に通う，または職業訓練を受けるなどのことをしていますか．

1．はい　→　1週間に何時間くらいですか(予習復習を含みます)(　(O-b)　)時間　2．いいえ

21：あなたは，炊事，洗濯，掃除などの家事や，子育てなどのご家庭のお仕事をしていますか．

1．はい　→　1週間に何時間くらいですか(　(O-c)　)時間　2．いいえ

22：あなたは，庭仕事や，おうちの手入れなどをしていますか．

1．はい　→　1週間に何時間くらいですか(　(O-d)　)時間　2．いいえ

23：あなたはボランティア活動に継続して参加していますか．

1．はい　→　1週間に何時間くらいですか(　(O-e)　)時間　2．いいえ

24：あなたは，スポーツ，運動，囲碁将棋，映画鑑賞などのレクリエーションをしていますか(テレビを見たりラジオを聞いたりして過ごす時間は含みません)．

1．はい　→　1週間に何時間くらいですか(　(O-f)　)時間　2．いいえ

25：あなたは，その他の趣味や読書のような活動をしていますか(テレビを見たりラジオを聞いたりして過ごす時間は含みません)．

1．はい　→　1週間に何時間くらいですか(　(O-g)　)時間　2．いいえ

「作業」

「作業」得点＝(O-a)×2＋(O-b)×2＋(O-c)×2＋(O-d)×2＋(O-e)×2＋(O-f)×2＋(O-g)×2

(つづく)

▶表1　CHART日本語版および採点方法（つづき）

社会的統合

あなたのご家族やお付き合いしている人についてお聞きします．

26：あなたは，1人で暮らしていますか．

　1．1人暮らしです　2．1人暮らしではありません

　（1人暮らしの場合は27番へ行く）

26a：ご夫婦で暮らしていますか．（入籍の有無は問いません）

　1．はい　2．いいえ　答：(SI-a)

26b：一緒にお住まいのご家族は何人ですか．　(SI-b)　人

26c：住み込みの付き添い人は何人いますか．　(SI-c)　人

26d：その他に同居している人は何人いますか．　(SI-d)　人

27：ご夫婦でお暮らしでない方にお聞きします．お付き合いをしている恋人がいますか．

　1．いる　2．いない　答：(SI-e)

28：月に1回以上，訪問したり，電話をしたり，手紙を書くなどのお付き合いをしている親戚の方はいますか．

　（同居の親戚の方は除いてください）

　1．いる（　(SI-f)　）人　2．いない

29：月に1回以上，訪問したり，電話をしたり，手紙を書くなどのお付き合いをしている仕事仲間や町内会の方はいますか．

　1．いる（　(SI-g)　）人　2．いない

30：月に1回以上訪問したり，電話をしたり，手紙を書くなどのお付き合いをしている友だちや知り合いの方はいますか．

　（親類，仕事や町内会などの関係者を除きます）

　1．いる（　(SI-h)　）人　2．いない

31：過去1か月間に，面識のない人に自分から話しかけたことが何回ありましたか（たとえば，何かを問い合わせたり，注文したりなど）．もっともあてはまるものに1つだけ○印をつけてください．

　1．なし　2．1～2回　3．3～5回　4．6回以上　答：(SI-i)

「社会的統合」

(SI-a)＝1ならば　(SI-r)＝30

(SI-a)＝2かつ　(SI-c)もしくは(SI-d)≧1　ならば　(SI-r)＝20

(SI-a)＝2かつ　(SI-e)＝1ならば　(SI-s)＝20

(SI-r)＞0かつ　(SI-e)＝1ならば　(SI-s)＝30－(SI-r)

(SI-t)＝〔(SI-b)＋(SI-f)〕×5　ただし(SI-t)≦25

(SI-c)＞1ならば(SI-u)＝(SI-c)－1　(SI-c)≦1ならば(SI-u)＝0

(SI-x)＝〔(SI-g)＋(SI-u)〕×2　ただし(SI-x)≦20

(SI-d)＞1ならば(SI-v)＝(SI-d)－1　(SI-d)≦1ならば(SI-v)＝0

(SI-y)＝〔(SI-h)＋(SI-v)〕×10　ただし(SI-y)≦50

(SI-i)＝1ならば(SI-z)＝0

(SI-I)＞1ならば(SI-z)＝(SI-i)×5

「社会的統合」得点＝(SI-r)＋(SI-s)＋(SI-t)＋(SI-x)＋(SI-y)＋(SI-z)

経済的自立

経済的なことについてお聞きします．

1：同居している家族全体の収入は，1年間でだいたいどのくらいですか．

　（給料，障害年金・手当，年金や恩給，家賃収入・株の配当・利息，子供の養育費，身内や親類からの援助，その他すべての収入を含めてください）

　1．100万円以下

　2．101～250万円

　3．251～400万円

　4．401～550万円

　5．551万円以上

　答：(CS-a)

「経済的自立」

「経済的自立」得点＝〔(CS-a)－1〕×25

（注）すべての領域得点において，100点を超える点数が算出された場合，得点を100点とする．

〔原著：Whiteneck, G. G., et al.: Quantifying handicap: a new measure of long-term rehabilitation outcomes. Arch Phys Med Rehabil 73: 519-526, 1992／日本語版：熊本圭吾，他：CHART日本語版の作成．総合リハ 30：249-256，2002より〕

▶表2 ICFを活用した「参加」の評価点基準(案)

○ **実行状況(個人が現在の環境のもとで行っている活動や参加の状況)の評価基準**
ポイント以下第1位で使用

評価点	評価	内容
0	活発な参加	常にまたはしばしば，全面的な参加を実現している (人的介護の有無は問わない)＊
1	部分的な参加	ときどきまたは部分的な参加を実現している (人的介護は受けていない)
2	部分的制約	部分的な人的介護(※)を受けて，ときどきまたは部分的な参加を実現している ※「部分的な人的介護」は「見守り」「促し」などを含む
3	全面的制約	全面的な人的介護を受けて，ときどきまたは部分的な参加を実現している
4	参加していない	禁止の場合を含み参加していない

＊ただし，頻度および人的介護の有無などにかかわらず，高い水準での参加については評価点0とする．

○ **能力(ある課題や行為を遂行する個人の能力)の評価基準**
ポイント以下第2位および第3位で使用

評価点	評価	内容
0	活発な参加	常にまたはしばしば，全面的な参加を実現することができる (人的介護の有無は問わない)＊
1	部分的な参加	ときどきまたは部分的な参加を実現することができる (人的介護は受けていない)
2	部分的制約	部分的な人的介護(※)を受けて，ときどきまたは部分的な参加を実現することができる ※「部分的な人的介護」は「見守り」「促し」などを含む
3	全面的制約	全面的な人的介護を受けて，ときどきまたは部分的な参加を実現することができる
4	参加を実現することができない	禁止の場合を含み参加を実現することができない

＊ただし，頻度および人的介護の有無などにかかわらず，高い水準での参加については評価点0とする．
〔厚生労働省大臣官房統計情報部：生活機能分類の活用に向けて－ICF(国際生活機能分類)：活動と参加の基準(暫定案)．pp9-21，厚生労働統計協会，2007より〕

C 参加状況評価に必要な基礎知識

1 参加状況評価とQOL評価の違い

近年，参加の評価指標であるR-CHARTなどを用い，参加とQOLや主観的満足感あるいはストレスなどといった心理的要因との因果関係に関する研究が多々みられ，その関係性が強調されつつある．しかし，参加状況の評価は個人が社会との関連をどれだけもっているかを推し測るものであり，そこに主観的な要素は入りにくい．参加の状況がQOLの向上，低下に影響を与えることや，参加状況評価に関する身体的側面の項目と，QOL評価の身体的側面の項目が類似していることから，参加状況の評価とQOL評価が混同されがちである．しかし参加制約の評価はあくまでも客観的なものであり，一方，QOLは主観的な評価であり，この違いを理解しておく必要がある．

2 退院後の地域での生活を視野に入れた参加状況評価

医療機関を退院する対象者の在宅での生活を考えると，入院前の家庭内での役割，趣味，社会活動などの参加状況を把握し，入院前に担っていた役割や社会活動が，能力的にあるいは体力的に退院後可能かどうかの判断が求められる．これはケアカンファレンスなどでも重要な情報となる．また，訪問リハビリテーションやデイケアなどで行われるリハビリテーションや理学療法の場面では，参加に対するアプローチに重点をおくことが求められる．参加に対するアプローチは理学療法士が単独で行うこともあれば，チームアプローチとしてその一翼を担う場合もある．いずれにしても，参加状況の評価はリハビリテーションの目標設定や介入の指針を与えるものであり，正確な評価が求められる．

3 小さなコミュニティのなかでの参加アプローチ

医療機関に入院中の患者に対しても，参加のアプローチは十分に可能である．

筆者の経験を紹介する．右片麻痺，運動性失語症，50歳代（女性）の入院患者は理学療法室や言語療法室では表情が硬く，周囲を気にして落ち着かない様子であった．しかし，病室（4人床）では打って変わって表情はいきいきとし笑顔もみられる．なぜこのようなギャップがあるのかと疑問に思い，幾度となく訪床し彼女の様子をうかがった．するとこういうことがあった．彼女はたえずとなりのベッドの認知症の高齢者を気にかけており，その高齢者が布団を足で蹴ってベッドから落としてしまうと，彼女はすぐさま，ナースコールを押して「あうあうあう」とナースステーションの看護師に告げるのである．看護師もわきまえたもので，ナースコールの意図を理解し，病室に来て布団をベッドに戻すのである．看護師は「○○さん，ありがとう」と言って部屋を出ていく．彼女の満足そうな顔がそこにあった．すなわち病室というコミュニティのなかで，彼女は自分にできるささやかな役割をみつけて実行していたのである．

社会参加というと，大がかりな取り組みと思いがちであるが，このようなささやかな社会参加もある．小さなコミュニティのなかで，その人に見合った役割，身近な課題を見つけ，提案し，支援することは，入院中の患者に対しても参加に対するアプローチが可能であることを示している．

4 対象者の心理状態の把握

障害受容の過程についてCohnは「ショック」「回復への期待」「悲哀（悲嘆）」「防衛」「適応」としている．またFinkは「ショック」「防衛的退行」「承認」「適応と変化」の順に障害受容が進むとしている．どの対象者も受容の進み方が同じではなく，また期間も異なる．最後まで受容できないことも多い．対象者の障害受容に関し，どの段階にあるかをおおむね理解し，少なくとも自分自身の状況を否認したり，回復への期待が過度に大きい時期に，入院前の社会活動や参加状況の聴取を行っても，有効な情報は得にくいことを知っておく必要がある．

5 潜在的な思い，関心事を言語化する難しさ，聞き出す信頼関係

参加状況の評価を行う際，興味のあること，関心をもっていることを直接，対象者から聴取する場合が多い．特にやりたいことはない，興味のあることは思い浮かばないといった消極的な発言を耳にすることも多い．果たして本当にそうなのであろうか．潜在的な思いはあっても，思うように身体を動かせない状態ではやれるはずがないと，勝手に判断し，自らの思いを言葉にすることができないのではないだろうか．やれるはずがないと思っていること，こんなことを言うと恥ずかしいと思っていることをあえて言語化させ聞き出す対話力は，対象者と評価者との醸成された信頼関係のうえに成り立つ．特に参加状況の評価において求められるところである．

●引用文献
1) Putzke, J. D., et al. : Predictors of Life Satisfaction: A Spinal Cord Injury Cohort Study. Arch of Phys Med Rehabil 83 : 555-561, 2002.
2) Andersons, C. J., et al. : Community integration among adults with spinal cord injuries sustained as children or adolescents. Dev Med Child Neurol 45 : 129-134, 2003.
3) 熊本圭吾，他：CAHRT 日本語版の作成．総合リハ 30：249-256，2002.
4) 厚生労働省大臣官房統計情報部：生活機能分類の活用に向けて―ICF(国際生活機能分類)：活動と参加の基準(暫定案)．pp9-21，厚生労働統計協会，2007.

3 健康関連 QOL

- 健康関連 QOL の概念と評価の目的を理解する.
- 代表的な健康関連 QOL の調査票について，その概要と検査方法を説明できる.
- 健康関連 QOL を評価するために必要な基礎知識を理解する.

A 健康関連 QOL の概念と評価の目的

1 健康関連 QOL の概念

医療行為の評価には，古くから死亡率や罹患率が用いられてきたが，1980 年代から，主観的な評価指標が重要視されるようになった．その背景には，高齢化と医学の進歩により慢性疾患の患者が増え，治癒や延命後の対象者の生活の質(quality of life；QOL)の向上も重要な治療目標とされるようになったこと，医療の受け手である患者の視点に立った評価が重要であると考えられるようになったことなどがあるとされる[1].

対象者の主観的な評価指標の最も代表格が**健康関連 QOL**(health-related QOL)である．QOL は，人生の生きがいや満足度などの意味で多用されるが，患者の生きがいや家族・友人関係などの社会特性に医療行為は直接介入できるものではない．そこで，医療分野で使用される場合は，本人の健康状態に由来し，医療介入によって改善できる可能性のある領域に限定して，健康関連 QOL を明確に位置づけている．これらを概念図にしたものを**図 1** に示す.

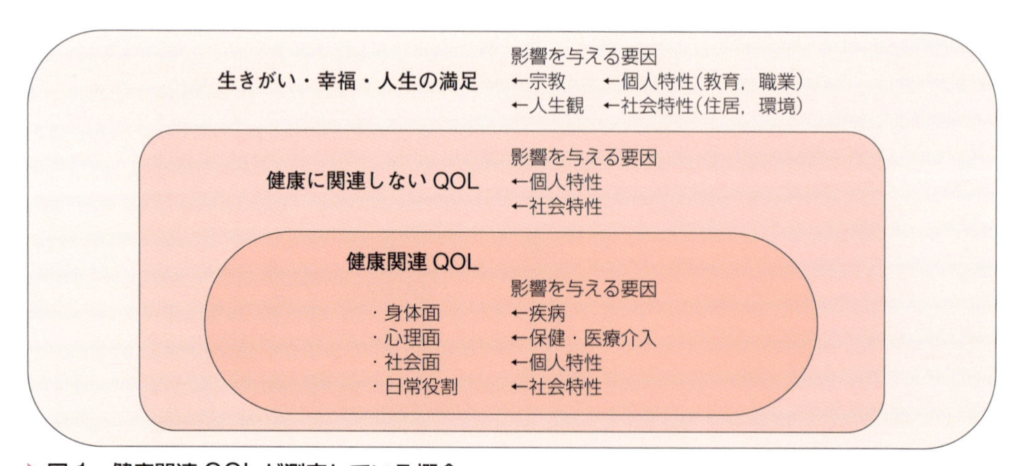

▶**図 1　健康関連 QOL が測定している概念**
〔福原俊一：いまなぜ QOL か－患者立脚型アウトカムとしての位置づけ．池上直己，他(編)：臨床のための QOL 評価ハンドブック．pp2-7，医学書院，2001 より改変〕

健康関連 QOL を構成する基本的な構成要素は，① **身体機能**：階段をのぼることができるか，1 人で排泄できるかなど，② **心の健康**：抑うつ，不安，③ **社会生活機能**：家族や友人との関係，経済的環境など，④ **日常役割機能**：仕事や家事の役割などが含まれる．

2 評価の目的

理学療法士が行う健康関連 QOL の評価は，多くの場合が患者を対象にしている．患者の機能回復の程度は，筋力や関節可動域，歩行速度や ADL 得点で評価できるが，疾病やリハビリテーションの効果が患者のメンタルヘルスや活力，仕事や家事などの主観的な遂行程度に対して，どのような影響を与えているかはわからない．これらを数値化して把握することが健康関連 QOL の評価目的である．

患者の QOL がいわゆる健康な人々に比べてどの程度なのかを評価する際には，包括的尺度に分類されるものが適している．**包括的尺度**とは，さまざまな疾患をもつ人や一般に健康といわれる人々に共通する要素で構成される調査票である．これに対して，ある特定の疾患や症状による影響を詳細に評価する際には，**疾患特異的尺度**を用いる．がん，呼吸器疾患，慢性腎疾患など疾病ごとに数多くの尺度が開発されている．

B QOL 評価の実際

ここでは，代表的な包括的尺度をいくつか紹介する．なお，特にことわりがないかぎり，これ以降の QOL 表記は**健康関連 QOL** を指すものとする．

1 WHOQOL26 (world health organization/quality of life assessment-26)

a 調査票の概要

世界保健機関(WHO)により開発された QOL 尺度である．100 の設問からなる WHO/QOL 基本調査票(WHO/QOL-100)が先に開発されたが，臨床場面で用いるには質問項目が多すぎるという判断のもと，短縮版として開発された．WHOQOL26 の特徴は，異文化間で比較できることにある．ほとんどの QOL 尺度が米国や欧州で開発されており，アジアを含めたそれ以外の地域での適用可能性は十分に検討されてこなかった．そこで WHO により，欧米・アジア，先進国・開発途上国のいずれでも利用可能な調査票が開発された．

日本語版は 1997 年に出版され，信頼性・妥当性などが検証された．身体的領域，心理的領域，社会的関係，環境の 4 領域・24 項目の設問に加え，全般的な QOL に関する 2 項目を加えた全 26 の設問から構成されている(▶ **表 1**)．過去 2 週間の生活・気持ちを振り返り，各項目に対して 5 段階の選択肢から回答する．

評価対象は，疾病や年齢を限定しない．地域住民，患者，障がい者，学生，就労者などへの活用が想定されている．

b 検査の実際

質問紙による自記式で，回答時間は 10 分程度である．調査票の入手については，日本語版出版元の金子書房から，質問用紙「WHO/QOL26 検査用紙」を購入する．実施・採点の詳細は，金子書房から手引書「WHO/QOL26 手引 改訂版」が出版されている．

▶表 1　WHOQOL26 の構成

領域	身体的領域	心理的領域	社会的関係	環境
下位項目	日常生活活動 医療品と医療への依存 活力と疲労 移動能力 痛みと不快 睡眠と休養 仕事の能力	ボディ・イメージ 否定的感情 肯定的感情 自己評価 精神性，宗教，信条 思考，学習，記憶，集中	人間関係 社会的支援 性的活動	金銭関係 自由，安全と治安 健康と社会的ケア 居住環境 新しい情報と技術の獲得の機会 余暇活動の参加と機会 生活圏の環境（公害，騒音，気候） 交通手段

表中の 4 領域，24 項目に加えて，全般的な QOL に関する 2 項目を加えた全 26 の設問で構成される
質問項目の詳細は，「WHOQOL26 手引 改訂版」（金子書房，2007）を参照されたい．
〔田崎美弥子：V WHOQOL26 について．田崎美弥子，他（著）：WHOQOL26 手引 改訂版．pp13-19，金子書房，2007 より改変〕

C 評価値の解釈

得点が高いほど QOL が高い．得点範囲は 26（悪化）～130（良好）点．

2 SF-36® 〔MOS (medical outcomes study) 36-item short-form health survey〕[2, 3]

a 調査票の概要

QOL 尺度のなかで，最も広く使用されているものの 1 つである．Ware（1992）により開発され，日本語版は 1999 年に発表された．下位尺度として**身体機能**，**日常役割機能（身体）**，**体の痛み**，**全体的健康感**，**活力**，**社会生活機能**，**日常役割機能（精神）**，**心の健康**，の 8 つの健康概念を含んでいる．それぞれに複数の項目があり，全 36 の設問から構成される（▶**表 2**）．8 つの下位尺度ごとに得点が算出され，さらに 8 つの下位尺度から，3 つのサマリースコアが算出される．オリジナル英語版の 2 つのサマリースコア「身体的側面の QOL サマリースコア（physical component summary；PCS）」「精神的側面の QOL サマリースコア（mental component summary；MCS）」に，アジア諸国の特性を反映する 3 つ目のコンポーネント「役割/社会的側面の QOL サマリースコア（role/social component summary；RCS）が 2011 年に加えられた[4]．

多くの設問は過去 1 か月間を振り返り，各設問に対して 5 段階もしくは 3 段階の選択肢から回答する．SF-36v2® には，振り返り期間が過去 1 週間のアキュート版もある．

評価対象は，16 歳以上のすべての人（病気にかかっている人も，一般に健康といわれる人も含む）である．

b 検査の実際

質問紙による自記式のほかに，面接式が用意されている．

日本語版の調査票を使用する際には，使用申請と使用料の支払いが必要である．Qualitest（クオリテスト）株式会社のウェブページから使用申し込みを行う（https://www.qualitest.jp/）．

実施については専用のマニュアルを，採点についてはスコアリング・プログラム（Excel ファイル）を，それぞれ先に示した使用申請のウェブページから入手することができる．

▶表2 SF-36® の構成

下位尺度(原版名；略号)	質問項目の内容
身体機能 (physical functioning；PF)	・激しい活動をする ・適度な活動をする ・少し重い物を持ち上げる ・階段を数階上までのぼる ・階段を 1 階上までのぼる ・体を前に曲げる，ひざまずく，かがむ ・1 km 以上歩く ・数 100 m くらい歩く ・100 m くらい歩く ・自分で入浴・着替えをする
日常役割機能(身体) (role physical；RP)	・仕事・ふだんの活動時間を減らした ・仕事・ふだんの活動ができなかった ・仕事・ふだんの活動の内容によっては，できないものがあった ・仕事やふだんの活動をすることが難しかった
体の痛み (bodily pain；BP)	・体の痛みの程度 ・痛みによっていつもの仕事がさまたげられた
全体的健康感 (general health；GH)	・現在の健康状態の評価 ・病気になりやすい ・人並みに健康である ・私の健康は悪くなるような気がする ・私の健康状態は非常によい
活力 (vitality；VT)	・元気いっぱいだった ・活力にあふれていた ・疲れ果てていた ・疲れを感じた
社会生活機能 (social functioning；SF)	・家族・友人などとの付き合いが身体的あるいは心理的な理由でさまたげられた ・人との付き合いをする時間が身体的あるいは心理的な理由でさまたげられた
日常役割機能(精神) (role emotional；RE)	・仕事・ふだんの活動時間を減らした ・仕事・ふだんの活動が思ったほどできなかった ・仕事・ふだんの活動が集中してできなかった
心の健康 (mental health；MH)	・かなり神経質であった ・どうにもならないくらい気分が落ち込んでいた ・落ち着いていて，穏やかな気分だった ・落ち込んで，ゆううつな気分だった ・楽しい気分だった

加えて，1 年前と比べた現在の健康状態についての設問がある．

c 評価値の解釈

性別・年代別の国民標準値を基準にして健康状態を検討することができる．国民標準値による平均値が 50，標準偏差が 10 となるよう偏差値に換算されるため，回答者の健康状態の相対的評価や，下位尺度，サマリースコアの比較が容易である．

3 EuroQol(Euro quality of life；EQ-5D)

a 調査票の概要

EuroQol は，単一指標で健康状態を評価できることが特徴である．死亡を 0，完全な健康状態を 1 として，QOL を数値(効用値)で表す[5]．EuroQol group により開発され，日本語版は 1998 年に日本語版 EuroQol 開発委員会が発表した．EuroQol(EQ-5D)は 5 項目法(5 Dimension；5D)と視覚評価法(visual analog scale；VAS)で構成される．5 項目法ではあらゆる健康状態を，移動の程度，身のまわりの管理，ふだんの活動，痛み/不快感，不安/ふさぎ込みの 5 領域に分解し，それぞれ 3 段階で評価し，それらを併記して 5 桁の数字として記載する．たとえば，移動の程度にいくらか問題がある（レベル 2），身のまわりの管理に問題はない（レベル 1），ふだんの活動にいくらか問題がある（レベル 2），痛み/不快感はない（レベル 1），不安/ふさぎ込んでいる（レベル 3）を選択した状態は「21213」と表記される．

5 領域すべて「問題なし」を選んだ「11111」の状態と，最も不良な状態「33333」の間には 3^5 ＝243 通りの健康状態が表現され，これに「意識不明」と「死」を加えた全 245 通りに弁別することができる．こうして得られた結果は日本人向けの換算表[6,7]を用いて，死亡を「0」，完全な健康を「1」とした数値（効用値）へ換算され用いられる．ちなみに前述の「21213」は 0.617 へ換算される．なお近年では，より鋭敏に評価できるよう評価段階が 5 レベルへ変更された EQ-5D-5L が報告されている（▶表 3）[8]．

視覚評価法では，温度計の目盛のような縦に引かれた長さ 20 cm の線分を用いる．100 等分の目盛が記入された線の下端が 0，上端が 100，上端に向かう 10 目盛ごとに数値が記載される．下端には「想像できる最も悪い健康状態」，上端には「想像できる最も良い健康状態」と記されている．この線分上で健康状態の程度を示すことで，数値として評価される．5 項目法と視覚評価法のどちらも「今日」の健康状態を評価する．

評価対象は，疾病や年齢を限定しない．一般集団やさまざまな患者を対象として用いられている．

b 検査の実際

質問紙による自記式で，回答時間は数分である．調査票は公開されている．

一次元の評価であるため採点はなく，5 項目法では換算表で得られた数値（効用値）が，視覚評価法では線分上に示された目盛の数値がそのまま測定結果となる．

c 評価値の解釈

数値が高いほど QOL が高い．得点範囲は 5 項目法では 0（死亡）～1（完全な健康），視覚評価法では 0（最も悪い）～100（最もよい）．5 項目法で得られた結果（効用値）は，異なる疾病間の比較を可能とし，医療の経済的評価に適切であるとされる．しかし，視覚評価法では 0 は死亡ではないため，その評価結果は効用値として用いない．

4 改訂 PGC モラールスケール（philadelphia geriatric center morale scale）

a 調査票の概要

高齢者の主観的幸福感に焦点をあてた QOL 尺度である．モラールとは，もともと兵士や従業員の士気を表すものであるが，社会老年学の領域において「モラールが高い」とは，満足感をもっている，安定した居場所がある，老いていく自分を受容している，これらを含む概念とされる．この高齢者におけるモラールを測定するために，Lawton（1975）によって開発されたのが PGC モラールスケールである．当初は 22 項目で構成されていたが，17 の短縮版へ改訂された（▶表 4）．日本語訳は古谷野（1996）によるものが一般的である．

「心理的動揺」「老いに対する態度」「孤独感・不満足感」の 3 因子・17 項目から構成されている．回答は「現在の気持ち」について 2 つまたは 3 つの選択肢からあてはまるものを 1 つ選ぶ．評価対象は，高齢者である．

▶表 3　EQ-5D-5L 日本語版の質問紙

各項目において，あなたの今日の健康状態を最もよく表している四角(□) 1 つに✓印をつけてください			
移動の程度		**痛み/不快感**	
歩き回るのに問題はない	□	痛みや不快感はない	□
歩き回るのに少し問題がある	□	少し痛みや不快感がある	□
歩き回るのに中程度の問題がある	□	中程度の痛みや不快感がある	□
歩き回るのにかなり問題がある	□	かなりの痛みや不快感がある	□
歩き回ることができない	□	極度の痛みや不快感がある	□
身の回りの管理		**不安/ふさぎ込み**	
自分で身体を洗ったり着替えをするのに問題はない	□	不安でもふさぎ込んでもいない	□
自分で身体を洗ったり着替えをするのに少し問題がある	□	少し不安あるいはふさぎ込んでいる	□
自分で身体を洗ったり着替えをするのに中程度の問題がある	□	中程度に不安あるいはふさぎ込んでいる	□
自分で身体を洗ったり着替えをするのにかなり問題がある	□	かなり不安あるいはふさぎ込んでいる	□
自分で身体を洗ったり着替えをすることができない	□	極度に不安あるいはふさぎ込んでいる	□
ふだんの活動(例：仕事，勉強，家族・余暇活動)			
ふだんの活動を行うのに問題はない	□		
ふだんの活動を行うのに少し問題がある	□		
ふだんの活動を行うのに中程度の問題がある	□		
ふだんの活動を行うのにかなり問題がある	□		
ふだんの活動を行うことができない	□		

〔池田俊也，他：日本語版 EQ-5D-5L におけるスコアリング法の開発．保健医療科学 64：47-55，2015〕

b 検査の実際

質問紙による自記式で，回答所要時間は 5 分程度である．ただし，加齢による視力や認知機能の低下により面接法で使用する場合には，評価者のバイアスがかからないよう自己判断で説明を加えないなどの注意が必要である．調査票は，古谷野(1996)による日本語訳が公開されている[9]．オリジナルの英語版ではステートメント形式(○○は……である)であるが，訳文では疑問文形式に変更されている．採点方法は，下線のある選択肢に 1 点を与えて合計得点を算出する．

c 評価値の解釈

合計得点が高いほど，主観的幸福感が高い．得点範囲は 0(低)～17(高)点．主観的幸福感は加齢とともに低下するとはいえず，健康状態や経済状況が大きく影響すると考えられている．

5 SIP(sickness impact profile)

a 調査票の概要

疾病の影響による日常生活上の機能障害と心理的問題を評価する指標である．身体的領域，心理社会学的領域，その他の領域の 3 領域・12 カテゴリーで構成され，合計 136 項目の設問からなる(▶表 5)．Bergner (1976)によって開発され，複数回の改訂を経て 1981 年に現在の構成が完成した[10]．日本語版はいくつか存在するが，必要な手続きを経た日本語版は 2006 年に発表されている[11]．

評価対象は，急性期から慢性期までのさまざまな疾患で使用されているが，慢性閉塞性肺疾患，関節リウマチ，脳卒中などの慢性疾患での使用頻度が高い．

▶表 4　改訂 PGC モラールスケールの設問

あなたの現在のお気持ちについてうかがいます．あてはまる答の番号に ○ をつけてください．	<因子>
1　あなたの人生は，年をとるにしたがって，だんだん悪くなっていくと思いますか 1．そう思う　2．そうは思わない	老いに対する態度
2　あなたは去年と同じように元気だと思いますか 1．はい　2．いいえ	老いに対する態度
3　さびしいと感じることがありますか 1．ない　2．あまりない　3. しじゅう感じる	孤独感・不満足感
4　最近になって小さなことを気にするようになったと思いますか 1．はい　2．いいえ	心理的動揺
5　家族や親戚，友人との行き来に満足していますか 1．満足している　2．もっと会いたい	孤独感・不満足感
6　あなたは，年をとって前よりも役に立たなくなったと思いますか 1．そう思う　2．そうは思わない	老いに対する態度
7　心配だったり，気になったりして，眠れないことがありますか 1．ある　2．ない	心理的動揺
8　年をとるということは，若いときに考えていたよりも，よいことだと思いますか 1．よい　2．同じ　3. わるい	老いに対する態度
9　生きていてもしかたがないと思うことがありますか 1．ある　2．あまりない　3. ない	孤独感・不満足感
10　あなたは，若いときと同じように幸福だと思いますか 1．はい　2．いいえ	老いに対する態度
11　悲しいことがたくさんあると感じますか 1．はい　2．いいえ	孤独感・不満足感
12　あなたには心配なことがたくさんありますか 1．はい　2．いいえ	心理的動揺
13　前よりも腹をたてる回数が多くなったと思いますか 1．はい　2．いいえ	心理的動揺
14　生きることは大変厳しいと思いますか 1．はい　2．いいえ	孤独感・不満足感
15　いまの生活に満足していますか 1．はい　2．いいえ	孤独感・不満足感
16　物事をいつも深刻に考えるほうですか 1．はい　2．いいえ	心理的動揺
17　あなたは心配事があると，すぐにおろおろするほうですか 1．はい　2．いいえ	心理的動揺

下線のある選択肢に 1 点を与え，合計得点を算出する．
〔Lawton, M. P.: The Philadelphia Geriatric Center Morale Scale: a revision. J Gerontol 30: 85-89, 1975 より〕

b 検査の実際

質問紙による自記式で回答する．質問内容は生活上の具体的事柄に関するもので，回答形式は「はい」「いいえ」の選択であるが，質問数が 136 項目と多いことから回答時間は 20～30 分かかる．質問項目の例として，「移動」の項目を**表 6** に掲載した．

採点方法は，「はい」の回答を採点する．項目ごとに重みづけされた得点を 12 のカテゴリー別に加算し，各カテゴリーの最大得点に対する割合(%)がパーセンテージ得点として用いられる．その後，身体的領域の合計である身体的得点(SIP-physical)，心理社会学的領域の合計である心

▶表 5 SIP の構成

領域	カテゴリー	質問項目数	最大得点
身体的領域 SIP-physical	歩行 移動 整容・動作	12 10 23	842 719 2,003
心理社会的領域 SIP-psychosocial	社会的対人関係 意思疎通 注意集中行動 情緒的行動	20 9 10 9	1,450 725 777 705
その他の領域 other life-quality	睡眠・休息 食事 家事 レクリエーション・娯楽 就労	7 9 10 8 9	499 705 668 422 515
合計 SIP-overall		136	

▶表 6 SIP の「移動(身体的領域)」の質問項目

1	家(屋内)だけで過ごします
2	1 つの部屋の中だけで過ごしています
3	以前に比べるとベッド(寝床)で過ごすことが長くなりました
4	ほとんど 1 日中ベッド(寝床)で過ごします
5	いまはバスや電車などの公共交通機関を利用しません
6	ほとんど外出しなくなりました
7	近くにトイレがついているところにしか行きません
8	町に出かけることはなくなりました
9	ごく短時間しか外出しません
10	暗いところや，明かりのついていないところでは人の助けを借りないと動き回れません

理社会学的得点(SIP-psychosocial)，12 カテゴリーの総合計得点(SIP-overall)がそれぞれ算出される．

c 評価値の解釈

得点が高いほど健康状態の悪化を示す．各カテゴリーの得点範囲は 0(良好)～100(重度)点．

6 functional limitation profile (FLP)

a 調査票の概要

この調査票は SIP の開発過程において，英国での使用に適うよう一部修正され，新たに functional limitation profile(FLP)と命名され発表された[12]．12 のカテゴリーとそれに含まれる各項目数は SIP と同じで，合計 136 項目から構成される．評価対象は，SIP と同様である(➡309 頁)．

b 検査の実際

面接式を原則とする．各質問に対して「はい」か「いいえ」で回答してもらう．正式な日本語版はなく，仮翻訳された項目の概要が報告されている．オリジナル英語版は書籍で発表されており，付録として掲載されているものが入手しやすい[12]．採点は，SIP と同様に全 136 項目の回答に重みづけ配点がなされており，各カテゴリーの最大得点に対する割合(%)がパーセンテージ得点として用いられる．ただし重みづけの程度が SIP とは異なる．

c 評価値の解釈

SIP に同じである．

C QOL 評価に必要な基礎知識[13)]

a 質問票を用いた評価を行うにあたり

どのような使用手続きの調査票であっても，開発論文や総説，マニュアル(手引)がある場合はそれを読んで，決められた方法に従って使用することが推奨される．信頼性や妥当性は，定められた方法に従って使った場合にのみ担保されるものであり，それは文言を入れかえたり，フォーマットを変えたりすることで，どのような影響があるかわからないためである．

b QOL を評価するにあたり

対象者の心理的負担：回復の見込みがない病態や深刻な病状の対象者にとって，「人並みに健康であるか」，高齢者に対して「役に立たないと思うか」などの質問に回答してもらうことは，精神的負担を強いることになるおそれがある．調査後に責任をもって対象者のケアに対処できる立場でないのなら，このような対象者に評価を実施すべきでない．

QOL の評価が難しい場合：尺度によっては，過去 1 か月間など，振り返り期間を設定している場合があるため，病態や症状が安定しない場合にこうした測定期間を設定している尺度は適さない．ただし，症状が進行していく疾患でも，中長期的に経過が安定して推移している場合には用いることができる．そのほか，認知症，精神疾患などを有する対象者には，信頼性のある回答が得られるか適切な判断が必要である．

c 評価結果の解釈にあたり

症状が重度の対象者は QOL が低い，このような理学療法をすれば QOL が高くなるという単純な関連のみで解釈すべきではない．QOL は**図 1**(➡304 頁)に示すように個人特性や社会特性も関連することを忘れずに考える必要がある．たとえば，調査票には回答されていない(できない)親しい人の死があったり，経済的な不安を抱えている場合には，QOL への回答に否定的な反応を示すかもしれない．主観的尺度における数値化の限界を理解したうえで，QOL 評価結果を解釈するべきである．

●引用文献

1) 高橋龍太郎：QOL の評価．米本恭三，他(編)：リハビリテーションにおける評価 ver. 2(臨床リハ別冊)．pp30-36，医歯薬出版，2000.
2) Ware, J. E. Jr., et al. : The MOS 36-item short-form health survey (SF-36). Med Care 30 : 473-483, 1992.
3) 鈴鴨よしみ，他：MOS Short-Form 36-Item Health Survey (SF-36®)．内山靖，他(編)：臨床評価指標入門．pp305-311，協同医書出版社，2003.
4) Suzukamo, Y., et al. : Validation testing of a three-component model of Short Form-36 scores. J Clin Epidemiol 64 : 301-308, 2011.
5) The EuroQol group : EuroQol : a new facility for the measurement of health-related quality of life. Health Policy 16 : 199-208, 1990.
6) Tsuchiya, A., et al.: Estimating an EQ-5D population value set: the case of Japan. Health Econ 11: 341-353, 2002.
7) 池田俊也：選好に基づく尺度(EQ-5D を中心に)．池上直己，他(編)：臨床のための QOL 評価ハンドブック．pp45-49，医学書院，2008.
8) 池田俊也，他：日本語版 EQ-5D-5L におけるスコアリング法の開発．保険医療科学 64：47-55，2015.
9) 古谷野亘：QOL などを測定するための測定(2)．老年精医誌 7：431-441，1996.

10) Bergner, M., et al. : The sickness impact profile : development and final revision of a health status measure. Med Care 19 : 787-805, 1981.
11) 後藤葉子，他：Sickness Impact Profile（SIP）日本語版の作成と慢性呼吸器疾患患者における信頼性および妥当性の検討．東北医誌 118：1-8，2006.
12) Hutchinson, J., et al. : The Functional Limitations Profile may be a valid, reliable and sensitive measure of disability in multiple sclerosis. J Neurol 242 : 650-657, 1995.
13) 竹上未沙，他：誰も教えてくれなかったQOL活用法 第2版．pp7-22，NPO法人健康医療評価研究機構，2012.

復習問題

□ 1 健康関連 QOL を構成する基本的構成要素は，[①]，[②]，[③]，[④]である．

□ 2 健康関連 QOL 評価の目的は，疾病そのものやリハビリテーションが，患者の[⑤]や活力，IADL の[⑥]に対してどのような影響を与えているかを数値化して把握することである．

□ 3 患者の QOL を，健康な人々と比べる際には，[⑦]尺度を用いる．
ある特定の疾患や症状が QOL に及ぼす影響を評価する際には，[⑧]尺度を用いる．

□ 4 QOL 評価を行う際には，対象者の[⑨]を考慮する必要がある．また，主観的尺度における数値化の限界を理解した上で結果の解釈をする必要がある．

①②③④身体機能，心の健康，社会生活機能，日常役割機能 ⑤メンタルヘルス
⑥主観的遂行程度 ⑦包括的 ⑧疾患特異的 ⑨心理的負担

姿勢・動作分析

- 基本動作の実用性を動作水準の階層性で評価できるようになる．
- 動作観察の内容を，① 印象，② 事実，③ 解釈の 3 つに区別して記録できるようになる．
- 対象者の自然な動作と特定の条件で遂行した動作を比較し，逸脱動作を機能不全と代償に判別し，動作障害の原因を推測できるようになる．

A 姿勢・動作分析の概念と評価の目的

理学療法士が行う動作観察は，基本動作や日常生活活動に支障をきたしている“人”を対象としており，そうした人たちの歩行動作，立ち上がり動作，その他の基本動作の何をみているのだろうか？　対象者の基本動作フォームだけを観察しているように思うかもしれないが，実際には，対象者の実生活上に生じている活動制限に深い関連性がある基本動作について，その遂行能力が実用的なのか，また，その遂行方法が有用であるのかを判断しているのである．理学療法士が行う動作観察・分析の最も需要な目的は，対象者の**基本動作の遂行能力と，実際の活動場面の実用性（自立度）を関連させること**である（▶図 1）．

対象者が遂行する基本動作が実用的であるのかを判定する診かたとして，内山[1]は動作水準の階層性を示している（▶図 2）．日常生活で実用性が高いと判断ができるのは，**「安住性」を満た**

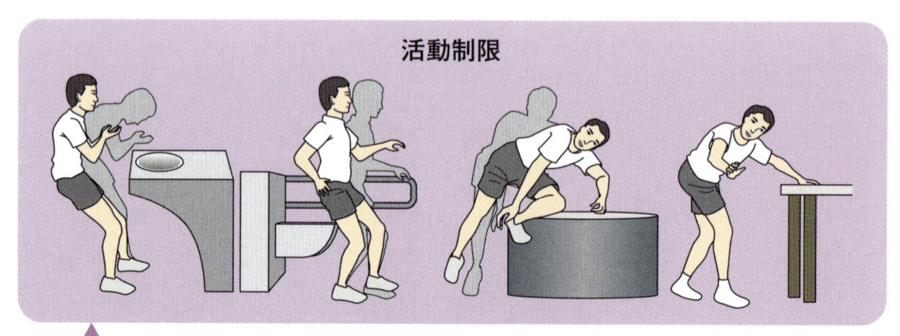

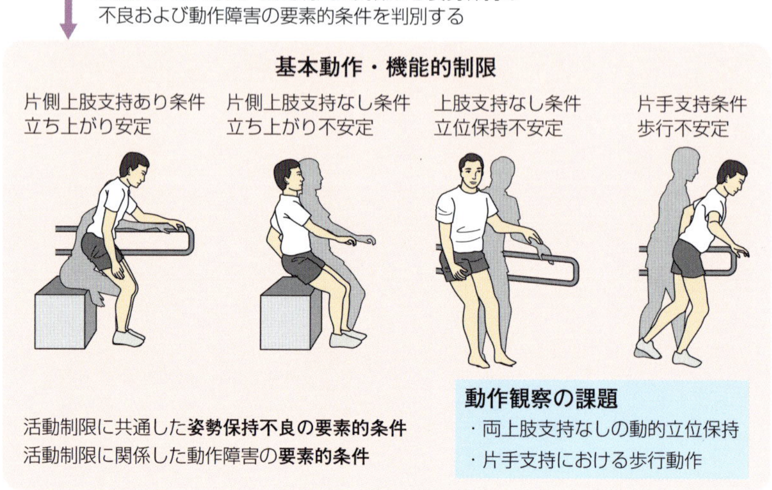

▶図 1　活動制限に関連する動作障害の要素的条件

す場合である.**「安住性」とは,環境に適応した能力を有していること**を示し,日常生活で「立つ」「座る」などの基本動作を手段として実行できることを意味する.それは物的な支援がある条件であっても同様である.活動制限をきたす場合は,その姿勢保持や基本動作を遂行する要素を想定し,詳細な動作観察・分析を進展する.具体的には,姿勢保持や動作遂行中のフォームを観察し,健常者が実行するときよりも身体関節の動きが空間的・時間的に過度(excessive)であったり,逆に不十分(inadequate)であったりする場合には,逸脱動作(異常動作)として扱う.

逸脱動作は,「機能不全」と「代償」の2つに分けることができる.機能不全は,ある筋肉の筋力低下や,ある関節の可動域制限など,直接的に関節運動に影響を与えているものである.一方,代償は,機能不全を補うべく,動作をより実用的に遂行するために選択される運動である[2).]

理学療法士は,動作観察において,対象者が実生活上の環境で実用性を有するかを判定するためにも,**運動の難度,そして認知機能を必要とする環境条件の変化における課題遂行の適応性を**みることが重要である.

B 姿勢・動作観察の実際

1 実施前の準備[2)]

a 必要な物品の用意

ストップウォッチ,記録用紙,メジャーを準備する.動作観察内容を記録用紙などに運動学的表記するだけでは,その動作が実用的であるのかを示すことにならない.誰もが記録をみて「正常と同じくらい」「少し遅い」「少し短い」と判断できるように**数量化**できる簡易な機器を使用する.

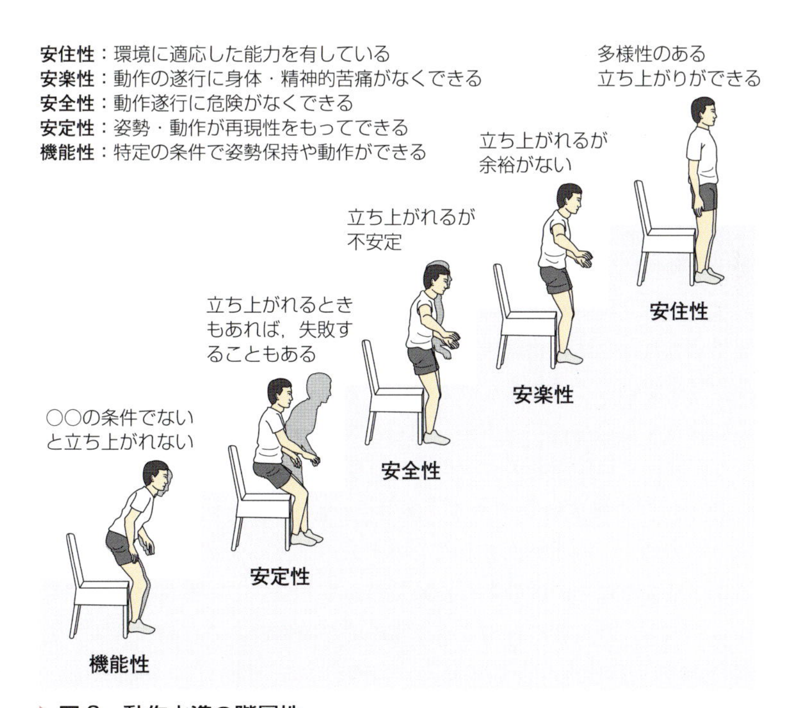

▶図2 動作水準の階層性

▶表1　歩行速度，10 m 歩行時間からみた歩行の実用性

歩行速度	10 m 歩行時間	該当する歩行レベル
1.3 m/秒	7.7 秒	横断歩道をスムーズに横断できる
1.0 m/秒	10.0 秒	公共的な社会生活レベル　歩行実用性の基準
0.8 m/秒	12.5 秒	住み慣れた地域社会(小さな生活範囲)で，歩行を実用的に遂行できる
0.6 m/秒	16.0 秒	住み慣れた地域社会(小さな生活範囲)で，歩行で転倒の危険性がある
0.4 m/秒	25.0 秒	屋内での歩行レベル

〔Pell, N. M., et al.: Gait speed as a measure in geriatric assessment in clinical settings: a systematic review. The Journal of Genntology series A 68: 39-46, 2013./Perry, J., et al.: Classification of walking handicap in the stroke population. Stroke 26: 982-989,1995 より〕

▶表2　5回反復起立-着座テストの時間

年齢別	平均時間および標準偏差
19〜49 歳	6.2±1.3 秒
50〜59 歳	7.1±1.5 秒
60〜69 歳	8.1±3.1 秒
70〜79 歳	10.0±3.1 秒
80〜89 歳	10.6±3.4 秒

椅子高：43〜45 cm

〔Bohannon, R. W., et al.: Five-repetition sit-to-stand test performance by community-dwelling adults: a preliminary investigation of times, determinants, and relationship with self-reported physical performance. Isokinetics and exercise science 15: 77-81, 2007 より〕

ストップウォッチは，10 m 歩行時間，5回反復起立-着座テストの時間(CS5)を計測するために用いる．歩行速度を指標にした移動手段の実用性と，それに対応する 10 m 歩行時間を**表1**に示す[3, 4]．また，座面の高さが 43〜45 cm の椅子を用いて CS5 を計測することにより，全体的な体力とバランス能力を推定することができる(▶**表2**)[5]．地域高齢者は CS5 が 15 秒以上で転倒の危険性が高いとの報告がある[6]．

椅子の高さで立ち上がり動作の難度が異なる(椅子の高さが低いと筋力と可動域がより必要となる)ため，椅子の高さの計測にメジャーを用いる．

理学療法中に環境条件を調整するための備品を準備しておく．立ち上がり動作であれば，足底に敷く滑り止めシート，立ち上がりの高さを変更するための数種類の台，または殿部に敷く数 cm の厚さのマットや板を準備しておく．また，歩行動作の観察では，動作観察の合間に対象者が転倒するということがないように，上肢支持割合の程度に合わせた歩行補助具を用意しておく．他の対象者や理学療法士の邪魔にならないように必要な備品を自分の身近に整えておこう．

b 適切な観察場所と観察課題条件の選択

対象者の遂行能力は，病室内のベッドの位置，ベッドから壁までの距離，ベッドの高さ，廊下の広さなどによって変化する．病室などのさまざまな要素が混在した環境では，経験の浅い理学療法士が動作に影響する条件や要素を同定することは難しい．

したがって，理学療法評価では，**リハビリテーション室で一般的な日常生活上の備品で標準的に規格化された寸法の物理的環境下で，基本動作の観察を行うことが重要である**．たとえば，起き上がりやすいように適度な硬さのベッド上での床上動作，起き上がりの最終肢位の座位で足底が床に接地する高さのベッドや，規格品に多い 40 cm 程度の椅子の高さからの立ち上がり動作，平らな滑りにくい床面での立位保持および平行棒内外での歩行動作である．

そして ICF の構成概念である「能力(capacity)」，つまり標準的な環境における課題遂行能力をみるために，上肢支持ありとなしの両方の条件で何 cm の椅子の高さから立ち上がりが可能であるか，杖またはその他の歩行補助具のありとなしのいずれの条件で歩行が可能であるのかを観察する．一方，対象者がどのような物理的な条件があると動作課題を完了することができるかを観察〔ICF の実行状況(performance)の評価〕する．「能力」「実行状況」の動作内容については内山[1]の動作水準を確かめるとよい．

条件設定した動作課題が，対象者の有する動作能力以上の場合，転倒やけがを引き起こす危険性も高くなる．そこで，経験が浅いうちは動作観察を行う前に，指導者とともに次に述べる確認を行うことが非常に重要である．

c 観察者の立ち位置および補助員の有無

対象者の動作を観察する場合，対象者には安全を保障した状況下で動作を遂行してもらうため，**事前に指導者との確認が必要不可欠**である．具体的には，観察しようとする課題とその方法(物的支援の有無と種類)，そして対象者が転倒しそうなったときの対処方法，観察者の立ち位置の確認などである．

d 対象者への説明

対象者には，目的，内容，時間などの動作課題内容の説明を行い同意を得る必要がある．提示した条件で動作を遂行してもらう場合は，対象者の協力が不可欠である．

姿勢保持や動作を普段どおりに遂行してもらう場合は，対象者への言葉がけを最小限にし，観察されているということを意識させないようにするとよい．

提示した課題条件で，必ずしも動作が可能とは限らない．「無理にこんなことをさせて」，「怖い」と感じる対象者もいるかもしれない．観察者は，対象者に事前に無理しないように伝え，同時にその課題に対しての主観的な難度，転倒や痛みへの不安を確認して記録しておくことにより，その後の経過で課題遂行能力の改善度として捉えることもできる．

e 記録

記録の問題点として，運動学的記載にこだわって観察内容が読み手に伝わらない，記録内容が多すぎて逆に大切なことが伝わらないなどがある．重要なことは，前述のように，動作観察は対象者が遂行する基本動作や機能的制限が，実生活上で実用的であるかを判断することである．対象者が遂行した立位保持能力，歩行能力および立ち上がり能力において「遂行能力の低さ」を数量化し，その下位内容として，いつ(phase)身体に不安定性が生じ，どの部位に逸脱動作が生じたのか，最小限の記載にとどめると読み手は理解しやすい．

理学療法士が実施する動作観察・記録において，①印象，②事実，③解釈などの要素が混在していることが，情報伝達を不確かなものにしていると指摘されている[2]．要素の混在を防ぐために，①印象は感じた内容で語尾に「～～そう」，②事実は見たことのみの内容で語尾に「～～である」，③解釈は考えたことの内容で語尾に「～～と思う」と表現し，それぞれの要素を意識的に区別した観察および記録を行うことが重要である．

2 基本動作の関節運動と戦略

患者の基本動作を観察する前に，各動作局面における関節運動の役割や機能を知っておく必要がある．**図3**に立ち上がり動作を示す[7]．Ⅰ相の体重移動相は，殿部離床に備えて，身体重心を足部の支持基底面に近づける必要がある．質量の大きい体幹を前傾するために股関節が屈曲する．Ⅰ相後半では膝関節がわずかに屈曲して膝が前方移動する．それには足関節背屈運動が伴う．Ⅱ相の移行相は，Ⅰ相の重心前方移動から上方移動に切り替わる局面である．そのためⅠ相の股関節屈曲運動は継続され，膝関節の伸展運動が生じる．Ⅲ相の上昇相は，重心の上方移動に

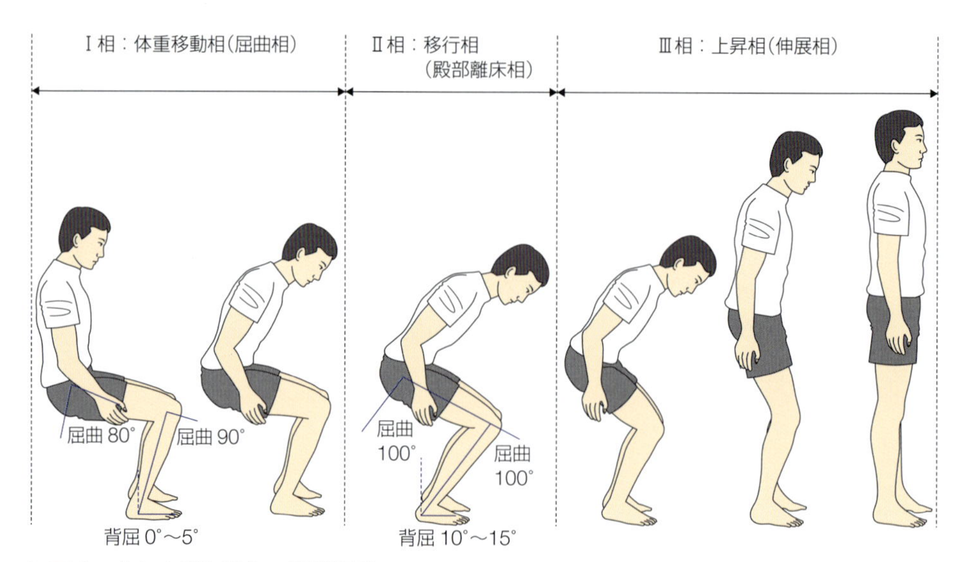

▶**図 3　立ち上がり動作の関節運動**

40 cm 椅子からの立ち上がり

対して股関節，膝関節が伸展する．立ち上がり動作では，殿部離床の直後は身体重心が足部の支持基底面内に投影されていないため，身体重心を勢いよく十分に前方に移動できるかが鍵となる．

一側への起き上がり動作は，寝返りをしながら上半身を離床して，肘支持，手支持と移行して，身体の方向転換を伴いながら最終座位姿勢となる．質量の大きい上半身を離床して肘支持，手支持になるには，大きく 2 つの戦略がある(▶図 4)[8,9]．1 つ目は下肢の運動量や重みを利用する方法である．それは下肢を一度空中に持ち上げてタイミングよく振り下ろすこと，そして下肢重心を身体重心から遠ざけることで，上半身を離床する方向へ身体重心回りに回転力を作用させる(▶図 4A)．この方法は体幹と下肢をつなぐ筋力が十分に備わっている必要がある．2 つ目の戦略は，手支持を多用して，上肢の伸展力を用いる方法である(▶図 4B)．その際には肘や手で構成された支持基底面に上半身重心を投影させるために，肩関節や体幹に十分な可動域が必要となる．

図 5 に歩行動作を示す．初期接地から立脚中期までは，足部に身体重心を移していく．足部接地時には地面からの衝撃を吸収するように荷重応答期で膝関節が屈曲する．立脚中期以降は身体重心に対して足部を後方に配置し，前遊脚期に足部で床を蹴り出し，身体重心を足部より前方へ推進させる．足部を後方へ配置するためには，立脚終期で足関節背屈 10〜15°，そして前遊脚期で股関節伸展 10°，足関節底屈 20° の可動域が必要である．

❸ 基本動作の動作観察内容

対象者が自然に遂行した動作の多くは，機能不全と代償が組み合わさったものとなる．したがって，対象者が自然に選択した姿勢や遂行した動作のみを観察しただけでは，対象者の有する潜在的な能力を把握することは難しい．自然な動作と特定の条件で実施した動作(理学療法士がある意図をもって提示した課題)の両方を観察し，逸脱動作を比較することで機能不全と代償を見分ける．本項では，静的立位，動的立位および基本動作に分けて解説する．

A 下肢の重み，運動量を利用した上半身の離床戦略（運動量戦略）

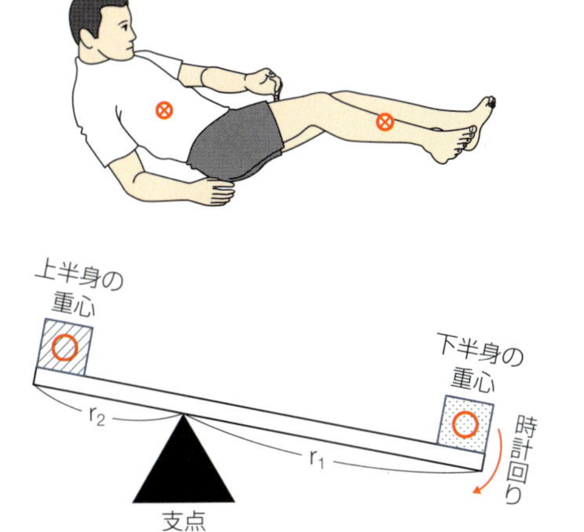

r_1，r_2 は，下半身重心，上半身離床のモーメントアームを示す．テコの図に示す下肢を床から持ち上げること，下半身重心を支点から遠ざけることで時計回り（上半身を離床する方向）の回転力を生み出す．

B 支持基底面に重心を投影した離床戦略（安定性戦略）

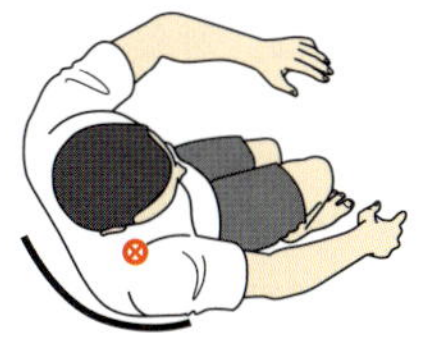

体幹屈曲や肩甲帯のプロトラクション（前方突出）で背面を円弧の形状にすることで，寝返り方向へ重心を移動させる

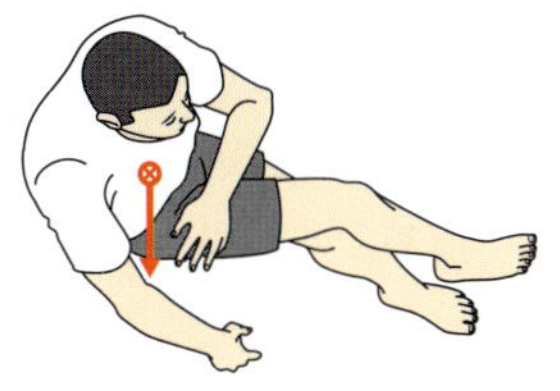

支持側の肩関節，骨盤，下肢で構成される支持基底面に上半身重心を投影させながら，上肢の支持力で上半身を離床させる．

⊗ 身体重心（COM）　○ 上半身重心および下半身重心　↓ 重心線

▶図 4　起き上がり動作戦略

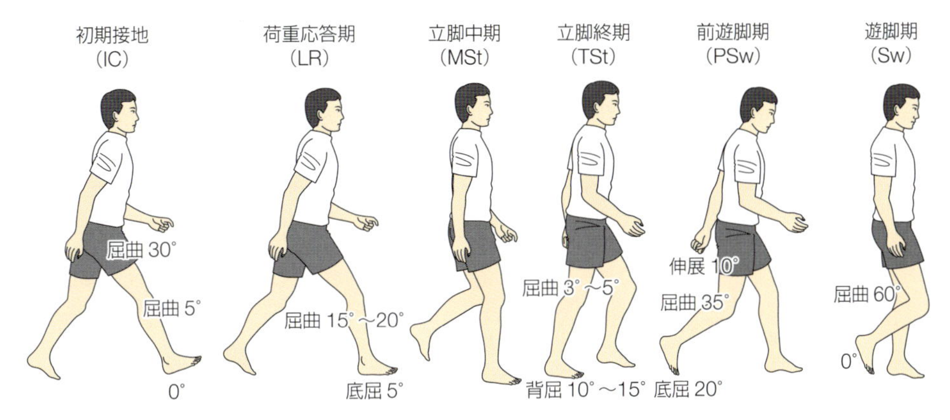

▶図 5　歩行動作時の関節角度

a 静的な立位姿勢保持

静的立位の観察とは，両足部や杖などで構成された支持基底面内に，身体重心を静止できる能力をみることである．

静的立位の条件として，上肢支持なし/片手支持/両手支持，そして支持物の位置（前後/左右）のいずれかを，動作観察の記載のはじめに書いておくとよい．

1）自然に遂行した静的立位姿勢保持（能力）の観察

理学療法士は対象者が毎日の生活のなかで，立位を基本的な姿勢として活用できる能力があるか，実用性があるかを判断するために観察する．

対象者にまず「一度，立ってみましょうか」と声をかけ，対象者の何気ない日頃の自然な立位姿勢を観察し，**どちらの方向に不安定であるかを確認する**．**図 6A** に示す対象者が自然に選択した立位は，対象者の立位保持能力の範囲内で安全性を優先して姿勢保持した結果が表出されたものであり，前述した機能不全が隠されていることが多い．静的な立位姿勢のアライメントだけで不安定な方向を決定するものではなく，後述する特定の条件下で遂行した動作も併せて観察することで不安定な方向を決定する．

静的な立位保持の観察では，①立位を保持することが機能的に可能か不可能か，不可能であれば上肢支持物を与え，再度確認する．②可能な場合は保持時間，そして③2 台の体重計に各下肢を載せた状態で，自然な立位保持したときの左右脚の荷重比率を計測する．健常者であれば均等に荷重されているが，対象者の場合では患側下肢に体重をかけないようにして立位を保持しているため(▶**図 6A**)，健側下肢に体重の半分よりも重い分は，代償の程度として参考にする．

前額面の観察では両足部の中央より骨盤が真上にあるのか，もしくは左右に変位しているのかを着目する．そして体幹が垂直位(鉛直位)であるのか，もしくは左右に傾斜しているのかを観察する．体幹傾斜が代償であることが多い．両足部の中央の真上に骨盤がなければその方向に身体重心が偏っていることを示す．**図 6A①**左では両足部の中央よりも骨盤が右側へ変位しており，右下肢に荷重が多い(左下肢への荷重は不十分)ことを示す．矢状面における立位時の身体重心の推定には，体幹(第 7 胸椎レベル)と大腿部近位部(大腿骨近位 1/2〜1/3)を結ぶ中点となる[10]．それから推定される重心線が，足部の外果(理想的な重心線を投影する箇所)よりも前方もしくは後方を通るかによって前方，後方へ不安定であるかを推測できる．**図 6A②**では足部の真上よりも骨盤が後方に位置しており，後方へ不安定であると推測される．足関節背屈が不十分で，過度に体幹前傾した立位姿勢である．

2）特定の条件下における静的な立位姿勢観察・分析

特定の条件の 1 つとして，**図 6A** に示す自然な立位姿勢から，矢状面で理想的な立位姿勢に補

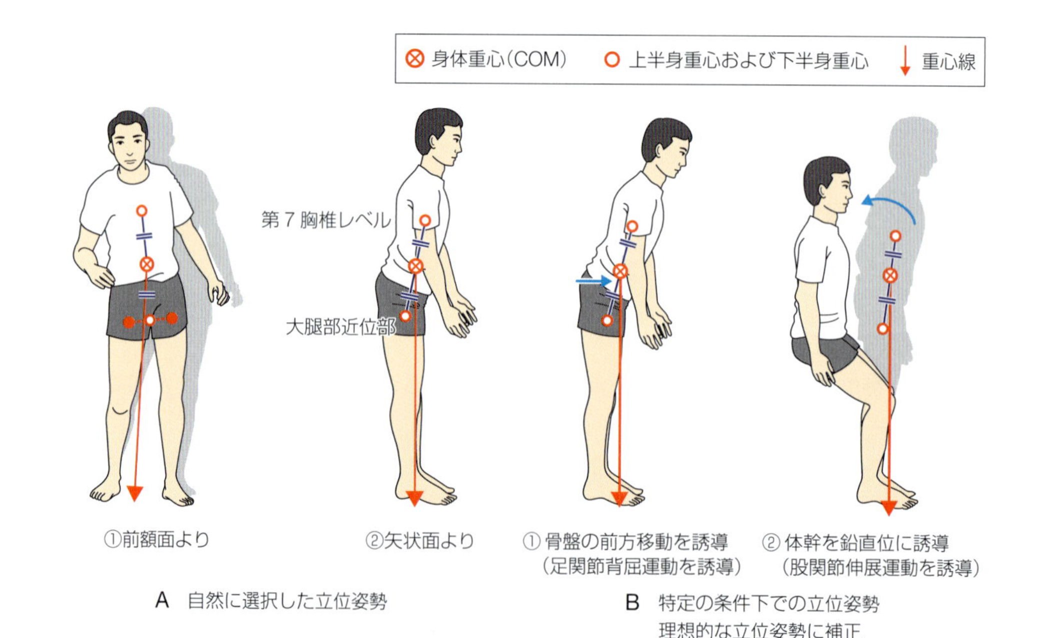

▶**図 6 静的な立位姿勢観察・分析**

正する．足部の真上に身体重心を投影するように骨盤部を前方へ誘導すると，足関節背屈運動が可能であった(▶図 6B①)．次の特定の条件として体幹を垂直位に補正するように股関節を伸展方向に誘導すると，体幹が垂直位に近づく間際に急激に膝折れ(過度な膝関節屈曲)が出現し，後方への不安定性を呈した(▶図 6B②)．

自然な立位姿勢と特定の条件下で行った誘導とその結果のもとに，対象者の立位保持能力に関して動作分析を行う．具体的には自然な立位姿勢から体幹を垂直位に補正したとき(条件の変化)に，どのような機能が課せられるか，そしてその機能が不十分で膝折れが生じて後方へ倒れ込んだことを分析する．

自然な立位姿勢の観察から足関節の背屈可動域制限が考えられたため，骨盤部を足部の真上に配置するように誘導すると，足関節背屈運動が生じることが確かめられた．このように**自然な動作でみられた逸脱動作を修正するように理学療法士の意図した姿勢や運動を遂行してもらうことで，逸脱動作の原因とした挙げられた機能障害を１つずつ除外することができる**．次に，自然な姿勢で過度な体幹前傾を引き起こす股関節伸展可動域制限があるかどうかを確かめるために，体幹を垂直位にした立位姿勢を補正すると，膝折れが生じた．短絡的に考えると，股関節の伸展可動域制限によって過度な体幹前傾をしているものと考えられる．それ以外の解釈としては，体幹が垂直位になるにしたがい身体重心線が膝関節軸の後方を通過するため，膝関節伸展筋にかかる要求が増大する．膝関節伸展筋に筋力低下があれば，体幹を垂直位にすることで膝関節を伸展位に保持することができなくなり，膝折れが生じることになる．自然な立位姿勢(▶図 6A②)と特定の条件下での立位姿勢(▶図 6B①)で立位保持が可能な場合での共通点としては，過度な体幹前傾を示す立位姿勢であり，重心線が膝関節屈伸軸の前方に位置しているときである．

以上のことから自然に選択した立位姿勢でみられた過度な体幹前傾や上肢の前方挙上は(▶図 6A②)，重心線を膝関節軸の前方を通過させて膝関節伸展筋に課せられる要求を少なくするための代償として解釈できる．

b 動的な立位保持の観察・分析

動的立位の観察とは，両足部や杖支持などで構成された支持基底面内に，身体重心をどの程度移動(安定性限界)でき，制御できる能力があるかをみることである．

具体的には，支持基底面を変更せず(たとえば，足部を動かさない，杖を移動させない)，身体の一部もしくは全身の運動(身体重心の変位を伴う運動や感覚情報の変調課題)を行い，外乱に対して立位姿勢を保持する程度，つまり抵抗性をみる．

1）リーチ動作(▶図 7A，B)

立位を保持した状態で，上肢を前方，後方，左右側方に伸ばし(リーチ動作)，その距離を測ることで．その方向への重心移動能力をみる．

このリーチ動作は日常生活活動との関連を考えながら観察する．たとえば，立位で洗面台の歯ブラシを取る動作や，手が届きにくい窓のシャッターを下ろす動作など，対象者が実際の生活で行う動作に必要な立位保持能力を有しているのか，どちらの方向に不安定であるのかを想定して観察することが重要となる．

2）体幹運動(屈伸，回旋)(▶図 7C)

体幹は上肢に比べて質量が大きい．その体幹を立位保持中に選択的に動かせることは，動的な立位制御能が高いと判断できる．安定性の要因として分節構造物よりも単一構造物のほうがより安定性を得られることから，臨床で立位保持能力が低い人は，体幹の分節性を少なくするように“体幹を固める”=“縮こまった状態”になりやすい．

3）頸部運動（屈伸，回旋）と閉眼（視覚遮断）

立位保持中に身体重心を変位させる要因として，頭頸部の運動（▶図7D）と，視覚情報の遮断（▶図7E）がある．静止立位状態から頭頸部を動かすと，頭部に加わる前庭系の入力情報が変化するため，姿勢制御に影響を与える．また，開眼時に比べて閉眼時に著しい動揺がみられる，いわゆるRomberg徴候が陽性となる．健常者でも，特に高齢者では閉眼時には重心動揺の振幅が大きくなる[11]．脳血管障害の急性期では，立位の姿勢制御における視覚系や前庭系への依存度が高いことが報告されている[12]．そのため，視覚遮断によって立位保持能力の有無を確認することは，臨床的に有用である．日常生活活動との関連から考えると，視覚遮断では明け方や夜中で明かりがない状況下での立位保持や歩行動作などが，頭頸部運動では目線の高さよりも高い所にあるものをとろうとしたときの立位保持能力などが想定される．

4）律動的な上肢運動

立位保持の際に生じる動揺は，上肢運動によって生じる上肢の部分重心変位の距離が大きくなるほど，また，運動の速度が速くなるほど，身体に動揺を引き起こす外乱が大きくなる．上肢をリズミカルに動かすことは，時々刻々と変化する外乱の変化に対して，適切な制御で立位を保持できる能力を有することを意味する．

C 基本動作課題の動作観察

基本動作では，静的・動的な姿勢（座位や立位）から，起き上がり，立ち上がり，歩行のように姿勢を変化させながら，支持基底面をその都度変えて身体重心を移動させている．対象者が自然に遂行した動作と，特定の条件下で遂行した動作から，動作障害の原因（機能障害）を推測する．

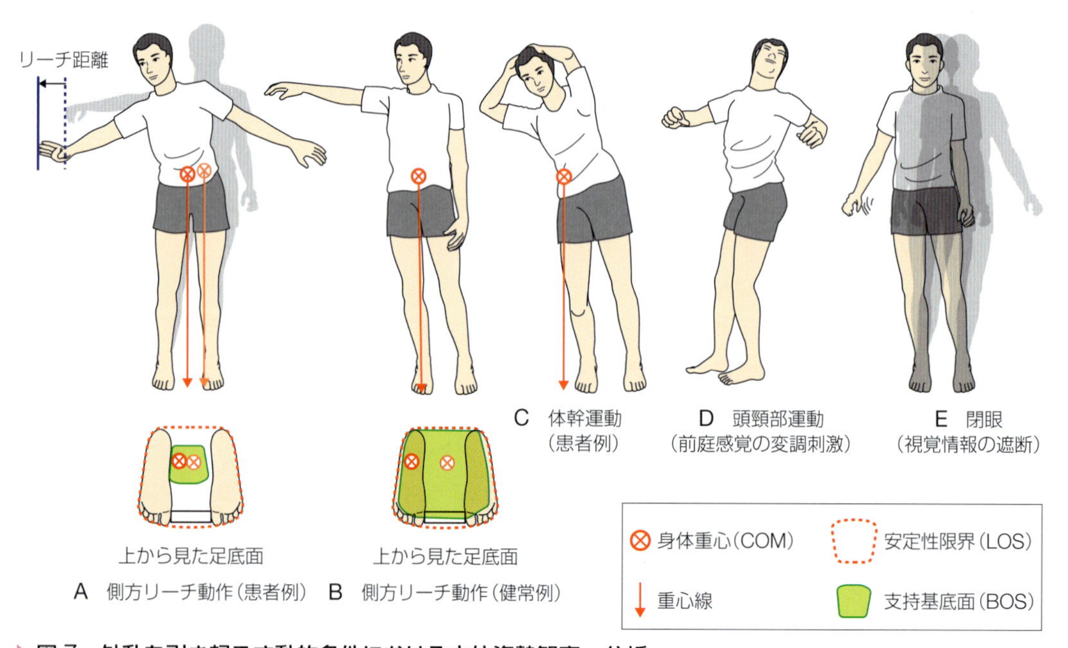

▶図7 外乱を引き起こす動的条件における立位姿勢観察・分析

＜立ち上がり動作の例＞

1）自然に遂行した基本動作（能力）の観察

対象者本人が自発的に選択する動作とは，その能力の範囲内で安全に，安楽を優先して遂行したものである．したがって対象者が自然に遂行した動作では逸脱動作の表出は少なくなる．

図8Aは対象者が自然に遂行した立ち上がり動作の一例を示す．記載としては，「両足部の支持基底面に対して，骨盤を左側へ変位させて立ち上がる」ということになる．支持基底面の中央を基準にして骨盤の位置が一側に偏っている場合には，骨盤が変位している方向の下肢の荷重が優位になる．しかし自然な動作の観察だけでは，なぜ左側の荷重が優位になるかを説明することができない．そのため，特定の条件設定として，対称的に立ち上がるように指示（拘束条件）を与え，自然な動作と特定の条件での動作内容を比較する．

2）特定の条件下における立ち上がり

特定の条件として対象者へ左右脚に均等に荷重するように指示を与え，再び立ち上がり動作を行ってもらうと，動作が完了しない，立ち上がり時間が延長する，立ち上がるのに努力を要するなどが観察される．**図8B**でみられた逸脱動作では，上肢の支持を利用して立ち上がる，逸脱動作として過度な体幹前傾および膝関節伸展運動の早期化がみられる．

右下肢の荷重が増加すると，それに要求される右下肢の筋力が必要となる．そして上肢で大腿前面を支持することは，膝関節伸展筋力を補う動作である．また過度な体幹前傾によって身体重心が前方へ移動し，その重心線は膝関節屈曲-伸展の回転軸に近づくことになる．それは殿部離床から上昇相で必要な膝関節伸展筋にかかる要求が少なくなり，膝関節伸展筋力低下で生じる典型的な代償である．

＜歩行動作の例＞

歩行動作の観察のポイントは，単脚支持時間が左右脚で異なることに着目する．左右脚で単脚

⊗ 身体重心（COM）
○ 上半身重心および下半身重心
● 片側の下肢部分重心
↓ 重心線

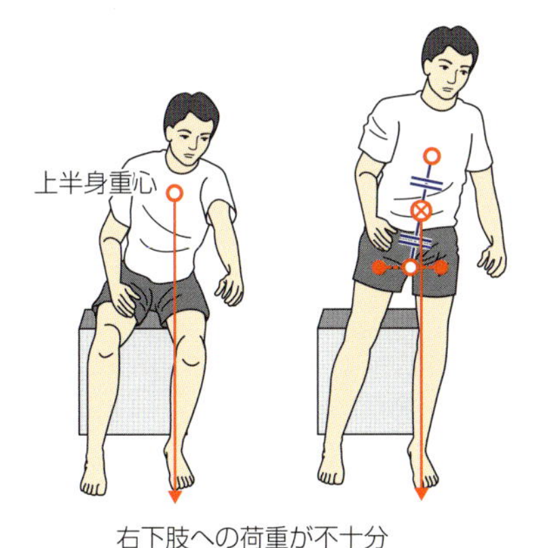

右下肢への荷重が不十分
・過度な左側への体幹傾斜

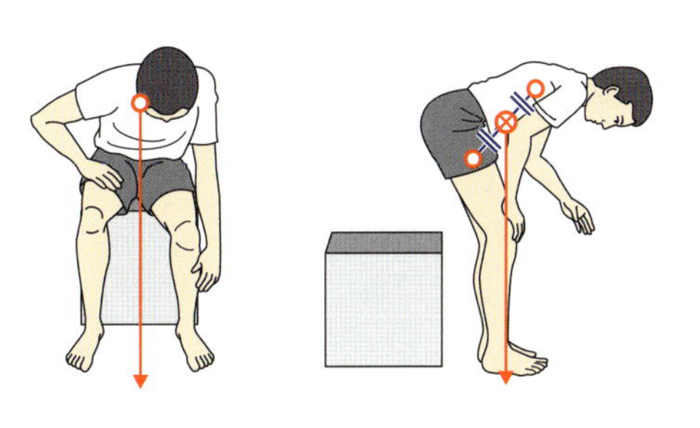

体重移動相（Ⅰ相）から移行相（Ⅱ相）
殿部離床までの時間が延長
・右上肢を右大腿前面に支持して立ち上がる

移行相（Ⅱ相）から上昇相（Ⅲ相）
・過度な体幹前傾
・膝関節伸展運動の早期化

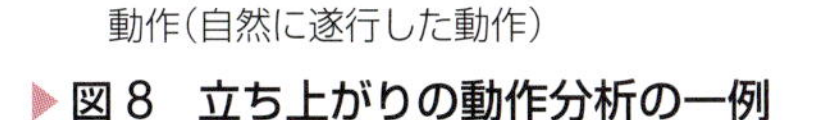

A 上肢支持なしの条件における立ち上がり動作（自然に遂行した動作）

B 方法の限定（対称的な立ち上がりを誘導）

▶ **図8 立ち上がりの動作分析の一例**

支持時間が短いほうが，下肢の支持性が低いと言える．患側であることがほとんどである．患側下肢の支持性が低い場合は，対側のステップ長も短縮する．

1）自然に遂行した歩行動作

対象者が自然に歩行した場合には，歩行を成し遂げようとして，さまざまな代償を含んだ動作になる．**図9A**では，左ステップ長が短いため右下肢が患側と考える．次に，詳細に局面別で不安定な方向や逸脱動作を確認する．

また，**図9A**では，立脚中期に「過度な股関節外旋」が，立脚終期に「過度な体幹前傾」がみられる．これらの逸脱動作を引き起こす機能障害として，膝関節伸展筋の筋力低下がある場合，あらかじめ初期接地時に股関節を外旋させて膝関節が屈曲しないようにする戦略をとる．そして過度に体幹前傾位にすることで床反力ベクトルが膝関節の前方を通過し，膝関節伸展筋にかかる要求が少なくなる．加えて，足関節背屈制限がある場合も，立脚中期以降に足部に対して下腿が前傾し，足関節背屈域の運動が生じるため，あらかじめ初期接地時に股関節を外旋位にすることで足関節背屈域の運動を回避する．また立脚中期以降に足関節背屈制限があると下腿前傾ができないため，身体重心を前方に移動するために過度に体幹前傾がみられる（▶**図9B**）．

2）特定の条件下における歩行動作

自然に遂行した歩行動作で観察された逸脱動作を制限して歩行動作を行ってもらい，出現する逸脱動作を確認する（▶**図9C**）．つま先を進行方向に向けることで過度な股関節外旋の逸脱動作

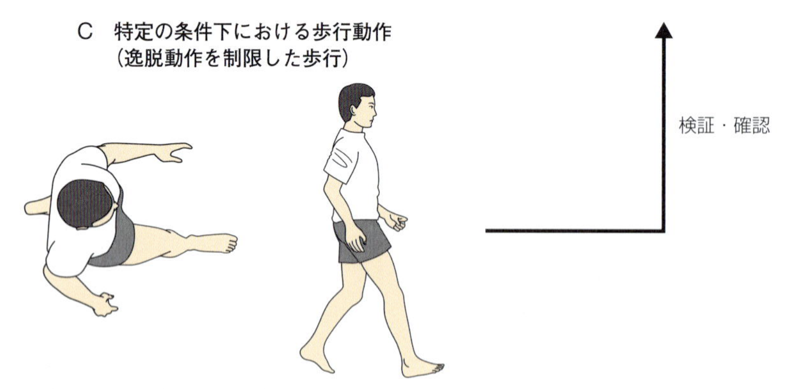

▶**図9　歩行の動作分析の一例**

を制限して歩行してもらい，フォームを観察する．たとえば，股関節外旋を制限して歩行動作を行ってもらい，初期接地時に過度な膝関節屈曲(膝折れ)が生じれば膝関節伸展筋の筋力低下によるものであり，自然な動作でみられた過度な体幹前傾は膝折れをしないようにするための代償と解釈できる．また，足関節背屈制限が原因であれば，初期接地から荷重応答期に下腿が前傾できないため，接地後，急激に減速するなどが観察される．

<起き上がり動作の例>

起き上がりは，直接的に床面に対して体幹が関与する動作であり，体幹の動きが不十分であれば起き上がり動作を完結することは難しくなる．関節リウマチやParkinson病の患者では，体幹回旋制限が生じやすく，肘支持の移行時に上半身重心を上肢で構成された支持基底面内に移動することが妨げられ，一側への寝返りを経由した起き上がり動作は難しいことが多い(▶図10A)．そのため起き上がり動作を完結するための戦略として，両下肢を空中に持ち上げて，それを振り下ろす戦略をとることが多い(▶図10B)．

3) その他の特定の条件設定の要因[1, 13]

特定の条件には，方法の限定，物理的な環境の設定，速度の変更，別の動作課題の設定および並列課題などがある．

①方法の限定

前述までの基本動作と同様に，自然な動作でみられた基本動作において，代償と思われる逸脱動作を拘束して，再度，同じ基本動作を行ってもらいその動作水準を確かめる．方法を限定した動作では代償を取り除いた動作遂行であるため，機能不全が顕在化もしくは機能不全に対応した別の代償が観察される．

②物理的な環境の設定

自然に遂行した動作よりも，困難と思われる物理的な条件を設定し(長さ，高さの変更)，逸脱動作を顕在化させる．

③速度の変更

動作速度を変更しても動作を安全に遂行できることは，実用性が高いことを示す．たとえば，歩行動作では歩行速度を速くすることで床反力が大きくなり，それに相応する筋力発揮が必要とされる．逆に自己の能力が，その要求に対して不十分な場合には，逸脱動作が顕著に観察されやすくなる．

④別の動作課題

対象者が自然に遂行した歩行動作を観察してみられた逸脱動作から機能不全の仮説を立て，そ

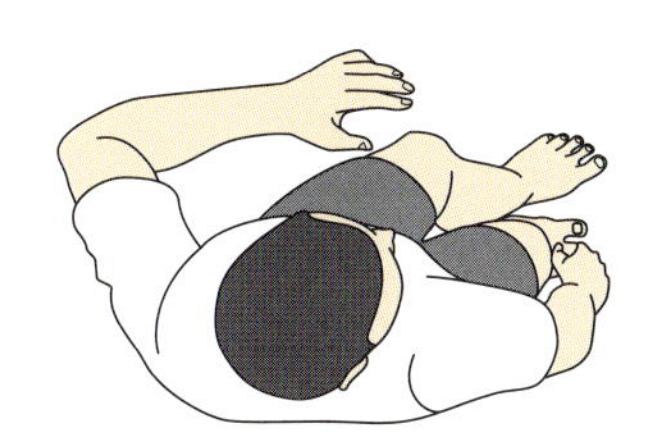

A 体幹回旋が不十分であれば上半身重心を寝返り方向へ移動することができず，肘支持への移行が困難となる．

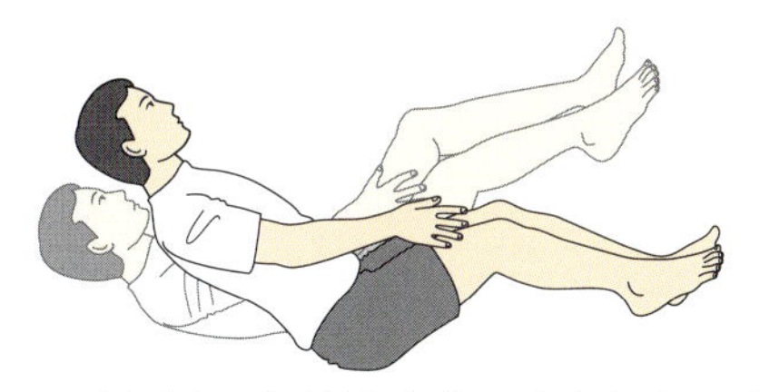

B 両下肢を空中に高く持ち上げ，それをタイミングよく振り下すことで，上半身を離床させる角運動量を産出して，起き上がる戦略を利用する．

▶図10 起き上がり動作の観察

の機能不全に関係する関節運動や筋力を必要とする課題を行ってもらう．各課題でみられる逸脱動作の原因で共通性を有するものが動作障害の原因となることが多い．

⑤並列課題

話しながら歩く，物を探しながら歩くなど日常生活活動で歩行を実用的に手段として使用できるには，注意を分散した条件下での動作水準をみる必要がある．動作の遂行能力が低い場合は，歩いている途中で話しかけられると立ち止まったり，質問に対して「もう一度，言ってください」と聞き直しまたは返答するまでに時間を費やしたりするなど，動作能力の低下や認知処理作業の低下がみられる．

C 姿勢・動作分析に必要な基礎知識

1 身体重心(center of mass)の計測

身体重心の位置は，身体体節の配置および部分重心の位置によって決められる(▶図11)．

2 関節角度の算出方法

関節可動域は，対象者が近くにいる場合にはゴニオメータをあてることで計測が可能だが，遠く離れた対象者の運動時の関節角度はどのように算出すればよいのだろうか？　理学療法士は動画を用いた動作解析(2次元，3次元がある)を用いることが多い．**図12**に立ち上がり動作の1コマを示す．表示された画像には，2次元であれば横軸X，縦軸Yの座標が示され，各関節部位を同定することで，関節位置の座標が得られる．

得られた関節位置の座標をもとに，関節角度を計算する．角度算出の手順は，2つの関節の位置から，三角形を想定し底辺と高さの長さを算出し(▶図12①)，逆三角関数を用いて角度(単位ラジアン)を求め(▶図12②)，ラジアンを通常用いる角度単位(度＝degree)に変換する(▶図12③)．**図12④**に示すようにエクセルを用いると簡易に角度を求めることができる．膝関節屈曲角度＝180－(大腿角度－下腿角度)となり，それぞれ**図12④**のエクセル表の数値を入力すると，膝関節屈曲角度＝180－{33.7－(－59.0)}＝87.3となる．

3 作用・反作用の法則，床反力ベクトル，関節モーメント(トルク)

「作用・反作用の法則」は，Newtonの第3法則である．歩行動作において，初期接地時には意図的に脚で地面を蹴り出さなくても，立脚中期で最高点にあった身体重心が初期接地で最下点に変位するため，身体は地面に対して力(身体質量×加速度)を及ぼすことになる．そして地面はその力とは真逆の方向に力を及ぼし，身体に作用する．これを床反力あるいは地面反力という．その床反力の合力を，足底にかかる圧の中心点(足底圧中心もしくは床反力作用点)に作用するベクトルとして捉えることができる．これを床反力ベクトルという．床反力ベクトルは，肉眼的には見えないが，理論的には接地している身体部位から身体重心を貫く方向を向いている(▶図13)．

床反力ベクトルは，地面が身体を押す力の大きさと方向である．この床反力ベクトルと下肢の各関節運動軸の位置関係から，身体内部で産出されるモーメントがわかる．たとえば**図13B**に示す歩行中の荷重応答期における床反力ベクトルは，矢状面では膝関節の屈曲-伸展の運動軸の後方を通っている．つまり床反力ベクトルの方向に下腿遠位部を押すと(▶図13B)，膝関節に

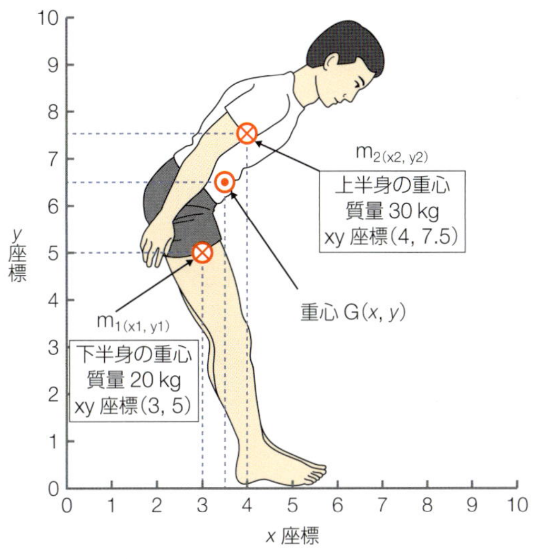

重心の座標計算法

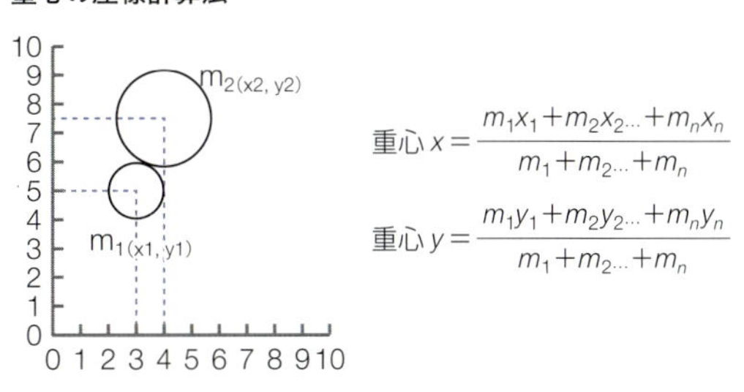

$$重心\ x=\frac{m_1x_1+m_2x_2\ldots+m_nx_n}{m_1+m_2\ldots+m_n}$$

$$重心\ y=\frac{m_1y_1+m_2y_2\ldots+m_ny_n}{m_1+m_2\ldots+m_n}$$

上記のように各質量の大きさと座標が与えられたとすると,

$$重心\ x=\frac{20\times3+30\times4}{20+30}=3.6$$

$$重心\ y=\frac{20\times5+30\times7.5}{20+30}=6.5$$

▶**図 11　身体重心位置の計測**

① **関節の座標から三角形を想定する**

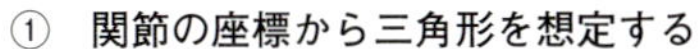

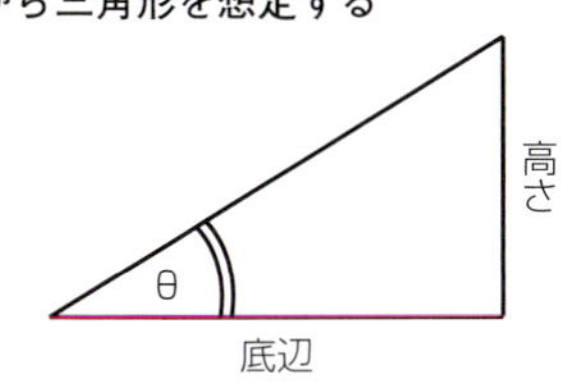

底辺と高さがわかると，三角形の角度 θ は以下の式で求めることができる.

$$角度\ \theta=\tan^{-1}\frac{高さ}{底辺}$$

② **大腿角度算出の数式**

$$大腿角度=\mathrm{ATAN}\left(\frac{\text{Hip Y 座標}-\text{Knee Y 座標}}{\text{Hip X 座標}-\text{Knee X 座標}}\right)$$

※逆三角関数を利用して，θ = atan(y / x)

③ ②で求めた単位はラジアン(rad)であるので，角度 degree に変換

(2, 5)
大腿角度
(5, 7)
下腿角度
膝屈曲角度
(3.5, 9.5)

④ **Excel での作業**

	A	B	C	D	E	F	G	H	I
1	部位	座標		大腿角度の計算手順					
2		X座標	Y座標	(A) Hip Y座標－ Knee Y座標	(B) Hip X座標－ Knee X座標	{(A)÷(B)}	ATAN{(A)÷(B)}	Degree	
3	Hip	2.0	5.0	-2	-3	0.666666667	0.588002604	33.6900675	
4	Knee	5.0	7.0						
5	Ankle	3.5	9.5	=C3-C4	=B3-B4	=D3/E3	=ATAN(F3)	=DEGREES(G3)	
6									
7				下腿角度の計算手順					
8				(C) Knee Y座標－ Ankle Y座標	(D) Knee X座標－ Ankle X座標	{(C)÷(D)}	ATAN{(C)÷(D)}	Degree	
9				-2.5	1.5	-1.666666667	-1.030376827	-59.036243	

▶**図 12　角度算出の手順**

は屈曲方向の力が加わることになる．これは歩行中の荷重応答期に生じる膝関節に対する外的モーメント（外力）である．モーメント（トルク）＝力×モーメントアームである．つまり，膝関節軸から床反力ベクトルに向かう垂直線との距離が，モーメントを生み出すモーメントアームとなる．このモーメントアームが大きければ，身体に課せられる外的モーメントも大きくなる．この床反力による外的な膝関節屈曲モーメントに対して，下肢筋がまったく活動しなければ膝折れが生じる（▶図13B）．そのため，正常な歩行では身体重心の上下動を最小限にするように膝関節伸展筋が活動して，膝折れを防ぐ内的な膝関節伸展モーメント（内力；自分内部で産出する力）を産出している．

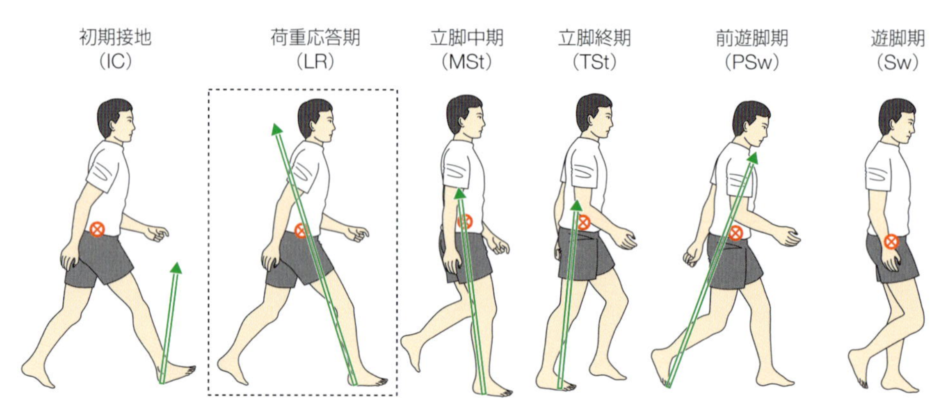

A　歩行立脚期の床反力ベクトル

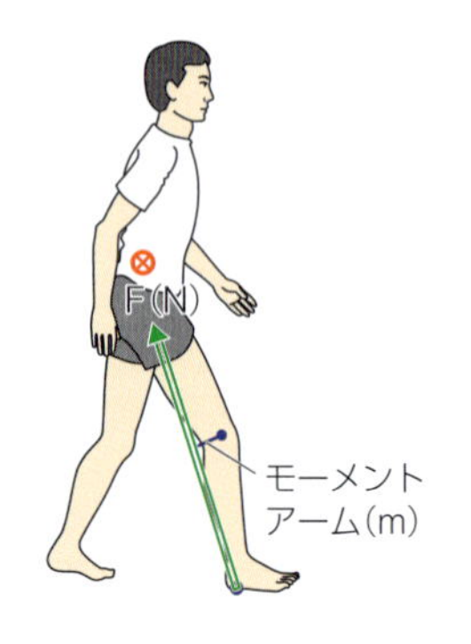

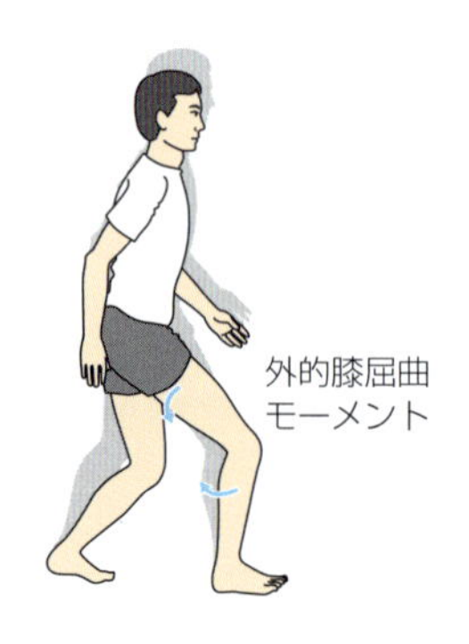

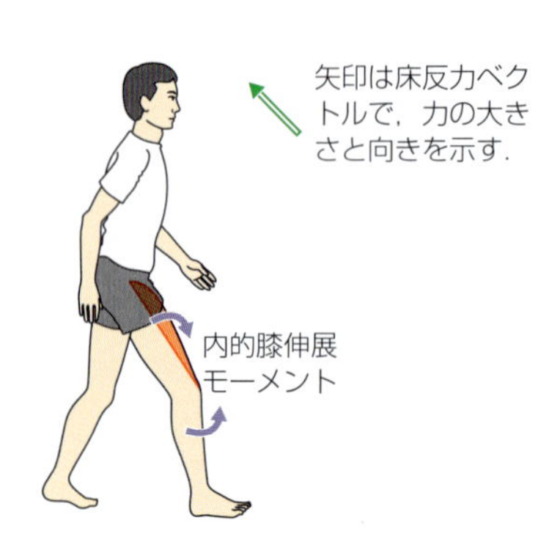

B　床反力ベクトルと関節モーメントの考え方

↑が膝関節屈伸軸の後方を通過するので足部と下腿が押されると，右膝関節は屈曲される方向の外的屈曲モーメント（トルク）が生じる．

実際は，足部が床との摩擦により大腿部が回転して膝関節は屈曲する外的モーメント（トルク）が生じる．

正常歩行では，外的膝屈曲モーメントによる膝折れを防ぐために，大腿四頭筋が活動して内的膝関節伸展モーメントを産出している．

▶図13　床反力ベクトルと関節モーメント

●引用文献

1）内山　靖：症候障害学序説　理学療法の臨床思考過程モデル．pp11-61，文光堂，2006.
2）内山　靖：歩行観察 ABC．PT ジャーナル 51：362-371，2017.
3）Pell, N. M., et al.: Gait speed as a measure in geriatric assessment in clinical settings: A systematic review. The Journal of Genntology series A 68: 39-46, 2013.
4）Perry, J., et al.: Classification of walking handicap in the stroke population. Stroke 26: 982-989, 1995.
5）Bohannon, R. W., et al.: Five-repetition sit-to-stand test performance by community-dwelling adults: A preliminary investigation of times, determinants, and relationship with self-reported physical performance. Isokinetics and exercise science 15: 77-81, 2007.
6）Tiedemann, A., et al.: The comparative ability of eight functional mobility tests for predicting falls in community-dwelling older people. Age Ageing 37: 430-435, 2008.
7）Tully E. A., et al.,: Sagittal spine and lower limb movement during sit-to-stand in healthy young subjects. Gait Posture 22: 338-345, 2004.
8）西守　隆，他：健常者における体幹回旋運動を伴う起き上がり動作では下肢の貢献度が高い．関西理学 19：98-103，2019.
9）西守　隆，他：健常者における起き上がり動作の速度変化における上肢・体幹の運動学的解析．理学療法科学 35：893-898，2020.
10）久保祐子，他：姿勢・動作分析における身体重心点の視覚的評価の検討．理学療法学 33：112-117，2006.
11）今岡　薫，他：重心動揺検査における健常者データの集計．Equilibrium Res Suppl 12：1-84，1997.
12）Bonan I. V., et al.: Early post-stroke period: A privileged time for sensory re-weighting?. J Rehabil Med 47: 516-522, 2015.
13）西守　隆(編)：動作のメカニズムがわかる実践！　動作分析 第 2 版．pp24-37，医歯薬出版，2020.

病態に応じた検査の選び方と実施の工夫

1 神経・筋系

学習目標

- 中枢神経疾患における特徴的な病態とその評価方法の関連を知る．
- 痙性麻痺（皮質脊髄路障害），Parkinson 病（基底核障害），脊髄小脳変性症（運動失調）の病態と評価の違いを知る．
- 神経難病（筋萎縮性側索硬化症，多発性硬化症），外傷性脳損傷，筋ジストロフィー，脳性麻痺の特徴的な評価方法を確認する．

I 脳血管障害（急性期・回復期・生活期）

脳血管障害（cerebrovascular disorder；CVD）のうち局所性脳障害として，一過性脳虚血発作（transient ischemic attack；TIA），脳出血，くも膜下出血，脳動静脈奇形，脳梗塞がある．各病型や損傷血管，損傷脳領域（被殻・視床・小脳・脳幹など）に応じて，意識障害，運動麻痺，感覚障害，高次脳機能障害などのさまざまな機能障害をきたす．

A 検査の選び方

CVD の評価では，脳出血や脳梗塞などの病型や損傷を受けた領域によって，症状や医学的治療，リスクが異なるため，病型や病態を考慮した理学療法評価を行う．また，急性期・回復期・生活期における理学療法の目的に応じた検査測定項目を選択して実施する．

B 検査の進め方

1 病態の把握

(1) **診断名，障害名**：病型（脳出血か脳梗塞か）により，医学的治療やリスク管理が異なるため確認する．

(2) **現病歴，既往歴**：発症からの経過と過去に罹患した病気や受けた治療について確認する．

(3) **画像評価**：CT，MRI，MRA から病巣部位と責任血管，脳浮腫の程度の確認を行い，機能障害や重症度を予測する．また必要なリスク管理を把握するための情報としても活用する．

(4) **医学的治療状況と経過**：発症からどのような医学的処置や治療（保存療法・外科的治療）が行われてきたのかを確認する．

(5) **重症度**：上記(1)～(4)で得られた情報と意識障害レベルやバイタルサイン（血圧，呼吸数，脈拍数，動脈血酸素飽和度など)から全身状態や機能障害の重症度を確認し，適切なリスク管理や予後予測を行う．

2 理学療法評価

a 急性期

意識レベルや全身状態を把握し，適切なリスク管理のもとで検査測定を進める．

(1)**意識レベル**：Japan coma scale(JCS)，Glasgow coma scale(GCS)を用いる．

(2)**バイタルサイン**：血圧，呼吸数，脈拍数，動脈血酸素飽和度，自覚症状を確認する．姿勢変換時の血圧や脈拍の変動についても把握しておく．

(3)**筋緊張**：四肢の各関節を他動的に動かしながら筋緊張の状態を確認する．アシュワーススケール変法(modified Ashworth scale；MAS)を用いる．

(4)**関節可動域**：四肢の関節を他動的に動かしながら，大まかに関節拘縮や疼痛の有無を把握し，関節可動域制限をきたしている部位については角度計を用いて計測する．疼痛の程度は visual analogue scale(VAS)で確認する．

(5)**運動麻痺**：Brunnstrom recovery stage(BRS)や上田式片麻痺機能テスト(12段階片麻痺機能法)を用いる．

(6)**協調性**：運動失調がみられる場合は協調性検査を実施する．

(7)**感覚**：表在感覚や深部感覚の検査を行う．急性期には意識レベルや耐久性の低下により，詳細な検査が難しいこともある．その場合は大まかに把握しておく．

(8)**姿勢・動作**：安静度や覚醒度に応じて，ベッド上背臥位や座位，立位姿勢，寝返り，起き上がり，立ち上がり動作の観察を行う．Pusher 現象の評価には，標準注意検査法(scale for contraversive pushing；SCP)が用いられる．

(9)**座位耐容能**：車椅子やベッド上端座位での座位保持時間や持続的な座位保持に伴う姿勢の変化について観察する．

(10)**高次脳機能**：脳損傷領域を確認し，患者とのやりとり，ベッド上背臥位での姿勢などから注意障害や半側空間無視，身体失認などの有無を予測する．その上で，麻痺側からの呼びかけに反応するか，非麻痺側上・下肢で麻痺側の身体に触れることができるか，消去現象，眼球運動などを確認する．

(11)**総合評価**：急性期には national institutes health stroke scale(NIHSS)[1]や脳卒中重症度スケール(Japan stroke scale；JSS)を用いる．

b 回復期

家庭復帰や社会復帰を見据えた日常生活活動(activity daily lining；ADL)能力の獲得に向けて，急性期に受けた医学的治療や理学療法経過，病前の ADL を踏まえ，運動麻痺や感覚障害などの機能障害および発症時からの回復の程度とこれからの改善の可能性を把握する．

(1)**ADL**：客観的評価として functional independence measure(FIM)や Barthel index(BI)を用いる．日常生活活動が「できる」か「できないか」だけでなく，「どのように動作を行っているのか」について動作分析や歩行分析を行い評価する．

(2)**バランス・姿勢反射**：座位や立位において支持基底面内での重心移動を行い，立ち直り反応などの姿勢反射の出現を確認する．バランスの客観的評価として，Functional balance scale

(FBS)や functional reach test(FRT)を用いる．

(3) **歩行**：歩容の観察や 10 m 歩行テスト，timed up & go test（TUG），6 分間歩行テストを行う．歩行分析の結果は歩行補助具(杖や装具など)の選択にも活用する．

(4) **高次脳機能**：線分抹消試験，線分二等分試験，模写試験，模倣試験などを実施する．さまざまなテストバッテリーを用いた検査については，作業療法士(OT)や言語聴覚士(ST)から情報を得る．

(5) **認知機能**：改訂版長谷川式簡易知能評価スケール(HDS-R)，mini mental state examlnation (MMSE)を用いる．

(6) **総合的評価**：Fugl-Meyer assessment(FMA)(▶表1)[2]や脳卒中機能障害評価法(stroke impairment assessment set；SIAS)を用いる．

(7) QOL：SF-36® を用いる．

C 生活期

本人・家族の need と hope を踏まえて，ADL 能力を維持するうえで，現在の ADL や生活関連活動(activities parallel to daily living；APDL)の能力低下につながるような徴候がみられな

▶表1 Fugl-Meyer assessment(FMA)の評価項目(A. 上肢，E. 下肢のみ抜粋)

A. 上肢	姿勢条件	テスト項目	配点
Ⅰ. 反射	座位	1. 屈筋(上腕二頭筋，指の屈筋) 2. 伸筋(上腕三頭筋)	各2点(なし0点，あり2点)
Ⅱ. 共同運動	座位	1. 屈曲共同運動 (非麻痺側の膝から麻痺側の耳に手を動かす) 2. 伸展共同運動 (麻痺側の耳から非麻痺側の膝に手を動かす)	各2点(なし0点，部分的1点，完全2点)
Ⅲ. 共同運動の混合	座位	1. 手を腰椎に動かす 2. 肘伸展位，回内回外中間位で肩 90° 屈曲 3. 肩下垂位(0°)，肘屈曲 90° で回内回外	各2点(なし0点，部分的1点，完全2点)
Ⅳ. 共同運動のない運動	座位	1. 肘伸展 0°，前腕回内位で肩外転 90° 2. 肘伸展位，回内回外中間位で肩 180° 屈曲 3. 肩屈曲 30～90°)，肘伸展位で回内回外	各2点(なし0点，部分的1点，完全2点)
Ⅴ. 正常な反射活動	座位 (Ⅳが満点だったときのみ評価)	上腕二頭筋，指の屈筋，上腕三頭筋	0点(Ⅳが0点，または2つ以上の顕著亢進) 1点(1つの顕著な亢進) 2点(顕著な亢進がみられない)
E. 下肢	**姿勢条件**	**テスト項目**	**配点**
Ⅰ. 反射	背臥位	1. 屈筋(膝屈筋) 2. 伸筋(膝蓋腱，アキレス腱)	各2点(なし0点，あり2点)
Ⅱ. 共同運動	背臥位	1. 屈曲共同運動(股，膝，足関節の屈曲) 2. 伸展共同運動(屈曲位からの股，膝，足関節の伸展)	各2点(なし0点，部分的1点，完全2点)
Ⅲ. 共同運動の混合	座位	1. 90° 以上の膝屈曲 2. 十分な足の背屈(非麻痺側と比較して)	各2点(なし0点，部分的1点，完全2点)
Ⅳ. 共同運動のない運動	立位	1. 股関節 0° での膝屈曲 2. 十分な足の背屈(非麻痺側と比較して)	各2点(なし0点，部分的1点，完全2点)
Ⅴ. 正常な反射活動	臥位 (Ⅳが満点だったときのみ評価)	膝屈筋，膝蓋腱，アキレス腱	0点(Ⅳが0点，または2つ以上の顕著亢進) 1点(1つの顕著な亢進) 2点(顕著な亢進がみられない)

〔Fugl-Meyer AR., et al.: The post-stroke hemiplegic patient. 1. a method for evaluation of physical performance. Scand J Rehabil Med 7: 13-31, 1975 より〕

いか，動作方法の改善によって機能の維持・向上につながる要素がないかを評価する．また，体調管理，体力や歩行耐用能の評価(6 分間歩行テストなど)，歩行補助具のチェック，機能の変化に合わせた家屋改修の必要性についても定期的に評価していく．

Ⅱ Parkinson 病

Parkinson 病(Parkinson disease；PD)は，中脳黒質緻密部のドパミン神経細胞の変性と脱落による緩徐進行性神経変性疾患である．運動症状として，振戦，固縮，無動・寡動，姿勢反射障害があり，非運動症状として，自律神経障害，精神症状，睡眠障害，感覚障害がある．PD の歩行障害の特徴として，すくみ足，小股歩行，突進現象，上肢の振りの欠如などが認められる．PD の治療は，抗 PD 薬による薬物療法が主体となるが，長期の服用に伴い，wearing-of 現象や on-off 現象，ジスキネジア(不随意運動)，ジストニア(異常筋緊張)がみられるようになり，症状の日内変動が生じ，日常生活に影響を与える．

A 検査の選び方

PD の評価項目を**表 4** に示す．PD の **Hoehn-Yahr の重症度分類**(▶ **表 2**)[3] を用いて評価時点の重症度を把握し，これまでの経過を踏まえ，機能障害の進行状況と重症度に合わせた検査測定項目を選択する．さらに評価時点までの経過から予後を予測して，検査測定項目を選択することも必要である．また，非運動症状は運動症状よりも日常生活活動に影響を及ぼすことがあるため，非運動症状に対する検査測定も実施する．理学療法士が実施できない検査については，患者への問診と他職種から情報を得るようにする．

B 検査の進め方

重症度と薬物の長期服用による副作用の影響や日内変動を把握したうえで，検査測定を進める．日内変動を認める場合，薬の効果が発現して症状が改善している on のときと，薬の効果が発現せず症状が悪化している off のときの機能障害の差異を把握しておく．また，PD の症状は一側下肢→同側上肢→対側下肢→同側上肢の N 字あるいは逆 N 字型に進行するため，上肢と下肢の違いや，左右差を確認する．

▶ **表 2　Hoehn-Yahr の重症度分類と対応する厚生労働省研究班の生活機能障害度**

レベル	Hoehn-Yahr の重症度分類	レベル	生活機能障害度
Ⅰ度	一側性のふるえや筋のこわばり	1 度	日常生活，通院にほとんど介助を要しない
Ⅱ度	両側性のふるえや筋のこわばり		
Ⅲ度	軽～中等度のふるえや筋のこわばり．姿勢反射障害あり．日常生活に介助は不要	2 度	日常生活，通院に部分的介助を要する
Ⅳ度	高度のふるえや筋のこわばり．歩行は介助なしでどうにか可能		
Ⅴ度	起立歩行困難．日常生活に介助が必要	3 度	日常生活に全面的介助を要し，歩行起立不能

〔Hohen MM., et al.: Parkinsonism: onset, progression and mortality. Neurology 17: 427-442, 1967 より〕

❶ 病態の把握

(1) **現病歴，合併症**：初発症状や発病からの年数と経過，合併症の有無，精神・心理面について確認する．

(2) **治療状況**：服薬状況として，薬の種類，投与期間，服用時間，副作用，症状のコントロール状況について確認する．また外科的治療や非運動症状に対する治療状況についても確認する．

(3) **日内変動**：**on-off 現象**(服用時間や濃度とは無関係に症状が変動する)，**wearing-off 現象**(1日のなかで薬効が十分でない時間が生じる)などの症状の日内変動を把握しておく．

❷ 理学療法評価

(1) **重症度**：Hoehn-Yahr の重症度分類(▶**表 2**)を用いる．総合的機能障害の評価尺度として UPDRS(unified Parkinson's disease rating scale)(▶**表 3**)[4]がある．

(2) **問診**：疲労度は VAS や Borg スケールで確認する．

(3) **バイタルサイン**：血圧，脈拍数，呼吸数を確認する．投薬調整時や症状の増悪に伴い起立性低血圧が生じることがあるため気をつけてリスク管理を行う．

(4) **関節可動域**：頸部，体幹，上肢，下肢の可動性と手の変形を確認する．

(5) **振戦**：初発症状の 7 割に安静時振戦を認める．安静時振戦の部位，程度，出現しやすい姿勢や状況を把握しておく．

(6) **筋緊張**：固縮の評価を他動運動(被動性・懸揺性)により行う．

(7) **姿勢アライメント**：PD は立位時に頸部伸展で顎を突き出した屈曲姿勢(体幹前屈，肘・股・膝・足指屈曲)を取りやすい．

(8) **姿勢反射**：立ち直り反応，ステップ反応，保護伸展反応を検査する．反応が出現したか否かだけでなく，反応の出現のタイミングや外乱刺激の強さや速度に応じて反応が出現するかどうかについて観察する．

▶**表 3　unified Parkinson's disease rating scale(UPDRS)の評価項目**

パート	評価項目			
1　精神機能，行動および気分	・知的機能障害	・思考障害	・抑うつ状態	・意欲，自発性
2　日常生活評価	・会話 ・食事，食器の扱い ・転倒 ・パーキンソニズムに関連した感覚症状	・流涎 ・着衣 ・歩行中のすくみ	・嚥下 ・入浴，トイレ ・歩行	・書字 ・寝返り，布団返し ・ふるえ
3　運動能力評価	・言語 ・固縮 ・下肢の敏捷性 ・姿勢の安定性	・顔の表情 ・指タップ ・椅子からの立ち上がり ・動作緩慢と運動現象	・安静時振戦 ・手の運動 ・姿勢	・手の動作時振戦 ・手の回外回内運動 ・歩行
4　治療の合併症	・ジスキネジア出現時間 ・服薬時間から予測できる off 期間の有無 ・食欲低下，吐き気，嘔吐の有無	・ジスキネジアに起因する障害 ・服薬時間から予想できない off 期間の有無 ・不眠，眠気などの睡眠障害の有無	・痛みを伴うジスキネジア ・数秒間のうちに突然おこる off 期間の有無 ・起立性低血圧による立ちくらみ，失神の有無	・早朝のジスキネジア ・起きている時間の何% が off 期間か

〔Ramaker C., et al.: Systematic evaluation of rating scales for impairment and disability in Parkinson's disease. Mov Disord 17 : 867-876, 2002 より〕

(9) **動作**：基本動作の分析において，特に動作の開始や姿勢変換がスムーズに行えているかを確認する．また，階段昇降も評価する．平地での歩行は困難でも階段昇降は容易に行える場合がある（逆説性歩行）．

(10) **歩行**：すくみ足，小股歩行，突進現象，上肢振りの減少の有無を観察する．特に方向転換時にすくみ足が出現するかを確認する．すくみ足の評価として，freezing of gait questionnaire（FOGQ）[5]がある．

(11) **呼吸機能・構音機能・嚥下機能**：肺活量や胸郭拡張差，発話（声量，明瞭性など），食事姿勢などを評価する．

(12) **高次脳機能**：遂行機能障害，注意障害，視空間認知障害，記憶障害をきたしやすい．TMT や MMSE などを用いて評価する．

(13) **ADL**：活動能力だけでなく，職場環境や住環境，家屋構造についても評価を行う．

(14) **QOL**：PD の QOL の評価として，PDQ-39（Parkinson disease questionnaire-39）がある[6]．

Ⅲ 脊髄小脳変性症

脊髄小脳変性症（spinocerebellar degeneration；SCD）は，小脳を中心とし，脳幹，脊髄あるいは大脳をおかす進行性の神経変性疾患であり，運動失調，パーキンソニズム，錐体路障害，末梢神経障害，認知症などさまざまな症候を呈する疾患群である．遺伝性と孤発性（非遺伝性）の病型があり，日本では 7 割が孤発性である．孤発性 SCD の約 2/3 が多系統萎縮症（multiple system atrophy；MSA）である．予後は病型により異なる．

A 検査の選び方

(1) 現病歴や家族歴，経過．重症度評価（▶ **表 4**）[7]より進行度を把握する．加えて患者の生活環境や生活状況を問診により聴取する．

(2) 運動失調について，測定異常，反復拮抗運動不能，運動分解，協働収縮不能，企図振戦など，協調性障害の程度を把握する．運動失調の総合的評価には，scale for the assessment and rating of ataxia（SARA）（▶ **表 5**）[8]がある．

(3) 姿勢・基本動作・歩行の観察やバランス検査・姿勢反射検査から動作の安定性や転倒の危険性を把握する．

(4) 運動機能障害以外で，日常生活や社会生活を送るうえで問題となってくる構音障害や摂食嚥下障害，自律神経症状については，スクリーニングとしての検査の実施や問診を行い，詳細な検査結果については，ST や医師などから情報を得るようにする．

▶表 4　SCD の重症度分類

	下肢機能障害	上肢機能障害	会話障害
Ⅰ度 (軽微)	**「独立歩行」** 独り歩きは可能． 補助具や担任の介助を要しない．	発病前(健常時)に比べれば異常であるが，ごく軽い障害．	発病時(健常時)に比べれば異常であるが，軽い障害．
Ⅱ度 (軽度)	**「随時補助・介助歩行」** 独り歩きはできるが，立ち上がり，方向転換，階段の昇降などの要所要所で，壁や手摺りなどの支持補助具，または他人の介助を必要とする．	細かい動作は下手であるが食事にスプーンなどの補助具は必要としない．書字も可能であるが，明らかに下手である．	軽く障害されるが，十分に聞き取れる．
Ⅲ度 (中等度)	**「常時補助・介助歩行-伝い歩行」** 歩行できるが，ほとんど常に杖や歩行器などの補助具，または他人の介助を必要とし，それらのないときは伝い歩きが主体をなす．	手先の動作は全般に拙劣で，スプーンなどの補助具を必要とする．書字はできるが読みにくい．	障害は軽いが少し聞き取りにくい．
Ⅳ度 (重度)	**「歩行不能-車椅子移動」** 起立していられるが，他人に介助されてもほとんど歩行できない．移動は車椅子によるが，四つ這い，またはいざりで行う．	手先の動作は拙劣で，他人の介助を必要とする．書字は不能である．	かなり障害され聞き取りにくい．
Ⅴ度 (極度)	**「臥床状態」** 支えられても起立不能で，臥床したままの状態であり，日常生活動作はすべて他人に依存する．	手先のみならず上肢全体の動作が拙劣で，他人の介助を必要とする．	高度に障害され，ほとんど聞き取れない．

〔厚生労働省：18．脊髄小脳変性症(多系統萎縮症を除く)．指定難病として検討する疾患(個票)．「1．球脊髄性筋萎縮症」から「57．ベーチェット病」までより〕

▶表 5　scale for the assessment and rating of ataxia(SARA)の評価項目

項目	方法	評価
歩行	壁から安全な距離をとって歩き，方向転換して介助なしで継ぎ足歩行	0(正常)～8(介助ありでも歩けない)
立位	靴を脱いで開眼で，1)自然な姿勢，2)足をそろえて，3)継ぎ足で立つ	0(正常)～6(片手で支えても 10 秒以上立てない)
座位	開眼し，両上肢を前方に伸ばした姿勢で，足を浮かせてベッドに座る	0(正常)～4(支えなければ 10 秒以上座れない)
言語障害	会話する	0(正常)～6(単語を理解できない，言葉が出ない)
指追い試験	座位で検者の人差し指をできるだけ早く指さす	0(測定障害なし)～4(行えない)
指鼻指試験	座位で対象者の鼻と検者の指を交互に普通の速度で指さす	0(振戦なし)～4(行えない)
手回内回外運動	座位で大腿部の上で回内回外を早く正確に 10 回繰り返す	0(正確に 10 秒以内に可能)～4(行えない)
踵膝試験	臥位で一方の踵を他方の脛の上に沿って 1 秒以内に滑らせ，もとの位置に戻す	0(正常)～4(行えない)

〔Schmitz-Hübsch T., et al.: Scale for the assessment and rating of ataxia: development of a new clinical scale. Neurology 66: 1717-1720, 2006 より〕

B 検査の進め方

1 病態の把握

(1) **診断名，現病歴，家族歴**：遺伝性の SCD においては，家族歴を確認しておく．また発症の時期，治療経過，重症度から進行度を把握する．

(2) **日常生活状況**：起立性低血圧，食事性低血圧，便秘，構音障害・摂食嚥下障害，睡眠時呼吸障害の有無，転倒経験，「できること」「できないこと」などを患者と家族から聴取し，評価時点での機能障害の程度や進行度，生活状況を把握する．

(3) 運動失調が認められる場合，協調性障害の種類(測定異常，反復拮抗運動不能，運動分解，協働収縮不能，企図振戦など)と程度を把握する．

❷ 理学療法評価

(1) **バイタルサイン**：通常のリスク管理に加えて起立性低血圧の有無と程度を把握するため起立試験(Schellong 試験)を行う．

(2) **協調性**：測定異常，反復拮抗運動不能，運動分解，協働収縮不能，企図振戦などを評価する．SARA を用いて運動失調を総合的に評価する．

(3) **姿勢反射**：座位，立位での立ち直り反応，保護伸展反応，立位でのステップ反応について検査する．反応が出現したか否かだけでなく，反応が出現するタイミングや，外乱刺激の強さや速度に応じて反応が出現するかどうかについて観察する．

(4) **感覚**：深部感覚のうち，特に振動覚と位置覚について検査する．

(5) **姿勢・動作・歩行**：動作や歩行のパターンを観察する．

(6) **筋力**：筋力低下は腹筋群，股関節伸展・外転，膝関節屈筋群，足関節底屈筋群に生じやすい．

(7) **認知機能・高次脳機能**：注意機能，遂行機能，視空間認知，記憶に障害をきたすことが多い．前頭葉機能検査(frontal assessment battery；FAB)などを用いる．

(8) **ADL**：評価時点の ADL 能力から予後を予測し，歩行補助具や転倒防止用具の適用の有無，住宅環境整備の必要性の有無を把握する．

IV 筋萎縮性側索硬化症

筋萎縮性側索硬化症(amyotrophic lateral sclerosis；ALS)は上位運動ニューロンと下位運動ニューロンの変性により生じる進行性神経変性疾患である．主な症状は，上位運動ニューロン徴候として，痙縮，深部腱反射亢進，病的反射の出現であり，下位ニューロン徴候として，筋萎縮，線維束性攣縮，筋力低下である．2～3 年の経過で筋力低下と筋萎縮が急速に進行し，球症状(構音障害，嚥下障害，舌の萎縮・麻痺，舌の線維束性収縮)と呼吸筋の麻痺を認め，人工呼吸管理が必要となる．一方，重症化しても意識は清明であることから，患者と家族の心理面も含めた対応が重要となる．

A 検査の選び方

(1) 現病歴や生活歴を把握し，症状の進行度に合わせた検査測定項目を選択する．ALS の進行度を表すものとして，厚生労働省神経変性疾患調査研究班による重症度分類(▶表 6)[9]が用いられる．

(2) 上位運動ニューロン徴候と下位運動ニューロン徴候でみられる症状について検査測定を行い，評価時の機能障害の程度について把握する．

(3) 呼吸機能など将来予想される機能低下については，症状が認められない状況下でも定期的に測定を行い，症状の出現の徴候(症状の進行)を見逃さないようにする．

(4) 疲労を考慮し，他職種と情報交換を行い，同じ検査の実施が重ならないように配慮する．

B 検査の進め方

1 病態の把握

(1) **告知の有無**：理学療法評価の前に告知の状況や予定，告知の内容，治療方針について医師に確認しておく．

(2) **現病歴の把握**：初発症状により病型が分類される．病型により進行速度が異なるため発症から現在までの経過，進行度を把握する．

(3) **心理面**：患者本人と家族の病気に対する理解(病態・治療・経過と予後など)，受け入れ状況を把握する．

(4) **易疲労**：四肢の筋力低下や呼吸機能低下により疲労を生じやすい．筋の疲労や息苦しさの程度について，VAS や修正 Borg スケールを用いて評価する．また評価を行う際には休息を入れながら実施する．

2 理学療法評価

(1) **総合的評価**：総合的に重症度を評価する指標として，ALS 機能評価スケール改訂版(ALS functional rating scale；ALSFRS-R)[10]がある．

(2) **運動麻痺**：痙縮を伴う運動麻痺をきたす．BRS で評価する．

(3) **筋緊張**：mAS を用いて痙縮の程度を確認する．筋萎縮が進むと弛緩性となることから，筋緊張の変化を把握しておく．

(4) **筋力**：筋萎縮を伴う筋力低下は遠位筋から近位筋へと進行する．上肢では手内筋の筋力低下から，下肢は足関節周囲筋の筋力低下から始まる．基本動作の観察から大まかに全身の筋力を把握し，筋力低下が生じていると思われる筋について MMT を行う．また，呼吸や摂食嚥下に関連する顔面や頸部の筋の筋力も定期的に計測する．

(5) **関節可動域**：肩関節，手指，足部の拘縮・変形が生じやすい．体幹は脊柱でだけでなく，胸郭の可動性の低下が生じやすい．大まかに関節を動かし，可動域制限や変形があると思われる関節部位について角度計を用いて計測する．

(6) **姿勢・動作分析**：基本動作について，安全性と効率性から評価する．

(7) **歩行分析**：痙性歩行，下垂足，遊脚期の下肢の振り出し困難，立脚期の膝折れなどが生じるため，出現の有無を確認する．

▶表 6　ALS 重症度分類

分類	
1	家事・就労はおおむね可能
2	家事・就労は困難だが，日常生活(身のまわりのこと)はおおむね自立
3	自力で食事，排泄，移動のいずれか 1 つ以上ができず，日常生活に介助を要する
4	呼吸困難，痰の喀出困難，あるいは嚥下障害がある
5	気管切開，非経口的栄養摂取(経管栄養，中心静脈栄養など)，人工呼吸器使用

〔厚生労働省：神経変性疾患領域の基盤的調査研究班による重症度分類．https://www.nanbyou.or.jp/entry/214(難病情報センター HP)(2022 年 8 月 1 日閲覧)より〕

(8) **呼吸機能**：肺活量，％肺活量，努力性肺活量，最大吸気圧，最大呼気圧，酸素飽和度，呼気終末二酸化炭素分圧，咳のピークフロー，最大強制吸気量を測定する．

(9) **ADL**：日常生活における基本動作やセルフケアの自立度と介助量を把握し，歩行補助具や自助具，福祉機器の導入を検討する材料とする．

(10) **QOL**：患者本人や家族が抱いている不安や困っていること，希望をそれぞれから聴取する．ALSAQ-40(ALS assessment questionnaire-40)日本語版では，身体活動(10 項目)，ADL(10 項目)，摂食(3 項目)，コミュニケーション(7 項目)，情動(10 項目)について，ここ 2 週間で生じた問題について質問し，1 点(まったくなかった)～5 点(いつもそうだった，まったくできない)の 5 段階で評価する[11]．

V 多発性硬化症

多発性硬化症(multiple sclerosis；MS)は炎症性の脱髄性神経変性疾患であり，中枢神経系のさまざまな部位(大脳，脳幹，小脳，脊髄，視神経など)に脱髄が多発(空間的多発性)し，症状の寛解と増悪を繰り返す(時間的多発性)．視覚障害，運動障害，感覚障害，小脳性運動失調，膀胱直腸障害．高次脳機能障害・認知障害，精神症状などをきたす．女性に多く，平均発症年齢は 30 歳前後である．

A 検査の選び方

(1) 脱髄の病巣部位により主症状が異なる(▶**表 7**)[12]ため，症状に応じた検査測定項目を選択する．

(2) 現病歴や病態，病期を把握し，時間的経過に沿った検査測定項目を選択する．

(3) 若年成人女性に多いことから，女性のライフイベント(就労・就学，妊娠・出産など)に沿った生活環境の整備や社会的資源の活用も含めた援助が必要となる．

(4) MS を総合的に捉える機能障害の評価として **Kurtzke の機能別障害度**(functional system score；FSS)[13]，総合的な身体活動能力の評価として**総合障害度評価尺度**(expanded disability status scale；EDSS)[14]がある．

▶**表 7 多発性硬化症の病巣部位と主な症状**

病巣	主な症状
視神経	視力低下，視野欠損，眼痛
大脳	運動麻痺，感覚障害，認知機能低下，精神症状(抑うつ，多幸症など)
脳幹・小脳	複視，動揺視，眼振，三叉神経痛，顔面神経麻痺，めまい，構音障害，嚥下障害，小脳性運動失調
脊髄	痙性対麻痺，感覚障害，膀胱直腸障害，Lhermitte(レルミット)徴候，有痛性強直性痙攣

〔日本神経学会(監修)：多発性硬化症・視神経脊髄炎診療ガイドライン 2017．pp58-59，医学書院，2017 を参考に作成〕

B 検査の進め方

1 病態の把握

(1) MSの特徴として，易疲労性で，体温の上昇に伴い神経症状が悪化するUhthoff(ウートフ)徴候や有痛性強直性痙攣，Lhermitte(レルミット)徴候といった症状があり，検査測定を進めるうえで配慮が必要となる．

(2) 現病歴の把握：発症から現在までの経過と進行度を把握する．

(3) 主な症状の把握：病巣部位に対応した機能障害の程度を評価する．

(4) 治療経過：現在の病期(急性増悪期か寛解期か)と服薬状況を把握し，安静度と運動負荷量の目安にする．

2 理学療法評価

(1) **総合障害度評価**：FSSは機能別障害度を0～6(あるいは0～5)段階で評価し，EDSSはFSSを組み込み，移動能力と日常活動を含めた障害度を評価する(▶表8)．

(2) **運動機能**：痙縮についてはmAS，片麻痺症状についてはBRS，小脳性運動失調症については協調性検査など，病巣部位に対応した検査測定を行う．

(3) **高次脳機能・認知機能**：主に注意障害，情報処理機能低下，遂行機能障害，長期記憶障害を

▶表8　expanded disability status scale(EDSS)とfunctional system score(FSS)の評価項目

EDSS			
0	神経学的所見正常	5.5	1つの機能でグレード5 装具なしに歩行100m可能 終日の活動が制限
1	1つの機能でグレード1	6.0	歩行100mには一側に支持が必要
1.5	2つ以上の機能でグレード1	6.5	歩行20mには常に両側に支持が必要
2.0	1つの機能でグレード2	7.0	装具を用いても5m以上の歩行不可 車椅子の移乗は自立
2.5	2つの機能でグレード2	7.5	2，3歩以上歩けない 車椅子の移乗に補助が必要 電動車椅子が必要
3.0	1)1つの機能でグレード3 2)3～4つの機能でグレード2 歩行は可能	8.0	ベッド，椅子，車椅子に制限されるが多くの時間をベッド外で過ごす 身の回り動作は維持される
3.5	1)1つの機能でグレード3かつ1～2の機能でグレード2 2)2つの機能でグレード3 3)5つの機能でグレード2 歩行は可能	8.5	1日の大半はベッド上で過ごす いくつかの身の回り動作は維持される
4.0	1つの機能でグレード4 装具なしに歩行500m可能 1日12時間活動可能，日常生活自立	9.0	ほとんどベッドで寝たきり 意思疎通と経口摂取は可能
4.5	1つの機能でグレード4 装具なしに歩行300m可能 軽微な補助が必要	9.5	まったくベッドで寝たきり 意思疎通と経口摂取，嚥下ができない
5.0	1つの機能でグレード5 装具なしに歩行200m可能 終日の活動がかなり制限	10.0	多発性硬化症のため死亡
FSS			
錐体路機能	0：正常～6：完全な四肢麻痺	膀胱直腸機能	0：正常～6：膀胱直腸機能消失
小脳機能	0：正常～5：失調のため協調運動がまったく不能	視覚機能	0：正常～6：強度の視力低下
脳幹機能	0：正常～5：嚥下，構語がまったく不能	精神機能	0：正常～5：高度の認知症
感覚機能	0：正常～6：頸部以下の全感覚脱失	ほかの機能	0：なし～1：多発性硬化症によるその他の所見

〔Kurtzke JF.: Rating neurologic impairment in multiple sclerosis: an expanded disability status scale (EDSS). Neurology 33: 1444-1452, 1983.　田中正美：疾患特有の評価法 多発性硬化症．総合リハ，35(2)167-172，2007より〕

きたすことから，これらに対応した検査を実施する．検査は主にOTやSTが実施する場合が多い．検査結果を共有して動作の改善やADL指導に活用する．

(4) **ADL・QOL**：FIMやBIを用いる．QOLの評価には，SF-36®のほかにMSの病態特性に対応したfunctional assessment of MS(FAMS)[15]や日本語版MS quality of life-54(MSQOL-54)[16]がある．

Ⅵ 外傷性脳損傷

外傷性脳損傷(traumatic brain injury；TBI)は，頭部に加わった外力により脳に生じた損傷のことをいう．頭部へ外力が加わった直下の脳実質では陽圧による直接損傷が生じるだけでなく，その対側では振動・陰圧による対側損傷が生じ．これらの中間部位では剪断力が加わり，びまん性神経軸索損傷が生じる(剪断損傷)．また，その外力により血管の破綻が生じた場合，急性硬膜外血腫，急性硬膜下血腫，びまん性脳損傷により二次性脳損傷が生じる．症状としては，遷延性の意識障害，高次脳機能障害，運動機能障害が現われることが多い．運動機能障害は，損傷部位に応じて，片麻痺や四肢麻痺，運動失調，不随意運動が認められる．高次脳機能障害としては，記憶障害，注意障害，遂行機能障害，社会的行動障害，意欲や発動性の低下が認められる．

A 検査の選び方

TBIの評価項目を**表9**に示す．

(1) 急性期は，脳圧亢進や脳ヘルニアにより急激な意識障害の低下などを生じ，二次性脳損傷が進展する場合があるため，リスク管理を十分に行いながら検査測定を実施する．

(2) 運動麻痺や運動失調に対する評価は脳血管障害の評価に準じて行う．

(3) TBIは，身体機能の障害は軽度であっても高次脳機能障害が社会復帰を妨げることもあるため，高次脳機能障害について把握しておくことが重要である．

Ⅶ 筋ジストロフィー

筋ジストロフィー(muscular dystrophy；MD)は，骨格筋の壊死・再生を主病変とし，進行性の筋萎縮と筋力低下をきたす遺伝性筋疾患である．運動機能障害を主症状とするが，関節拘縮や変形，呼吸機能障害，心筋障害，嚥下機能障害，消化管症状，骨代謝異常，内分泌代謝異常，眼症状，難聴，中枢神経障害，精神運動発達遅滞などを合併することもある．臨床病型分類や遺伝子形式により病型分類されており，代表的な病型として，Duchenne(デュシェンヌ)型，肢帯型，顔面肩甲上腕型，福山型などがある．

A 検査の選び方

病型により発症年齢，進行のスピード，筋萎縮や筋力低下をきたす筋，関節拘縮・変形，合併

▶表 9　外傷性脳損傷の評価項目

情報収集	
患者の基本情報	入院日，年齢，性別，身長，体重，BMI，職業，生活歴，発症前の ADL
カルテ(診療録)	診断名，障害名，現病歴，既往歴，合併症，家族構成(キーパーソン)，経済状況，家屋構造，生活環境
検査所見	脳画像所見(CT，MRI)，血液・生化学検査
治療内容	軽度(GCS 14〜15)：観察入院 中等度(GCS 9〜13)：厳重管理下の経過観察，予防的に外科的処置や頭蓋内圧モニタリングを実施する場合もある 重度(GCS 3〜8)：外科的処置，頭蓋内圧モニタリング 神経細胞保護を目的とした薬物療法・低体温療法
理学療法評価	
＜急性期＞	
全身状態	意識レベル(GCS)，バイタルサイン(血圧，呼吸，脈拍)
関節可動性	関節可動域測定法
筋緊張	静止時筋緊張，他動運動による筋緊張評価，動作時筋緊張，アシュワーススケール変法(MAS)
運動機能	運動麻痺：BRS 筋力低下：徒手筋力検査 運動失調：協調性検査，SARA 不随意運動の有無
感覚	表在感覚，深部感覚，複合感覚
疼痛	部位・種類・強さ・頻度，VAS
脳神経	眼球運動検査，対光反射(動眼・滑車・外転神経)
合併症	骨折などの多発外傷や呼吸不全等を合併している場合はそれらに対応する評価を実施
＜慢性期＞	
急性期に行う評価に加え，バランス検査，歩行分析，高次脳機能評価や ADL 評価を実施する	
バランス	BBS
歩行分析	10 m 歩行テスト，TUG，6 分間歩行テスト
脳神経	視覚(視神経)，眼球運動(動眼・滑車・外転神経)，味覚(顔面神経)，聴覚(聴神経)
高次脳機能	知能：改訂版長谷川式簡易知能評価スケール(HDS-R)，MMSE ウェクスラー式成人知能検査(WAIS-Ⅳ) 記憶：ウェクスラー記憶検査(WMS-R)，三宅式記銘力検査，ベントン視覚記銘検査 検査，リバーミード行動記憶検査(RBMT) 注意：標準注意検査法(CAT)，TMT part A・B 遂行機能：WCST，ストループ課題 社会的行動：S-M 社会生活能力検査 意欲・発動性：標準意欲評価法(CAS)，ギャンブリング課題
ADL 評価	機能的自立評価表(FIM)，BI，DRS
合併症	関節拘縮，気管切開孔閉鎖困難，てんかん，正常圧水頭症の評価

症などが異なるため，病型や年齢に沿った検査項目の選定が必要となる．また，臨床経過から，機能障害の進行度や心機能や呼吸機能障害などの合併症を把握するための検査を選択する．

B 検査の進め方

ここでは，Duchenne 型筋ジストロフィー(Duchenne muscular dystrophy；DMD)を取り上げる．

▶表10 筋ジストロフィー機能障害度(厚生省研究班 新分類)

ステージ1	階段昇降可能	a. 手の介助なし b. 手の膝おさえ
ステージ2	階段昇降可能	a. 片手手すり b. 片手手すり，ひざ手 c. 両手手すり
ステージ3	椅子から起立可能	
ステージ4	歩行可能	a. 独歩で5m以上 b. ひとりでは歩けないが，物につかまれば歩ける(5m以上) 1)歩行器 2)手すり 3)手びき
ステージ5	起立歩行は不可能であるが，四つ這いは可能	
ステージ6	四つ這いも不可能であるが，いざり這いは可能	
ステージ7	いざり這いも不可能であるが，座位の保持は可能	
ステージ8	座位の保持も不可能であり，常時臥床状態	

〔松家豊，他：プロジェクトⅢ-B臨床病態の解析「運動機能」. 昭和57年度厚生省精神神経疾患研究委託費筋ジストロフィー症の疫学，臨床および治療に関する研究研究報告書：44-9，1983より〕

❶ 病態の把握

(1)**初発症状**：DMDは性染色体劣性遺伝であり，3〜5歳に発症し，主に男児にみられる．走れない，転びやすい，歩容の異常などから気づかれることが多い．

(2)**現病歴，生育歴，予後**：運動能力のピークは5歳ころで，8〜10歳ころに歩行不能となり車椅子となる．このころから脊柱の変形がみられるようになる．また，上肢の筋力低下に伴いADLも困難となる．10歳以降に呼吸筋力の低下，心筋変性を合併することが多く，15歳ころに座位保持困難となり，多くは20歳代で呼吸不全や心不全により死亡する．

(3)**筋力低下**：下腿三頭筋(主に腓腹筋)の仮性肥大，動揺歩行(waddling gait)，床からの立ち上がり時に登攀性起立〔**Gowers(ガワーズ)徴候**〕がみられる．

(4)**筋短縮**：腸腰筋，大腿筋膜張筋，ハムストリングス，下腿三頭筋の短縮がみられる．

(5)**関節拘縮，変形**：股関節・膝関節の屈曲拘縮，足関節尖足，肘関節屈曲拘縮，手指スワンネック変形，脊柱側弯，腰椎前弯などがみられる．

(6)**知的発達障害**：知的障害を有する場合が多い(DMDの約1/3)．広汎性発達障害や学習障害の合併も多いといわれている．

❷ 理学療法評価

(1)**機能障害度分類**：**筋ジストロフィー機能障害度**の厚生省分類(新分類)(▶**表10**)[18]と**上肢運動機能障害度分類(9段階法)**(▶**表11**)[19]から障害の進行度を把握する．

(2)**関節可動域**：歩行可能な時期には下肢の関節可動域制限が生じ，歩行が不可能となると上肢や頸部・体幹の関節可動域制限が生じる．筋力低下や関節周囲の筋・軟部組織に短縮が生じるため，自動運動と他動運動の両方で計測を行う．

(3)**筋力**：筋力の測定にはMMTを用いる．MMTで3以上の場合は，ハンドヘルドダイナモメータを用いた筋力測定を行ってもよい．

(4)**ADL**：年齢に合わせた評価表を用いる．また，DMDの病態に合わせて作成されたADL(身辺処理動作)検査表[20]もある．

(5)**呼吸機能・心機能・摂食嚥下機能**：病態の進行に合わせて実施する．摂食嚥下機能の評価は，

▶表 11　上肢運動機能障害度分類(9 段階法)

1	500 g 以上の重量を利き手に持って前方から直上へ挙上する.
2	500 g 以上の重量を利き手に持って前方 90 度まで挙上する.
3	重量なしで利き手を前方から直上へ挙上する.
4	重量無しで利き手を前方 90 度まで挙上する.
5	重量無しで利き手を肘関節 90 度以上屈曲する.
6	机上で肘伸展による手の水平前方への移動
7	机上で体幹の反動を利用し肘伸展による手の水平前方への移動
8	机上の体幹の反動を利用し肘伸展を行った後，手の運動で水平前方への移動
9	机上で手の運動のみでの水平前方への移動

〔松家豊，他：筋ジストロフィー症の上肢機能障害の評価に関する研究．厚生省神経疾患研究委託費研究報告書筋ジストロフィー症の疫学，臨床および治療に関する研究一昭和 57 年度：116-121，1983 より〕

主として ST が実施するが，ST の評価結果と筋力や姿勢アライメント評価とを統合し，ST と協力して食事姿勢のポジショニングを整えるなどの介入につなげる．

Ⅷ 脳性麻痺

脳性麻痺(cerebral palsy；CP)とは，受胎から新生児期(生後 4 週間以内)までの間に生じた脳の非進行性病変による運動や姿勢の異常である．症状は満 2 歳までに発現する．また知的発達障害は含まれない．運動障害の特徴から，痙直型，異常運動型またはアテトーゼ型，失調型，低緊張型の 4 つに分類される．また，麻痺の部位による障害の程度の違いにより，四肢麻痺，両麻痺，片麻痺に分類される．主として筋緊張の異常や運動麻痺，不随意運動などの運動発達障害のほかに，聴覚障害や視覚障害，知的発達や認知機能障害，感覚障害，てんかん発作，低栄養，肥満などの合併症も多くみられる．

A 検査の選び方

診断名，運動障害のタイプ，出生時の状況(出生体重，在胎週数，出生時 APGAR スコアなど)，生育歴，医療的介入，理学療法経過を把握しておき，年齢帯(乳児期・幼児期・小学校期・中学校期・高校期・成人期・中高年期)に合った検査測定項目を選択する．また，成長と発達の両方を加味して病態を捉える必要がある．脳性麻痺の粗大運動発達のピークは 6〜7 歳ころまでで，その後は低下していく[21]．

B 検査の進め方

1 病態の把握

(1)**診断名，障害名，出生時の状況**：診断名や運動障害と麻痺のタイプ，出生時体重，在胎週数，出生時 APGAR スコアなどから運動障害の重症度やリスクを把握する．

▶表 12　gross motor function classification system(GMFCS)

レベル	運動機能
Ⅰ	どのような場面でも独立して歩行，走行は可能．ただし同年代の児と比較して，遅くぎこちない
Ⅱ	独立して歩行可能だが，走行，不整地歩行や階段(手すりや 2 足 1 段が必要)には制限がある
Ⅲ	多くの場面で補助具を用いた歩行が行える．または自走式の車椅子を用いる
Ⅳ	立位，歩行能力には制限があり，しばしば介助が必要．電動車椅子での移動が多い
Ⅴ	移動能力はかなり制限される．起居，車椅子移動には介助が必要．電動車椅子での移動が使えるかもしれない

年齢によって，各レベルの運動基準が異なる．
〔Palisano R., et al.: Development and reliability of a system to classify gross motor function in children with cerebral palsy. Dev Med Child Neurol 39: 214-223, 1997 より〕

▶表 13　脳性まひ児(4～18 歳)の手指操作能力分類システム(MACS)

レベルⅠ	対象物の取り扱いが上手く容易に成功する．
レベルⅡ	対象物の取り扱いはたいていのもので達成できるが，上手さ，早さという点で少し劣る．
レベルⅢ	対象物の取り扱いには困難が伴うため，準備と課題の修正が必要となる．
レベルⅣ	かなり環境調整した限定した場面で簡単に取り与えられるような物であれば取り扱うことができる．
レベルⅤ	非常に簡単な動作さえも困難である．

〔Eliasson AC., et al.: The Manual Ability Classification System (MACS) for children with cerebral palsy: scale development and evidence of validity and reliability. Dev Med Child Neurol 48: 549-554, 2006 より〕

(2)**生育歴**：身体の成長や運動発達の経過を把握する．

(3)**家庭・生活環境**：主たる養育者との関係や兄弟の有無，普段の生活のリズム(起床時間，睡眠時間，食事形態，体温，排尿・排便など)を把握する．

❷ 理学療法評価

(1)**重症度**：**粗大運動能力分類システム**(gross motor function classification system；GMFCS)(▶表 12)[22]は，座位や移動といった粗大運動能力の側面から重症度を分類する．脳性まひ児の手指操作能力分類システム(manual ability classification system；MACS)(▶表 13)[23]は，CP 児の日常生活活動における物や道具などを操作する能力から重症度を分類する．GMFCS は予後予測としても活用できる[24]．

(2)**運動発達**：粗大運動の発達の評価として，**粗大運動能力尺度**(gross motor function measure；GMFM)(▶表 14)[25]を用いる．

(3)**原始反射・姿勢反射**：原始反射の残存や平衡反応の出現の有無と姿勢・動作分析で観察した現象を統合することで，運動発達を促進するための介入の手がかりとなる．

(4)**関節可動域**：身体の成長に伴い，筋緊張亢進に伴う筋の短縮により関節可動域制限をきたすことから，特に股関節，脊柱，足部の拘縮や変形の有無を確認する．

(5)**筋力**：年齢などの理由から徒手筋力テストを実施できない場合は，動作の観察から大まかに把握する．

(6)**姿勢・動作・歩行分析**：姿勢や動作の観察により，自分で動かせるところ，支えが必要なところや介助量を把握する．

(7)**ADL 評価**：こどものための機能的自立評価法(WeeFIM)やリハビリテーションのための子どもの能力低下評価法(pediatric evaluation of disability inventory；PEDI)を用いる．

▶表 14　gross motor function measure(GMFM)の評価項目

		GMFM-88	GMFM-66
対象年齢		5〜16 歳の脳性麻痺児	
配点		各項目を 0〜3 の 4 段階で評価する 0(未発達)〜3(獲得)	
評価方法		各項目の総得点もしくはパーセンテージを計算する	総得点から全体的な粗大運動発達を評価する
評価項目	(1)臥位と寝返り	17 項目	4 項目
	(2)座位	20 項目	15 項目
	(3)四つ這いと膝立ち	14 項目	10 項目
	(4)立位	13 項目	13 項目
	(5)歩行，走行，ジャンプ	24 項目	24 項目
	全体	88 項目	66 項目

GMFM-88 の項目のうち，66 項目の配点から GMFM-66 の得点を評価できる．
〔Russell DJ., et al.: The gross motor function measure: a means to evaluate the effects of physical therapy. Dev Med Child Neurol 31: 341-352, 1989 より〕

●引用文献
1) Lyden P., et al.: Improved reliability of the NIH Stroke Scale using video training. NINDS TPA Stroke Study Group. Stroke 25: 2220-2226, 1994.
2) Fugl-Meyer AR., et al.: The post-stroke hemiplegic patient. 1. a method for evaluation of physical performance. Scand J Rehabil Med 7: 13-31, 1975.
3) Hohen MM., et al.: Parkinsonism: onset, progression and mortality. Neurology 17: 427-442, 1967.
4) Ramaker C., et al.: Systematic evaluation of rating scales for impairment and disability in Parkinson's disease. Mov Disord 17: 867-876, 2002.
5) Giladi N., et al.: Construction of freezing of gait questionnaire for patients with Parkinsonism. Parkinsonism Relat Disord 6: 165-170, 2000.
6) Peto V., et al.: The development and validation of a short measure of functioning and well being for individuals with Parkinson's disease. Qual Life Res 4: 241-248, 1995.
7) 厚生労働省：18. 脊髄小脳変性症(多系統萎縮症を除く)．指定難病として検討する疾患(個票)．「1. 球脊髄性筋萎縮症」から「57. ベーチェット病」まで．
https://www.mhlw.go.jp/file/05-Shingikai-10601000-Daijinkanboukouseikagakuka-Kouseikagakuka/0000053008.pdf(2022 年 8 月 1 日閲覧)
8) Schmitz-Hübsch T., et al.: Scale for the assessment and rating of ataxia: development of a new clinical scale. Neurology 66: 1717-1720, 2006.
9) 厚生労働省：神経変性疾患領域の基盤的調査研究班による重症度分類．
https://www.nanbyou.or.jp/entry/214(難病情報センター HP)(2022 年 8 月 1 日閲覧)
10) 大橋靖雄，他：筋萎縮性側索硬化症(ALS)患者の日常活動における機能評価尺度日本版改訂 ALS Functional Rating Scale の検討．脳と神経　53：346-355，2001.
11) 山口拓洋，他：ALS 特異的 QOL 尺度 ALSAQ-40 日本語版 その妥当性と臨床応用にむけて．脳と神経 56：483-494，2004.
12) 日本神経学会(監修)：多発性硬化症・視神経脊髄炎診療ガイドライン 2017．pp58-59，医学書院，2017.
13) Kurtzke JF.: On the evaluation and disability in multiple sclerosis. Neurology 11: 686-694, 1961.
14) Kurtzke JF.: Rating neurologic impairment in multiple sclerosis: an expanded disability status scale (EDSS). Neurology 33: 1444-1452, 1983.
15) 菊地ひろみ，他：多発性硬化症患者の生活の質構成要素に関する調査．BRAIN and NERVE：神経研究の進歩 59：617-622，2007.
16) 山本敏之，他：日本語版 Multiple Sclerosis Quality of Life-54 の信頼性の検討．臨床神経学 44：417-421，2004.
17) Rappaport M., et al.: Disability rating scale for severe head trauma: coma to community. Arch Phys

Med Rehabil 63: 118-123, 1982.
18) 松家豊，他：プロジェクトⅢ-B 臨床病態の解析「運動機能」. 昭和 57 年度厚生省精神神経疾患研究委託費筋ジストロフィー症の疫学，臨床および治療に関する研究研究報告書：44-9，1983.
19) 松家豊，他：筋ジストロフィー症の上肢機能障害の評価に関する研究. 厚生省神経疾患研究委託費研究報告書筋ジストロフィー症の疫学，臨床および治療に関する研究―昭和 57 年度：116-121，1983.
20) 浅野賢，他：PT・OT 共同県研究連絡会：ステージ分類の判定(最終報告). 平成 7 年度厚生省精神神経疾患研究委託費筋ジストロフィーの療養と看護に関する臨床的，社会学的研究研究報告書：285-288，1996
21) Hanna SE., et al.: Stability and decline in gross motor function among children and youth with cerebral palsy aged 2 to 21 years. Dev Med Child Neurol 51: 295-302, 2009.
22) Palisano R., et al.: Development and reliability of a system to classify gross motor function in children with cerebral palsy. Dev Med Child Neurol 39: 214-223, 1997.
23) Eliasson AC., et al.: The Manual Ability Classification System (MACS) for children with cerebral palsy: scale development and evidence of validity and reliability. Dev Med Child Neurol 48: 549-554, 2006.
24) Wood E., et al.: The gross motor function classification system for cerebral palsy: a study of reliability and stability over time. Dev Med Child Neurol 42: 292-296, 2000.
25) Russell DJ., et al.: The gross motor function measure: a means to evaluate the effects of physical therapy. Dev Med Child Neurol 31: 341-352, 1989.

●参考文献

1) 小森哲夫(監)：神経難病領域のリハビリテーション実践アプローチ改訂第 2 版. メジカルビュー社，2019.
2) 山永裕明，他：図説パーキンソン病の理解とリハビリテーション. 三輪書店，2010.

2 骨・関節系

- 代表的な骨・関節系疾患の概要を理解する．
- 疾患に応じた適切な検査の選び方を理解する．
- 疾患に応じた各検査（評価）の実施方法のポイントを理解する．

I 変形性関節症

A 概要

変形性関節症（osteoarthritis；OA）は，関節軟骨の変性や摩耗により関節の破壊や，これに対する反応性の骨増殖により引き起こされる関節構成体の退行性疾患で，中高年以降に発症する．骨形態や関節構造に異常がなく，基礎疾患に起因しないで発症する原因不明の一次性と，基礎疾患に続発して発症する二次性に分類される．主な症状として，変形，疼痛，腫脹（水腫），関節拘縮，筋力低下などが挙げられる．OA は膝や股関節といった荷重関節以外にも手指，肘，肩，脊椎でも認められる．本項では，変形性膝関節症と変形性股関節症について述べる．

B 検査の選び方

臨床評価基準には，疾患特異的尺度（評価項目が疾患に特化した尺度）と包括的尺度（評価項目がどのような疾患にも適応できる汎用的尺度）がある．疾患特異的尺度として，わが国では，日本整形外科学会（JOA）の基準（JOA スコア）がよく用いられる．国際的には，米国整形外科学会（AAOS）の基準（AAOS hip & knee スコア）が普及している．包括的尺度としては，Barthel index（BI）や functional independent measure（FIM）や SF-36® などがある．

C 検査の進め方（▶表 1）

1 病態の把握

a 診断名と現病歴・既往歴

病態を正しく理解するために診断名と現病歴を確認する．また，変形性股関節症では発育性股関節形成不全や寛骨臼蓋形成不全，変形性膝関節症では外傷などによる膝周囲の骨折，半月板・靱帯損傷の既往の有無などを確認する．

▶表1 変形性膝・股関節症疾患患者の主な評価項目

	項目	収集内容
カルテからの情報	一般的情報	身長，体重，年齢，性別，BMI，職業
	医学的情報	診断名，現病歴，既往歴，治療歴
	検査情報	単純 X 線，MRI，CT，関節造影
	病期分類	Kellgren-Lawrence（K-L）分類，日本整形外科学会変形性股関節症病期分類
	治療成績判定・機能評価	日本整形外科学会股関節機能判定基準（JOA hip スコア） 日本整形外科学会変形性膝関節症治療成績判定基準（JOA knee スコア）
	治療内容	薬物療法，装具療法，手術療法
	項目	**評価内容**
理学療法評価	主訴・ニーズ・症状	問診
	関節可動域	ROM テスト
	筋力・筋活動バランス	MMT，下肢周径
	疼痛	視覚的アナログスケール（VAS），数値的評価スケール（NRS）， Face rating Scale（FPS），McGill 疼痛質問票（MPQ）
	下肢長	棘果長（SMD），転子果長（TMD），臍果長
	筋の伸張性（筋の長さ）	Thomas テスト，Ely テスト，Ober テスト，Kendall テスト，SLR テスト
	関節安定性	内反・外反ストレステスト，Dial テスト，前方・後方引き出しテスト（動画 42, 43）
	姿勢・アライメント	視診・観察
	歩行	歩行分析（速度，持久性，バランス，歩容），TUG テスト，6 分間歩行テスト
	ADL・QOL	BI，FIM，Lawton の IADL，JHEQ，JKOM，KOOS，HAAS，WOMAC®，SF-36®，EQ-5D

b 検査情報

単純 X 線から変形の部位や程度，骨硬化，骨嚢胞，骨棘形成，関節裂隙狭小化，関節面不整，関節面適合性などを確認する．特に，変形性股関節症では大腿骨頭の亜脱臼や寛骨臼形成不全の程度（CE 角，sharp 角，AHI，ARO），変形性膝関節症では大腿脛骨角（femoral-tibial angle；FTA），下肢機能軸（Mikulicz 線）などを確認する．

c 病期分類

Kellgren-Lawrence（K-L）分類（▶図1）や日本整形外科学会変形性股関節症病期分類を確認する．

d 治療成績判定・機能評価

日本整形外科学会股関節機能判定基準（JOA hip スコア），日本整形外科学会変形性膝関節症治療成績判定基準（JOA knee スコア）で重症度を確認する．

e 治療内容

薬物療法（消炎鎮痛薬，非ステロイド性抗鎮痛薬），装具療法（股関節サポーター，補高，楔状足底板，膝関節内外反制動装具など），手術療法〔**人工股関節全置換術**（total hip arthroplasty；THA），骨盤骨切り術，大腿骨骨切り術，**人工膝関節全置換術**（total knee arthroplasty；TKA），人工膝関節単顆置換術（unicompartmental knee arthroplasty；UKA），高位脛骨骨切り術（high tibial osteotomy；HTO）〕などの治療内容を確認する．

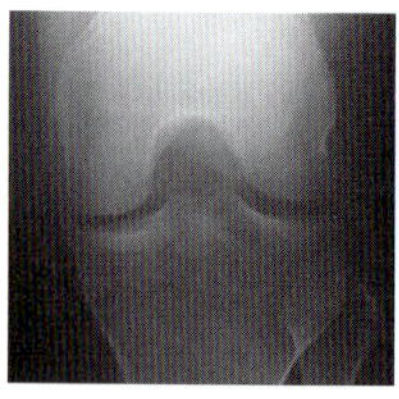
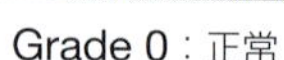
Grade 0：正常

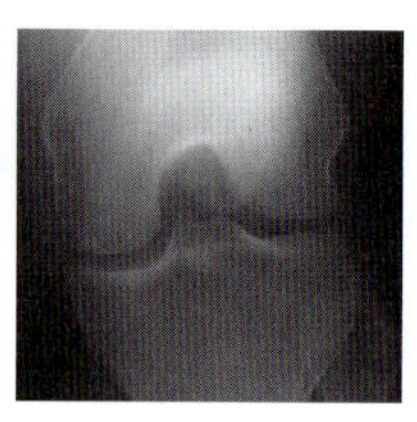
Grade Ⅰ：わずかな骨棘

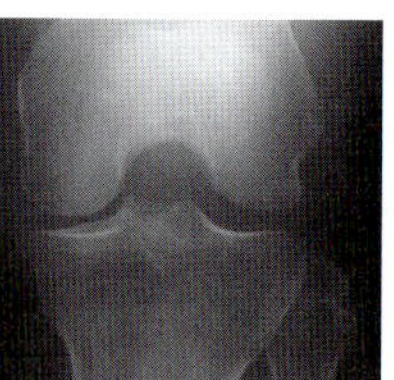
Grade Ⅱ：小さな骨棘，わずかな関節裂隙狭小化

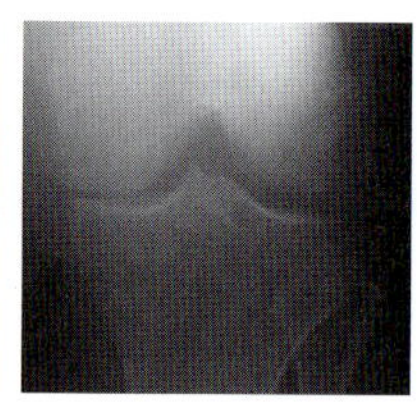
Grade Ⅲ：中等度の骨棘，関節裂隙狭小化あり，骨硬化，変形あり

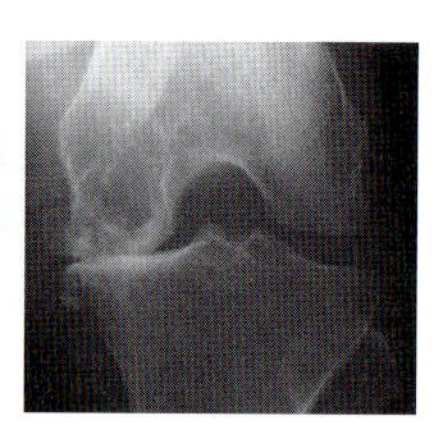
Grade Ⅳ：高度の骨棘，関節裂隙狭小化著明，高度の骨硬化，変形著明

▶図1　Kellgren-Lawrence(K-L)分類
〔津村弘，他：膝関節の疾患．中村利孝，他(監)：標準整形外科学 第13版．p666，図34-62，医学書院，2018より〕

2 理学療法実施中の評価

a 問診

疼痛を主症状とし，股関節や膝関節の深屈曲動作(床からの立ち上がり，靴下の着脱，トイレ，入浴動作など)に関連したADLや手段的ADL(IADL)に困難をきたす慢性進行性疾患であることを念頭に，身体機能やADLの経年的変化について聴取する．

b 関節可動域

関節可動域は，隣接関節の影響が大きいため罹患関節に加え両下肢・体幹まで含めて測定する．また，測定と合わせて病的end feel(筋スパズム，関節包性，骨性など)の有無も評価する．変形性膝関節症では，膝伸展可動域測定時のscrew-home movementも確認する．

c 筋力・筋活動バランス

左右の下肢周径を比較し，廃用性筋萎縮の程度を評価する．MMT(manual muscle test)に加えて関節周囲の筋活動のバランスも評価する．疼痛による拮抗筋の過緊張はMMTに影響するため，触診により運動時の動筋と拮抗筋の活動の程度を評価する．また，同一の運動方向に寄与する筋群，たとえば，股関節外転筋であれば，大腿筋膜張筋，中殿筋，大殿筋上部線維などの共同筋間で活動の不均衡が生じる場合がある．特に二関節筋が優位となりやすい．そのため，これら共同筋間の活動のバランスも触診で評価する．さらに，荷重位・非荷重位での隣接関節との協調も評価する．変形性膝関節症では，膝の自動伸展不全(extension lag)の有無も確認する．

d 疼痛

疼痛の評価にはvisual analogue scale(VAS)，numeric rating scale(NRS)などがある．圧痛，運動検査(収縮痛，短縮痛，伸張痛)に加え，荷重位・非荷重位での評価も実施する．

e 下肢長

転子果長(TMD)では大転子より高位の大腿骨頭の亜脱臼や変形，大腿骨頸体角の異常(内反股，外反股)に関する情報は得られないため注意する．また，実際の下肢長に差がなくても骨盤を正中位に保持できない場合，見かけ上の脚長差が生じることがある．そのような場合は，立位での評価も実施する．

f 筋の伸張性(筋の長さ)

筋長検査は筋の長さが正常か，短縮か，過緊張(低緊張)かを判断するための検査で，Thomas テスト，Ely テスト，Ober テスト，Kendall テスト，SLR テストがある．

g 関節安定性

膝関節の側方向の安定性評価として内反・外反ストレステスト，前後方向の安定性評価として前方・後方引き出しテスト，後外側回旋不安定性の評価として Dial テストなどがある．

h 姿勢・アライメント

隣接部位からの影響を受けやすいことを念頭に観察する．寛骨臼蓋形成不全による二次性変形性股関節症では，病期や年齢に関係なく骨盤前傾と腰椎前弯が増強しやすい．一方，高齢での発症が多い一次性変形性股関節症では，骨盤後傾と腰椎後弯が多い．内側型変形性膝関節症では，FTA が 180° 以上で，骨盤後傾，膝関節屈曲，内反膝(O 脚)のアライメントとなる場合が多い．

i 歩行

変形性股関節症では，疼痛回避歩行(逃避跛行，滞留跛行)，軟性墜下歩行(Trendelenburg 跛行，Duchenne 跛行)，硬性墜下歩行が特徴的である．変形性膝関節症では，立脚時初期の膝側方動揺(外側・内側スラスト)，double knee action の消失が特徴的である．また，全身のパフォーマンステストとして，TUG(timed up and go test)や 6 分間歩行テストなどがある．

j ADL・QOL

疾患特異的尺度では，変形性膝関節症患者機能評価票(JKOM)，変形性膝関節症転帰スコア(KOOS)，股関節疾患評価質問票(JHEQ)，Western Ontario and McMaster Universities Osteoarthritis index(WOMAC®)などがある．また，活動レベルの高い人工関節術後患者の評価として，high-activity arthroplasty score(HAAS)などがある．包括的尺度の QOL 評価では，SF-36®，EuroQoL(EQ-5D)などがある．

Ⅱ 骨折・脱臼・靱帯損傷

A 概要

骨折とは，何らかの原因(外力)によって，骨の連続性の一部もしくは全部が絶たれた状態をいう．原因としては，外傷性骨折(転倒，交通事故など)，病的骨折(骨粗鬆症，骨腫瘍など)，疲労骨折(過度なスポーツなど)などに分けられる．**脱臼**とは，外傷などで発生する関節面の相互の位置関係が，一部もしくは完全に失われた状態をいう．関節面の脱臼を伴うものを脱臼骨折と呼ぶ．**靱帯損傷**とは，関節に生理学的可動域を超えた運動が強制されることにより靱帯組織に傷害が生じた状態で，一般的には**捻挫**とよばれる．本項では，臨床で遭遇する機会の多い大腿骨近位部骨折(大腿骨頸部骨折，大腿骨転子部骨折)について述べる．

B 検査の選び方

大腿骨近位部骨折の受傷原因は60歳以上の骨粗鬆症を伴う高齢者の転倒などによる低エネルギー外傷が圧倒的に多く，外科的治療の選択が一般的である．特に高齢者の場合，術後の全身状態の管理が重要となる．検査方法は，術前と術後に大別される．さらに術後は急性期，回復期，生活期で各期に合わせた評価を実施する．術後急性期は，主に全身状態のリスク管理に関する評価が中心である．回復期以降は，画像所見で骨接合部の固定性や仮骨形成の確認をしながら，身体・精神機能面の評価を実施していく．

C 検査の進め方（▶表2）

1 病態の把握

a 診断名と現病歴

病態を正しく理解するために診断名と現病歴や基礎疾患の有無を確認する．

▶表2　大腿骨近位部骨折の主な評価項目

	項目	収集内容
カルテからの情報	一般的情報	身長，体重，年齢，性別，BMI，職業
	医学的情報	診断名，現病歴，既往歴，転倒歴，術式，術後合併症，認知症
	検査情報	単純X線，MRI，CT，骨シンチグラフィー，意識レベル(JCS)，血圧，心拍数，酸素飽和度，炎症反応，栄養状態，肝機能，血液，心電図
	骨折分類	Garden分類，Evans分類，AO/OTA分類，中野3D-CT分類
	手術選択	Hanson pin，cannulated cancellous hip screw(CCHS)，人工骨頭置換術(BHA)，人工股関節全置換術(THA) sliding hip screw(CHSタイプ)，short femoral nail(Gammaタイプ)
理学療法評価	項目	術前
	全体像	一般的情報，医学的情報，社会的情報(家族構成，住環境，保険種別など)，他職種からの情報など
	項目	術後(急性期)
	検査情報	画像情報，生化学検査，心機能など：術後急性期では，骨折治癒の阻害因子(合併症，栄養状態，薬物，認知症など)や骨折治癒に影響する因子(骨折の部位・程度，筋損傷の程度，皮膚欠損の有無，感染症，手術法など)に関する情報などを収集する．
	全身状態の管理	JCS，バイタルサイン(血圧，脈拍，顔色，体温，四肢冷汗，チアノーゼ，呼吸状態，酸素飽和度，発汗，尿量)，深部静脈血栓症(疼痛，浮腫，腫脹，表在静脈の怒張，Homans徴候)
	身体機能	関節可動域，筋力，疼痛，感覚，下肢長，下肢周径，浮腫，腫脹，麻痺，褥瘡
	理解・認知	改訂長谷川式簡易知能評価スケール(HDS-R)，MMSE
	不安・抑うつ・破局的思考	HADS，PCS
	項目	術後(回復期)
	身体機能	関節可動域，筋力，疼痛，感覚，下肢長，下肢周径，浮腫，腫脹，麻痺，褥創，バランス，起居動作，歩行
	不安・抑うつ	HADS
	項目	術後(生活期)
	身体機能	バランス，起居動作，歩行
	ADL・QOL	BI，FIM，JHEQ，SF-36®，WHOQOL-OLD

b 骨折分類と手術選択（▶図 2）

大腿骨頸部骨折では，Garden 分類（▶図 2A）がよく用いられる．stage Ⅰは不完全骨折，stage Ⅱは転位のない完全骨折，stage Ⅲは転位のある完全骨折，stage Ⅳは転位が高度な完全骨折である．手術は stage Ⅰ，Ⅱでは Hansson pin，cannulated cancellous screw（CCS）といった骨接合術，stage Ⅲ，Ⅳでは人工骨頭置換術（bipolar hip arthroplasty；BHA）や THA が選択される．

大腿骨転子部骨折では，Evans 分類，AO/OTA 分類，中野 3D-CT 分類がよく用いられる．特に Evans 分類（▶図 2B）は，内側骨皮質の損傷の程度，整復操作を行った場合の整復位保持の難易度により，タイプ 1 のグループ 1・2 は安定型，タイプ 1 のグループ 3・4 とタイプ 2 は不安定型に分類される．手術では分類に関係なく sliding hip screw，short femoral nail が選択されることが多い．

2 理学療法実施中の評価

a 術前

主な評価は問診であり，身体機能面として受傷前 ADL（生活環境も含む），歩行能力，受傷機転（屋内/屋外），転倒歴などを家族（キーパーソン）からも聴取する．特に受傷機転については，発生時の状況を詳しく聴取する．屋内でのつまずきによる転倒骨折であれば，骨粗鬆症による脆弱性骨折の可能性が高い．骨粗鬆症が原因であれば，低エネルギーの外力で容易に骨折するため，術後の理学療法では注意が必要となる．精神機能面では，理解や認知の程度などを評価する．特に認知症の程度は術後の歩行能力と密接に関係しているため，予後予測に重要な情報源となる．

b 術後（急性期）

急性期は手術直後から離床までの臥床期間で，全身状態の管理（リスク管理や栄養管理）が中心

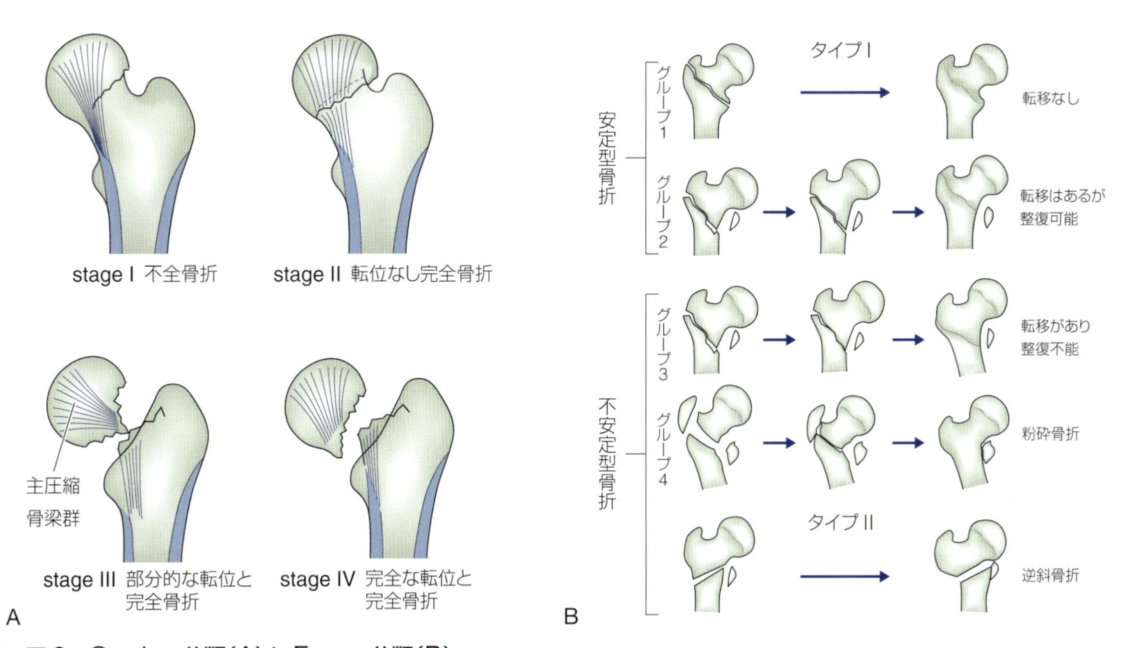

▶図 2　Garden 分類（A）と Evans 分類（B）

となり，廃用症候群や認知症の予防，さらには理学療法に対する意欲づけが重要となる．この時期の主な評価としては，各種検査データの確認を行う．特に生化学検査として，ヘモグロビン(Hb)［貧血の指標］，アルブミン(ALB)［栄養状態の指標］，総蛋白(TP)［肝機能や腎機能の異常の指標］，C 反応性蛋白(CRP)［感染による炎症の指標］，D ダイマー(D-dimer)［血液凝固(血栓)の指標］などを確認する．D ダイマー値が高い場合，深部静脈血栓症(deep vein thrombosis；DVT)の可能性がある．DVT は術後 1 週間以内の発症がきわめて多い．自覚症状として，術側下肢の疼痛，浮腫，腫脹，表在静脈の怒張などがある．他覚的所見として，Homans 徴候(足関節背屈強制すると腓腹部の自発痛を訴える)などがある．身体機能面の評価項目としては，全身状態を管理しながら，関節可動域，筋力，疼痛，感覚，下肢長，下肢周径，浮腫，腫脹，麻痺，皮膚の状態，褥瘡などが挙げられるが，急性期では姿勢や肢位の制限や，疼痛が強いことが多いため可能な範囲で実施する．精神機能面の評価として，問診中，理解力に疑問を感じたら，改訂長谷川式簡易知能評価スケール(HDS-R)や mini-mental state examination(MMSE)などを用いて術後せん妄，認知症などの評価を実施する．また，疼痛に対する抑うつや不安が強い場合は，hospital anxiety and depression scale(HADS)や，破局的思考の測定尺度で pain catastrophizing scale(PCS)などの評価がある．

c 術後(回復期)

回復期は骨癒合の状態を確認しながら活動性を高めていく時期で，術側部への荷重や，筋力増強運動，関節可動域運動，バランス練習，起居動作，歩行練習等の理学療法に加え，退院に向けたチームアプローチが中心となる．そのため，この時期の主な評価は，急性期の運動機能面の評価に加え，バランス，起居動作，歩行などの動作分析を実施する．また，疼痛に対して不安の強い患者には，必要に応じて HADS などの評価を実施する．

d 術後(生活期)

生活期は社会(在宅)復帰後，外来や在宅での理学療法が行われる時期で，ADL や IADL，さらには QOL などの評価が重要となる．疾患特異的尺度の QOL 評価では，JHEQ，高齢者に特化した評価では world health organization QOL-OLD(WHOQOL-OLD)などがある．

III 関節リウマチ

A 概要

関節リウマチ(rheumatoid arthritis；RA)は，関節滑膜の炎症により関節の変形や破壊を引き起こす原因不明の全身性の慢性炎症性疾患で，自己免疫の異常が関与すると考えられている．主な症状は，手指のこわばりから始まり，その後，手足や膝などに限局した疼痛と腫脹が出現し，全身の関節へ広がる．関節以外の症状では，易疲労性，体重減少，微熱，筋痛，うつ症状等の全身症状や，眼，血液，肺，心臓・血管，皮膚，消化管などに種々の症状を引き起こす．

▶表3 Steinbrockerのstage分類

stage Ⅰ(初期)
1*. X線画像に骨破壊像はない 2. X線画像の所見として骨粗鬆症はあってもよい
stage Ⅱ(中期)
1*. X線画像で軽度の軟骨下骨の破壊を伴う. あるいは伴わない骨粗鬆症がある. 軽度の軟骨破壊はあってもよい 2*. 関節運動は制限されていてもよいが, 関節変形はない 3. 関節周囲の筋萎縮がある 4. 結節および腱鞘炎のような関節外軟部組織の病変はあってもよい
stage Ⅲ(高度進行期)
1*. 骨粗鬆症に加え, X線画像で軟骨および骨の破壊がある 2*. 亜脱臼, 尺側偏位, あるいは過伸展のような関節変形がある. 線維性または骨性強直を伴わない 3. 強度の筋萎縮がある 4. 結節および腱鞘炎のような関節外軟部組織の病変はあってもよい
stage Ⅳ(末期)
1*. 線維性あるいは骨性強直がある 2. それ以外はstage Ⅲの基準を満たす

*その病期, あるいは進行度に患者を分類するために必ずなければならない項目
〔Steinbrocker O., et al.: Therapeutic criteria in rheumatoid arthritis. JAMA 140: 659-662, 1949. /髙木理彰: 関節リウマチとその類縁疾患. 井樋栄二, 他(編): 標準整形外科学 第14版. p253, 医学書院, 2020より〕

B 検査の選び方

Steinbrockerのstage分類(▶表3)を目安に評価を進める. stage Ⅰは, 滑膜炎症が強いため愛護的な理学療法が実施される時期である. この時期は, 主に症状や疼痛の程度の把握, ADLといった活動性の評価を実施する. stage Ⅱ・Ⅲは, 身体機能や身体活動の回復を目指した運動療法が適応となる時期である. この時期は, 主に関節可動域やMMTといった機能的評価に加え, ADLなどの活動性の評価を実施する. stage Ⅳは, 実際の生活場面を想定した歩行補助具や各種自助具の利用, 住環境整備等が中心となる時期である. この時期は, 主に機能評価, ADL評価に加えQOLなどの質的評価を実施する.

C 検査の進め方(▶表4)

1 病態の把握

a 診断名と現病歴

病態を正しく理解するために診断名と現病歴を確認する.

b 検査情報

画像所見〔単純X線(変形, 骨萎縮, 骨びらん, 骨性強直など), MRI, CT, 関節造影など〕を確認する. 特に頸椎病変による環軸関節亜脱臼がある場合, 細心の注意が必要となる. また, 血液検査〔CRP, 赤血球沈降速度(ESR), リウマトイド因子(RF), 抗環状シトルリン化ペプチド抗体(抗CCP抗体), マトリックスメタロプロティナーゼ-3(MMP-3)など〕の値を確認する. さらに, 現在, 治療で使用している薬物の種類, 量, 頻度なども確認する.

▶表4　関節リウマチ患者の主な評価項目

	項目	収集内容
カルテからの情報	一般的情報	身長，体重，年齢，性別，BMI，職業
	医学的情報	診断名，現病歴，既往歴
	検査情報	単純X線，MRI，CT，関節造影，血液検査
	診断基準・病変の進行度	ACR/EULAR 関節リウマチ分類基準，Steinbrocker の stage 分類
	疾患活動性・臨床寛解	ACR コアセット，DAS28，SDAI，CDAI
	治療内容	薬物療法，手術療法
理学療法評価	項目	評価内容
	主訴・ニーズ・症状	問診
	筋力低下	MMT，握力検査，ピンチ力検査
	関節可動域制限	ROM テスト
	疼痛	VAS，NRS，FPS，MPQ
	神経学的検査	感覚検査，筋緊張検査，深部反射
	上肢機能	簡易上肢機能検査(simple test for evaluating hand function；STEF)
	姿勢・アライメント	視診・観察
	歩行	歩行分析(速度，持久性，バランス，歩容)
	ADL・QOL	FIM，Steinbrocker の stage 分類，ACR 改訂の class 分類，HAQ，AIMS2，EQ-5D，SF36®
	不安・抑うつ	HADS，beck depression inventory(BDI)

c 診断基準・病変の進行程度

2010 年に米国リウマチ学会(ACR)と欧州リウマチ学会(EULAR)が合同で作成した診断基準(ACR/EULAR 関節リウマチ分類基準)が国際的に広く使用されている．病変の進行程度の評価としては Steinbrocker の stage 分類がある(▶表3)．

d 疾患活動性・臨床的寛解の指標

疾患活動性の評価として ACR コアセット，臨床的寛解の指標として disease activity score (DAS28)，simplified disease activity index(SDAI)，clinical disease activity index(CDAI)などを確認する．

e 治療内容

薬物療法では，ステロイドが使用される場合が多い．ステロイドの副作用として骨脆弱化(骨粗鬆症)，高血圧，筋力低下などがあるため，薬の種類，期間，投薬量，副作用などを確認する．

2 理学療法実施中の評価

a 問診

RA は症状の増悪と寛解を繰り返しながら進行し，関節以外にも多様な症状を伴うことが多いため，現病歴では経年的な症状の変化を聴取する．

b 関節可動域と筋力

関節不安定性(過可動性)がみられることが多いため，自動と他動の可動域測定を実施する．筋力評価は，疼痛に配慮しながら実施する．特に握力検査において一般的なスメドレー型での測定が困難な場合，血圧計のマンシェットを握らせて行う方法もある．

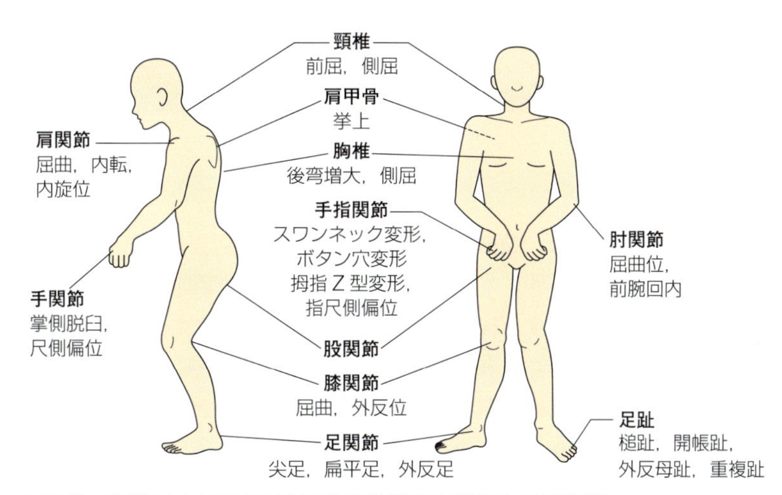

▶**図3 関節リウマチ(RA)患者の特徴的な姿勢と関節変形**
〔松田宣昭，磯　毅彦，井上　均，秋屋勝久：理学療法．リウマチテキスト―疾患の理解とケアの実際―(勝部定信，石原義恕編)，p. 91，1992，南江堂より許諾を得て転載〕

c 疼痛・腫脹・皮膚の状態

疼痛は関節滑膜炎に起因するものか，関節破壊に伴う機械的刺激によるものかを区別して評価する．前者は疼痛が安静時にも持続するのに対し，後者では関節運動時や荷重時に出現する．疼痛評価と合わせて，腫脹部位や皮膚の色，状態(紫斑，リウマトイド結節など)も確認する．

d 神経学的検査

示指屈筋腱周囲の腱鞘滑膜の炎症と肥厚により正中神経が圧迫されて手根管症候群を生じたり，肘関節の腫脹により尺骨神経が圧迫されて肘部管症候群をきたす場合がある．また，環軸関節亜脱臼により脊髄症状が出現する場合がある．このようなときは神経学的検査を実施する．

e 上肢機能

総合的な上肢の機能的動作能力評価として，簡易上肢機能検査(simple test for evaluating hand function；STEF)がある．また，上肢の機能に影響する手指変形には，母指変形，白鳥のくび変形，ボタン穴変形，尺側偏位，オペラグラス手などがある．

f 姿勢・アライメント・歩行

RAの特徴的な姿勢を**図3**に示す．歩行分析では，速度，持久性，バランス(安全性)，歩容などを評価する．

g ADL・QOL

疾患特異的評価尺度として，Steinbrockerのstage分類，ACR改訂のclass分類，health assessment questionnaire(HAQ)，arthritis impact measurement scales version 2(AIMS2)などがある．

f 不安・抑うつ

不安や抑うつの評価として，HADSやbeck depression inventory(BDI)などがある．

Ⅳ 頸椎・頸髄疾患

A 概要

頸椎の変性疾患には，**頸椎椎間板ヘルニア**，**頸椎症**(頸椎症性神経根症，頸椎症性脊髄症)などがある．頸椎椎間板ヘルニアは，椎間板の変性により椎間板組織が頸椎脊柱管内に突出あるいは脱出し，症状をきたす．30～50 歳代の男性に多く，発生高位は C5/6 が最も多い．**頸椎症性神経根症**は，椎間板ヘルニアと頸椎症に伴う椎間孔狭窄が原因となることが多い．**頸椎症性脊髄症**は頸椎脊柱管が狭窄した状態で，経年的な頸椎の変化(後方骨棘，椎間板狭小と後方膨隆など)に関節不安定性や軽微な外傷が加わり脊髄麻痺を発症する．本項では頸椎症について述べる．

1 頸椎症性神経根症

頸椎症性神経根症の特徴は，神経根の障害高位に一致した放散痛，感覚障害，深部腱反射低下，筋力低下などである．主な症状は一側上肢への放散痛，頸椎の可動域制限，筋力低下，感覚障害である．

2 頸椎症性脊髄症

脊髄症の特徴は，障害された脊髄髄節高位の深部反射低下，それよりも下位の深部腱反射亢進，病的反射陽性，筋緊張亢進などである．主な症状は手のしびれ，こわばり，電撃痛，膀胱直腸障害，手指の巧緻動作の低下，四肢協調運動の低下，痙性歩行である．

B 検査の選び方

検査方法は，明確な神経症状を伴わない場合と，伴う場合の 2 つに大別される．神経症状を伴わない場合は，脊椎，椎間板，関節，靱帯などに起因する頸椎症状の評価を中心に実施する．神経症状がない場合でも，廃用による筋萎縮や関節可動域制限といった二次障害の可能性があるため，上肢や肩甲帯などの機能評価も実施する．神経症状がある場合，病態に合わせた神経学的検査を実施する．

C 検査の進め方(▶表 5)

1 病態の把握

a 診断名と現病歴

病態を正しく理解するために診断名と現病歴を確認する．

b 検査情報

単純 X 線，MRI，CT，脊髄造影などの画像で病変部位，変形の程度，不安定性，亜脱臼の程度，圧迫の程度，椎体アライメントなどを確認する．また，体性感覚誘発電位(somatosensory evoked potentials；SEP)，運動誘発電位(motor evoked potentials；MEP)などの検査結果を確認する．

c 病型分類・治療成績判定

服部分類，Crandall 分類，日本整形外科学会頸髄症治療成績判定基準(JOA スコア)で重症度を確認する．

d 治療内容

薬物療法(消炎鎮痛薬，筋弛緩薬，抗不安薬など)，装具療法(頸椎カラーなど)，手術療法などの治療内容を確認する．

2 理学療法実施中の評価

a 問診

主訴，ニーズ，症状，疼痛の部位・程度・期間・増悪因子・軽快因子，職業・趣味(特に作業姿勢など)，既往歴に加え，膀胱直腸障害の有無や，歩行補助具の使用状況について聴取する．

b 関節可動域・筋力

頸部の ROM 測定(日本整形外科学会・日本リハビリテーション医学会)の開始肢位は，腰掛け座位と規定されている．しかし，高齢者によくみられる円背姿勢により頸部屈曲，頭部伸展位で顎を前方へ突き出した姿勢では，基本軸と移動軸が一致しないので注意する．頸部の運動は胸腰椎の運動の影響が大きいため，体幹全体の可動性も評価する．また，関節可動域に加えて，運動に伴う疼痛やしびれの有無も確認する．筋力低下は主に頸部・肩甲帯，神経症状のある上肢の筋で認められるが，廃用性による二次的低下も含めて評価する．

▶表 5　脊椎・脊髄疾患の主な評価項目

	項目	収集内容
カルテからの情報	一般的情報	身長，体重，年齢，性別，BMI，職業
	医学的情報	診断名，現病歴，既往歴，治療歴，手術歴，合併症
	検査情報	単純 X 線，MRI，CT，脊髄造影，電気生理学的検査(SEP，MEP)，尿路・膀胱造影
	病型分類	服部分類，Crandall 分類
	治療成績判定	日本整形外科学会頸髄症治療成績判定基準(JOA スコア)
	治療内容	薬物療法，装具療法，手術療法
理学療法評価	項目	評価方法
	主訴・ニーズ・症状	問診
	関節可動域	ROM テスト
	筋力	MMT，握力検査
	疼痛	VAS，NRS，FPS，MPQ
	神経学的検査	感覚検査，深部腱反射，病的反射，筋緊張検査，Lhermitte 徴候 Jackson テスト，Spurling テスト
	姿勢・アライメント	視診・観察
	バランス	FRT，BBS，Romberg 徴候
	歩行	歩容観察，10 m 歩行テスト(速度)，6 分間歩行テスト(持久性)， TUG テスト(総合能力)
	協調性・巧緻性・上肢機能	鼻指鼻試験，線描きテスト，前腕回内外テスト，STEF，FES，10 秒テスト
	ADL・QOL	BI，FIM，Lawton の IADL，JOACMEQ，NDI，EQ-5D，SF36®

c 疼痛

疼痛好発部である後頭部，頚部，肩甲帯周辺にかけて筋緊張の程度や圧痛を触診で評価する．また，運動検査により運動時痛の有無や程度を評価する．

d 神経学的検査

感覚検査，深部腱反射，病的反射，筋緊張検査，Lhermitte 徴候，椎間孔圧迫テスト（Jackson テスト，Spurling テスト）で罹患神経根，脊髄髄節レベルの障害の程度を確認する．

e 姿勢・アライメント

立位や座位姿勢での頭部，頚椎，胸椎，腰椎，骨盤の脊柱アライメントを評価する．

f バランス・歩行

バランスの評価は，functional reach test（FRT），Berg balance scale（BBS），歩行の評価は，歩容観察（痙性対麻痺歩行，脊髄性失調歩行等），10 m 歩行テスト（速度），6 分間歩行テスト（持久性），総合的歩行能力の評価は，TUG テストなどがある．

g 協調性・巧緻運動・上肢機能

協調性・巧緻運動は，四肢協調や書字動作などで手指の巧緻性を評価する．また，頚髄症の上肢機能障害の特徴とされる myelopathy hand の評価として，10 秒テスト，finger escape sign（FES）などがある．

h ADL・QOL

疾患特異的尺度として，日本整形外科学会頚部脊髄症評価質問票（Japanese orthopaedic association cervical myelopathy evaluation questionnaire；JOACMEQ），neck disability index（NDI）などがある．

Ⅴ 腰椎・腰随疾患

A 概要

有訴率でみると，腰痛はわが国で最も頻度の多い症状である．腰痛の原因となる疾患は，脊椎由来，神経由来，内臓由来，血管由来，心因性由来など，多岐にわたる．特に脊椎由来の疾患としては，側弯症，腰椎分離症などの主に成長によるもの，変形性脊椎症，腰椎椎間板ヘルニア，腰部脊柱管狭窄症，腰椎変性すべり症などの主に加齢変化によるもの，脊椎カリエスや化膿性脊椎炎などの感染によるもの，そして，転移がんなどの腫瘍によるものなどがある．

一方で，原因が特定できない腰痛は非特異的腰痛という．いわゆる「ぎっくり腰」や「筋・筋膜性腰痛」もこの非特異的腰痛に分類され，腰痛全体の 85% を占める．本項では，臨床で遭遇する機会の多い**腰椎椎間板ヘルニア**，**腰部脊柱管狭窄症**，**非特異的腰痛**について述べる．

❶ 椎間板ヘルニア

椎間板の髄核を取り囲む線維輪の後方部分が断裂し，髄核が断裂部から後方に逸脱することにより，神経根や馬尾が圧迫されて症状をきたす．主な症状は，腰痛と片側の下肢痛で，運動によって増悪し，安静で軽減する．L4 神経根が圧迫されると下腿内側，L5 神経根が圧迫されると大腿外側から下腿外側，S1 神経根が圧迫されると大腿後面から下腿後面の痛みを訴えることが多い．

❷ 腰部脊柱管狭窄症

脊柱管や椎間孔が狭くなることで，馬尾や神経根といった神経組織や血流の障害が生じて症状をきたす．主な症状は馬尾が圧迫されると，両下肢，殿部，会陰部の異常感覚，下肢の脱力，膀胱直腸障害，神経根が圧迫されると腰痛と片側の下肢痛を訴えることが多い．神経性間欠性跛行も特徴的症状の 1 つである．

❸ 非特異的腰痛

明らかな器質的要因に基づく他覚的所見が認められない腰痛のことをいい，心理・社会的要因の影響が大きいとされている．主な症状は，体幹の屈曲，伸展，回旋運動時や同一姿勢を長く保持したときに生じる，腰椎椎間関節周辺，仙腸関節周辺，腰背部の筋周辺での疼痛や違和感である．

B 検査の選び方

検査方法としては，明確な神経症状を伴わない場合と，神経症状を伴う場合の 2 つに大別される．カルテの診断名から神経症状の特徴を有する疾患かどうかを確認する．たとえば，椎間板ヘルニアや腰部脊柱管狭窄症であれば，神経組織の障害が考えられるため，神経学的検査を実施する．一方，非特異的腰痛は器質的原因が不明であるため，問診で痛みの症状や部位を詳細に聴取し，関節や筋を含む軟部組織の評価を行うとともに，心理・社会的側面の評価を実施する．理学療法士が腰痛を診断することはないが，機能評価を進めるうえで病態を正確に判断する必要があるため，『腰痛診療ガイドライン 2019』の診断手順を把握しておく(▶図 4)．

C 検査の進め方(▶表 6)

❶ 病態の把握

a 診断名と現病歴

病態を正しく理解するために診断名と病歴を確認する．

b 検査情報

画像所見から病変部位，椎間孔の狭窄の程度，椎体間距離の程度，脊椎(胸・腰・仙椎)のアライメントなどを確認する．

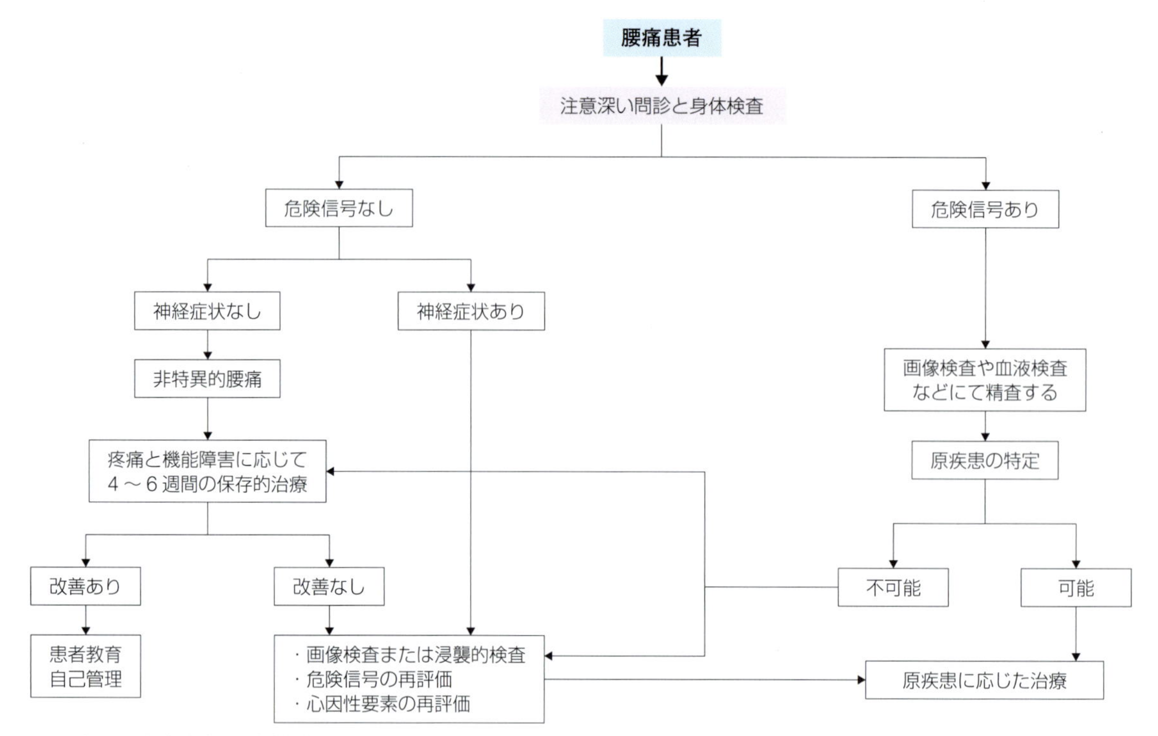

▶図4　腰痛症患者の診断手順

〔日本整形外科学会，他(監)：腰痛診療ガイドライン2019　改訂第2版．p23，南江堂，2019より〕

c 分類・重症度

腰椎椎間板ヘルニアの形態的分類や腰部脊柱管狭窄症の国際分類を確認する．また，日本整形外科学会腰痛疾患治療成績判定基準(JOAスコア)で重症度を確認する．

d 治療内容

薬物療法(消炎鎮痛薬，筋弛緩薬，抗不安薬など)，装具療法(腰椎軟性コルセットなど)，物理療法，神経ブロック療法，手術療法，認知行動療法などの治療内容を確認する．

2 理学療法実施中の評価

a 問診

主訴，ニーズ，症状，外傷歴の有無，疼痛の部位・程度・期間・増悪因子・軽快因子，職業(特に作業姿勢など)，既往歴に加え，心理・社会的問題の有無を聴取する．

b 関節可動域・柔軟性

腰部のROM測定は，立位で体幹伸展を実施すると症状を悪化させる可能性があるため，側臥位で測定する．また，腰部の運動は，骨盤と連動し(腰椎骨盤リズム)，骨盤の運動は大腿と連動している(骨盤大腿リズム)ため，股関節の可動性も合わせて評価する．また，自動と他動の可動域測定を実施し，両者の比較や，左右側屈，左右回旋角度の比較も行う．腰部後弯と骨盤後傾の可動性評価として，腰椎後弯可動性テスト(posterior lumbar flexibility；PLF)がある．体幹の

▶表6 腰椎・腰随疾患の主な評価項目

	項目	収集内容
カルテからの情報	一般的情報	身長，体重，年齢，性別，BMI，職業
	医学的情報	診断名，現病歴，既往歴，治療歴，手術歴，合併症
	検査情報	単純Ｘ線，MRI，CT，脊髄造影，椎間板造影，神経根造影，神経ブロック
	分類	腰椎椎間板ヘルニアの形態的分類，腰部脊柱管狭窄症の国際分類
	重症度	日本整形外科学会腰痛疾患治療成績判定基準（JOA スコア）
	治療内容	薬物療法，装具療法，物理療法，神経ブロック療法，手術療法，認知行動療法
	項目	評価方法
理学療法評価	主訴・ニーズ・症状	問診
	関節可動域・体幹柔軟性	ROM テスト，PLF，FFD，prone press up テスト
	筋力	MMT
	疼痛	VAS，NRS，FPS，MPQ
	神経学的検査	SLR テスト，大腿神経伸張テスト，Kemp テスト
	姿勢・アライメント	視診・観察
	バランス	FRT，BBS，Romberg 徴候
	基本動作・歩行	基本動作観察・歩容観察，10 m 歩行テスト（速度），6 分間歩行テスト（持久性），TUG テスト（総合能力）
	ADL・QOL	BI，FIM，Lawton の IADL JLEQ，JOABPEQ，ODI，RDQ，EQ-5D，SF36®
	不安・抑うつ・ストレス・破局的思考	BS-POP，HADS，職業性ストレス簡易調査票，PCS

柔軟性の客観的評価として，指床間距離テスト（finger-floor distance；FFD），脊柱他動背屈域テスト（prone press up テスト）などがある．

c 筋力

腰部疾患の場合，下肢および体幹筋力の検査に加え，体幹の安定性は理学療法の治療戦略上，重要となるため，体幹深層筋（腹横筋，内腹斜筋，多裂筋）の収縮の程度も触診で確認する．

d 疼痛

腰痛の原因は多岐にわたる．疼痛部位と程度の評価に加えて，疼痛の発生原因も合わせて推測する．たとえば，椎間板ヘルニアなど，神経根由来であれば，腰部から下肢にかけて痛みが生じる．椎間板由来であれば，体幹前屈位で腰部に痛みが生じる．椎間関節由来であれば，体幹の伸展など腰部の過伸展により椎間関節部に圧痛が生じる．筋肉由来であれば，運動時に筋の痛みが生じる．靱帯由来であれば，脊柱の過可動性が原因で痛みが生じることが多い．また，動作分析時の疼痛発生状況と合わせて評価することが重要である．

e 神経学的検査

感覚検査，深部腱反射，病的反射，筋緊張検査，特殊検査〔①坐骨神経伸張テスト（straight leg raising test），②大腿神経伸張テスト（femoral nerve stretch test），③腰椎神経根圧迫テスト（Kemp test）〕を実施して，罹患神経根，脊髄髄節レベルの障害の程度の確認と疼痛発生の原因を推測する．

f 姿勢・アライメント

立位や座位姿勢での頭部，頸椎，胸椎，腰椎，骨盤の脊柱アライメントを評価する．特に骨盤や脊柱の非対称性の有無も観察する．

g 基本動作・歩行

基本動作を中心に疼痛が出現する動作を観察する．その際，骨盤と脊柱の連動した運動に注目しながら，過剰に運動している部位や，逆に制限されている部位を観察する．歩行の評価で間欠性跛行が認められた場合，痛みの程度，歩行距離，必要休息時間などを記録する．

h ADL・QOL

疾患特異的尺度として，日本版慢性腰痛症患者機能評価尺度(Japan Low back pain Evaluation Questionnaire；JLEQ)，日本整形外科学会腰痛疾患質問票(Japanese orthopaedic association Back Pain Evaluation Questionnaire；JOABPEQ)，Oswestry disability index(ODI)，Roland-Morris disability questionnaire(RDQ)などがある．

i 不安・抑うつ・ストレス・破局的思考

不安や抑うつの評価として，HADSや整形外科患者に対する精神医学的問題評価の簡易質問票〔brief scale for psychiatric problems in orthopaedic patients(BS-POP)〕などがある．ストレスの評価として，職業性ストレス簡易調査票などがある．破局的思考の評価として，PCSなどがある．

Ⅵ 切断

A 概要

切断とは，四肢の一部分が切離，除去された状況を指し，その中でも関節部で切断された場合を関節離断という．切断の主な原因は，末梢循環障害，外傷，感染，腫瘍がある．上肢切断は外傷によるものが最も多く，下肢切断は近年，外傷や腫瘍によるものは減少し，閉塞性静脈硬化症(arteriosclerosis obliterans；ASO)や糖尿病が原因の末梢循環障害によるものが増加している．本項では主に下肢切断について述べる．

B 検査の選び方

特に切断部位別に評価方法が選択されることは少ないため，一般的な評価方法について述べる．

C 検査の進め方(▶表 7)

1 病態の把握

a 診断名と現病歴

病態を正しく理解するために診断名を確認する．また，切断の原因となった疾患の病歴や合併症，併存疾患の有無を確認する．

b 原因疾患の治療内容

切断の原因となった疾患の治療内容を確認する．たとえば，外傷や感染症が原因であれば抗菌薬の種類，末梢循環障害であれば抗凝固薬の種類，悪性腫瘍であれば化学療法や放射線療法などの内容を確認する．

c 手術内容

手術方法(断端の骨・軟部組織の処理方法など)，断端管理方法(ソフトドレッシング，リジッドドレッシング，シリコーンライナー，スタンプシュリンカーなど)を確認する．

▶表 7　下肢切断者の主な評価項目

	項目	収集内容
カルテからの情報	一般的情報	身長，体重，年齢，性別，BMI，職業歴
	医学的情報	診断名，現病歴，既往歴，治療歴，手術歴，合併症
	手術内容	切断の部位，断端の骨・軟部組織の処理方法，切断後の断端管理方法
	項目	**評価方法**
理学療法評価	主訴・ニーズ・症状	問診
	リスク管理	バイタルサイン
	断端部の状態	視診，触診
	関節可動域	ROM テスト
	筋力	MMT
	疼痛・幻肢痛	VAS，NRS，FPS，MPQ
	感覚	表在感覚検査，深部感覚検査
	下肢長・周径	断端長，断端周径
	筋短縮	Thomas テスト，SLR テスト
	バランス	FRT，BBS，片脚立位保持時間
	義足の適合	ベンチアライメント，静的アライメント，動的アライメント
	義足歩行	歩容観察，10 m 歩行テスト(速度)，6 分間歩行テスト(持久性)
	ADL・QOL	FIM，Lawton の IADL，AMP，PEQ，SF-36®，EQ-5D
	不安・抑うつ	HADS，BDI

2 理学療法実施中の評価

a 問診

主訴，ニーズ，症状などを聴取する．特に障害受容過程（ショック期，否認期，混乱期，解決への努力期，受容期）の各時期の特徴を理解し，心理的側面に配慮した面接を実施する．

b リスク管理

特に高齢者や心疾患などの基礎疾患がある場合は，理学療法中のバイタルサインを確認する．

c 断端部の状態

視診と触診により断端部の状態（腫脹，発赤，水疱，乾燥の状態，筋萎縮など）を評価する．

d 関節可動域

関節可動域制限の要因には切断術（部位，断端長など）によるものと，不良姿勢による二次的なものがある．大腿切断では股関節伸展・内転の制限が生じやすい．下腿切断では膝関節伸展制限が生じやすい．

e 筋力

義肢装着時と非装着時で比較する．また，非切断肢，上肢，体幹の筋力も評価する．特に①大腿切断では大殿筋，中殿筋，内転筋群，②下腿切断では大腿四頭筋の筋力が重要となる．

f 疼痛・幻肢痛

断端部の痛みの部位（表層，深層），程度，安静時痛，動作時痛を評価する．また，幻肢痛がある場合は部位や程度などを評価する．

g 感覚

外傷性切断の場合，末梢神経損傷の可能性がある．血管原性切断（糖尿病）の場合，神経麻痺の可能性がある．

h 下肢長・周径

断端長と断端周径は，断端成熟度を把握するために週1回以上測定し，経時的変化を記録する．

i 筋の短縮

大腿切断では，腸腰筋の短縮の程度を Thomas テストなどで評価する．下腿切断では，ハムストリングの短縮の程度を SLR テストなどで評価する．

j バランス

活動的な高齢大腿切断者では，非活動的な切断者と比較して片脚立位バランスが優れいているとされており，機能予後予測をするうえで重要な指標の１つとされている．

k ADL・QOL

疾患特異的尺度の義足の使用状況に関する評価として Houghton scale，活動性の評価として Amputee mobility predictor(AMP)などがある．QOL 評価として prosthesis evaluation questionnaire(PEQ)などがある．

l 不安・抑うつ

不安や抑うつの評価として，HADS，BDI などがある．

Ⅶ 肩関節周囲炎・腱板損傷

A 概要

肩関節周囲炎は，別名，**凍結肩**(frozen shoulder)とよばれ，特定の原因がなく肩関節に持続的な疼痛と関節可動域制限を引き起こす疾患である．病名に関しては完全に統一されておらず，癒着性関節包炎や，五十肩(腱板断裂や石灰性腱炎を除く)とも呼ばれている．中高年で発症し，1～数年の経過で治癒することが多い．**腱板断裂**は腱板腱線維が断裂した状態で完全断裂と不完全断裂に分類され，棘上筋の断裂が多い．腱板断裂があっても無症候性の場合も多く，症状を呈する場合は痛みが最多である．

B 検査の選び方

検査の選び方は，3 つの病期〔炎症期(freezing phase)，拘縮期(frozen phase)，回復期(thawing phase)〕を目安に実施する．炎症期は炎症が強く，安静が優先され，愛護的な運動療法が実施される時期であるため，症状や痛みの程度の把握，ADL といった活動性の評価を中心に行う．拘縮期以降では積極的な運動療法が実施されるため，関節可動域や MMT といった機能的評価に加え，ADL 評価を実施する．腱板断裂は，一般的な評価に加えて腱板筋の特殊検査により，障害部位を詳細に評価する．

C 検査の進め方(▶表 8)

1 病態の把握

a 診断名と現病歴

病態を正しく理解するために診断名と現病歴を確認する．拘縮肩を呈しやすい併存疾患(糖尿病，甲状腺疾患)や，術後であれば合併症の有無も確認する．

▶表8　肩関節周囲炎・腱板断裂の主な評価項目

	項目	収集内容
カルテからの情報	一般的情報	身長，体重，年齢，性別，BMI，職業
	医学的情報	診断名，現病歴，既往歴，合併症
	検査情報	単純X線，MRI，CT，超音波，関節鏡，関節造影
	治療成績判定・機能評価	日本整形外科学会肩関節疾患治療成績判定基準(JOAスコア)，CMS
	治療内容	薬物療法，装具療法，手術療法
理学療法評価	項目	評価内容
	主訴・ニーズ・症状	問診
	関節可動域	ROMテスト，複合的関節可動域評価
	筋力	MMT
	疼痛	VAS，NRS，FPS，MPQ
	肩甲骨アライメント・肩甲上腕リズム	視診，動作分析
	腱板機能に関する検査	腱板断裂：drop arm sign，full can test(棘上筋)，棘下筋テスト，lift off test・bell press test(肩甲下筋) 腱板損傷・インピンジメント症候群：有痛弧徴候(painful arc sign)，インピンジメントサイン(Neer sign，Hawkins sign)
	ADL・QOL	JOAスコア，Shoulder36，disability of the arm，DASH，SPADI，ASESスコア，SF-36®，EQ-5D

b 検査情報

肩関節周囲炎の特徴的所見として，関節造影で肩関節腔の狭小化，MRIで腋窩嚢の短縮と肥厚が認められる．単純X線は，他の類似疾患との鑑別診断で使用されることが多い．腱板断裂の特徴的所見としては，単純X線で骨頭の上方化による肩峰骨頭間距離(acromiohumeral interval；AHI)の減少，超音波画像で腱板の欠損や菲薄化，MRIのT2強調画像で断裂部が高信号として認められる．

c 治療成績判定・機能評価・治療内容

日本整形外科学会肩関節疾患治療成績判定基準(JOAスコア)，constant murley score(CMS)などがある．現在の治療内容を確認する．

2 理学療法実施中の評価

a 問診

疼痛を主症状とする場合が多く，特に結髪や結帯動作など，上肢の運動に関連したADLに困難をきたす疾患であることを念頭に，疼痛が出現してから身体機能や生活活動の状態がどのような経過を辿っているかを聴取する．また，利き手側も確認する．

b 関節可動域

肩関節の回旋可動域は，1st，2nd，3rd の肢位でそれぞれ測定し，動作分析時の疼痛発生状況と関連させて評価する．さらに，ADL を反映する結帯動作や結髪動作のような複合的関節可動性の評価も実施する．また，肩関節の可動域は，肩甲骨の運動と深く関連しているため，肩甲上腕関節の可動域制限を把握する目的で，肩甲骨を固定した状態での可動域も測定する．さらに，座位での自動運動と臥位での他動運動を測定し，両者を比較する．

c 筋力

肩関節および肩甲骨周囲筋群の評価を実施する．また，筋力と合わせた疼痛の評価も行う．

d 疼痛

疼痛の発生時期と経時的変化，増悪因子と軽快因子，局在と放散，持続性，強さと性質などを評価する．特に腱板断裂の場合，動作時痛とともに安静時痛，夜間時痛を認めることが多い．

e 肩甲骨アライメント・肩甲上腕リズム

肩甲骨アライメント評価では，上肢安静下垂位で左右の肩甲骨の非対称性などを観察する．肩甲上腕リズムの評価では，上肢挙上自動運動時の肩甲骨(肩甲棘)と上腕骨長軸のなす角度(spino-humeral angle；SHA)などを測定する．

f 腱板機能に対する検査

腱板断裂の評価として①drop arm sign，②full can test(棘上筋)，③棘下筋テスト，④lift off test・bell press test(肩甲下筋)がある．腱板損傷やインピンジメント症候群の評価として①有痛弧徴候(painful arc sign)，インピンジメントサイン(Neer sign，Hawkins sign)がある．

g ADL・QOL

疾患特異的尺度としては，日本整形外科学会肩関節疾患治療成績判定基準(JOA スコア)，Shoulder36，disability of the arm，shoulder and hand(DASH)，shoulder pain and disability index(SPADI)，American shoulder and elbow surgeons shoulder score(ASES スコア)などがある．

●引用文献
1) 津村弘，他：膝関節の疾患．井樋栄二，他(編)：標準整形外科学 第 14 版．pp658-686，医学書院，2020.
2) Steinbrocker O., et al.: Therapeutic criteria in rheumatoid arthritis. JAMA 140: 659-62, 1949.
3) 石原義恕，他(編)：リウマチテキストー疾患の理解とケアの実際．p91，南江堂，1992.
4) Fries JF., et al.: Measurement of patient outcome in arthritis. Arthritis Rheum 23: 137-145, 1980.
5) 日本整形外科学会，他(監)腰痛診療ガイドライン 2019 改訂第 2 版．p23，南江堂，2019.
6) 青山孝：義足装着訓練．日本義肢装具学会(監)：義肢学．pp283-285，医歯薬出版，1988.

●参考文献
1) 日本理学療法士協会(監)：理学療法ガイドライン 第 2 版．医学書院，2021.
2) 内山靖(総編集)：今日の理学療法指針．医学書院，2015.
3) 加藤浩(編)：運動器障害理学療法学．メジカルビュー社，2020.

3

呼吸・循環・代謝系

- 呼吸・循環・代謝系疾患の概要と主要な症候が理解する．
- 呼吸・循環・代謝系疾患の代表的な評価項目が理解する．

I 急性呼吸不全

呼吸不全は，室内気吸入時の動脈血酸素分圧（PaO_2）が 60 mmHg 以下となる呼吸器系の機能障害，またはそれに相当する状態と定義されている．急性の経過（1 か月未満）で生じた呼吸不全を急性呼吸不全，呼吸不全の状態が 1 か月以上継続しているものを慢性呼吸不全と呼ぶ．急性呼吸不全を呈する原因疾患は，肺炎などの感染症，急性呼吸促迫症候群（acute respiratory distress syndrome；ARDS），急性肺血栓塞栓症，自然気胸，慢性閉塞性肺疾患（chronic obstructive pulmonary disease；COPD）や間質性肺炎の急性増悪，急性心不全など多岐にわたる．

A 検査の選び方

表 1 に急性呼吸不全の代表的な評価項目を記載した．急性呼吸不全患者に対しては，換気不全や酸素化能の改善を目的に人工呼吸療法が適応されることが多いが，そのような状態であって

▶表 1　急性呼吸不全の評価項目

情報収集	
患者基本情報	入院日，年齢，性別，身長，体重，BMI など
カルテ（診療録），経過表	診断名，現病歴，治療方針，既往歴，合併症，喫煙歴，入院後の治療に対する反応
検査所見	胸部単純 X 線，胸部 CT，心電図，血液・生化学検査所見，動脈血ガス検査所見
治療内容	人工呼吸器設定，薬物療法，循環作動薬・鎮痛・鎮静・筋弛緩薬の使用状況など
理学療法評価〈急性期〉	
意識レベル	不穏・せん妄の有無（RASS）
循環動態	心筋虚血，重篤な不整脈，心拍数，体血圧（収縮期，拡張期，平均血圧），循環作動薬の投与状況，補助循環装置使用の有無
呼吸状態	酸素化能（P/F 比，SpO_2），呼吸数，人工呼吸器設定（F_IO_2，PEEP，換気モード）換気能力（TV，MV，RSBI，呼吸性アシドーシスの有無），呼吸パターン（呼吸補助筋の過活動，奇異性呼吸など）
運動・認知機能	MRC 息切れスケール，FSS-ICU，起居動作能力など
全身状態	発熱，電解質異常，貧血，体液過剰
その他	体温，異常な発汗，顔色，疲労感，疼痛，理学療法に際して危険を伴うラインやデバイス
理学療法中のバイタルサイン	胸痛，冷感（冷汗），動悸，呼吸困難，酸素飽和度，心電図（不整脈，ST 変化），血圧，心拍数など

も，一定の要件を満たせば早期から離床を含めた理学療法の適応になる．評価の選定にあたっては，呼吸状態の把握に加え，循環動態や全身状態を把握し，早期離床の適否や安全性のモニタリングにかかわる指標を中心に評価項目を選定する．早期離床の適否や，離床中のモニタリング指標の判断基準については，**表2，3**を参考に，医療チームで相談をしながら進めていく．

B 検査の進め方

1 病態の把握

(1) **診断名**：急性呼吸不全に至る原因や予後，経過は多岐にわたる．ARDSは急性呼吸不全をきたす病態のなかでも，最も重篤なものであり，胸部単純X線像で両側性の肺浸潤影を認め，かつその原因が心不全，腎不全，血管内水分の過剰のみでは説明できない病態の総称である．

(2) **重症度**：急性呼吸不全の原因となる疾患の重症度指標に加え，ICU入室患者の包括的な重症度指標を確認する．代表的なものに acute physiology and chronic health evaluation (APACHE) **Ⅱスコア**[1]，sequential organ failure assessment (SOFA) **スコア**[2]などがある．APACHE Ⅱスコアは，ICU入室24時間以内の最悪値を acute physiology score とし，年齢，慢性疾患のスコアを加えて求められる．またSOFAスコアは重要臓器の障害度を数値化し

▶**表2　早期離床や早期からの積極的な運動の開始基準**

	指標	基準値
意識	Richmond Agitation Sedation Scale (RASS)	−2≦RASS≦1 30分以内に鎮静が必要であった不穏はない
疼痛	自己申告可能な場合 numeric rating scale (NRS) もしくは visual analogue scale (VAS)	NRS≦3 もしくは VAS≦3
	自己申告不能な場合 behavioral pain scale (BPS) もしくは Critical-Care Pain Observation Tool (CPOT)	BPS≦5 もしくは CPOT≦2
呼吸	呼吸回数	<35/min が一定時間持続
	酸素飽和度 (SaO_2)	≧90% が一定時間持続
	吸入酸素濃度 (F_IO_2)	<0.6
人工呼吸器	呼気終末陽圧 (PEEP)	<10 cmH_2O
循環	心拍数 (HR)	HR≧50/min もしくは≦120/min が一定時間持続
	不整脈	新たな重症不整脈の出現がない
	虚血	新たな心筋虚血を示唆する心電図変化がない
	平均血圧 (MAP)	≧65 mmHg が一定時間持続
	ドパミンやノルアドレナリン投与量	24時間以内に増量がない
その他	・ショックに対する治療が施され，病態が安定している	
	・SAT ならびに SBT が行われている	
	・出血傾向がない	
	・動くときに危険となるラインがない	
	・頭蓋内圧 (intracranial pressure，ICP) <20 cmH_2O	
	・患者または患者家族の同意がある	

元の血圧を加味すること．各数字については経験論的なところもあるのでさらに議論が必要である．
〔日本集中治療医学会早期リハビリテーション検討委員会：集中治療における早期リハビリテーション　根拠に基づくエキスパートコンセンサス．日集中医誌 24：255-303，2017 より〕

▶表3　ICUでの早期離床と早期からの積極的な運動の中止基準

カテゴリー	項目・指標	判定基準値あるいは状態	備考
全体像 神経系	反応	明らかな反応不良状態の出現	呼びかけに対して傾眠，昏迷の状態
	表情	苦悶表情，顔面蒼白・チアノーゼの出現	
	意識	軽度以上の意識障害の出現	
	不穏	危険行動の出現	
	四肢の随意性	四肢脱力の出現	
		急速な介助量の増大	
	姿勢調節	姿勢保持不能状態の出現	
		転倒	
自覚症状	呼吸困難	突然の呼吸困難の訴え	気胸，PTE
		努力呼吸の出現	修正Borgスケール5～8
	疲労感	耐えがたい疲労感	
		患者が中止を希望	
		苦痛の訴え	
呼吸器系	呼吸数	＜5 /minまたは＞40 /min	一過性の場合は除く
	SpO_2	＜88%	
	呼吸パターン	突然の吸気あるいは呼気努力の出現	聴診など気道閉塞の所見も併せて評価
	人工呼吸器	不同調	
		バッキング	
循環器系	HR	運動開始後の心拍数減少や徐脈の出現	一過性の場合は除く
		＜40 /minまたは＞130 /min	
	心電図所見	新たに生じた調律異常	
		心筋虚血の疑い	
	血圧	収縮期血圧＞180 mmHg	
		収縮期または拡張期血圧の20%低下	
		平均動脈圧＜65 mmHgまたは＞110 mmHg	
デバイス	人工気道の状態	抜去の危険性（あるいは抜去）	
	経鼻胃チューブ		
	中心静脈カテーテル		
	胸腔ドレーン		
	創部ドレーン		
	膀胱カテーテル		
その他	患者の拒否		
	中止の訴え		
	活動性出血の示唆	ドレーン排液の性状	
	術創の状態	創部離開のリスク	

介入の完全中止あるいは，いったん中止して経過を観察，再開するかは患者状態から検討，判断する．
〔日本集中治療学会早期リハビリテーション検討委員会：集中治療における早期リハビリテーション―根拠に基づくエキスパートコンセンサス．日集中医誌24：255-303，2017より〕

て，その合計点で重症度を判定するものであり，敗血症の診断基準としても用いられる．SOFAスコアは一般的に入室時およびその後48時間ごとに算出される．

(3) **合併症**：心疾患，COPDや悪性腫瘍などの合併症を有する例は，より高リスクである．

(4) **治療状況**：人工呼吸器設定や薬物・栄養療法，外科的治療，その他の医学的な処置と付随する注意事項を把握する．

(5) **血液・生化学検査**：PaO_2と吸入酸素濃度（F_IO_2）の比である**P/F比**で，酸素化能の評価を行う．また，感染症（WBC，C反応性蛋白質），血液・凝固系（Hb，FDP，血小板），肝機能，

表4 Richmond agitation-sedation scale (RASS)

スコア	用語	説明
+4	好戦的な	明らかに好戦的な，暴力的な，スタッフに対する差し迫った危険
+3	非常に興奮した	チューブ類またはカテーテル類を自己抜去
+2	興奮した	頻繁で非意図的な運動・人工呼吸器ファイティング
+1	落ち着きのない	不安で絶えずそわそわしている．しかし動きは攻撃的でも活発でもない
0	意識清明・落ち着いている	
−1	傾眠状態	完全に清明ではない．呼びかけに10秒以上のアイコンタクトで応答
−2	軽い鎮静状態	呼びかけに10秒未満のアイコンタクトで応答
−3	中等度鎮静	呼びかけに動きまたは開眼で応答する．アイコンタクトなし
−4	深い鎮静状態	呼びかけに無反応．身体刺激で動きまたは開眼
−5	昏睡	呼びかけにも身体刺激にも無反応

ステップ1：30秒間，患者を観察する．これ(視診のみ)によりスコア(0〜+4)を判定する．
ステップ2：
(1)大声で名前を呼ぶか．開眼するように言う．
(2)10秒以上アイコンタクトができなければ繰り返す．以上2項目(呼びかけ刺激)によりスコア(−1〜−3)を判定する．
(3)動きがみられなければ，肩を揺するか，胸骨を摩擦する．これ(身体刺激)によりスコア(−4，−5)を判定する．

腎機能などの血液・生化学検査所見の推移を確認する．

(6)**胸部単純X線像・胸部CT画像**：肺透過性，無気肺，胸水，肺水腫など．

2 理学療法実施中の評価

(1)**意識レベル・せん妄状態**：Glasgow coma scale(GCS)，Richmond agitation-sedation scale(RASS)(▶**表4**)，confusion assessment method for the ICU(CAM-ICU)などが用いられる[3)]．

(2)**バイタルサイン**：日や時間単位での経過，すなわち，改善・悪化・安定傾向なのかを把握したのちに，その時点でのバイタルサインを評価する．理学療法中には，姿勢変換や運動負荷に対する反応を，身体所見とともに評価する．

(3)**疼痛**：患者が痛みを自己申告できる場合は，数値評価スケール(numerical rating scale；NRS)，視覚的アナログスケール(visual analogue scale；VAS)が，自己申告できない場合は，behavioral pain scale(BPS)やcritical-care pain observation tool(CPOT)などの評価が推奨されている[4)]．NRS>3，VAS>3，BPS>5，CPOT>2では患者の痛みが存在することを示しており[4)]，他職種と連携してなんらかの対処を行ったのちに理学療法を行う．

(4)**呼吸状態**：呼吸数，呼吸パターン，呼吸補助筋の活動状況，異常呼吸音，呼吸音の低下，チアノーゼ，胸壁の拡張性(左右差)など．

(5)**循環動態**：循環不全の所見など．

(6)**運動機能**：関節可動域，筋力，基本動作能力などを評価する．ICU患者において生じる全身筋力低下(ICU-acquired weakness；ICU-AW)は**表5**のように定義される．

▶表 5　ICU-acquired weakness(ICU-AW)の診断基準

下記の 1 かつ 2 かつ(3 あるいは 4)かつ 5 を満たす
1. 重症病態の発症後に出現したびまん性の筋力低下
2. 筋力低下はびまん性(近位筋・遠位筋の両者)，左右対称性，弛緩性であり，通常，脳神経支配筋は侵されない
3. 24 時間以上空けて 2 回以上行った MRC スコアの合計が 48 点未満，または検査可能な筋の平均 MRC スコアが 4 点未満
4. 人工呼吸器に依存している
5. 背景にある重症疾患と関連しない筋力低下の原因が除外されている

MRC：medical research council
〔Stevens, R. D., et al.: A framework for diagnosing and classifying intensive care unit-acquired weakness. Crit Care Med 37: S299-308, 2009 より〕

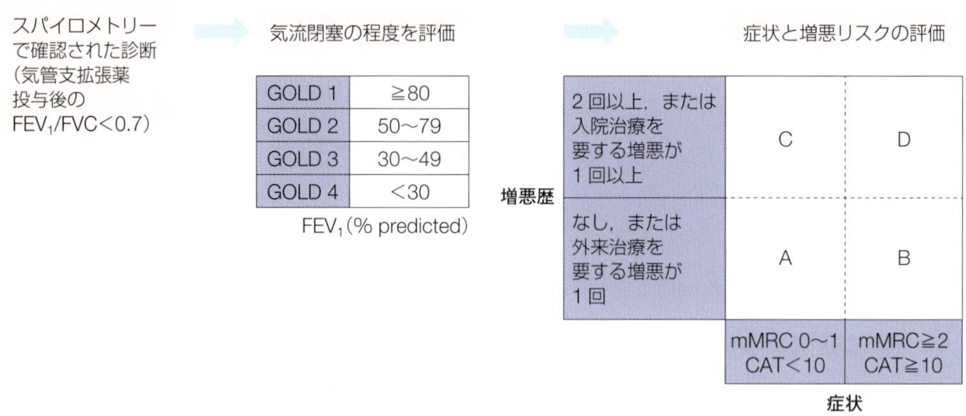

スパイロメトリーで確認された診断(気管支拡張薬投与後の FEV_1/FVC<0.7)
→ 気流閉塞の程度を評価
→ 症状と増悪リスクの評価

GOLD	FEV_1(% predicted)
GOLD 1	≧80
GOLD 2	50～79
GOLD 3	30～49
GOLD 4	<30

増悪歴	mMRC 0～1 CAT<10	mMRC≧2 CAT≧10
2 回以上，または入院治療を要する増悪が 1 回以上	C	D
なし，または外来治療を要する増悪が 1 回	A	B

症状

▶図 1　COPD の診断および重症度評価(ABCD アセスメントツール)

mMRC：修正 medical research council(MRC)息切れスケール(▶表 7)(➡380 頁)
CAT：COPD アセスメントテスト
〔Vogelmeier, C. F., et al.: Global Strategy for the Diagnosis, Management, and Prevention of Chronic Obstructive Lung Disease 2017 Report. GOLD Executive Summary. Am J Respir Crit Care Med 195: 557-582, 2017 より〕

Ⅱ 慢性閉塞性肺疾患

慢性閉塞性肺疾患(COPD)は，予防や治療が可能な頻度の高い疾患であり，有害な粒子やガスを原因とする気流や肺胞の障害によって呼吸器症状や気流制限の症状が持続する疾患である．労作時の呼吸困難は，主として，末梢気道の狭窄や肺の過膨張(気腫性病変)により，運動時に呼気を円滑に呼出することができなくなるため，空気のとらえこみ現象(air trapping)が生じ，それがさらに肺を膨張させること(動的過膨張)により生じる．労作時の呼吸困難は身体活動量の低下につながり，さらなる運動機能や ADL の低下を引き起こす．

A 検査の選び方

図 1 に COPD の診断と病態評価の主なフローを示した．COPD の診断後，気管支拡張薬投与後の％ 1 秒量(予測値に対する％)によって GOLD 1～4 に気流閉塞の程度を分類し，さらに症状の程度と COPD の増悪リスクの観点から A～D に分類する．評価の選定にあたっては，これら

▶表 6 COPD 患者の評価項目

情報収集	
患者基本情報	入院日，年齢，性別，身長，体重，BMI，社会経済状況，生活環境
カルテ(診療録)，経過表	診断名，現病歴，既往歴，合併症，喫煙歴(受動喫煙含む)，GOLD 分類，症状と増悪リスク(ABCD アセスメント；図 1)，COPD の急性増悪による入院歴(直近の増悪日，回数，頻度など)
検査所見	スパイロメトリー(1 秒率，％1 秒量，フローボリューム曲線)，胸部単純 X 線，胸部 CT，心電図，血液・生化学検査所見，動脈血ガス検査所見
治療内容	薬物療法，在宅酸素療法，non-invasive ventilation(NIV)の使用歴など
理学療法評価	
問診	呼吸困難〔症状の出現時期と推移，程度(mMRC，CAT)，増悪・軽減因子〕，咳・痰の性状や程度，喫煙歴の詳細(いつから，1 日何本，何年間，禁煙状況，受動喫煙の有無と程度)，食欲，睡眠状況，同居家族，職業，通勤・通院手段，身体活動状況，運動器合併症など
身体所見	バイタルサイン(意識，血圧，呼吸数，脈拍数，体温)，視診(表情，体型，胸郭変形，ばち指，呼吸パターン，口すぼめ呼吸の有無，胸郭の拡張性，呼吸補助筋の活動・筋トーヌス，頸静脈怒張)，触診(筋トーヌス，胸郭の拡張性，横隔膜の動き)，打診(鼓音)，聴診(異常呼吸音，副雑音)など
体組成	体脂肪率，四肢骨格筋指数など
心電図	ST 変化，異常 Q 波の部位，調律，心拍数
経皮的酸素飽和度	安静時および労作時(酸素投与量を併記)
運動中のバイタルサイン	労作時呼吸困難(修正 Borg スケール，VAS)，心電図(不整脈，ST 変化)，血圧，心拍数など
身体機能	筋力(握力，四肢・呼吸筋力)，スパイロメトリー，歩行速度，バランス機能，運動耐容能(6 分間歩行テスト，シャトルウォーキングテスト)
加齢に伴う問題	認知機能，サルコペニア，フレイルなど
QOL，精神症状	SF-36®，EuroQol，CAT，PHQ-9，HADS など

mMRC；修正 medical research council．CAT；COPD アセスメントテスト．VAS；visual analogue scale．SF-36®；MOS 36-item short-form health survey．PHQ-9；patient health questionnaire-9．HADS；hospital anxiety and depression scale．

の重症度を把握したうえで運動耐容能や ADL を阻害する要因を把握し，到達可能な目標設定と介入手段を決定するために行う．**表 6** に COPD 患者における代表的な評価項目を列挙した．

B 検査の進め方

1 病態の把握

(1) **現病歴・既往歴**：COPD の症状出現時期や経過，持続時間などを確認する．COPD の増悪とは，息切れの増加，咳や喀痰の増加，膿性痰の出現，胸部不快感・違和感の出現あるいは増強を認め，安定期の治療の変更あるいは追加が必要になる状態をいう．増悪は QOL，予後，呼吸機能を悪化させる．増悪の原因としては，呼吸器感染症，大気汚染が多いが，約 30％は原因が特定できないとされる[5]．

(2) **病期分類**：GOLD のグレード(1～4)とグループ(A～D)に分類される(▶ **図 1**)．

(3) **合併症**：肺高血圧症，喘息，肺炎，気胸，肺がん，肺線維症などの肺合併症，心疾患やその他の全身合併症の有無を確認する．

(4) **治療状況**：COPD の基本治療は，禁煙，薬物療法，包括的呼吸リハビリテーションである．そのほかに，酸素療法，人工呼吸器の使用歴や合併症に対する治療内容を確認する．

(5) **スパイロメトリー**：COPD の診断には 1 秒率(FEV_1/FVC)が用いられるが，病期分類には個々の患者の年齢，性別，体格から算出した予測 1 秒量に対する比率(％FEV_1)が用いられる．

(6) **胸部単純 X 線像・CT 画像**：X 線像では，典型的な像として肺野の透過性亢進，横隔膜の平低化，滴状心，肋間腔の開大などが，CT 画像では囊胞(ブラ)や気道壁の肥厚などがあげられる．

(7) **心エコー検査**：肺高血圧や心機能障害を確認．

❷ 理学療法実施中の評価

(1) **問診**：**表 6** のとおり．呼吸困難，咳・喀痰など，ADL を制限する情報を中心に問診する．

(2) **バイタルサイン**：呼吸数増加，SpO_2 低下は頻繁に認められる．

(3) **視診**：早期の COPD では典型的な身体所見を示さないことも多い．進行すると，胸鎖乳突筋や斜角筋の肥厚・肥大，肺の過膨張による**樽状胸郭**(barrel chest)，口すぼめ呼吸，吸気時に下部胸郭が内側へ陥凹する **Hoover(フーバー)徴候**などを認めるようになる．

(4) **聴診**：呼気の延長，呼吸音の減弱が認められる．また，気道分泌物の増加や気流閉塞により水泡音(coarse crackle)や連続性ラ音が聴取されることがある．

(5) **呼吸困難の評価**：安静時，労作時について**修正 MRC(medical research council)息切れスケール**(▶**表 7**)や修正 Borg スケールを用いて客観的に評価するとともに，呼吸数，呼吸パターン(胸式優位)，呼吸補助筋の活動状況などの他覚的な所見も併せて評価する．

(6) **体組成**：COPD は慢性炎症性の疾患であり，長期罹患により体重は減少し，筋肉量，脂肪量ともに減少してくる．

(7) **循環動態**：循環不全の所見(浮腫，末梢冷感など)など．

(8) **運動機能・運動耐容能**：運動耐容能の評価として 6 分間歩行テストやシャトルウォーキングテストを行う．また，COPD 患者では，加齢，身体活動量の低下や低栄養などの要因によって筋力や筋持久力が低下していることが多いため，運動機能の包括的な評価が必要である．

(9) **QOL**：疾患特異的な QOL 尺度として，COPD アセスメントテスト(CAT™)が簡便性と信頼性から汎用されている(http://www.gold-jac.jp/support_contents/cat.html)[6]．0 が最も良好，40 が最も不良を示す．

▶**表 7　修正 medical research council (MRC)息切れスケール**

グレード分類	あてはまるものにチェックしてください(1 つだけ)	
0	激しい運動をしたときだけ息切れがある	☐
1	平坦な道を早足で歩く，あるいは緩やかなのぼり坂を歩くときに息切れがある	☐
2	息切れがあるので，同年代の人よりも平坦な道を歩くのが遅い，あるいは平坦な道を自分のペースで歩いているとき，息切れのために立ち止まることがある	☐
3	平坦な道を約 100 m，あるいは数分歩くと息切れのために立ち止まる	☐
4	息切れがひどく家から出られない，あるいは衣服の着替えをするときにも息切れがある	☐

Ⅲ 虚血性心疾患

虚血性心疾患は動脈硬化を主な原因とした冠動脈の狭窄や閉塞により，心筋が虚血(狭心症)または壊死(心筋梗塞)になる病態である．虚血性心疾患のなかでも緊急で入院治療が必要な急性冠症候群は，冠動脈の粥腫(プラーク)破綻と血栓形成により急性心筋虚血を呈する臨床症候群であり，不安定狭心症，ST 上昇型心筋梗塞，非 ST 上昇型心筋梗塞が含まれる．

A 検査の選び方

表 8 に虚血性心疾患の主な評価項目を記載した．急性期では病態の把握とリスクの層別化に，より重きがおかれ，安定期では再発予防にかかわる評価に重点をおく．

▶表 8 虚血性心疾患の評価項目

情報収集	
患者基本情報	入院日，年齢，性別，身長，体重，BMI
カルテ(診療録)，経過表	診断名，現病歴，既往歴，合併症，冠危険因子の保有状況，喫煙歴，Killip 分類，Forrester 分類(スワンガンツカテーテル挿入患者のみ)，右室梗塞合併の有無(急性心筋梗塞例のみ)，冠動脈造影検査結果(冠動脈狭窄部位と程度，残存狭窄の有無)，身体所見(胸痛，来院時バイタルサイン，心不全所見：浮腫，Ⅲ音，ラ音，頸静脈怒張，起座呼吸，倦怠感など)
検査所見	心電図，心臓超音波検査，胸部単純 X 線，血液・生化学検査所見
治療内容	経皮的冠動脈形成術(PCI)または冠動脈バイパス術(CABG)施行の有無 PCI の場合：ステント挿入の有無，ステントの種類〔薬剤溶出性ステント(DES)またはベアメタルステント(BMS)〕，PCI 施行までの時間(door to balloon time)，治療の成否(TIMI 分類) CABG の場合：使用したグラフトの名称と吻合部位，冠動脈血流，人工心肺使用の有無と時間，周術期出血量，周術期合併症，気管内挿管時間など
機械的合併症の有無(急性心筋梗塞例のみ)	左室自由壁破裂，心室中隔穿孔，乳頭筋断裂
理学療法評価	
〈急性期〉	
問診	胸痛，動悸，呼吸困難，食欲，睡眠状況，発症前の ADL，同居家族，職業，通勤・通院手段，身体活動状況など
身体所見	バイタルサイン(意識，血圧，呼吸数，脈拍数，体温)，心不全症状(浮腫，Ⅲ音，ラ音，頸静脈怒張，起座呼吸，倦怠感など)
心電図	ST 変化，異常 Q 波の部位，調律，心拍数
動作中のバイタルサイン	胸痛，冷感(冷汗)，動悸，呼吸困難，酸素飽和度，心電図(不整脈，ST 変化)，血圧，心拍数など
〈安定期〉	
心肺運動負荷試験	最高酸素摂取量，最高ガス交換比，嫌気性代謝閾値，換気効率(VE/VCO_2 slope)，運動時周期性呼吸変動(EOV)の有無，運動終了理由，虚血性の ST 変化および不整脈の有無，運動処方強度
冠危険因子の是正状況	禁煙，血圧，脂質，BMI，血糖コントロール，身体活動量，不安・抑うつ状態
身体機能	筋力，呼吸機能，歩行速度，バランス機能，6 分間歩行テストなど
体組成	体脂肪率，四肢骨格筋指数など
加齢に伴う問題	認知機能，サルコペニア，フレイルなど
QOL，精神症状	SF-36®，EuroQol，Duke 活動状態指数，シアトル狭心症質問票，PHQ-9，HADS など
疾病管理	身体活動量(加速度計，質問紙など)，セルフケア行動(内服・食事アドヒアランスなど)

B 検査の進め方

1 病態の把握

(1)**診断名**：診断名と冠動脈狭窄の程度と部位を把握する．

(2)**発症時・来院時の状況**：前駆症状，胸痛の有無や程度，意識状態，バイタルサイン，心肺停止の有無や心肺蘇生までの時間，血圧，ショックの有無，心不全合併の有無，心電図(ST 変化や不整脈)を確認する．来院時の低血圧やショックの存在は院内死亡率の上昇と関連する．

(3)**治療状況**：急性心筋梗塞では，発症から再灌流療法までの時間が短ければ短いほど，心筋の損傷も少ない(120 分以内が目安)．また，再灌流療法の成否を判定するグレードとして thrombolysis in myocardial infarction trial(TIMI)分類がある．TIMI 2 以下では，再灌流が不十分であるため，運動療法実施中の心筋虚血に注意が必要である．

(4)**血液・生化学検査**：心筋傷害マーカー(クレアチンキナーゼ；CK，トロポニン)，冠危険因子や予後に関連する検査値(LDL コレステロール，non-HDL コレステロール，中性脂肪，HDL コレステロール，HbA1c，推定糸球体濾過量，ヘモグロビン，アルブミンなど)を確認する．

(5)**心電図**：不整脈の有無，ST 上昇・下降や異常 Q 波を確認する．

(6)**心エコー検査**：左室の壁運動異常の有無，左室駆出率などにより，心ポンプ機能を評価する．

(7)**胸部単純 X 線像**：心拡大，肺うっ血，肺水腫，胸水の有無を評価する．

(8)**合併症・冠危険因子**：脂質異常症，高血圧，糖尿病，喫煙(受動喫煙を含む)，年齢，家族歴，慢性腎臓病，末梢動脈疾患，心血管疾患の既往などを把握する．

(9)**総合的リスク評価指標(リスクスコア)**：TIMI リスクスコア[7,8]，global registry of acute coronary events(GRACE)リスクスコア[9]などが用いられる．

2 理学療法実施中の評価

a 急性期

表 9 に示した事象が出現しないかを確認しながら進める．

(1)**問診**：胸痛，呼吸困難，動悸の有無を中心に確認する．高齢，女性，糖尿病患者では心筋虚血があっても胸痛を感じないことがあるので，呼吸困難や冷汗，顔色など他覚所見にも注意を向ける．

(2)**バイタルサイン**：日々の変動，運動や体位変換に伴う変動を評価する．

(3)**心電図**：必要に応じて，12 誘導心電図やモニター心電図を装着し，運動前後や運動中の ST 変化(▶図 2)や不整脈の出現をモニターする．

b 安定期

(1)**運動機能・ADL 検査**：運動機能の低下は再発予防のための運動療法の妨げになるだけでなく，それ自体が予後に悪影響を及ぼす．筋力やバランス機能，歩行能力を中心に動作の可否だけでなく定量的に評価する．また動作時の自覚症状，身体所見を併せて評価する．

(2)**心肺運動負荷試験**：心肺運動負荷試験の主要な指標と重症度を**表 10** に示す．これらの指標は，いずれも単独で予後予測に有用な指標である．

▶表 9　急性心筋梗塞に対する心臓リハビリテーションのステージアップの判定基準

1	胸痛，呼吸困難，動悸などの自覚症状が出現しないこと
2	心拍数が 120/min 以上にならないこと，または 40/min 以上増加しないこと
3	危険な不整脈が出現しないこと
4	心電図上 1 mm 以上の虚血性 ST 低下，または著明な ST 上昇がないこと
5	室内トイレ使用時までは 20 mmHg 以上の収縮期血圧上昇・低下がないこと（ただし 2 週間以上経過した場合は血圧に関する基準は設けない）

負荷試験に不合格の場合は，薬物追加などの対策を実施したのち，翌日に再度同じ負荷試験を行う．
〔日本循環器学会，日本心臓リハビリテーション学会合同ガイドライン：心血管疾患におけるリハビリテーションに関するガイドライン（2021 年改訂版）j-circ.or.jp/cms/wp-content/uploads/2021/03/JCS2021_Makita.pdf より 2022 年 10 月閲覧〕

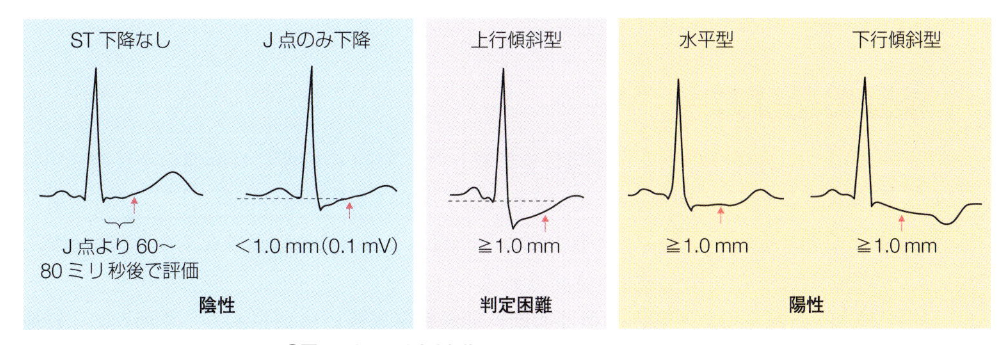

▶図 2　運動負荷における ST 下降の判定基準
〔Fletcher, G. F., et al.: Exercise standards for testing and training: a scientific statement from the American Heart Association. Circulation 128: 873-934, 2013 より〕

▶表 10　心肺運動負荷試験によって得られる指標

重症度/分類・指標		peak VO_2（mL/kg/分）	AT（mL/kg/分）		VE / VCO_2 slope	運動時周期性呼吸変動（EOV）
軽度	A	>20	>14	Ⅰ	≦29.9	
軽度から中等度	B	16〜20	11〜14	Ⅱ	30.0〜35.9	
中等度から重度	C	10〜15	8〜11	Ⅲ	36.0〜44.9	あり
重度	D	<10	<8	Ⅳ	≧45.0	

AT；anaerobic threshold, EOV；exercise oscillatory ventilation.
運動中に分時換気量（VE）が周期的に変動するパターンを示す．EOV 有無の決定方法はいくつかあり，安静時 VE の 15% 以上の変動幅を有する VE の周期的変化が，全体の 60% 以上で認められる場合を，EOV ありと判定することが多い．
〔peak VO_2 と AT：Weber, K. T., et al.: Determination of aerobic capacity and the severity of chronic cardiac and circulatory failure. Circulation 76：VI40-45, 1987 より，VE / VCO_2 勾配：Arena, R., et al.: Development of a ventilatory classification system in patients with heart failure. Circulation 115：2410-2417, 2007 より〕

(3) **身体活動量**：身体活動量の低下は虚血性心疾患患者の生命予後や再発に強く関与する．

(4) **精神・心理検査**：認知機能低下，抑うつ状態の合併は予後不良因子となる．

(5) **冠危険因子の是正状況**：禁煙を含め，再発予防に向けた冠危険因子の是正状況を定期的に把握する．

Ⅳ 閉塞性動脈硬化症

閉塞性動脈硬化症(arteriosclerosis obliterans；ASO)は，全身の動脈硬化症が下肢の動脈に進展し，血流不足によって下肢の症状を呈する疾患である．多くは無症候のうちに進展し，次第に歩行中に疼痛などが生じて日常生活に支障をきたすようになる．進行すると安静時疼痛や足趾に潰瘍を形成することがあり，**重症下肢虚血**(critical limb ischemia；CLI)と呼ばれ，血行再建術が必要になる．

ASOを有する患者では，ほかの臓器でも動脈硬化が進んでいることが多く，心筋梗塞や脳血管障害などの発症リスクが高いことも注意が必要である．

A 検査の選び方

表11に，ASOの主な評価項目を記載した．ASOの診断には両側の手足の血圧で計算される**足関節上腕血圧比**(ankle-brachial index；ABI)≦0.9が用いられる[10]．ASO患者の典型的な症状として，しばらく歩くと下肢のだるさや痛みなどのために歩けなくなり，少し休むと再び歩けるというような間歇性跛行があげられる．

ASOを有していても典型的な間歇性跛行を呈さない場合がある．そのため，喫煙，高齢，高血圧や，糖尿病，脂質異常症，腎不全などの合併症を有し，労作時に下肢疲労などを認める場合は，ABIの評価を考慮する．

▶**表11　閉塞性動脈硬化症患者の評価項目**

情報収集	
患者基本情報	入院日，年齢，性別，身長，体重，BMI，社会経済状況，生活環境
カルテ(診療録)，経過表	診断名，現病歴，既往歴，合併症(心血管疾患，糖尿病，慢性腎臓病など)，喫煙歴
検査所見	血液・生化学検査所見：HbA1c，糸球体濾過量，LDL-C，HDL-C，TGなど 生理検査：足関節上腕血圧比(ABI)，足趾上腕血圧比(toe-brachial index；TBI)，皮膚組織灌流圧(skin perfusion pressure；SPP)，心電図，心臓超音波検査，下肢血管・頸動脈超音波検査 血管造影，胸部単純X線像
治療内容	薬物療法
理学療法評価	
身体所見	間歇性跛行，しびれ，疼痛などの自覚症状，末梢皮膚温，末梢動脈の触知(左右差)， 糖尿病合併例では合併症の評価(▶表12)(➡386頁)
体組成	体脂肪率，四肢骨格筋指数など
運動中のバイタルサイン	心電図(不整脈，ST変化)，血圧，心拍数，修正Borgスケールなど
身体機能	トレッドミル試験(Gardner試験)：最大歩行距離，跛行出現距離，回復時間，試験前後のABIなど 6分間歩行テスト，筋力，歩行速度，バランス機能など
加齢に伴う問題	認知機能，サルコペニア，フレイルなど
QOL・精神症状	SF-36®，EuroQol，WIQ，PHQ-9，HADSなど
疾病管理	身体活動量(加速度計，質問紙など)，セルフケア行動(禁煙，重症下肢虚血ではフットケアなど)

WIQ：Walking Impairment Questionnaire(歩行障害質問票)

B 検査の進め方

1 病態の把握

(1) **現病歴・合併症**：間歇性跛行の有無や出現する状況，診断からの経過時間と症状の変化，動脈硬化の危険因子の保有状況など確認する．

(2) **病期分類**：重症度に関する指標としてABI，また重症度分類としてFontaine分類，Rutherford分類がある[10]．

(3) **治療状況**：禁煙が最も重要であり，加えて，動脈硬化の危険因子に対する治療がまずは行われる．さらに，症候性のASO患者に対しては，監視型運動療法，血行再建術(血管内カテーテル治療や外科治療)などの適応が検討される．

2 理学療法実施中の評価

(1) **問診**：ASO以外の間歇性跛行を呈する代表的な疾患には腰部脊柱管狭窄症があり，鑑別診断のために問診は重要である．間歇性跛行の問診の要点は日本循環器学会/日本血管外科学会：末梢動脈疾患ガイドライン(2022年改訂版)の「表22 間歇性跛行」の鑑別診断を参照されたい．

(2) **視診**：皮膚の色調，筋萎縮の程度などを左右で比較し，足趾の潰瘍や壊疽の有無や部位も確認する．Fontaine Ⅳの患者では，創傷の有無を頻回に確認し，新たな創傷がみられる場合は医師に報告する．

(3) **触診**：下肢の皮膚温や，大腿，膝窩，足背，後脛骨動脈の脈波の強弱を左右で比較する．

(4) **運動機能・運動耐容能**：運動耐容能の評価として6分間歩行テストやトレッドミルを用いたGardner(ガードナー)試験(または修正Gardner試験)で，跛行出現距離や最大歩行距離などを評価する．前述したように，ASO患者は冠動脈疾患を有している可能性があるため，施行にあたっては医師の指示を確認しながら十分なリスク管理を行う必要がある．また，前述した問診や触診，視診を運動療法の前後で比較し，下肢の血流を評価することも重要である．

V 糖尿病

糖尿病はインスリンの作用不足による慢性の高血糖状態を主徴とする代謝疾患である．代謝異常が軽度であれば無症状に経過し，血糖値が著しく上昇すると口渇，多飲，多尿，体重減少などの症状が出現し，重篤な場合は昏睡に至る(ケトアシドーシス)．代謝異常が長期にわたり持続すると，**細小血管合併症**である糖尿病性網膜症・腎症・神経障害が出現する．合併症が進展すると視力障害や失明，透析が必要になる末期腎不全および感覚障害や血流障害による下肢切断に至ることもある．また，糖尿病は動脈硬化を進展させ，脳血管障害や心筋梗塞，ASOなどの発症リスクを上昇させる．

A 検査の選び方

表12に糖尿病の主要評価項目を記載した．情報収集と評価の要点としては，治療内容と血糖コントロールおよび血糖コントロールに影響を及ぼす因子，糖尿病による合併症の有無と運動機能やADLに与える影響，高血糖や低血糖の発生リスクがあげられる．

B 検査の進め方

1 病態の把握

(1) **現病歴**：糖尿病の罹病期間が長期にわたれば，合併症を有する可能性も高くなる．ただし，2型糖尿病は1型糖尿病と比較して発症時期が不明なことも多く，初診時に合併症が存在することも多い．

(2) **治療内容・低血糖発生リスク因子**：糖尿病のための薬物療法が行われている場合は，低血糖をおこすリスクがあるため，治療内容や最近の薬物療法の変更の有無などを把握する．重症な低血糖は，特に75歳以上の高齢者，多剤併用，退院直後，腎不全，食事量低下などの状況で生じやすい．血糖値と低血糖症状の目安を**図3**に示した．高齢者では低血糖の自覚症状が軽微で，非典型的な症状を訴える例が多い．

▶表12　糖尿病の評価項目

情報収集	
患者基本情報	入院日，年齢，性別，身長，体重，BMI，社会経済状況，生活環境
カルテ(診療録)，経過表	診断名，現病歴，家族歴，糖尿病の罹患期間，既往歴，合併症，糖尿病合併症(細小血管障害：網膜症，腎症，神経障害)，大血管障害(心筋梗塞，狭心症，脳血管障害，末梢動脈疾患)，喫煙歴(受動喫煙含む)
検査所見	血液・生化学検査所見(HbA1c，血糖値，推定糸球体濾過量，LDL-C，HDL-C，TGなど)，尿検査(糖，ケトン体，蛋白質，微量アルブミン尿)，生理検査(足関節上腕血圧比，心電図，心臓超音波検査，頸動脈超音波検査)
治療内容	薬物療法(経口血糖降下薬，インスリンなど)，糖尿病の合併症に対する治療など
血糖値の変動因子	インスリン分泌能：血糖コンロール不良期間(罹患期間)，家族歴，高血糖の程度 インスリン抵抗性：ウエスト周囲径，体重歴(過体重)，HOMA-R 生活習慣：食事内容，食事時間，身体活動量，睡眠 その他：ストレス，感染，薬剤(ステロイド，向精神薬)
理学療法評価	
身体所見	疾患特異的所見(血糖コントロール不良例や長期罹患例では特に重要) 視診：糖尿病性足病変の評価：皮膚の色調・乾燥・亀裂，爪白癬による変形・肥厚，足部変形(槌趾・鷲爪趾，凹足，中足骨頭部の突出など)，潰瘍の有無など 触診：末梢皮膚温，末梢動脈の触知(左右差)
体組成	体脂肪率，四肢骨格筋指数など
運動中のバイタルサイン	起立性低血圧(自律神経障害)，低血糖症状(▶**図3**)，労作時呼吸困難(修正Borgスケール，VAS)，心電図(不整脈，ST変化)，血圧，心拍数など
身体機能	糖尿病神経障害(アキレス腱反射，振動覚，足底触圧覚，自覚症状など)(▶**表13**)，関節可動域(特に足関節背屈可動域制限は前足部足底圧の上昇に関与)，筋力(糖尿病性神経障害は筋力低下の要因となる)，歩行速度，バランス機能，運動耐容能(6分間歩行テストなど)
加齢に伴う問題	認知機能(血糖コントロールの目標値にも関与)，サルコペニア，フレイルなど
QOL，精神症状	SF-36®，EuroQol，WIQ，PHQ-9，HADSなど
疾病管理	身体活動量(加速度計，質問紙など)，セルフケア行動(内服，食事アドヒアランス，自己血糖測定・注射など)

HOMA-R；homeostasis model assessment insulin resistance(インスリン抵抗指数)

(3) **血糖コントロール**：HbA1c を主に確認する．治療目標や対象者によって異なるが，おおむね 6～7% が HbA1c の目安であり，ADL 低下や認知機能障害を有する対象者では高めに設定することが推奨されている[11]．

(4) **合併症**：心血管疾患，糖尿病慢性合併症(末梢および自律神経障害，進行した網膜症，腎症)などの有無と程度を把握する．心疾患の既往が指摘されていなくても，脳血管や末梢動脈疾患を有する場合には心疾患を合併している可能性があることを念頭におく．

❷ 理学療法実施中の評価

糖尿病合併症の程度と，運動機能や ADL に及ぼす影響を評価する．また，糖尿病の治療として運動療法を行ううえでの阻害要因についても確認する．

(1) **身体所見**：血糖コントロール不良例，長期罹患例では糖尿病の合併症に関する評価(▶表 12，13)を行う．

(2) **バイタルサイン**：糖尿病患者で比較的頻度の高い事象として，低血糖発作がある．経口血糖降下薬〔特にスルホニルウレア(SU)薬，グリニド薬〕やインスリンを使用している患者が，意識の変容など容態の変化をきたした場合は，常に低血糖発作の可能性を念頭におく．また，糖尿病患者は心血管疾患を合併しやすいため，運動に伴う狭心症などにも注意が必要である．

(3) **運動機能**：糖尿病性神経障害は筋力低下や足底感覚の低下を介して，バランス機能低下や移動能力低下を引き起こす．

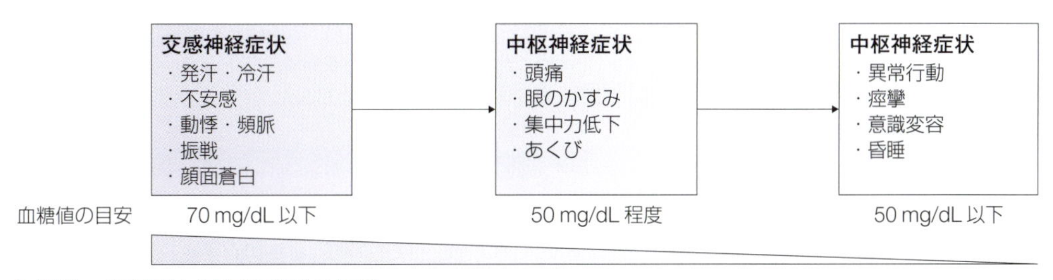

▶図 3　血糖値と低血糖症状の目安

▶表 13　糖尿病性神経障害の評価(Toronto diabetic neuropathy expert group の診断基準)

possible DPN：可能性あり	以下の自・他覚症状のうち 1 項目あり ① 両足趾，足，下腿の陽性症状(ジンジンしたしびれ，刺す，切る，灼ける，うずくような痛み) ② 左右対称性の下肢遠位部の感覚鈍麻 ③ 両アキレス腱反射の低下・消失
probable DPN：ほぼ間違いない	①～③ の自・他覚症状のうち 2 項目以上あり
confirmed DPN：確実な	1 項目の自・他覚症状 ＋ 神経伝導機能障害(または明らかな小径神経線維障害)

DPN：diabetic polyneuropathy(糖尿病性多発神経障害)

Ⅵ 慢性腎臓病

慢性腎臓病(chronic kidney disease；CKD)は，腎臓の障害が慢性的に持続する疾患を含む概念であり，蛋白尿や血尿などが出ている，画像診断などで腎障害がみられる，腎機能が低下している(＜GFR 60 mL/分/1.73 m^2)といった状態が3か月以上続いたときに診断される[12)]．CKDの重症度が高まるにつれ，透析を要する末期腎不全，心血管疾患発症，死亡などのリスクが高くなる．

A 検査の選び方

CKDの主要評価項目を**表14**に記載した．従来は，透析に至る前の保存期CKD患者では運動が腎機能を悪化させる懸念から，積極的な運動は推奨されていなかったが，現在ではあらゆるステージのCKD患者および透析患者で中等度の運動療法が推奨されている．CKD患者の最も多い死因は末期腎不全ではなく心血管疾患によるものであり，理学療法評価にあたっては，心血管系のリスク事象がおこりうることを念頭におく．

▶表14　慢性腎臓病(CKD)の評価項目

情報収集	
患者基本情報	入院日，年齢，性別，身長，体重，BMI，社会経済状況，生活環境
カルテ(診療録)，経過表	診断名，現病歴，糖尿病の罹患期間，既往歴，合併症(心血管疾患，糖尿病など)，喫煙歴
検査所見	血液・生化学検査所見(糸球体濾過量，尿素窒素，クレアチニン，シスタチンC，Hb，蛋白質，アルブミン，電解質，pH，HCO_3^-，LDL-C，HDL-C，TGなど)，尿検査(蛋白質，微量アルブミン尿，NAG，L-FABP)，生理検査〔足関節上腕血圧比(ABI)，脈波伝播速度(PWV)，心電図，心臓超音波検査，頸動脈超音波検査〕，骨密度，胸部単純X線像
治療内容	薬物療法
理学療法評価	
身体所見	初期段階ではあまり異常を認めない 腎不全症状：浮腫，尿量(乏尿，無尿，多尿)，夜間多尿，頻尿，倦怠感，瘙痒感 尿毒症：全身倦怠感，口腔〔口臭(アンモニア臭)，味覚異常〕，精神症状(頭痛，意識障害，不眠)，循環器(血圧上昇，心肥大，心膜炎，動悸，浮腫，呼吸困難)，消化器(食欲低下，吐き気，下痢)，皮膚(瘙痒感，皮下出血，色素沈着)など ネフローゼ症候群：蛋白尿，低アルブミン血症，高コレステロール血症，浮腫，腹水，倦怠感，易疲労感，食欲不振，腹部膨満感，下痢，呼吸困難など
体組成	体脂肪率，四肢骨格筋指数など
運動中のバイタルサイン	心電図(不整脈，ST変化)，血圧，心拍数，修正Borgスケールなど
身体機能	糖尿病合併例では合併症の評価(▶表13)，筋力，歩行速度，バランス機能，運動耐容能(6分間歩行テスト，心肺運動負荷試験)など
加齢に伴う問題	認知機能，サルコペニア，フレイルなど
QOL・精神症状	SF-36®，EuroQol，KDQOL-SF™，PHQ-9，HADSなど
疾病管理	身体活動量(加速度計，質問紙など)，セルフケア行動(内服，食事アドヒアランスなど)

KDQOL-SF™；Kidney Disease Quality of Life Short Form

B 検査の進め方

1 病態の把握

(1)**現病歴**：二次性腎疾患で最も多く，透析導入原因疾患の第1位は糖尿病性腎症である．

(2)**合併症**：腎性貧血，骨・ミネラル代謝，心血管疾患，糖尿病などがCKDの合併症として頻度が高い．

2 理学療法実施中の評価

糖尿病合併症の程度と，運動機能やADLに及ぼす影響を評価する．また，糖尿病の治療としての運動療法を行ううえでの阻害要因についても確認する．

(1)**身体所見**：血糖コントロール不良例，長期罹患例では糖尿病の合併症に関して評価する．

(2)**バイタルサイン**：心疾患患者に準じる．糖尿病を合併している高齢CKD患者では，経口血糖降下薬による低血糖にも留意する．

(3)**運動機能**：心疾患患者に準じる．CKD患者では，塩分・蛋白質制限や慢性炎症，ホルモン異常，ビタミンD欠乏などさまざまな因子が関与し，サルコペニアの有病率が高い．糖尿病は末梢動脈疾患の合併も多いため，それぞれの合併症に配慮した評価を行う．

●引用文献

1) Knaus, W. A., et al. : APACHE II: a severity of disease classification system. Crit Care Med 13 : 818-829, 1985.
2) Vincent, J. L., et al. : The SOFA (Sepsis-related Organ Failure Assessment) score to describe organ dysfunction/failure: on behalf of the Working Group on Sepsis-Related Problems of the European Society of Intensive Care Medicine. Intensive Care Med 22 : 707-710, 1996.
3) 妙中信之，他：人工呼吸中の鎮静のためのガイドライン．人工呼吸 24：146-167，2007.
4) 布宮伸，他：日本版・集中治療室における成人重症患者に対する痛み・不穏・せん妄管理のための臨床ガイドライン．日集中医誌 21：539-579，2014.
5) 日本呼吸器学会COPDガイドライン第6版作成委員会(編)：COPD(慢性閉塞性肺疾患)診断と治療のためのガイドライン 第6版．pp19-24，メディカルレビュー社，2022.
6) Jones, P. W., et al. : Development and first validation of the COPD Assessment Test Eur. Respir J 34 : 648-654, 2009.
7) Morrow, D. A., et al. : TIMI Risk Score for ST-Elevation Myocardial Infarction : A Convenient, Bedside, Clinical Score for Risk Assessment at Presentation : An Intravenous nPA for Treatment of Infarcting Myocardium Early II Trial Substudy. Circulation 102 : 2031-2037, 2000.
8) Antman, E. M., et al. : The TIMI risk score for unstable angina/non-ST elevation mi: a method for prognostication and therapeutic decision making. JAMA 284 : 835-842, 2000.
9) Eagle, K. A., et al. : A validated prediction model for all forms of acute coronary syndrome: Estimating the risk of 6-month postdischarge death in an international registry. JAMA 291 : 2727-2733, 2004.
10) 日本循環器学会/日本血管外科学会：末梢動脈疾患ガイドライン(2022年改訂版)．p21，2022.
11) 日本糖尿病学会(編著)：糖尿病治療ガイド2022-2023．pp31-35，文光堂，2022.
12) 日本腎臓学会(編)：エビデンスに基づくCKD診療ガイドライン2018．pp2-5，東京医学社，2018.

4 高齢者

学習目標

- 介護予防とリハビリテーションの違いについて理解する.
- 高齢者における身体機能指標の意義を理解する.
- スクリーニング指標と効果判定指標の違いについて理解する.

A 検査の選び方

1 高齢者の機能評価

「高齢者」とひと言で表現しても，機能レベルの低い高齢者から高い高齢者まで，さらには個人から集団までと，対象とする範囲は広範である．ここでは，地域で行う介護予防を想定し，どのように高齢者の機能を評価すべきなのか，どのような項目について計測すべきなのか，得られた値をどのように解釈すべきなのかなどについてまとめる．特に，医療機関内で実施する評価とは考え方が異なる点があり，その思考転換の必要性についても紹介する．

2 リハビリテーションと介護予防

リハビリテーション※と介護予防では，期間，ベースライン時点での対象者の状態，促進・阻害因子，それに目標が異なる(▶**表1**)．リハビリテーションは，もともと備わっていた機能が何らかの原因によって低下した状態から開始され，機能回復を目指して実施される．一方，一般に**介護予防**は，基本的には目立った機能低下がない状態から開始され，加齢変化やさまざまなライフイベントという逆境に抵抗しながら，機能の維持もしくは低下抑制が目標となる(▶**図1**)．そ

▶表1　リハビリテーションと予防の考え方の違い

	リハビリテーション	予防
期間	比較的短い (退院まで)	比較的長い (生涯)
対象者の状態	基本的には 低下した状態から 開始	基本的には 維持した状態から 開始
促進因子	治癒過程 回復過程	──
阻害因子	──	加齢変化 各種ライフイベント
目標	機能回復	機能維持・ 機能低下抑制

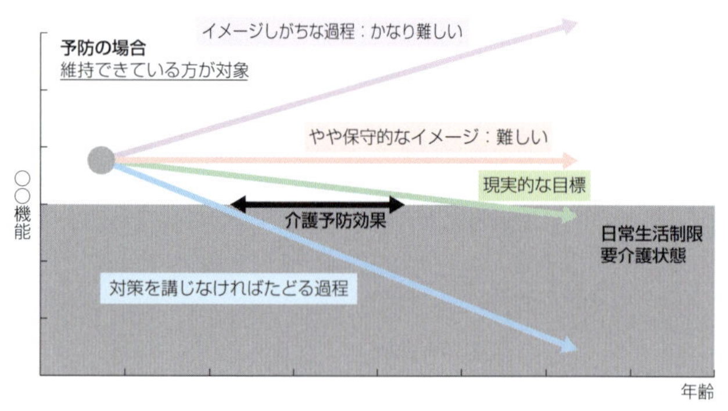

▶図1　予防のイメージ

のため，同じような測定を実施しても，その結果の解釈は大きく異なる．

介護予防は要介護状態になることを予防する/先送りにすることを目標に実施されるものであり，現在の介護予防には，大きく**介護予防・生活支援サービス事業**と**一般介護予防事業**がある．介護予防・生活支援サービス事業はサービス事業対象者が対象となるもので，通所型サービスC(短期集中型)などのいわゆるハイリスク介入が実施される．一方，一般介護予防事業は，すべての高齢者が対象となるもので，通いの場などのようなポピュレーションアプローチが実施される．これらを適切に組み合わせながら，シームレスで長期的に効果のある介護予防を展開することが求められている．

※ここでいうリハビリテーションとは，回復期のように右肩上がりの回復を示すケースを指す．先天性疾患，進行性疾患，維持期など該当しない場合もある．

3 身体機能向上≠介護予防

身体機能向上は介護予防を実施するうえで主要な目標であるが，身体機能向上の延長上に介護予防があるわけではない．たとえば，通所型サービスCのように短期集中的な運動介入を実施した場合，その効果判定指標として歩行速度や立ち上がりテストを用いることが多く，この選択は決して間違いではない．それは，その期間に実施した運動が対象となった高齢者に適切であったかどうかを判断するうえで重要であり，期待されたような効果が得られなかった場合にはプロトコールやプログラムを変更する必要がある．しかし，ここで身体機能向上効果が認められたとしても，それが介護予防を達成していることにはならない．

短期集中的な運動介入の効果は一次的であり，運動を休止すれば，すぐにその効果は減弱する．レジスタンス運動の実施と休止による筋力および骨格筋量の変化を検討した研究によると，12週間の運動実施により筋力・骨格筋量は増加するものの，その後24週間の休止によりその効果はほぼ消失することが示されている[1-3]．また，短期集中的な運動介入による介護予防の効果を検証した報告でも，介入後1〜2年間は明確な介護予防効果が認められるものの，その後，その効果は収束してしまうことが示されている[4]．つまり，介護予防には，一時的な身体機能の向上効果に留まるのではなく，それを維持することが求められる．

しかし，対象が高齢者である介護予防では，運動を継続的に実施したとしても，機能が向上し続けることは難しく，維持することも容易ではない．通いの場で複数年にわたって継続的に運動を実施しても，身体機能は向上しないどころか，低下することもある．高齢者が身体機能を維持するためには，「運動効果」が「加齢変化」に抵抗し続ける必要があるが，実際には難しく，運動を継続していても緩やかに身体機能が低下することがある．しかし，運動を実施しなければ，より強い傾きを有しながら身体機能は低下してしまうため，緩やかな傾きで抑えられているということが重要になる．そして，この傾きが緩やかになった分，要介護状態になる期間を先送りにすることになり，このことが介護予防効果(≒健康寿命延伸効果)となる．つまり，「身体機能向上＝介護予防」ではなく，「身体機能低下抑制＝介護予防」と解釈すべきである(▶図1)．

B 検査の進め方

1 スクリーニング指標と効果判定指標

介護予防現場で高齢者に対して各種検査を行う際，**スクリーニング指標**と**効果判定指標**を明確に区別しておく必要がある(▶**図2**)．介護予防現場におけるスクリーニング指標とは，おもにフレイル高齢者(要介護ハイリスク者)であるかを見極めるために必要な指標であり，大まかな対策方針(運動すべき対象であるか，座位で運動を実施すべき対象であるかなど)を決定するために行う．効果判定指標は主に介入前後に測定し，その介入に効果が有用であったのかを判定するためのものとなる．

2 介護予防現場でのスクリーニング指標

介護予防現場でのスクリーニング指標としては，基本チェックリスト，日本語版 cardiovascular health study 基準(J-CHS 基準)，short physical performance battery(SPPB)，握力などがある．**基本チェックリスト**は質問紙[5](▶**表2**)，**J-CHS 基準**[6-8](▶**表3**)は質問と身体機能測定，そのほかは身体機能測定単独で判定するものである．ほかにもいくつかスクリーニング指標が報告されているが，わが国では特にこれらの指標が代表的であり，多くの臨床現場，研究領域，介護予防事業などで活用されている．

握力は効果判定指標として用いられることもあるが，スクリーニング指標としての意味合いも大きい．これは可変的指標ではあるものの，介入で握力強化を目指すことは少なく，また握力強化の影響が日常生活に直接反映されることも少ない．むしろ，大まかに状態を把握する目的で用いられることが多く，フレイルやサルコペニアの判定にも用いられている．

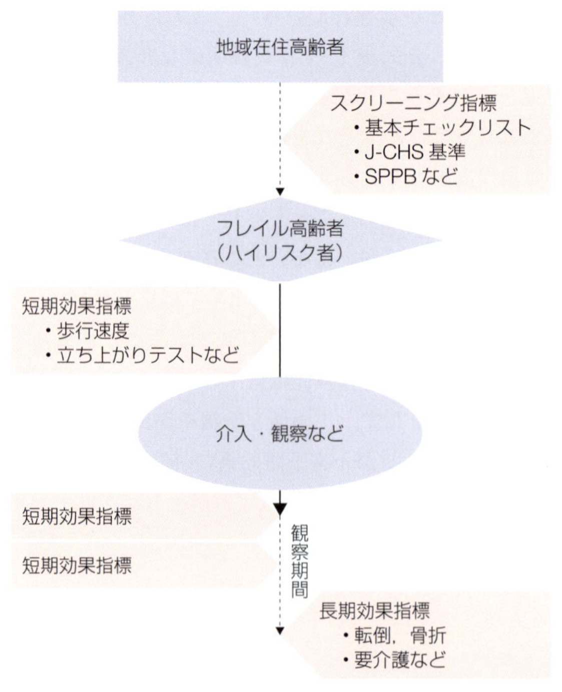

▶図2　スクリーニング指標と効果判定指標のイメージ

③ 介護予防現場での効果判定指標

介護予防現場での効果判定指標としては，各種身体機能評価が挙げられる．具体的には，**歩行速度**，timed up and go テスト，**立ち上がりテスト**，**片脚立位**などである．歩行速度については，快適と最大速度の 2 条件で計測されることが多く，特に最大歩行速度は効果判定指標として有用である．これらについては，いずれも簡便かつ短時間での計測が可能であるため，介護予防

▶表 2 基本チェックリスト

No	質問項目	回答	
1	バスや電車で 1 人で外出していますか	0. はい	1. いいえ
2	日用品の買い物をしていますか	0. はい	1. いいえ
3	預貯金の出し入れをしていますか	0. はい	1. いいえ
4	友人の家を訪ねていますか	0. はい	1. いいえ
5	家族や友人の相談にのっていますか	0. はい	1. いいえ
6	階段を手すりや壁をつたわらずにのぼっていますか	0. はい	1. いいえ
7	椅子に座った状態から何もつかまらずに立ち上がっていますか	0. はい	1. いいえ
8	15 分間くらい続けて歩いていますか	0. はい	1. いいえ
9	この 1 年間に転んだことがありますか	1. はい	0. いいえ
10	転倒に対する不安は大きいですか	1. はい	0. いいえ
11	6 か月間で 2～3 kg 以上の体重減少はありましたか	1. はい	0. いいえ
12	身長(　　cm) 体重(　　kg)(＊BMI 18.5 未満なら該当)	1. はい	0. いいえ
13	半年前に比べて固いものが食べにくくなりましたか	1. はい	0. いいえ
14	お茶や汁物などでむせることがありますか	1. はい	0. いいえ
15	口の渇きが気になりますか	1. はい	0. いいえ
16	週に 1 回以上は外出していますか	0. はい	1. いいえ
17	昨年と比べて外出の回数が減っていますか	1. はい	0. いいえ
18	周りの人から「いつも同じ事を聞く」などの物忘れがあると言われますか	1. はい	0. いいえ
19	自分で電話番号を調べて、電話をかけることをしていますか	0. はい	1. いいえ
20	今日が何月何日かわからないときがありますか	1. はい	0. いいえ
21	(ここ 2 週間)毎日の生活に充実感がない	1. はい	0. いいえ
22	(ここ 2 週間)これまで楽しんでやれていたことが楽しめなくなった	1. はい	0. いいえ
23	(ここ 2 週間)以前は楽にできていたことが今ではおっくうに感じられる	1. はい	0. いいえ
24	(ここ 2 週間)自分が役に立つ人間だと思えない	1. はい	0. いいえ
25	(ここ 2 週間)わけもなく疲れたような感じがする	1. はい	0. いいえ

▶表 3 J-CHS 基準

①体重減少
【質問】6 か月間で、2～3 kg 以上の体重減少がありましたか

②活動量減少
【質問】軽い運動・体操を 1 週間に何日くらいしていますか
【質問】定期的な運動・スポーツを、1 週間に何日くらいしていますか
(いずれもしていないで該当)

③活力低下
【質問】(ここ 2 週間)わけもなく疲れたような感じがしますか

④握力低下
握力(男性 28 kg 未満、女性 18 kg 未満)

⑤歩行速度低下
歩行速度(1.0 m/s 未満)

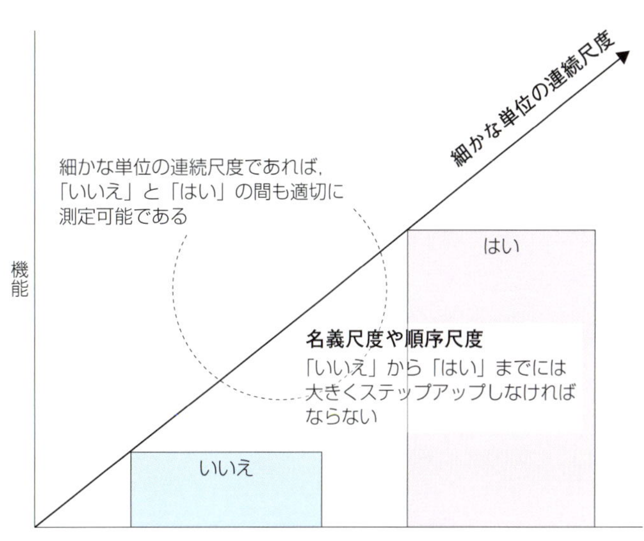

▶図 3 連続尺度と名義・順序尺度と効果判定

現場で用いられることが多い指標である．これらの指標は，会場招聘型の体力測定に参加した地域在住高齢者のデータをもとに年齢別の基準値(5段階評価および平均値±標準偏差)が作成されている[9]．

効果判定指標の特徴としては，介入によって変化しうる指標なのか，介入の効果を適切に捉えることができているのかという点があげられる．そのためには，比較的細かな単位での計測が可能であることが重要である．たとえば，基本チェックリスト(▶**表2**)の項目にも含まれる「椅子に座った状態から何もつかまらずに立ち上がっていますか」のような設問の場合，筋力がある程度改善しても「いいえ」から「はい」になることは難しいと想定される．しかし，徒手筋力測定器を用いて膝伸展筋力を計測すれば，この「いいえ」から「はい」までの間を細かく測定することが可能である(▶**図3**)．このように，介入効果に合致している細かな単位で計測可能な客観的指標を用いることが重要である．

●引用文献

1) Zech A., et al.: Residual effects of muscle strength and muscle power training and detraining on physical function in community-dwelling prefrail older adults: a randomized controlled trial. BMC Geriatr 7: 12-68, 2012.
2) Yasuda T., et al.: Effects of detraining after blood flow-restricted low-intensity training on muscle size and strength in older adults. Aging Clin Exp Res 26: 561-564, 2014.
3) Taaffe DR., et al.: Alterations in muscle attenuation following detraining and retraining in resistance-trained older adults. Gerontology 55: 217-223, 2009.
4) 荒井秀典，他：通いの場に関するエビデンス．厚生労働省老健局 第3回一般介護予防事業の推進方策に関する検討会 提出資料(資料1-2)，2018.
5) 厚生労働省老健局：基本チェックリストの考え方について．2008.
https://www.mhlw.go.jp/topics/2007/03/dl/tp0313-1a-11.pdf
6) Fried LP., et al.: Frailty in older adults: evidence for a phenotype. J Gerontol A Biol Sci Med Sci 56: M146-156, 2001.
7) Satake S., et al.: Prevalence of frailty among community-dwellers and outpatients in Japan as defined by the Japanese version of the Cardiovascular Health Study criteria. Geriatr Gerontol Int 17: 2629-2634, 2017.
8) Satake S., et al.: The revised Japanese version of the Cardiovascular Health Study criteria (revised J-CHS criteria). Geriatr Gerontol Int 20: 992-993, 2020.
9) 荒井秀典，他(編)：介護予防ガイド 実践・エビデンス編．平成31年度厚生労働科学研究費長寿科学政策研究事業，2021.

TOPIC 1 足(フットケア)

1 フットケアとしての評価がなぜ必要か？

近年，わが国では糖尿病や下肢動脈疾患などを原因とした足潰瘍形成，下肢切断が増加している．これらは動脈硬化性疾患を主要な要因とするため，脳血管疾患，心疾患，腎疾患などの症例でも，足潰瘍，下肢切断のリスクが高い症例が存在する．このため，理学療法士には足のリスクを適切に評価することが求められている．

2 評価

a リスク分類

足潰瘍が発生するリスクは，The IWGDF 2019 risk stratification system を用いて判定する(▶表1)．カテゴリー0は「防御知覚の消失および下肢(末梢)動脈疾患なし」，カテゴリー1は「防御知覚の消失，もしくは，下肢(末梢)動脈疾患あり」，カテゴリー2は「防御知覚の消失および下肢(末梢)動脈疾患あり，もしくは，防御知覚の消失および足部変形(関節可動域制限含む)あり，もしくは，下肢(末梢)動脈疾患および足部変形(関節可動域制限含む)あり」，カテゴリー3は「防御知覚の消失もしくは下肢(末梢)動脈疾患があり，かつ，足部潰瘍の既往，下肢の小切断もしくは大切断の既往，末期腎症のうち1つ以上が存在する」である．

▶表1 The IWGDF 2019 risk stratification system

カテゴリー	潰瘍リスク	特徴		スクリーニング頻度
0	Very low	防御知覚の消失および下肢(末梢)動脈疾患なし		1年に1回
1	Low	防御知覚の消失もしくは下肢(末梢)動脈疾患あり		6〜12か月に1回
2	Moderate	防御知覚の消失 下肢(末梢)動脈疾患あり		3〜6か月に1回
		防御知覚の消失 足部変形あり		
		下肢(末梢)動脈疾患あり 足部変形あり		
3	High	防御知覚の消失もしくは下肢(末梢)動脈疾患ありかつ右記1つ以上	潰瘍既往	1〜3か月に1回
			下肢切断	
			末期腎症	

〔Schaper, N. C., et al.: Practical Guidelines on the prevention and management of diabetic foot disease (IWGDF 2019 update). Diabetes Metab Res Rev 36: e3266, 2020 をもとに作成〕

b 糖尿病神経障害(防御知覚)

糖尿病神経障害(diabetic neuropathy；DN)は，足部の重篤な知覚障害を引き起こし，潰瘍発生の要因となる．防御知覚の消失を判定するための検査は，The 2019 IWGDF ガイドライン[1)]では触圧覚検査(モノフィラメント)，振動覚検査(128 Hz 音叉)，Ipswich Touch Test の順で選択することが推奨されている．

1. 触圧覚検査(モノフィラメント)　閉眼で，10 g の圧が加わるモノフィラメントを用いて，足底の母趾，第1・5中足骨頭部で検査を実施する．1つの部位で3回のテストを行い(1回は Mock テスト)，2回以上不正解の場合，防御知覚の消失と判断される．

2. 振動覚検査　128 Hz の音叉を用いて，閉眼した状態の患者の母趾背側に，指で挟んで弾いた音叉をあてて，振動が感知できているか3回確認する(1回は Mock テスト)．2回以上不正解の場合，防御知覚の消失と判断される．

3. ipswich touch test(▶図1)　閉眼した状態の患者の両側の母趾，第3趾，第5趾の先端を指先で1〜2秒軽く触れて確認する検査である．2か所以上無感覚の場合，異常と判断される．

c 下肢動脈疾患

1. 血行力学的検査の確認　足関節上腕血圧比(ABI)，足趾上腕血圧比(TBI)を確認する．ABI は 0.9 以下，TBI は 0.6〜0.7 以下で下肢動脈疾患と判断される．透析症例などでは血管の石灰化により血管圧縮が困難となり，ABI は高いが血流は低下している場合がある．したがって，ABI が 1.4 以上の場合，偽陽性を疑う．

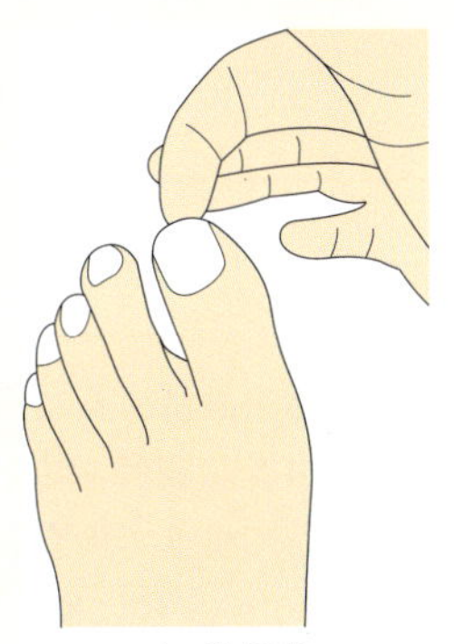
A　触り方

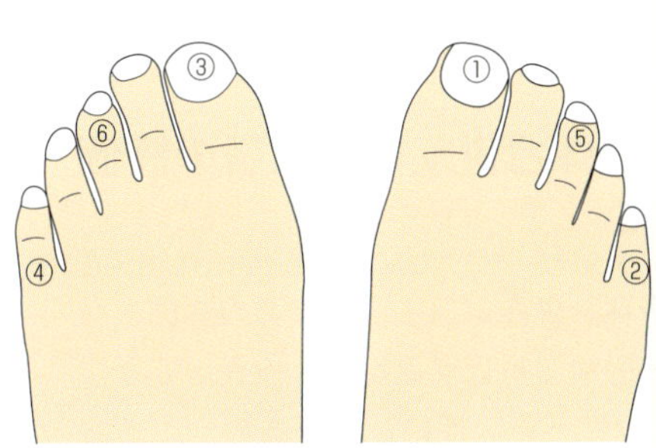

B　実施部位と順番

▶図 1　ipswich touch test

A：足の指先に触れて検査を実施するが，非常に軽く触れる．B：セラピストは，指先で右母趾，右第 5 趾，左母趾，左第 5 趾，右第 3 趾，左第 3 趾の順に被検者の指先に触る．触れていることがわからない部位が 2 か所以上あった場合，防御知覚の消失と判断する．

2. 触診　足背動脈，後脛骨動脈を触知する．触知できない場合，リスク分類では，「下肢(末梢)動脈疾患あり」として扱う．

d 足部の観察

足部の観察は，最も基本的な足の評価である．観察することで潰瘍，胼胝，変形などを発見することが可能である．リスクが存在する症例の場合，「裸足を観察すること」が重要である．

e 足部変形

足部変形は，さまざまな足底負荷量上昇を引き起こす．足潰瘍へと影響を及ぼす足部変形で代表的なものは，クロートゥ，シャルコー関節症である．クロートゥは，中足指節関節の過伸展，指節間関節の過屈曲を呈し，中足骨頭部の足底への突出を引き起こす．このため，クロートゥが認められれば，前足部での足底負荷量上昇が疑われる．シャルコー関節症は，糖尿病神経障害による重篤な関節破壊を伴う変形である．リスフラン関節，ショパール関節などの破壊・脱臼が進行し，ロッカーボトム変形を呈する．このため，立方骨や舟状骨が足底に突出し，足底負荷量上昇につながる．これらの変形が存在する場合，足部変形ありと判断する．

f 関節可動域

糖尿病患者では，足関節や足部の関節可動域に制限が生じやすい．これらは，歩行時のロッカーファンクションに大きな影響を与えるため，足底負荷量上昇の原因となる．足関節背屈可動域制限では，アンクルロッカーが阻害されるため，中足骨頭部の負荷量が上昇する．第 1 中足趾節関節伸展可動域制限ではフォアフットロッカーが阻害されるため，母趾足底の負荷量が上昇する．はっきりとしたカットオフ値は示されていないが，制限が認められる場合，リスク分類上，足部変形ありとして扱う．

g 足部潰瘍・下肢切断の既往，末期腎症の存在

潰瘍や切断の既往は，足部を観察するとともに，本人から十分に聴取する．糖尿病や下肢動脈疾患に起因する切断は，大腿切断，下腿切断などの大切断，および足趾切断，リスフラン関節離断，ショパール関節離断などの小切断を含む．また，末期腎症は，腎不全や血液透析の有無を確認する．

●参考文献

1) Schaper, N. C., et al.: Practical Guidelines on the prevention and management of diabetic foot disease (IWGDF 2019 update). Diabetes Metab Res Rev 36: e3266, 2020.

TOPIC 2 精神科領域

1 精神科・身体合併症の対象者の評価にあたって

精神疾患に身体合併症を負った対象者の診療を行う際に，最も苦労する点は「そもそも検査ができない」「検査の再現性・正確性に疑問がある」にあるといえる．そのため，評価を行うにあたっては，観察的指標を取り入れていくことが必要である．しかし，最も一般的な観察評価であろうADL評価のBarthel index，FIMについても精神症状の有無や程度により影響を受けることがわかっており，全体的な情報をくまなく統合し，理学療法を進めていく必要がある．また，評価者と対象者との関係性についても注意を払う必要があり，その点において，難度が高い部分もあると思われる．しかし，理学療法を提供できる環境・関係性を築くことができれば，理学療法を行い，リハビリテーションに貢献できる．

2 情報収集

理学療法を実施する場合，精神疾患・精神症状を抱えている対象者は多い．脳卒中後うつなど器質的な脳病変からくるものもあれば，統合失調症などのようにすでに疾患があり，そこに合併症として身体疾患が加わる場合もある．そういった場合には，意欲がない，問題行動があるなど，一見してコンプライアンスが低い状況になっていることも多い．このようなときに，簡単に対象者に「理学療法の対象にならない患者」とラベリングをし，診療を中止するなどの判断をするのではなく，症状や疾患，その対象者個人を理解し，対応策を練って理学療法を実施できるようになることが今後求められていくであろう．

精神科で通常収集する情報を**表1**に示した．通常のリハビリテーション場面での情報収集にはない項目も多いが，対象者の人となり，価値観，判断基準，それまでの周囲の環境などを知ることで，リハビリテーションを継続して実施し，ゴール達成をするための手がかりになることは多い．

3 精神科的評価

精神疾患・精神症状を評価するための指標は数多くある．主に医療従事者が観察の結果の評価を行うものと，対象者に対して机上で検査を行うものとがあり，認知機能や抑うつ症状に関しては，第Ⅲ章10項に記載されているので，参照していただきたい(➡153頁)．

精神機能の評価は多種多様で，すべての疾患を1つの指標で詳細に評価することは難しいが，非常におおまかで使用頻度が高いものにglobal assessment of functioning(GAF)がある．これは，すべての疾患でおおまかに精神機能を評価することに長けており，理学療法士も経験を重ねることで，指標とし

▶**表1　理学療法士が精神疾患・精神症状をもつ対象者をみる場合の情報収集**

精神科初診で収集できる項目
●生い立ちや家族に関する情報
両親と兄弟姉妹の名前，年齢，職業，婚姻歴，住居，宗教，生育期に家庭が安定していたか否か，家族や親族の精神疾患既往歴，アルコールや薬物の乱用・依存歴，自殺未遂歴，精神科入院例
●患者情報
教育歴，学業成績，職歴，趣味，組織(学校や職場，地域コミュニティなど)への適応状況，病歴，これまでの医療機関とのかかわり，受傷・発症前からあるストレスの状況，受傷・発症前に適応しづらかったことの有無，受傷・発症前の時点で障害をもっている人とどうかかわっていたか
●家族の構造
名前，年齢，配偶者や子供との関係性，結婚生活の状況
●患者自身の今後の見通しについての理解・認識
障害の原因や今後ありえる経過について患者はどう理解しているか 障害が発生した際に患者が最初に考えたことはどのようなことか 患者にとって最も差し迫った問題はどのようなことか 患者がいまの状況にどう対処していくと考えているか 障害がライフスタイル(人間関係，就労，知的活動も含む)をどう変えると認識しているか リハビリテーションではどう行動すべきと考えているか 身体機能や能力についてどの程度認識しているか スタッフとの信頼関係が築けているか これまでストレスのある出来事にどう対処してきたのか どうやって困難なことに負けずに自分をコントロールしてきたか

て使う，あるいは理解することができるようになるであろう．一方，統合失調症については brief psychiatric rating scale（BPRS）がよく使われる．また，高い評価者間信頼性が確認されている薬原性錐体外路症状評価尺度（drug induced extra-pyramidal symptoms scale；DIEPSS）は，理学療法士が通常診療で評価する項目内容が多い．

ただし，机上で行う各種検査については特に精神科では，臨床心理士・公認心理師や精神科医が確定診断や鑑別診断のために行うことが多く，むやみに理学療法士が検査を行うことで，学習効果により検査結果が変わってしまう場合もあるため，役割分担を調整する必要性がある．

4 収集した情報および評価結果の統合

集めた情報をさらに臨床に活かすためには，数多くのトライ＆エラーが必要になる（▶図 1）．得た情報がその理学療法士，その対象者がそのときに使って効果的な情報かどうかは，状況により異なるため，常に使った情報に対しての対象者の反応なども追加情報として収集していくことが望ましい．理学療法士に対しての拒否も，その対象者の「その時」を表す行動化の一部であり，どう拒否をしているか，何を拒否しているのか，どうすればその要因をとり除くことができるのかなどを経時的に観察していくことが必要になる．これが，対象者に対して理学療法をスムーズに提供できる鍵となりうる．

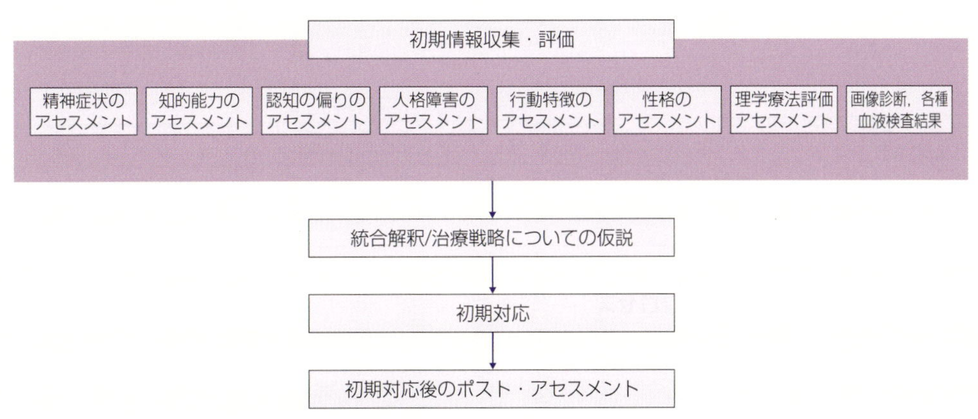

▶図 1 初回評価からの対応方法の確定方法

●参考文献

1）太田保之，他（編）：学生のための精神医学 第 3 版．pp27-36，医歯薬出版，2015．
2）先崎章：精神医学・心理学的対応リハビリテーション．pp3-7，9-17，25-29，医歯薬出版，2011．
3）平川淳一，他（編）：精神科・身体合併症のリハビリテーション―総合的な治療計画から実践まで．pp3-9，協同医書出版社，2015．
4）Rohe DE. Psychological aspects of rehabilitation. In: DeLisa JA, Gans BM, editor. Rehabilitation Medicine: Principles and Practice, Third Edition. Philadeiphia: Lippincott-Raven Publishers: 1998, pp. 189～12.

TOPIC 3 スポーツ領域

1 スポーツ領域の理学療法の現状

スポーツ領域の理学療法は，対象，活動を行う環境，参加・雇用形態が多様化しており，その業務はスポーツ傷害のリハビリテーションだけではなく，傷害・疾病の予防，パフォーマンス向上，障がい者のスポーツ活動支援，学校保健分野の支援など多岐にわたる．近年はスポーツ専門施設などで保険外のサービスを提供したり，チームに所属してトレーナーとして活動する理学療法士も増えている．

スポーツによるけがには急性外傷と慢性障害があり，併せてスポーツ傷害と呼ぶ．スポーツ現場では，スポーツ傷害をできるだけ早く治療して選手を受傷前と同等あるいはそれ以上の能力で復帰させることが重要である．そのため一般的な外傷・障害の理学療法評価に加えて，各競技種目の動作特性を理解したうえでスポーツ動作を分析する必要がある（▶図1）．

障がい者スポーツにおいても，健常者の支援と同様に健康管理や傷害予防，応急処置，体力・技術トレーニング，コンディショニングを行う．障害区分（クラス分け）を医師とともに理学療法士が担うこともある．障がい者は健常者以上に個人差が大きいことから，疾患・障害の特徴と身体機能の理解に加えて，二次的な機能障害やスポーツによる力学的ストレスを考慮して動作や体力要素を評価する．

2 スポーツ動作の評価

スポーツ動作中の力学的ストレスを適正化させるためには動作分析が必要であるが，実際の動作を評価するのは難しい．そこで，競技動作を基本動作に置き換えて評価を行う．たとえばテニスのスイングなら，立位での体幹回旋や前後左右への重心移動（ランニングなら片脚立位と前後開脚位での重心移動や肩甲帯と体幹の回旋）のように，評価可能な類似動作のなかで適切なバイオメカニクスが保たれているか判断するとよい．関節運動と重心移動のタイ

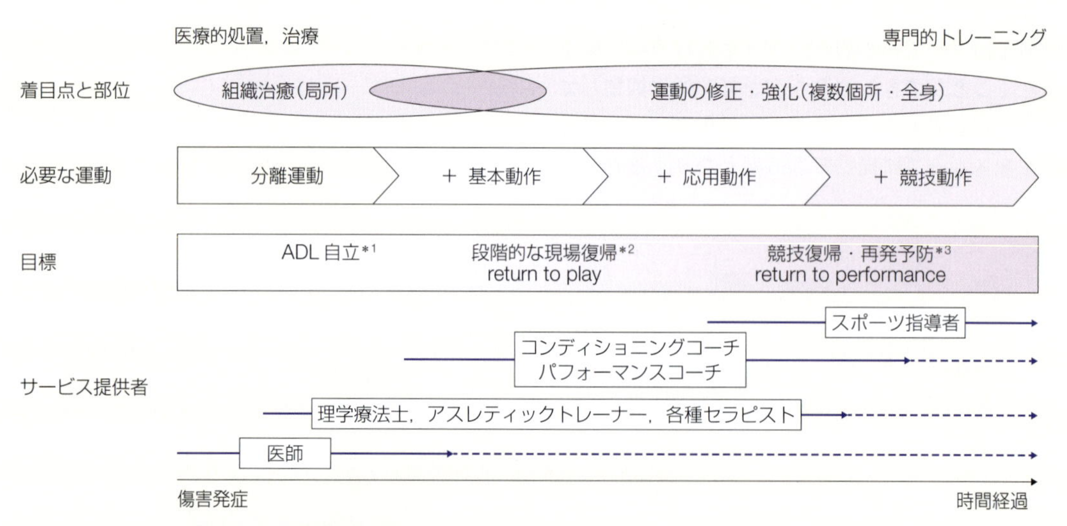

▶図1 スポーツ傷害からの復帰プロセス

＊1 リハビリテーションの初期には組織の病態と治癒過程を考慮して，主に患部と隣接関節の力学的ストレスを適正化させる．治癒を促すとともに，関節可動域改善や神経筋コントロール獲得により分離運動を促す，＊2 段階的な現場復帰（部分的な練習の参加）に向けて筋力・筋バランスやバランス能力の改善，動作のなかでの全身的な強化を進め，基本動作や応用動作を獲得させる，＊3 リハビリテーションの後期では，競技復帰に向けて負荷を上げてさらに筋力や持久力の向上をはかり，同時に適切な競技動作が行えるよう動作の再教育を行って後遺症や二次的な傷害，再発を予防する．

ミングが合っているかは観察により評価し，関節が求心位であるか，筋収縮のタイミングは適切かなどについては触診も用いる．

患部の保護が必要な時期には，傷害部位の評価と姿勢や動作を段階的に評価する．基本動作では，患部と隣接関節に非生理学的運動がないか，腰椎骨盤帯の安定性が保たれているかを確認する．組織が治癒過程にある場合やアライメント不良・筋バランスの不良などが慢性障害の要因と考えられる場合には，痛みだけを評価指標としないほうがよい．力学的ストレスの評価では，支持基底面内の身体重心位置を推察することが有効である．特に上半身重心の位置は体幹深層筋の機能を反映しやすく，四肢のパフォーマンスにも影響を与える．

医学的な治療が終了した選手の競技復帰に向けた機能評価の一例を紹介する(▶表1)．個人情報と医学的情報について問診から情報を得たら，姿勢と動作の分析，患部および隣接関節，関節可動域や筋力，筋機能などについて観察と触診により評価を行う．適切でない反応に対しては修正を加え，その結果も考慮して問題点を判断する．問題を修正するプログラム(ここではコンディショニングと呼ぶ)を実施し，再評価を行って実施した内容が適切であったかを確認する．これは一般的な運動器疾患の評価・理学療法の流れと同様であり，この例では競技特有のスクラム姿勢やスクワットも評価・修正した．対象者にとって必要な動作は何か，その動作が適切でない理由は何かを考察することが問題解決につながる．

●参考文献

1) 片寄正樹：医療現場におけるスポーツ理学療法の概要．理学療法 26：377-381，2009.
2) 福井勉(編)：理学療法 MOOK9 スポーツ傷害の理学療法 第2版．三輪書店，2009.
3) 武藤芳照，他：スポーツ医学と理学療法．理学療法 26：371-376，2009.
4) Kraemer, W., et al.: Recovery from Injury in Sport—Considerations in the Transition From Medical Care to Performance Care. Sports Health 1: 392-395, 2009.

▶表1 腰痛の選手の評価結果

個人情報：大学ラグビー選手(22歳・男性)，身長177 cm，体重106 kg．ポジション：右プロップ
現病歴と経過：1か月前にデッドリフトのトレーニング中，右腰部が痛くなり受診．単純X線およびMRIでは所見なし．2週間の休養後にトレーニングを再開して再受傷，以後回復してきているが，チームトレーナーより機能評価の希望があり理学療法を紹介された．
Need：競技復帰，できれば約1か月後
既往歴：右腓骨骨折(プレート固定)
身体活動量：ADL問題なし，30分程度のジョギングと軽いウエイトトレーニングは実施．
【局所所見】安静時痛・運動時痛なし，炎症所見なし，visual analog scale最大時4/10．痛みの部位は右仙腸関節から仙骨・腰椎にかけての範囲．圧痛なし，神経症状なし，動作評価での痛みの再現は不可．
【立位姿勢】脊柱の生理的弯曲はわずかに減少，骨盤左回旋位，胸郭右回旋位，左右肩甲帯は下制位
【基本動作】前屈：股関節屈曲不十分，動作の早期に右仙腸関節の安定性低下．後屈：股関節伸展不十分．回旋：左右とも股関節が屈曲し回旋と反対側に重心移動がおこる．片脚立位・片脚スクワット：骨盤帯の安定性低下はないが側方バランス不良．両脚ハーフスクワット：屈曲早期に右仙腸関節の安定性低下，伸展動作で腰椎伸展運動が先行．
重心の後方化あり．歩行：股関節伸展不十分，腰椎の回旋が大きい．
【競技動作】スクラム姿勢の保持：左肩甲帯の下制あり，デッドリフト：股関節伸展に対し腰椎伸展が先行
【筋機能】 胸椎レベルの多裂筋筋萎縮および収縮の遅延，体幹表層筋のstiffness(右内腹斜筋，左外腹斜筋)，股関節単関節筋の弱化，収縮の遅延(股関節屈曲，伸展，外旋，外転)
【関節可動域，筋力】右股関節伸展5°，屈曲位内旋15°，下肢筋力はMMT4＋～5レベル
【問題点】体幹を中間位に保って股関節を動かす能力が不足①体幹深層筋機能低下，②胸郭のアライメント不良，③股関節単関節筋の弱化
コンディショニング内容：①体幹表層筋のリリースおよびストレッチ，②多裂筋，腹横筋同時収縮トレーニング，③股関節単関節筋収縮トレーニング，④股関節屈筋群ストレッチ，⑤スクワット動作(重心は中間位とする)
再評価結果：前屈およびスクワット動作での仙腸関節の不安定性改善，歩行時の股関節伸展角度が拡大し腰椎回旋減少，片脚スクワット動作での側方不安定性改善．スクラム姿勢では胸郭および肩甲帯の中間位保持は不十分．再発予防のためにも②，③はさらに強化が必要

TOPIC 4 ウィメンズヘルス・メンズヘルス

理学療法士が対応するウィメンズヘルス分野の健康問題は，① 産前産後に生じる腰骨盤帯痛や尿失禁の問題，② 尿失禁・骨盤臓器脱などの骨盤底機能障害，③ 閉経後の骨粗鬆症や更年期障害，④ 乳がんなどの婦人科疾患，⑤ スポーツに関連する月経の問題などがある．メンズヘルス分野では，①泌尿器系疾患術後の管理，②慢性骨盤痛などの予防と治療，③骨粗鬆症などがある．このような性差をもとにした特有の健康問題に対する評価は，標準的な理学療法評価に加えて，女性・男性特有の身体構造・機能やその変化およびライフステージで生じる心理社会的状況を考慮して行われる．ここでは，ICF の障害分類からみた場合と代表的な健康問題からみた場合の評価を紹介する．

1 ICF の障害分類でみるウィメンズヘルス・メンズヘルス分野の評価

ウィメンズヘルス・メンズヘルスを ICF の障害分類から考えるときの例は**表 1** となる．特に，参加制約の評価では，参加制約と関連している心理社会的側面も考慮すべきである．産後の腰骨盤帯痛継続により就業時間が短くなる[1]など生活の質を低下させる要因も評価すべきである．

2 代表的な健康問題に対する理学療法評価

a 産前産後の腰骨盤帯痛

産前産後には，身体重心の変化や関節弛緩に伴う力の伝達障害が生じ，代償的な姿勢が続き局所の負担が生じる．したがって，問診により発症機転を知ることは，理学療法評価とともに重要である．評価と問診内容は**図 1** を参照されたい．

b 分娩後・閉経後・前立腺がん術後の尿失禁

女性では，分娩時の骨盤底障害やインナーマッスルの機能不全，エストロゲン分泌停止による尿道の構造的変化に起因して腹圧性尿失禁を生じるため問診による情報収集は重要である．排尿日誌や骨盤底機能の客観的評価は，症状の把握だけでなく，本人へのフィードバックにもなり，動機づけとして有用である．男性では，前立腺がん患者に対する前立腺全摘除術において，尿道括約筋や骨盤底筋群が手術の操作により脆弱化すると腹圧性尿失禁を生じる．術後だけでなく術前からの下部尿路症状も把握するために女性の場合と同様の評価を行い，尿失禁の分類や，日常生活の支障程度を確認することが必要である．評価の詳細は**図 1** に示した．

c 乳がん術後の問題

乳がん術後は，肩関節可動域制限とリンパ郭清に伴うリンパ浮腫が主な問題となる．ここでも問診が重要であり，術前の不安軽減や術後のリンパ浮腫予防行動につながる心理的支援の役割を有している．

▶**表 1　ICF からみたウィメンズヘルス・メンズヘルス分野の健康問題の評価項目の 1 例**

身体構造・機能障害	活動制限	参加制約
思春期～閉経まで 月経周期と月経随伴症状パターンを確認 **妊娠時にみられる姿勢変化や関節の構造的変化由来の症状** 骨盤帯周囲の筋骨格系評価に加えて骨盤帯に連結する筋の評価 **閉経後・前立腺がん術後の排泄障害** 骨盤臓器・泌尿器の構造・機能評価	**妊娠時** 動作パターンの変化する立ち上がり，階段昇降，歩行 **乳がん術後** 術創部を気にして身体を丸めた姿勢 **閉経後** 腹圧性尿失禁を生じる腹圧のかかる特定動作	**心理社会的側面も考える** **産後** 親としての役割(子供と遊ぶなど)の不十分感 疼痛による就業時間制約 **産後・閉経後・前立腺がん術後** 尿失禁がある場合の外出制限による交流活動制約

理学療法評価は術前計測が術後の問題判断を円滑にする．評価の詳細は**図1**に示した．

現在のわが国では，本分野の相談窓口が少ないために，独自の対処方法をとる人が多いと考えられ，問題の原因を取り除くことで症状改善につながる可能性が高く問診は重要である．さらに客観的評価によって機能的原因を見つけ出すことにより，日々の生活で効率的で実施可能な治療計画の立案につながると考える．

●引用文献

1）Elden, H., et al.: Predictors and consequences of long-term pregnancy-related pelvic girdle pain: a longitudinal follow-up study. BMC Musculoskeletal Disorders 17: 276, 2016.

●参考文献

1）武田要，他：理学療法士のためのウィメンズ・ヘルス運動療法．pp46-53，98-117，134-150，170-193，238-250，医歯薬出版，2017.
2）石井美和子，他(編)，田舎中真由美，他：ウィメンズヘルスと理学療法．pp65-72，90-98，195-208，三輪書店，2016.
3）ウィメンズヘルス理学療法研究会(編)，松谷綾子，他：ウィメンズヘルスリハビリテーション．pp2-12，220-235，283-297，メジカルビュー社，2014.
4）松永明子：尿失禁・骨盤底機能のリハビリテーション．MB Med Reha 191：45-50，2015.

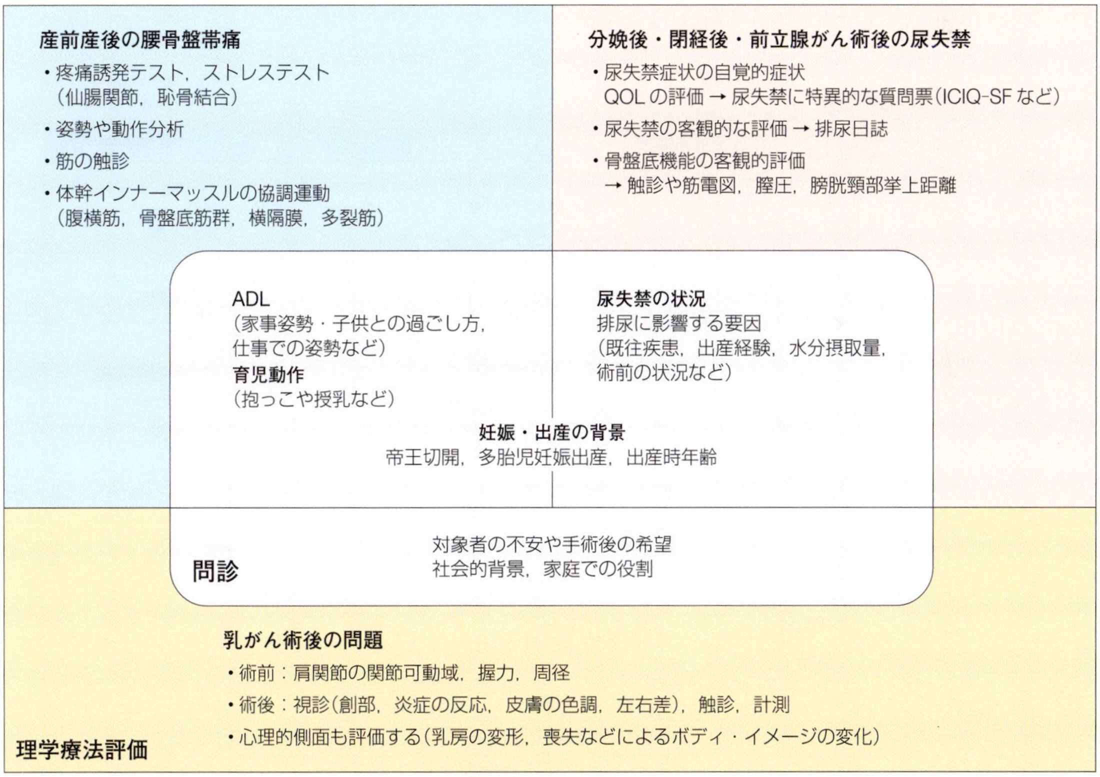

産前産後の腰骨盤帯痛
- 疼痛誘発テスト，ストレステスト（仙腸関節，恥骨結合）
- 姿勢や動作分析
- 筋の触診
- 体幹インナーマッスルの協調運動（腹横筋，骨盤底筋群，横隔膜，多裂筋）

分娩後・閉経後・前立腺がん術後の尿失禁
- 尿失禁症状の自覚的症状　QOLの評価 → 尿失禁に特異的な質問票(ICIQ-SFなど)
- 尿失禁の客観的な評価 → 排尿日誌
- 骨盤底機能の客観的評価 → 触診や筋電図，膣圧，膀胱頸部挙上距離

ADL
（家事姿勢・子供との過ごし方，仕事での姿勢など）
育児動作
（抱っこや授乳など）

尿失禁の状況
排尿に影響する要因
（既往疾患，出産経験，水分摂取量，術前の状況など）

妊娠・出産の背景
帝王切開，多胎児妊娠出産，出産時年齢

対象者の不安や手術後の希望
社会的背景，家庭での役割

問診

乳がん術後の問題
- 術前：肩関節の関節可動域，握力，周径
- 術後：視診(創部，炎症の反応，皮膚の色調，左右差)，触診，計測
- 心理的側面も評価する(乳房の変形，喪失などによるボディ・イメージの変化)

理学療法評価

▶図1　ウィメンズヘルス・メンズヘルス分野の健康問題の評価項目の1例
ICIQ-SF；International Consulfation on Incontience Questionnaire-Short Form

TOPIC 5 産業保健

産業保健とは，勤労者の健康対策を行う活動であり，健康障害の予防と保持増進を目的としている．理学療法の対象は，転倒，腰痛などの筋骨格系疾患，VDT(visual display terminals)作業関連疾患，生活習慣病，うつ病などと多岐にわたる．そのため，まずは対象となる事業所が何の問題を抱えているのかを評価するために，アンケート調査や，産業保健スタッフへのニーズ調査が必要となる．ただし，現場の労働者や産業保健スタッフが，危険性や有害性などを自覚していない場合もあるため，職場巡視などを通じて現場の評価も併せて行うことが望ましい．また，これらの問題点がどの程度，企業の生産性への影響を与えているか，欠勤日時だけでなく，presennteeism(出勤しているが労働遂行能力が低下している状態)をWPAI(work productivity and activity impairment questionnaire)やWLQ-J(work limitations questionnaire 日本語版)などを使用して評価することで，事業場における産業保健の取り組みが経営に与える影響も評価できる．

対象となる疾患が特定されたら，その疾患と作業環境・作業方法と労働者の関係を労働衛生3管理の視点で評価すると理解しやすい(▶表1)．

1 作業環境管理

作業を取り巻く環境を評価し，健康被害や災害を起こさないようにすることである．温度や湿度，振動，照度，適切な休憩場所の有無や，身体活動を維持するための職場環境という視点で，更衣室の有無や，敷地内スポーツ施設の有無なども評価する必要がある．

▶表1　疾患別の評価例

評価の視点(例)	作業環境管理	作業管理	健康管理
転倒	段差 照明 床面の状態 整理整頓状況	作業方法 時間管理 靴	体力測定 視力 健康診断
熱中症	WBGT値(暑さ指数：welt-bulb globe temperature：湿球黒球温度) 休憩場所の有無	作業時間 心拍数 自覚的疲労度(修正Borgスケール) 服装	健康診断 睡眠 飲酒 朝食の摂取有無
腰痛など筋骨格系疾患	温度 作業床面 照明 作業空間・設備の配置など 振動	作業姿勢・動作 作業方法 靴や服装	ストレスチェック 腰痛健診
VDT作業関連疾患	照明および採光 空調 騒音 作業空間	作業時間 作業姿勢 個人に合わせた機器の調整の有無	視力検査
生活習慣病(身体活動)	更衣室の有無 敷地内スポーツ施設の有無	作業時間 時間外勤務状況	健康診断 行動変容ステージ 睡眠 ストレスチェック
メンタルヘルス	休憩場所の有無 相談場所の有無 作業空間・設備の配置	作業時間 時間外勤務状況	ストレスチェック

2 作業管理

作業の手順や方法を評価することである．人間工学的に負担がかかっていないか，休憩時間の確保や適切な交代勤務を実施しているかの時間管理も含んでいる．評価するツールとしては，以下のものがある．

a 作業姿勢

OWAS(ovako working posture analyzing system)，RULA(rapid upper limb assessment)，REBA(rapid entire body assessment)，NIOSH(米国国立労働安全衛生研究所)荷物取扱評価など

b 動的作業

心拍数，呼気ガス分析など

c 主観的方法

修正 Borg スケールなど

3 健康管理

個人の心理的・身体的状態や健康行動への準備段階などを評価することである．

a 一般健康診断

労働安全衛生法によると，雇用主は常時雇用する労働者に対し雇入時健康診断と年 1 回の定期健康診断(特定業務従事者は半年に 1 回)の実施義務がある．

b 職業性ストレスチェック

2015 年 12 月から従業員 50 人以上の事業所にストレスチェックが義務化された．厚生労働省では「仕事のストレス要因」「心身のストレス反応」「周囲のサポート」からなる職業性ストレス調査票(57 項目)を提供している．

c 行動変容ステージ

健康管理をしていく際に，対象者が健康行動に対する心理状態としてどの準備段階にいるかで，働きかけの内容も変わってくるため，対象者の準備段階，TTM(transtheoretical model)による 5 段階(無関心期・関心期・準備期・実行期・維持期)のいずれにいるかを評価する必要がある．

d 体力測定

転倒リスクなどを把握するために行う．これらの評価によって抽出された問題点は，リスクの程度を評価し(リスクアセスメント)，優先順位を決めて対策をとっていくことが望ましく，この判定には現場の意見がとても重要である(▶表 2)．また，リスクアセスメントの結果をもとに「PDCA サイクル(P：Plan，D：Do，C：Check，A：Act)」を継続的かつ体系的に取り組むことが産業保健において必要である．

▶表 2 リスクアセスメントの具体的方法

		災害の重度性		
		致命的・重大	中等度	軽度
発生の可能性	高いまたは比較的高い	Ⅲ	Ⅲ	Ⅱ
	可能性がある	Ⅲ	Ⅱ	Ⅰ
	ほとんどない	Ⅱ	Ⅰ	Ⅰ

災害発生の重度性と発生の可能性との組み合わせからリスクを見積もる．リスクの程度は以下のとおり．
Ⅲ：ただちに解決すべき，または重大なリスクがある
Ⅱ：速やかにリスク低減措置を講ずるべきリスクがある
Ⅰ：必要に応じてリスク低減措置を実施すべきリスクがある

●参考文献

1) 阿部研二：労働衛生のしおり令和 3 年度．中央労働災害防止協会，2021.
2) 井田浩正，他：Work Limitations Questionnaire 日本語版(WLQ-J)の開発：信頼性・妥当性の基礎的検討．産衛誌 54：101-107，2012.
3) 職業性ストレス簡易調査票．http://www.mhlw.go.jp/bunya/roudoukijun/anzeneisei12/dl/stress-check_j.pdf
4) 職場における腰痛予防対策指針および解説．http://www.mhlw.go.jp/stf/shingi/2r98520000034qql-att/2r98520000034qtm.pdf
5) スチュワート J. H. ビドル，他(著)，竹中晃二，他(監訳)：身体活動の健康心理学―決定因・安寧・介入．大修館書店，2005.
6) Relly, M. C., et al.: The validity and reproducibility of a work productivity and activity impairment instrument. Pharmacoeconomics 4: 353-365, 1993.

TOPIC 6 がん

がんのリハビリテーションは，予防，回復，維持，緩和に分けられ，その都度かかわり方の評価とその解釈をしていく必要がある．また，病期の進行に伴い，他臓器に転移することも多く，中枢神経系や運動器系の評価も併せて実施する必要がある．さらに，抗がん薬の服用に伴う骨髄抑制や末梢神経障害が知られるようになり，近年では心毒性に伴う心不全なども着目されている．加えて，高齢者数の増加とともに，患者数は増加している．こうした背景から，高齢者の評価とがん理学療法の評価はオーバーラップする部分が多い(➡390 頁)．

以上のように，がん患者の理学療法では，がん以外の疾患に関する知識ならびに経験を要することが多い．さらに，がんは進行性の疾患であり，理学療法はがんに対する治療や緩和治療と並行して進めるため，理学療法自体ががん治療の一助となり，がん治療を変える場合もあるダイナミックな領域である．

ここでは，一般的ながん理学療法を実施する際におさえておきたい評価指標と項目を提示する．

1 がんの病態とリスク管理に関する評価

a がんの病態把握

がんの病態把握には，クラス診断とTNM分類を用いることが一般的である．がん細胞に対するクラス診断では，病理医が細胞診を行い，腫瘍の悪性度をクラスⅠ(正常細胞)～Ⅴ(悪性と断定できる異形細胞がある)の5段階に分類する．クラス分類が行われたあとに，その病期の進行度をステージで表す．進行度は「TNM分類」(▶表1)で示し，これに基づいて治療が選択される．T：Tumor(腫瘍径)T1～T4，N：Node(リンパ節)N0～N4．M：Metastasis(転移)M0～M1によってステージはⅠ～Ⅳ期に分類される．この進行度は，治療前はTNMもしくはcTNMとされ，外科的術後組織病理学的分類がなされた後はpTNMと表記される[1]．なお取扱いに関しては国際対がん連合(international union against cancer；UICC)の臓器別の最新版を参考にすることも重要である．

▶表1 TNM分類の概略

Stage 0	Tis (Cartinona *in situ*)～T1	N0	M0
Stage Ⅰ	T1～T2	N0～N1	M0
Stage Ⅱ	T1～T3	N0～N2	M0
Stage Ⅲ	T2～T4	N0～N2	M0
Stage Ⅳ	T4	N2	M0～M1

b リスク管理

がん患者特有のリスクとして，特に注意すべき所見は，①骨髄抑制，②心毒性，③血栓塞栓症，④骨転移，⑤圧迫性病変の5つである．

1. 骨髄抑制　化学療法や放射線治療中・後には骨髄抑制が生じることがある．主に注意すべき点は感染と出血，疲労や息切れである．①感染：白血球数が低下し，好中球が500/μL以下になると感染リスクが上昇する．そのためクリーンルーム内の病室で対応が必要となる．200/μL以下となると炎症反応が消失し，免疫系が損なわれ，急速に死に至る可能性があり，注意が必要である．②出血：血小板が30,000/μL以上のときは有酸素運動ならびにレジスタンストレーニングが実施可能とされているが，10,000～20,000/μLのときには有酸素運動を主体とし，自動運動などを行うよう指導する．10,000/μL以下の場合には出血リスクが高いため，積極的な運動介入は行わない．③疲労・息切れ：ヘモグロビンが7～10 g/dLのときは，運動前後の脈拍や動悸，息切れに注意が必要である．

2. 心毒性　アントラサイクリン系やプラチナ系アルキル化剤，タキサン系ビンカアルカロイドなどの使用や蓄積により不可逆的な心機能障害が発生することがある．前述の薬物療法を実施している場合は，累積投与量の把握と，動悸，息切れなどの身体所見に加え，心電図モニターでの観察や，心エコーでの駆出率を適宜確認することが重要である．

3. 血栓塞栓症　進行したがん患者では凝固・線溶系の異常がある場合が多く，血栓塞栓症のリスクが高くなる．特に下肢深部静脈血栓症は発症しやすく，Wellsスコアなどの評価とともに下肢の疼痛や腫れなどの所見を確認することが重要である．循環器内科医により下肢エコー評価もなされ，適切なワルファリン導入や下大静脈フィルターが挿入されることもある．

4. 骨転移　乳がん，前立腺がん，肺がん，腎臓がんは転移を生じやすい．骨転移に関しても，特に脊椎や大腿骨近位，長管骨で発生することが多く，動作時の疼痛が主訴となるため，理学療法中に見つかることも多い．その場合はただの痛みと解釈せず，適宜医師に上申する必要がある．また，脊椎転移で，後方支持組織周辺にできる腫瘍の場合には脊髄圧迫を併発することもあり，帯状のしびれが骨転移と同髄節レベルに出現していないかなどの確認も必要である．しびれが出現している場合には麻痺を生じる可能性もあり，慎重に対応する．理学療法介入前に，X線やCT，MRIなど画像での評価に加え，可能なかぎり医師とコミュニケーションをとることが重要である．

5. 圧迫性病変　進行したがん患者では胸水や腹水が貯留し，運動時に低酸素血症をきたすことがある．また，低栄養やリンパ節の問題により四肢に浮腫がある場合は，弾性ストッキングなどでの圧迫療法を行うことが多い．その際，胸水や腹水が増悪することもあり，呼吸困難感や腹部膨満，尿量の変化の有無を適宜評価する必要がある．

2 身体機能・ADLに関する評価

がん治療の実施には身体機能の維持が重要であり，適宜定期的な評価を実施する．身体的フレイルは治療効果とも関連があり，Friedらによる身体的なフレイル評価や，short physical performance battery（SPPB）にて定期的に評価することで身体機能を確認できる．また，椅子から5回立ち座りを繰り返すSit-to-Stand（STS）も身体機能を測定するうえで重要である．加えて，化学療法によるがん治療中には，末梢神経障害を引き起こすこともあり，表在感覚や深部感覚の検査も重要である．

ADLについては，米国eastern cooperative oncology group（ECOG）が開発した，performance status（PS）が広く利用されている．これは0（まったく問題なく活動できる）～4（まったく動けない）[2]の5段階と簡便で，治療適応とも密接に関連しており，PS0～2の範囲で治療が行われることが多い．

3 倦怠感に関する評価

がん患者は倦怠感を訴えることが多く，生活や理学療法の阻害因子となる場合もある．がん患者の倦怠感は健常者の倦怠感とは異なり，重度で持続性があり，休養しても改善しない．要因はがん治療や症状に伴うもの，栄養不良や不安，不眠，機能低下，低活動などさまざまであるが，適切に評価することにより対応可能なこともある．評価尺度として，numerical rating scale（NRS）や visual analogue scale（VAS），日本語版brief fatigue inventory（簡易倦怠感尺度）[3]などが有用である．

4 QOLに関する評価

がん患者の評価は生存率のみではなく，QOL評価も重要であり，EORTC QLQ-C30（日本語版）などの尺度で定量化される．活動性尺度と総括的な尺度が高得点ほどQOLはよい状態であり，身体症状尺度と経済状態は高得点ほど悪い状態を示す．

がん治療と並行して理学療法を実施していくことが多く，医学的な評価は欠かせない．一方，患者は不安を抱き，抑うつ状態になっていることも多い．患者の気持ちに寄り添い，傾聴しながら評価を進めることが重要である．

●参考文献

1）日本臨床腫瘍学会（編）：新臨床腫瘍学　改訂第6版．pp168-175，南江堂，2021．
2）国立がんセンターがん情報サービス：https://ganjoho.jp/public/qa_links/dictionary/dic01/modal/Performance_Status.html．2021年9月10日閲覧
3）Okuyama T., et al.: Validation study of the Japanese version of the brief fatigue inventory. J Pain Symptom Manage 25: 106-17, 2003.

索引

＊用語は，片仮名，平仮名，漢字（第1文字目の読み）の順の電話帳方式で配列した．
＊数字で始まる用語は「数字・欧文索引」に掲載した．

和文

あ

い

う

え

お

か

き

く

け

こ

す

せ

つ

て

と

な

に

ね・の

は

み

む

め

も

ゆ

よ

ら

り

る・れ

ろ

わ

数字・欧文

ギリシャ文字

A

B

C

D

T

U

V

W